Corrections d'auteur probables d'Henri de Gand dans son *Quodlibet X*
(ms. Paris, Bibliothèque Nationale, lat. 15350, f. 181v).
Phot. Bibl. Nat., Paris.

LA PRODUCTION
DU LIVRE UNIVERSITAIRE
AU MOYEN ÂGE

EXEMPLAR ET PECIA

CENTRE RÉGIONAL DE PUBLICATION DE PARIS

LA PRODUCTION DU LIVRE UNIVERSITAIRE AU MOYEN AGE

EXEMPLAR ET PECIA

Actes du symposium tenu au
Collegio San Bonaventura de Grottaferrata
en mai 1983

Textes réunis par
Louis J. BATAILLON, Bertrand G. GUYOT,
Richard H. ROUSE

ÉDITIONS DU CENTRE NATIONAL DE LA RECHERCHE SCIENTIFIQUE
15, quai Anatole-France, 75700 Paris
1991

Réimpression intégrale
de l'édition parue en 1988

Institut de Recherche
et
d'Histoire des Textes

Ouvrage réalisé par le Centre Régional
de Publication de Paris

Maquette de couverture réalisée par
Maxime Ruiz et Anne Carlier

© Centre National de la Recherche Scientifique, Paris, 1988
ISBN 2-222-04099-X

SOMMAIRE

Louis Jacques BATAILLON, Richard H. ROUSE,
Introduction... 9

Louis Jacques BATAILLON,
Le fonds Jean Destrez - Guy Fink-Errera à la
bibliothèque du Saulchoir...................................... 13

Hugues V. SHOONER,
La production du livre par la pecia..................... 17

Leonard E. BOYLE,
Peciae, Apopeciae, Epipeciae.............................. 39

Richard H. ROUSE, Mary A. ROUSE,
The Book Trade at the University of Paris,
ca. 1250-ca. 1350... 41

Giulio BATTELLI,
Osservazioni sull'Exemplar.................................. 115

Stefano ZAMPONI,
Exemplaria, manoscritti con indicazioni di pecia
e liste di tassazione di opere giuridiche............. 125

Jean-François GENEST,
Le fonds juridique d'un stationnaire italien à la
fin du XIIIe siècle : matériaux nouveaux pour
servir à l'histoire de la pecia............................ 133

Louis Jacques BATAILLON,
Les textes théologiques et philosophiques diffusés
à Paris par exemplar et pecia............................ 155

Christine PANNIER,
La traduction latine médiévale des Magna
Moralia. Une étude critique de la tradition
manuscrite.. 165

Jacques-Guy BOUGEROL,
Pecia et critique d'authenticité. Le problème du
Super Sapientiam attribué à Bonaventure........... 205

James P. REILLY,
The Numbering Systems of the Pecia Manuscripts
of Aquinas's Commentary on Metaphysics.......... 209

8

Edward BOOTH O.P.,
    The three Pecia Systems of St. Thomas Aquinas's
    Commentary in I Sententiarum............................ 225

Concetta LUNA,
    Il Codice Vat. Lat. 836..................................... 253

Louis Jacques BATAILLON,
    Comptes de Pierre de Limoges pour la copie
    de livres... 265

Jos DECORTE,
    Les indications explicites et implicites de pièces
    dans les manuscrits médiévaux........................... 275

Raymond MACKEN,
    L'édition critique des ouvrages divulgués au
    moyen-âge au moyen d'un exemplar
    universitaire.. 285

Index
    I. Noms de personnes et d'ouvrages anonymes.... 309
    II. Noms de lieux... 321
    III. Manuscrits... 323

Planches photographiques (hors-texte)

INTRODUCTION

Louis Jacques Bataillon et Richard H. Rouse

A half-century has passed since the publication of Jean Destrez's La pecia dans les manuscrits universitaires du XIIIe et du XIVe siècle in 1935. At that time so few textual scholars or theologians knew what a pecia was that Destrez had to publish his volume privately in only 650 copies. Even so, stocks of the original run in their wax-paper dust jackets remained available at Vautrain in Paris until recent times. Its revolutionary implications only dimly perceived, La pecia was a study far ahead of its day.

Modern research on the university authors of the thirteenth and fourteenth centuries, particularly that of the Leonine Commission, has vindicated the importance of Destrez's work. Such research has repeatedly demonstrated that an understanding of the university stationers and their dissemination of texts via rented peciae is basic to the editing of medieval texts, to the history of the diffusion of ideas, and to a knowledge of medieval book production. The most important landmarks were the appearance in 1954 of Saffrey's edition of St. Thomas Aquinas' commentary on the De causis, where the main questions were posed and in part began to be answered, and the publication, in 1965, of the first in the series of editions of the works of St. Thomas to be edited from the reconstruction of exemplar-peciae. In recent years research on the pecia-publication and transmission of the texts of medieval schoolmen has, itself, produced new information about the pecia system. It has also raised new questions.

For Destrez, a knowledge of how books were produced at the university was the means to another end, the editing of St. Thomas, rather than a study in itself. Even though Destrez achieved his aim of laying the foundation for a new edition of St. Thomas, the process of editing St. Thomas in accord with Destrez's methodology has in itself revealed how much more complex is the history of the stationers than it had appeared in Destrez's time. Destrez's view of a simple and controlled textual transmission had to be altered, to accommodate the evidence that multiple exemplars of a given text might be put into circulation at the same time. In addition, Destrez's reliance on the accuracy of the exemplar had to be substantially redressed : frequent university legislation setting up safeguards against inaccuracies were merely indications that exemplar-peciae were prone to corruption. Research in related disciplines has afforded substantial new information that enhances our understanding of the book trade. Art historians have made signal contributions to the history of book production in Oxford, Paris, and Bologna, in the realm of illuminated books. Other scholars have investigated the prosopography of the book trade in these cities, examining the inhabitants of Cat Street in Oxford, the illuminators in the Paris taille books, and the booksellers involved in contracts for the provision of books at Bologna.

It is time, fifty years after the publication fo Destrez's book, to stand back and ask, what do we now know about how a medieval university stationer's office functioned ? What are the questions that we ought to be asking, to enlarge our understanding ? The editors of this volume thought it promising to stage a small colloquium limited to those who had worked directly with texts disseminated via exemplar-peciae, whether in the process of producing a modern edition or in a codicological study. A meeting of some twenty participants was held on 18-21 May 1983 at the Collegio San Bonaventura, Grottaferrata, in the Tusculan hills near Rome, which today houses the Franciscan editors of Quaracchi and the Dominicans of the Leonine Commission.

It was Destrez's gift that he could work with minute precision and yet see, at the same time, the process as a whole. The colloquium, in emulation, sought to focus on questions concerning the broader issue of how a stationer's office functioned, rather than on the narrow results of work on a particular edition. The participants tried to extrapolate and to generalize from what had been learned in detailed and specific studies, to shed further light on the way that manuscripts were reproduced at medieval universities.

The questions posed group themselves under five headings. First, the peciae themselves. What the normal length of a pecia ? Why does the number of peciae, in the same text, change from one edition to another ? Why do some manuscripts contain two unrelated sequences of pecia numbers ? How many duplicate sets of peciae of a given work might be in circulation at a given time ? From what were remade peciae copied ? Did copyists alter exemplar peciae ? From what were exemplar peciae corrected ? Did pirated exemplars exist, and if so, how were they made and who profited from them ?

Second, the stationers and the operation of their shops. How many stationers were there at any given time, and what was the technical difference between a stationer and a librarius ? How were the stationers regulated and their prices controlled by the university ? Did the university try to control the accuracy of the text, or the amount of text per page ? Who selected the texts a stationer would rent in peciae, and on what criteria was selection made ? How did a stationer acquire the texts that he rented out ? Did stationers work for specific institutions or religious houses, in any formal or informal association ? Did certain scribes, correctors, and decorators work with specific stationers ? Did stationers specialize in the texts of a specific subject -law, theology, medicine ? Is there evidence for the existence of Destrez's hypothetical exemplaire-souche that is, a copy of the text made and retained by the stationer, from which to recopy peciae that were lost or damaged ? Was this ever the author's copy ?

Thirdly, the process of renting the peciae. What were the conditions of rental ? What sort of payment was made, and when ? Was the renter required to leave a deposit or pledge ? What proportion of peciae were normally lost through the rental process ? How many peciae did one or could one rent at a given time, and for how long ? Might one rent just a section of a work, rather than the complete text ? What happened to wornout, superseded, or discarded "sets" of exemplar-peciae ? Were they bound up and sold as used books ?

Fourth, the ramifications of publication and transmission via exemplar-peciae. How many copies might normally be made from a given set of exemplar peciae ? What was the effect of the system on the descendants of texts originally published by peciae ? What are the antecedents to and the origins of the university system of book production via exemplar-peciae ? How long did publication by exemplar-peciae continue ? Why did it stop ? What influence did this procedure have on later medieval commercial book production, outside the university ? What specific problems confront the editor of texts that were disseminated via exemplar-peciae ?

Fifth, in what ways do the answers to each of the questions posed above vary from one medieval university to another ?

The colloquium did not answer all these questions, nor did it produce a single clear picture of how a medieval stationer's shop functioned. If anything, the colloquium made its participants more conscious than ever of the complexities of publication via peciae, and of the very large portion of the problem that, like the iceberg, remains hidden from view. It is evident that one cannot generalize from Paris to Bologna and Oxford. The procedures of book production in these cities and the degree of control exercised by the university varied greatly. Perhaps there is also a wide variation from the books of one faculty to those of another. At present we have detailed information that results from manuscript surveys and scholarly editions of only one university author, St. Thomas Aquinas. A study of the stationer production of the books of Roman and canon law in Bologna would no doubt reveal quite a different book trade. A study of book provision at the medieval English universities might show that the practice of renting out peciae never functioned in Oxford at all, in the continental sense.

Destrez laid the foundation, fifty years ago, for the study of book production at the medieval university -Paris, Bologna, Montpellier, Naples and Oxford. What he published, in La pecia, was a preliminary overview of the subject. It was meant as merely a first step toward a much larger study which he had in preparation and for which he left a detailed and carefully-organized archive- the subject of one of the contributions to this colloquium. Destrez left for future generations the descriptions of nearly 15.000 manuscripts of university authors, arranged by modern library. Along with these is a series of dossiers, arranged according to author and work, for each text that circulated in peciae. These record both the number of pecia traditions and the beginning and end of the pecia, for each tradition. Here is a rich archive on which to draw, and the documentary basis for the full-length study that Destrez intended to write. Curiously, however, only the Leonine Commission, the compilers of Aristoteles Latinus and the editors of the medieval Belgian philosophers have made serious use of this treasurehouse ; and no one has taken up the study of the medieval university booktrade, either as a whole or for one specific university. While good progress has been made since the publication of La pecia in 1935, the main task of synthesis remains to be done. The task needs doing, it is feasible, and it would fill a major gap in our knowledge of medieval look production.

It remains for us to express our thanks to Father Ivo Tonna, President of the Collegio San Bonaventura, Grottaferrata, who received and welcomed the symposium ; Father Bertrand-Georges Guyot who was responsible for local arrangements and saw that the symposium had everything necessary for its work ; and to Monsieur Jean Glénisson, Director of the Institut de Recherche et d'Histoire des Textes, Paris, who undertook to include the proceedings of the symposium among the publications of the Institut.

LE FONDS JEAN DESTREZ - GUY FINK ERRERA
A LA BIBLIOTHEQUE DU SAULCHOIR

Louis Jacques Bataillon

Jean Destrez est mort en décembre 1950, peu de temps après un dernier voyage en Italie, laissant sa documentation sur la pecia à la bibliothèque du Saulchoir, alors sise à Etiolles près de Corbeil.

Dans l'idée de publier ce qui paraissait possible, le fond a été confié peu de temps après à Guy Fink Errera. A la mort de celui-ci, le 31 mars 1971, la documentation de Destrez, enrichie par Fink Errera, a été déposée à l'Institut de Recherche et d'Histoire des Textes à Paris ; de là elle a été transférée au Centre Augustin Thierry d'Orléans pour revenir à la bibliothèque du Saulchoir, désormais installée à Paris, 43 bis rue de la Glacière, où elle est accessible aux chercheurs sur demande au bibliothécaire.

En quoi consiste cette documentation ?

Durant ses recherches dans les bibliothèques, Destrez notait ses descriptions sur des cahiers ; ceux-ci se divisent en deux séries, d'une part de grands registres noirs utilisés au début de l'enquête, de l'autre des cahiers plus petits, du type des cahiers d'écolier, de taille et de couleurs diverses. Les registres ont été foliotés par Destrez ; les cahiers, sauf les tout premiers, sont paginés. La numérotation tant des cahiers que des registres est continue et dépasse 10.000 pour les cahiers. Il y a quelques lacunes : des fins de cahiers, parfois assez considérables, n'ont pas été utilisées : les pages 3000-3199 sont vides ; d'autre part il y a quelques doublets : ainsi à côté de la série 400-599 il y a une série 400 bis-596 bis.

Les notices sont placées dans l'ordre dans lequel Destrez a examiné les manuscrits. Aussi peut-il arriver qu'un manuscrit de province consulté à Paris soit décrit entre deux autres de la Bibliothèque Nationale. Par ailleurs Destrez a visité à plusieurs reprises nombre de bibliothèques et il a revu parfois deux ou trois fois le même manuscrit pour compléter ou vérifier ses descriptions ; en ce cas il faut consulter différents cahiers pour savoir tout ce que Destrez a remarqué dans un manuscrit. Les cahiers les plus anciens ont été munis d'une table à la fin, mais il n'y a plus d'index dans les cahiers les plus récents et il serait difficile de trouver la notice d'un manuscrit, surtout de Paris, sans l'aide d'un fichier.

Les notices elles-mêmes sont très différentes en longueur et en importance. Dans ses premières descriptions, surtout dans celles des grands registres, Destrez s'intéressait avant tout aux oeuvres de saint Thomas et semble ne s'être occupé que secondairement des indications de pecia. Celles-ci sont devenues vite l'objet principal de ses recherches ; cependant il a conservé longtemps beaucoup d'intérêt pour certains ouvrages qui ne comportent pas d'indications de pecia, comme les opuscules de saint Thomas et les recueils de sermons attribués à des maîtres parisiens. Vers la fin de sa vie, il paraît s'être intéressé à des indications de quaterni, quinterni ou sexterni dans des manuscrits, surtout italiens, un peu plus tardifs que le grand développement de la pecia. Pour les manuscrits qui ne comportent pas d'indications, Destrez se contentait souvent d'une ligne avec la cote, une brève indication du contenu (souvent copiée d'un catalogue), d'une date et de la mention : "sans indication de pièces" ; on trouve même parfois un simple : "Papier XVs. pas d'indication de pièces". En revanche la description d'un manuscrit comportant une série importante d'indications peut prendre une dizaine ou une vingtaine de pages, plus encore s'il s'agit d'un exemplar. Quelques notices renvoient à des "fiches" ou "feuilles". Il s'agit alors de grandes feuilles doubles classées par bibliothèque dans des dossiers. Quelques unes de ces "fiches" semblent ne pas avoir de renvois correspondants dans les cahiers.

Dans son ouvrage de 1935, Destrez disait avoir vu environ sept mille manuscrits ; il estimait, peu avant sa mort, en avoir examiné plus de quinze mille.

Mais le travail de Destrez ne s'est pas borné aux descriptions de ses cahiers. Il avait commencé à regrouper les renseignements ainsi obtenus dans des dossiers classés par auteurs et par ouvrages. Chacun de ces dossiers était en principe ainsi constitué : après quelques renseignements d'ordre général (éléments de bibliographie, incipits et explicits normaux), Destrez notait les cotes de tous les manuscrits qu'il avait pu consulter, ceux qui portaient des indications de date, enfin et surtout ceux qui portaient des indications de pièces. Ces derniers étaient, si cela était nécessaire, regroupés d'après le nombre et la disposition des indications de pièces de façon à pouvoir discerner les différents exemplaria. Enfin de grandes feuilles servaient à noter, pour chaque type de division en pièces, les endroits précis du texte où se rencontraient les changements de pièces et les folios des manuscrits portant les mentions. En fait ce travail est loin d'être toujours terminé ; très souvent un dossier ne comprend que les premiers renseignements, mais ceux-ci sont déjà très précieux, car Destrez notait pour chacun des manuscrits mentionnés l'endroit de ses cahiers où l'on peut trouver sa documentation.

Enfin, un cahier spécial était destiné à la liste de tous les manuscrits contenant des mentions de pecia par auteur et par oeuvre.

A côté de ces travaux, Destrez avait commencé la constitution d'un "cartulaire" sur la pecia, notant et recopiant quantité de documents et d'articles concernant la fabrication et le commerce du livre médiéval.

Tel était l'état des "papiers Destrez" quand ils ont été confiés à Guy Fink Errera. Celui-ci a fait à son tour un travail considérable. D'une part il a fait dactylographier bon nombre des éléments des dossiers de Destrez en vue d'une publication ; ceci concerne surtout les manuscrits juridiques par lesquels Fink Errera pensait commencer l'édition de la documentation. D'autre part il a fait procéder à un nouveau dépouillement des cahiers pour aboutir à un fichier d'utilisation. Celui-ci comporte avant tout un index par bibliothèques (en ordre alphabétique) et par cotes de tous les manuscrits décrits par Destrez. Cette table semble complète d'après plusieurs sondages. De plus Fink Errera a fiché tout ce qui pouvait servir dans ces notes à la codicologie : mentions de dates, de prix, de copistes, de possesseurs ; malheureusement, il semble que le travail n'a pas été entièrement terminé. Il a aussi cherché à enrichir la documentation de Destrez par le dépouillement d'ouvrages postérieurs tels que le Catalogue des manuscrits juridiques des bibliothèques de Suisse de Stelling Michaux ou celui de l'Aristoteles Latinus. Enfin il a ajouté des indications tirées de ses travaux personnels, notamment sur des manuscrits des bibliothèques d'Espagne. Fink Errera s'est aussi intéressé au "cartulaire" et a, à son tour, fait copier bon nombre de documents et d'articles. Il a donc rendu la masse un peu effrayante des "papiers Destrez" beaucoup plus maniable et facile à consulter.

Il y a donc dans ce fonds des éléments extrêmement utiles pour l'étude des manuscrits des XIIIe et XIVe siècles qui intéresse paléographes, codicologues et éditeurs de textes. Il ne faut cependant pas oublier que ni Destrez ni Fink Errera n'ont pu achever leurs travaux. Destrez n'a pas vu les bibliothèques de l'Allemange, de l'Autriche, ni des pays slaves, non plus que celles de la péninsule ibérique. Par ailleurs, il n'a pu rester que trop peu de temps dans certains endroits, notamment à Naples, Venise et Vicence ; il n'a sûrement pas pu examiner tout ce qu'il aurait désiré dans certaines bibliothèques trop riches telles que la Vaticane. D'autre part, et cela n'étonnera que ceux qui n'ont pas une expérience suffisante des manuscrits copiés par pecia, il lui est arrivé de ne pas voir des indications dans des manuscrits qui en comportaient. Enfin certains des dossiers laissés par Destrez sont restés assez embryonnaires et il semble qu'il n'ait pas eu le temps d'ouvrir les dossiers de certains ouvrages diffusés par exemplar.

Il ne s'agit pas évidemment de critiquer l'admirable travail de Destrez mais de mettre en garde contre une utilisation trop naïve de sa documentation. Les renseignements positifs (présence d'indications) sont pratiquement toujours exacts, mais il faudrait se garder de conclure : Destrez n'a pas vu d'indications de pecia dans les manuscrits de tel ouvrage ; il n'a donc pas été transmis par exemplar.

L'important est que cette documentation très riche, fruit du travail de deux grands travailleurs, ne reste pas inemployée. Tous ceux qui désirent la consulter à la bibliothèque du Saulchoir peuvent être certains de ne pas perdre leur temps.

LA PRODUCTION DU LIVRE PAR LA PECIA*

Hugues V. Shooner

"Maudit soit le stationnaire qui m'a fait abîmer le livre d'un honnête homme !" Cette invective se lit dans le bas d'une page d'un manuscrit du XIIIe siècle, maintenant conservé à l'Université de Yale et contenant une oeuvre de Thomas d'Aquin (In tertium Sententiarum).

Nota. confundatur stacionarius qui me
fecit deturpari librum alicuius probi viri
(Ms. 207, Beinecke Rare Book and Manuscript Library,
Yale University, f. 46r).

La note a été ajoutée sur le bord de la marge par le copiste, un anglais probablement, si l'on en juge par certains traits de l'écriture et par la truculence de l'exclamation. Un accident de copie s'est produit à cet endroit, au point où l'on tourne la page. Après avoir soigneusement gratté plusieurs des lignes qu'il avait déjà écrites, le scribe s'est appliqué à recopier le passage, sans réussir toutefois à camoufler son opération et à préserver la beauté du coup d'oeil. Dépité et comme pour s'excuser auprès du client qui avait commandé le volume, il s'en prend au stationnaire.

Si l'irascible copiste ne nous a pas laissé son nom, nous avons plus de chance avec le stationnaire. Nous savons qu'il s'appelait Guillaume de Sens et qu'il exerçait sa profession à Paris au cours de la seconde moitié du XIIIe siècle. En 1270, il cédait à l'évêque de Paris, Etienne Tempier, une grange qu'il avait acquise onze ans plus tôt. Le contrat de vente le qualifie expressément de clericus, stationarius librorum (1). Stationnaire, qu'est-ce à dire ? Au XIIIe siècle, le mot désignait assez communément un libraire, sens qu'il a conservé en anglais. A Paris, cependant, on en vint à distinguer les

------
Cf. Planches I-V.

librarii des stationarii, les uns comme les autres au service de l'université et contrôlés par elle. Le libraire s'occupait du commerce des livres de seconde main, notamment comme intermédiaire entre le vendeur et l'acheteur. De son côté, le stationnaire était ce que nous appellerions aujourd'hui un libraire-éditeur. En plus de partager les activités des simples libraires, il avait pour tâche de faire établir et de mettre à la disposition des maîtres et des étudiants les modèles, les exemplaires-types des ouvrages scolaires que chacun pouvait copier ou faire copier moyennant un prix de location. Les spécialistes, retenant le mot latin exemplar, qualifient d'exemplars universitaires ces modèles officiels mis en circulation par un stationnaire (2).

On a retrouvé quelques-uns de ces exemplars. Celui justement que le copiste du manuscrit de Yale a manipulé existe toujours. Par une voie que nous ignorons, il a quitté Paris pour l'Espagne et appartient maintenant à la Bibliothèque capitulaire de Pampelune, où il porte le numéro 51. C'est un fort volume, comptant près de 200 folios de parchemin, à deux colonnes de 52 lignes la page, et mesurant 30 sur 20 centimètres, format habituel pour les manuscrits universitaires parisiens de l'époque. A première vue, rien ne le distingue des autres manuscrits, sauf peut-être l'absence de toute décoration -ce qui n'est pas vraiment exceptionnel- et l'usure prononcée des feuillets. En y regardant de près, toutefois, une particularité plus importante saute aux yeux. Les cahiers, au lieu d'être composés de douze folios comme c'était l'usage à Paris, sont tous des binions, c'est-à-dire qu'ils ne comptent que quatre folios, à part le dernier qui est un simple bifeuillet. Ces cahiers sont numérotés en chiffres romains de I à L. Les chiffres, inscrits dans l'angle gauche en tête de la première page de chaque cahier, sont parfois suivis du titre de l'ouvrage et du nom du stationnaire, Guillaume de Sens. Ces cahiers sont maintenant reliés, mais ils n'étaient pas destinés à l'être : limités à deux membranes, ils n'offraient pas assez de résistance à la corde de la reliure qui risquait de les couper. Lorsqu'ils étaient à Paris, chez Guillaume de Sens, ils étaient détachés et constituaient les pecie de l'exemplar.

On chercherait en vain le mot pecia (ou petia) dans nos dictionnaires de latin classique. C'est un terme médiéval signifiant morceau. On le trouve utilisé dans divers contextes, pour désigner, par exemple, un lopin de terre (pecia terre), une portion d'étoffe (pecia panni). Les morceaux d'un livre étant ses cahiers, ceux-ci furent aussi appelés pecie quand ils étaient détachés, quand ils n'étaient pas joints entre eux par une reliure.

Pourquoi a-t-on eu l'idée de fabriquer des volumes formés de minces cahiers séparés ? Nous savons comme il est malcommode de lire ou de consulter un livre qui a perdu sa reliure et qui est, dirions-nous encore, réduit en pièces. C'est que, justement, l'exemplar de Guillaume de Sens n'était pas destiné à la lecture ; il devait servir de modèle pour la copie d'un ouvrage très demandé.

Imagine-t-on le temps requis pour produire un livre semblable à ceux de Yale et de Pampelune ? Il ne s'agit pas d'une copie en écriture cursive et rapide, pour usage privé ; nous parlons d'une transcription à main posée, en caractères calligraphiés, tels que pouvait les tracer un scribe professionnel des XIIIe et XIVe siècles. Combien de temps fallait-il ? Les documents à ce sujet sont rares, mais nous pouvons citer ici deux manuscrits universitaires parisiens, appartenant à une époque voisine de celle qui nous concerne et ayant le format usuel. La réponse qu'ils nous livrent est étonnamment précise (3).

Dans l'un de ces manuscrits (Paris, Mazarine 848 : Thomas d'Aquin, In quartum Sententiarum), on aperçoit, au début des cahiers, des annotations inscrites légèrement à la mine de plomb dans la marge inférieure. Elles concernent le salaire perçu par le copiste (quatre sous par sénion ou cahier de douze folios) et, parfois, le prix payé pour le parchemin (dix-huit deniers par sénion). En trois endroits, la fête du jour est mentionnée : au f. 25r S. Dominique (4 août), au f. 109r "in crastino apostolorum Symonis et Iude" (29 octobre), au f. 145r S. André (30 novembre). Il ressort de ces indications que 120 folios ont été écrits en 118 jours, soit une moyenne d'un folio (deux pages ou quatre colonnes) plus quelques lignes par jour. Comme celui de Yale, ce manuscrit a été fabriqué directement à partir des pièces d'un exemplar.

Le cas du second manuscrit est différent (Paris, B.N., lat. 15344 : Thomas d'Aquin, I^a-II^{ae} partis Summae). Pouvant dater de la fin du XIIIe siècle, il dépend sans doute aussi d'un exemplar, mais les notes qu'on y découvre se rapportent à une copie pour laquelle il a, lui-même, servi de modèle, alors qu'il était à l'usage des pauperes magistri du collège de la Sorbonne. Ces notes, souvent à peine lisibles, apparaissent çà et là au bas des pages. Elles ne consistent généralement qu'en la simple mention d'un jour de la semaine, auquel s'ajoute parfois une précision, comme le nom d'un saint ou d'une fête liturgique. On a vite fait de constater qu'elles indiquent le rythme de la copie, dont on peut suivre le progrès pendant 296 pages, du folio 15 au folio 162. Le travail a duré du 29 mars au 19 août, dimanches compris, car la copie n'était pas considérée comme une oeuvre servile. Pendant tout ce temps, le scribe ne s'est accordé que cinq jours de répit. Les jours de l'Ascension (6 mai), de la Fête-Dieu (27 mai) et de l'Assomption (15 août), il note qu'il a chômé. Le 29 mai, profitant d'une aubaine de paille fraîche, il a refait sa paillasse à neuf et cette besogne l'a retenu jusqu'au soir. Enfin, le 19 juin, à l'occasion de la foire du Lendit, il a participé à la procession de l'université hors de Paris, vers l'abbaye de Saint-Denis, où avait lieu la grande vente annuelle du parchemin pour les livres. Bref, si l'on soustrait les cinq jours de congé, il apparaît que 148 folios ont été reproduits en 139 jours, soit le même rythme de travail que chez le copiste précédent, à quelques lignes près.

Revenons à l'exemplar de Guillaume de Sens. Si les cahiers constituant le volume avaient été reliés, un copiste aurait dû l'accaparer pendant près de 200 jours pour en transcrire les quelque

400 pages. Pendant tout ce temps, l'exemplar aurait été immobilisé et ceux qui en désiraient une copie auraient dû s'inscrire sur une liste d'attente. Souvenons-nous que l'exemplar était le modèle approuvé d'un ouvrage usuel, d'un best-seller dans le milieu universitaire.

Pour résoudre ce problème posé par la lenteur de la copie, on eut recours à une méthode qui avait parfois été utilisée dans les scriptoria monastiques. Avant qu'un livre ne soit relié, on en distribuait les cahiers entre plusieurs moines pour que chacun transcrive sa part. On obtenait ainsi une copie en peu de temps, mais le résultat pouvait manquer d'élégance : l'écriture variait avec les cahiers et, comme il était difficile de reproduire exactement la mise en page du modèle, ces cahiers se terminaient souvent par un espace blanc et inutile, ou bien les dernières lignes débordaient dans la marge et il fallait quelquefois ajouter un disgracieux bout de parchemin.

Les stationnaires des universités perfectionnèrent la méthode. Les exemplars déposés dans leur boutique n'étaient pas des modèles occasionnels, mais bien des modèles par vocation, non destinés à la reliure. Les cahiers détachés, les pièces, étaient généralement limités à quatre folios (je dis généralement, car il y eut des exceptions). En outre, la reproduction d'un ouvrage était le plus souvent confiée à un seul copiste, ce qui permettait une présentation régulière et homogène. Quand le copiste recevait une commande -d'un maître ou d'un étudiant-, il allait chez le stationnaire, louait la première pecia de l'ouvrage désiré et l'apportait chez lui. Normalement la transcription demandait quatre jours, et le scribe avait avantage à ne pas perdre de temps, car son salaire était plutôt modeste. Certains statuts universitaires prévoyaient, du reste, une amende pour ceux qui gardaient la pecia plus d'une semaine (4). Une fois sa copie terminée, le scribe retournait chez le stationnaire, rendait la pecia et louait la deuxième, et ainsi de suite. Dans le cas d'un exemplar comme celui de Pampelune, une vingtaine de copistes pouvaient à tour de rôle emprunter chacune des 50 pièces et transcrire simultanément l'ouvrage entier sans trop se nuire. Pour chacun d'entre eux, bien sûr, la tâche n'était pas abrégée, elle durait encore près de 200 jours, mais au bout de ce temps on avait plusieurs copies achevées ou en voie d'achèvement, au lieu d'une seule. Afin de permettre une production encore plus abondante, et donc plus rentable, lorsqu'il s'agissait d'une oeuvre particulièrement en vogue, le stationnaire pouvait faire établir un double jeu de pièces interchangeables -et parfois davantage- pour un même exemplar. Grâce à cet artifice, un plus grand nombre de copistes avaient la possibilité de travailler en même temps à la multiplication de l'ouvrage (5).

Au cours de la transcription, les scribes notaient souvent dans la marge de leur copie le numéro de la pecia qu'ils venaient de terminer ou le numéro de celle qui devait suivre. Ces indications servaient de repères et permettaient, entre autres, de s'assurer que l'exemplar était reproduit en entier (6). C'est grâce surtout à ces numéros, accompagnés le plus souvent du mot pecia plus ou moins abrégé (p., pᵃ, pe., pec.), qu'on peut aujourd'hui reconnaître au premier regard un manuscrit issu d'un exemplar universitaire. Dans le manuscrit de Yale, la plupart des numéros ont été grattés par le copiste, soucieux d'offrir de belles marges blanches, mais il en reste quelques-uns qui nous permettent de constater aisément sa dépendance à l'égard de l'exemplar de Pampelune.

Voilà, rapidement esquissé, ce qu'était la méthode de multiplication des livres par la pecia. Système d'édition qu'on peut qualifier de premier essai de production industrielle du livre avant l'invention de l'imprimerie. Méthode d'une grande simplicité, dont les avantages ont fait qu'elle fut adoptée dans les principaux centres universitaires et qu'elle s'est imposée pendant près d'un siècle.

Inconvénients de la pecia

Le fonctionnement du système n'allait cependant pas sans accrocs, attribuables à la négligence ou à la cupidité. On peut signaler des cas où les pièces n'ont pas été transcrites selon leur ordre de succession (7) ; des cas, même, où une pecia a été sautée : ainsi dans le manuscrit Paris, B.N., lat. 15762 (Thomas d'Aquin, In primum Sententiarum), au folio 63ra, une portion notable du texte fait défaut, correspondant au contenu de la pecia 23. Un accident plus curieux se rencontre dans un autre manuscrit du même ouvrage (Paris, B.N., lat. 15337) : le copiste, ayant achevé la pecia 29, alla chercher la suivante ; il obtint, en effet, une pecia portant le n° 30, mais il ne s'aperçut pas qu'elle appartenait à l'oeuvre d'un autre auteur, Pierre de Tarentaise ; il la copia sans sourciller ni s'inquiéter du fait qu'il passait du coq à l'âne au beau milieu d'une phrase (à la ligne 13 du f. 115ra).

L'accident le plus commun est celui qui se produisait quand le scribe allait prendre une nouvelle pecia et que celle-ci n'était pas disponible, parce que déjà empruntée par un collègue. Dans ce cas, il apportait la pecia suivante et laissait en blanc dans sa copie un espace correspondant à l'étendue de la pecia provisoirement absente. Le calcul n'était pas toujours exact. L'espace réservé pouvait être trop court ou trop long, et il n'est pas rare de trouver des notes explicatives ajoutées par les copistes à ce sujet. Tel précisera, par exemple, qu'il a dû modifier le calibre ou la densité de son écriture pour arriver à remplir exactement l'espace qu'il avait prévu : "hic fuit pecia transgressa, quare littera sparsa aliquantulum" (ms. Pisa, Seminario 17, f. 21rb). Tel autre avertira le lecteur que, s'il y a un blanc dans sa copie, il ne manque rien au texte : "hoc fuit pro defectu cuiusdam pecie" (ms. Berlin, Deutsche Staatsbibl., Magdeb. 112, f. 55vb). C'est à la suite d'un incident de ce genre que le copiste du manuscrit de Yale s'est mis en colère. Ayant tenté par deux fois, sans succès, de faire entrer dans l'espace réservé le texte d'une pecia obtenue après coup, il s'est impatienté et a jeté le blâme sur le stationnaire qui n'avait pas pu lui procurer la pecia en temps utile.

Poursuivons notre examen de l'exemplar de Pampelune. Le mauvais état des feuillets, les nombreuses tache et l'usure nous permettent de supposer qu'il fut longtemps en usage. Le parchemin a été si souvent manié, plié et replié qu'il s'est assoupli et a presque pris la consistance du chamois. On a pu identifier une trentaine de manuscrits copiés directement sur lui. Les scribes prenaient peu de soin des pièces. Ils n'hésitaient pas à utiliser les marges pour essuyer ou essayer leur plume : on trouve souvent des mots comme "amen dico", l'invocation "aue Maria", ou bien simplement "probacio penne" ; parfois la main a tracé une incongruité, tel ce "uoca hoc tprut tprut" qu'on relève dans un autre exemplar (Gent, Universiteitsbibl. 117, page 370). Lorsqu'ils s'interrompaient, les copistes laissaient une marque, en dessinant, par exemple, une main pointant l'index vers une ligne ; ou bien ils ajoutaient des notes comme "hic dimisi", "usque huc", "incipe hic". D'autres inscrivaient leur nom ; on lit une bonne douzaine de ces noms dans les marges du manuscrit de Pampelune : Robert, Abel, Adam, Baudet, Hervé, etc. Le nom de Robert, qui apparaît plusieurs fois, s'est vu par la suite octroyer l'honneur d'entrer dans le texte même de S. Thomas : interpolation saugrenue, due à un copiste qui interpréta peut-être ce nom comme celui d'une autorité citée par l'auteur, à l'instar d'Aristote ou de S. Augustin.

Pour remédier à l'incurie des copistes et à la dégradation des exemplars, un comité universitaire de surveillance -les peciarii, disait-on à Bologne- avait charge de contrôler périodiquement la correction des pièces. L'exemplar de Pampelune porte de nombreuses traces de ces révisions. A part les multiples corrections marginales, dix pièces ont été entièrement ou partiellement refaites. On reconnaît aisément ces nouvelles pièces, écrites par différentes mains, alors que les pièces originales sont toutes d'une seule et même main. En principe, le stationnaire devait retirer de la circulation les pièces condamnées, parce que corrompues ou trop usées ; mais nous avons la preuve que Guillaume de Sens s'est permis quelques libertés à cet égard. Les pièces 18 et 19 de son exemplar sont parmi celles qui furent refaites ; elles l'ont été conjointement par une main distincte de toutes celles qu'on décèle dans le manuscrit. Celui qui fut chargé de l'opération ne s'estima pas lié par la mise en pages des anciennes pièces, si bien que le point de transition d'une pecia à l'autre fut déplacé, la nouvelle pecia 18 contenant notablement plus de texte que l'ancienne (8). Or, c'est précisément cette pecia 18 que le copiste du manuscrit de Yale n'avait pu obtenir au moment opportun. Après avoir, comme il a été dit, réservé l'espace qu'il jugeait suffisant, il transcrivit la pecia 19 en commençant aux mots "secundum comparacionem", qui correspondent au début de la nouvelle pecia. Mais, quand plus tard il se présenta pour réclamer la pecia 18, le stationnaire, peut-être ennuyé par ce client peu commode, lui refila la pecia désuète, qui aurait dû être détruite. Notre copiste avait décidément mal calculé l'espace requis, car s'il avait obtenu la bonne pecia 18, plus longue, les marges de la page dont nous reproduisons la partie supérieure n'auraient pas suffi pour recueillir les quelque cent lignes qui manquent à sa copie (cf. Pl. I et II). S'est-il aperçu de ce grave défaut ? Si oui, il s'est bien gardé de le déclarer, mais on comprendrait encore mieux sa colère. La tactique de diversion qui consiste à s'en prendre à un autre, pour excuser ou dissimuler ses propres torts, n'est pas tellement exceptionnelle. Il reste que le stationnaire méritait bien une réprimande, lui qui avait fait si peu de cas des règles émises par le comité des peciarii.

Listes de taxation

A l'occasion des contrôles exercés par les peciarii, une liste des exemplars était dressée où, à la suite du titre de chaque ouvrage, on fixait le nombre de pièces et le prix de location. Cette liste, appelée taxatio, devait être affichée dans la boutique du stationnaire. On en a conservé quelques-unes. Les principales sont celles de Paris vers 1275 et en 1304 (cf. Pl. III) ; et celles de Bologne vers 1275 et en 1317. Elles nous donnent les titres d'environ 300 ouvrages, tous en latin. Ouvrages de droit à Bologne ; de philosophie, théologie et droit à Paris. L'auteur le mieux représenté à Paris est, de beaucoup, Thomas d'Aquin avec 33 titres. On ne s'étonnera donc pas que les exemples cités ici aient été empruntés à des manuscrits de ses oeuvres. C'est assurément l'auteur médiéval qui a le plus profité du système (9) et c'est à propos de ses écrits qu'on a le plus étudié le fonctionnementde la pecia.

La première liste parisienne de taxation ne porte pas de date et ne nomme pas le stationnaire. Les éditeurs du cartulaire de l'Université de Paris ont proposé une date entre 1275 et 1286, pour cette raison ambiguë qu'aucun des ouvrages mentionnés n'a été composé après ces années (10). En réalité, les motifs qui ont fait choisir la date limite 1286 sont étrangers au document lui-même ; celui-ci a été ajouté, comme un appendice, à la première partie du cartulaire, dont la fin avait été fixée à l'année 1286, début du règne de Philippe le Bel. Pour sa part, Destrez a retenu la date 1275 ou peu après. En effet, la première ordonnance de l'Université de Paris qui ait été conservée, touchant les stationnaires, date de cette année-là, et il y a lieu de penser que la taxatio a été établie à cette occasion. Le stationnaire dont les exemplars sont énumérés est presque sûrement notre Guillaume de Sens. L'exemplar maintenant conservé à Pampelune y figure et le prix assigné pour la location de ses 50 pièces est de deux sous (ou 24 deniers). Trente ans plus tard, lors de la taxatio de 1304, ce prix avait augmenté de 10 deniers ; le stationnaire dont on recensait les exemplars se nommait André de Sens, probablement le fils de Guillaume.

Un autre stationnaire de la même famille, Thomas de Sens, nous est aussi connu. Sa carrière fut longue, car nous le trouvons mentionné dès 1314 et jusqu'en 1342, chaque fois à propos du serment que les libraires et les stationnaires devaient, bon gré mal gré, prêter à l'université (11). C'est ce troisième Senonensis et, à travers lui, le premier de la lignée, Guillaume, que semble viser une note de copiste de la première moitié du XIVe siècle, contenue dans un manuscrit de Vienne et concernant une autre oeuvre de Thomas d'Aquin, les questions disputées De potentia. S'étant aperçu qu'il manquait une portion de texte dans son modèle, le copiste a laissé en blanc plus de trois colonnes et pris soin d'ajouter une note à l'intention de son client, un certain Frère Antoine. Il raconte qu'après avoir remarqué le défaut des pièces qu'il utilisait, celles du stationnaire Robert, il est aussitôt parti à la recherche des anciennes pièces, les premières, celles du Senonensis. Lorsqu'il eut trouvé, non sans difficulté, la pecia qui aurait pu lui procurer le texte désiré, il constata qu'elle présentait à cet endroit un blanc de deux folios et ne contenait rien de plus que celle de Robert ; il s'agissait d'une pecia refaite. Le Senonensis lui dit que l'ancienne pecia était perdue et qu'il fallait chercher ailleurs (12).

Le stationnaire Robert dont il est question ici pourrait être Robertus de Migornia (sans doute pour Wigornia, Worcester) ou Robertus Scoti, désignés l'un et l'autre comme collègues de Thomas de Sens (13), le premier en 1316, le second en 1342. Mais nous ne possédons pas les listes d'exemplars de ces stationnaires, pas plus du reste que pour un autre de leur confrère, Henri l'Anglais, dont nous conservons pourtant un exemplar qui a fait couler beaucoup d'encre (14). Vers le milieu du XIVe siècle, le système de la pecia semble tomber peu à peu en désuétude. Du moins à Paris. Le succès même de cette technique d'édition a fini par saturer le marché du livre pour une clientèle que la peste et les guerres continuelles ont, d'autre part, réduite considérablement. Si, à Bologne, les statuts universitaires persisteront, jusque dans leur édition de 1561, à traîner la liste de taxation qui avait été établie en 1317, il est hors de doute que ce texte était lettre morte depuis longtemps (15).

Origines de la pecia

La pecia, avons-nous dit, s'est imposée pendant près d'un siècle. Au fait, où et quand a-t-elle pris naissance ? Jean Destrez estimait que ce fut à Paris vers 1225. D'autres ont réclamé cet honneur pour Bologne, au tout début du XIIIe siècle (16). Les indices apportés jusqu'ici en faveur de l'une ou de l'autre hypothèse demeurent incertains.

Les sources dont nous disposons sont de deux types. Il y a d'abord les textes législatifs, les statuts des universités. Il y a surtout les livres eux-mêmes portant les marques de la copie sur pièces ou pouvant être identifiés comme exemplars universitaires. Ces deux sources nous font voir que le système de la pecia a connu son apogée dans la période qui va de 1270 à 1350. Comme c'est l'époque la mieux documentée, c'est aussi celle qu'on a le plus étudiée. Désirant illustrer le fonctionnement du système dans tous ses détails, Destrez a pratiquement concentré ses recherches sur les manuscrits qui offraient les meilleures chances d'enrichir sa documentation, c'est-à-dire les manuscrits de la fin du XIIIe et ceux du XIVe siècle.

Il n'y a aucun doute cependant que le procédé existait avant 1250. Nous connaissons un exemplar pouvant être daté très précisément de 1247. Il a été écrit par un Italien étudiant à Paris. Cet étudiant, promis à une brillante carrière universitaire, n'était autre que Thomas de Aquino. Ceux qui ont vu des autographes de ce dernier auront raison de s'étonner, car l'écriture est plutôt déroutante. Au XIIIe siècle, on la qualifiait déjà d'illisible (17). Et pourtant le manuscrit qu'il a fabriqué en 1247 se présente comme un exemplar, destiné à servir de modèle pour la multiplication rapide des copies (ms. Napoli, Bibl. nazionale I. B. 54, ff. 1-41). Bien que mutilé au cours des siècles par les amateurs de reliques, le volume, comme on peut vite le constater, comptait à l'origine quinze cahiers de quatre folios, chaque cahier étant numéroté et expressément qualifié de pecia dans la marge supérieure de sa première page (cf. Pl. IV). L'oeuvre contenue -le commentaire d'Albert le Grand sur le De caelesti hierarchia du pseudo-Denys- est probablement une reportatio, c'est-à-dire une mise au propre des notes que l'étudiant avait recueillies pendant les cours de son maître. Toutes les copies connues dépendent en définitive de cet autographe, qui est donc vraiment un exemplar au sens le plus strict, puisqu'il est l'ancêtre de toute la tradition textuelle (18). Il est invraisemblable, cependant, qu'il ait jamais été déposé chez un stationnaire, dont les modèles devaient être écrits en caractères nets et bien lisibles. En fait, l'exemplar préparé par le jeune Tommaso n'a sans doute été qu'une édition privée, s'adressant à un cercle limité. Il aurait eu l'idée de disposer sa reportatio à la manière d'un exemplar de stationnaire, afin de permettre à ses condisciples d'en prendre copie sans retard. A ce titre, son autographe doit être versé au dossier de la pecia, comme témoin d'un usage apparemment déjà établi dans le milieu universitaire. Nous y reviendrons.

Un témoin italien, à Paris, en 1247... Pour remonter plus haut, il faudrait des recherches systématiques que personne n'a encore entreprises. Ces recherches devraient être orientées du côté des ouvrages qui étaient à la base de l'enseignement universitaire avant 1250. L'Université de Bologne s'est formée autour de deux textes : le Corpus iuris civilis de Justinien, redécouvert à la fin du XIe siècle, et le Decretum de Gratien, publié vers 1145. Parallèlement, l'Université de Paris s'est, elle aussi, constituée à partir de deux textes principaux : la Bible, munie de gloses au début du XIIe siècle (la Glossa ordinaria), et les Sententiae de Pierre Lombard, terminées vers 1155. Ce sont surtout, semble-t-il, les manuscrits de ces oeuvres qu'il faudrait interroger pour obtenir des indications plus précises sur les origines de la copie par pecia. Malheureusement, les codicologues ne prêtent attention au phénomène que depuis peu. Les nombreux volumes du Catalogue général des manuscrits des bibliothèques publiques de France et des Inventari dei manoscritti delle biblioteche d'Italia ne font pas mention de la pecia. Rien non plus dans la plupart des catalogues concernant des fonds aussi importants que ceux d'Oxford, de Cambridge, de Munich, de Vienne ou de Bruxelles.

A l'occasion du huitième centenaire du Décret de Gratien, on a procédé à la description des manuscrits de l'ouvrage conservés en divers pays. Sans être complet, l'inventaire fait déjà connaître un grand nombre de manuscrits portant des indications de pièces, mais ils datent généralement du XIVe siècle ou de la fin du XIIIe. Un seul retient l'attention : conservé à Cracovie (Bibl. Jagiellońska 357), il serait d'origine française et daterait du commencement du XIIIe siècle (19).

Dans l'introduction à la récente édition des Sententiae de Pierre Lombard, plusieurs manuscrits de ses oeuvres, parmi les plus anciens, ont été sommairement décrits. Pour trois d'entre eux, datant de la fin du XIIe siècle ou du début du XIIIe (Paris, B.N., lat. 14422, lat. 17246, lat. 17464), on a pris soin de préciser qu'il s'y trouve des "signa peciarum" (20). L'observation méritait qu'on s'y arrête, car elle aurait pu nous permettre d'affirmer que la méthode de production du livre universitaire par la pecia a été inventée à Paris plus tôt qu'on ne le croyait. A l'examen toutefois (21), il est apparu que le mot peciae a été utilisé dans les descriptions pour désigner les cahiers composant les manuscrits (cahiers de huit folios dans les trois cas) et que, par l'expression "signa peciarum", on a voulu signifier la numérotation ancienne ou les signatures que plusieurs de ces cahiers portent encore : simples chiffres romains, inscrits en bas de leur dernière page (en bas de la première et de la dernière page dans le ms. lat. 17464). Fausse alerte donc, née d'une équivoque.

S'il n'est pas question de pecia dans ces manuscrits, il reste vrai, et il convient de le souligner, qu'un véritable exemplar universitaire ou une copie faite sur lui peuvent être reconnus comme tels à divers indices, sans que le mot pecia n'apparaisse une seule fois. C'est le cas de notre exemplar de Pampelune, où les pièces ne sont distinguées que par un chiffre romain placé en tête de chaque cahier. Par contre, il peut arriver que le mot se lise dans une note et ne se réfère pas pour autant au système d'édition que nous avons tenté de décrire. Il faut se rappeler que pecia, appliqué à un livre, n'a pas nécessairement le sens technique que les stationnaires lui ont attribué ; le mot a conservé le sens général de cahier détaché, quelle que soit l'origine de celui-ci ou sa destination et quel que soit le nombre de ses feuillets. Dans tel manuscrit, une annotation inscrite en marge ou sur une garde et faisant mention de pecie pourra simplement se rapporter aux cahiers de ce manuscrit avant sa reliure. Le cas est assez fréquent dans les manuscrits anglais. C'est sur la foi d'une annotation de ce genre, relevée dans un manuscrit de Cambridge -"In hoc libello continentur xxv pecie"-, qu'on a cru pouvoir avancer, à propos du système de la pecia, qu'il devait être déjà d'usage courant entre 1150 et 1180 (22).

En d'autres manuscrits, on rencontre parfois des indications marginales en tous points semblables à celles qui caractérisent les copies d'exemplars universitaires, sans qu'il y ait lieu de supposer une telle origine pour ces manuscrits. "Finis Ve pecie", lit-on dans une marge du ms. Paris, B.N., français 24295, contenant la pléthorique glose d'Evrart de Conty sur Les échecs amoureux (23). L'annotation est étonnante à plus d'un titre, d'abord parce qu'elle concerne un texte français relativement peu répandu, ensuite parce qu'elle survient au folio 220r et laisse supposer un exemplar composé de pièces anormalement épaisses, enfin parce que le volume a été écrit par Simon de Plumetot vers 1420, ce qui serait la date la plus tardive jamais signalée pour un manuscrit issu d'un exemplar universitaire. En fait, ici, l'annotation signifie sans plus que le manuscrit a été confectionné à partir d'un modèle dont les cahiers n'étaient pas reliés, cahiers qui pouvaient, en effet, être plus gros que la normale (on connaît des cahiers contenant 18, 20 folios et même davantage) ou dont l'écriture pouvait être très fine et serrée.

Etonnant, disons-nous, de trouver une mention de pecia en marge d'un texte français. Sauf erreur, personne n'a encore signalé de manuscrits contenant une oeuvre littéraire en langue romane et portant des traces de copie sur un exemplar de stationnaire. Des poèmes comme le Roman de la Rose ou la Divina Commedia ont pourtant connu une grande vogue en milieu universitaire. Outre que nous sommes loin d'avoir conservé toutes les listes de taxation, il n'est pas impossible qu'il y ait eu, pour de telles oeuvres, des exemplars non déclarés. Les statuts universitaires insistent sur ce point que tout exemplar, avant d'être offert en location, doit d'abord recevoir l'approbation des autorités. Le règlement est si souvent répété qu'on en vient naturellement à soupçonner qu'il était volontiers ignoré par les stationnaires.

*

*   *

Mais revenons, comme promis, à l'autographe de Thomas d'Aquin dont il a été question. Nous avons supposé qu'il avait été organisé sur le modèle des exemplars de stationnaire et qu'il témoignait ainsi d'une pratique déjà courante dans le monde universitaire. N'y aurait-il pas lieu de renverser l'hypothèse et de suggérer que ce sont plutôt les stationnaires qui ont emprunté et commercialisé un mode d'édition mis au point dans les maisons d'études des nouveaux ordres mendiants ?

A côté de l'exemplar préparé à Paris en 1247 par le Dominicain napolitain Thomas d'Aquin, on peut signaler ce qui semble être aussi un exemplar (ou avoir été entrepris pour servir d'exemplar, car il est inachevé), écrit, celui-là, par un Franciscain et contenant une oeuvre de Jean de la Rochelle († 1245), l'un des premiers maîtres franciscains de l'Université de Paris. Les sept cahiers du volume sont explicitement qualifiés de petie et composés de quatre folios (sauf le premier qui est de huit folios et le dernier de six) ; ils font maintenant partie d'un recueil factice conservé à Assise dans la bibliothèque du Sacro convento (ms. 51, ff. 81-114 : Jean de la Rochelle, In Matthaeum). Le nom du copiste se lit au début de chaque cahier, dans la marge inférieure : "Fratris Illuminati .vii. petie. I^S", "Fratris Illuminati. II^S", etc. Il s'agit probablement de fr. Illuminé de Chieti qui, vers 1238-39, était "dictator et scriptor", autrement dit secrétaire, du ministre général des Franciscains, Elias de Bivilio (24).

On connaît le rôle majeur des ordres mendiants dans l'essor des universités au XIIIe siècle. Les origines de la production du livre par la pecia seraient peut-être à chercher parmi les manuscrits provenant de leurs couvents et peut-être y aurait-il lieu de distinguer entre exemplars conventuels et exemplars universitaires, les premiers ayant donné naissance aux seconds.

ORIENTATION BIBLIOGRAPHIQUE

1. Sources

Les principaux textes législatifs concernant la pecia ont été publiés par H. Denifle. Pour Paris : Chartularium Universitatis Parisiensis, t. I, Paris 1889, pp. 532-534 et 644-650 : ordonnance de 1275 sur les stationnaires et liste de taxation (25) ; t. II, Paris 1891, pp. 107-112 : liste de taxation de 1304 ; ce même tome comprend d'autres documents du XIVe siècle relatifs aux stationnaires, jusqu'en 1350, date du serment prêté par Henri de Lechelade, l'un des derniers stationnaires parisiens. - Pour Bologne : "Die Statuten der Juristen-Universität Bologna von J. 1317-1347", Archiv für Litteratur- und Kirchengeschichte des Mittelalters 3 (1887) pp. 279-281 et 291-303 : statuts touchant les peciarii, les stationnaires et la taxatio des pièces. Ces statuts, à peine modifiés, furent adoptés par d'autres universités italiennes. Ceux de Padoue, datés de 1331, ont été publiés, également par Denifle, dans le tome 6 (1892) de l'Archiv cité.

Un extrait des statuts bolonais rédigés vers 1275, comprenant une liste de taxation et des dispositions relatives aux stationnaires, a été découvert par M. Bohácek, "Nuova fonte per la storia degli stazionari bolognesi", dans Studia Gratiana IX, Bologne 1966, pp. 407-460 ; l'étude avait d'abord paru en allemand dans la revue Eos 48,2 (1956) pp. 241-295.

Un important document bolonais, l'inventaire des exemplars du stationnaire Solimano, dressé en 1289, a été soigneusement édité par R. A. Gauthier dans S. Thomae de Aquino Opera omnia, t. XLVII, Rome 1969, pp. 86*-87*.

2. Etudes

La simple mention du mot pecia évoque le nom de Jean Destrez et le titre de son célèbre ouvrage La Pecia dans les manuscrits universitaires du XIIIe et du XIVe siècle, Paris 1935. Considérant cette publication comme préliminaire, l'auteur avait promis une suite qui aurait présenté de manière plus technique l'énorme documentation qu'il avait amassée sur le sujet (cf. Pl. V). Il devait mourir en décembre 1950, sans avoir réalisé son rêve et laissant derrière lui les cahiers et dossiers où il avait consigné les résultats de son examen de quelque 15.000 manuscrits conservés dans les bibliothèques de France, d'Italie, d'Angleterre, de Belgique et de Suisse. Giuseppe de Luca avait eu l'ambition de publier ce matériel dans une collection de ses Edizioni di Storia e Letteratura, qu'aurait dirigée G. Fink-Errera, mais le décès de l'un puis de l'autre entraîna l'abandon du projet. De cette documentation, maintenant déposée à la bibliothèque du Saulchoir, à Paris, quelques bribes ont été publiées par M. D. Chenu, "Exemplaria universitaires des XIIIe et XIVe siècles", Scriptorium 7 (1953) pp. 68-80, et par G. Fink-Errera, "Jean Destrez et son oeuvre", Scriptorium 11 (1957) pp. 264-280.

L'une des plus importantes contributions demeure l'étude de K. Christ, "Petia. Ein Kapitel mittelalterlicher Buchgeschichte", Zentralblatt für Bibliothekswesen 55 (1938) pp. 1-44 ; conçu comme un compte rendu de l'ouvrage de Destrez, l'article en complète l'exposé et le précise sur plusieurs points. G. Fink-Errera lui doit le meilleur de son essai, "Une institution du monde médiéval : la 'pecia'", Revue philosophique de Louvain 60 (1962) pp. 184-243. - La pratique anglaise du système a été esquissée par G. Pollard, "The university and the book trade in mediaeval Oxford", dans Miscellanea mediaevalia, Bd. 3, Berlin 1964, pp. 336-344 ; on peut aussi voir, du même auteur, l'article posthume cité à la note 16.

C'est à partir des manuscrits des oeuvres de Thomas d'Aquin que Destrez avait commencé à s'intéresser à la pecia, et c'est à propos des mêmes manuscrits que l'analyse du système a le plus progressé depuis, à l'occasion notamment des éditions préparées par H. D. Saffrey, R. A. Gauthier et P.-M. Gils. Un clair aperçu de ces progrès a été donné par L. J. Bataillon, "Problèmes posés par l'édition critique des textes latins médiévaux", Revue philosophique de Louvain 75 (1977) pp. 234-250 ; l'auteur souligne l'important apport de R. A. Gauthier, dont les éditions, tant des traductions latines d'Aristote que des commentaires aristotéliciens de Thomas d'Aquin, sont la meilleure introduction à l'étude de la pecia. - Au sujet de l'exemplar de Pampelune et de sa descendance immédiate, y compris le manuscrit de Yale, on lira le très suggestif article de P.-M. Gils, "Codicologie et critique textuelle", Scriptorium 32 (1978) pp. 221-230.

ANNEXE II

LE TEMPS DE LA COPIE
(voir la note 3)

1. Ms. Paris, Bibl. Mazarine 848

Thomas d'Aquin, In quartum Sententiarum. Fin du XIIIe ou début du XIVe siècle, parchemin, 306 ff., 2 colonnes de 46 lignes, 37 x 25 cm., justification 25 x 16 cm. Cahiers de 12 folios, sauf le dernier (ff. 301-306 ternion). Une seule main. Nombreuses indications de pièces, la dernière se trouvant au f. 297vb : ".lxxxxi. pe^a". Le volume a appartenu au collège de Navarre. Au début de plusieurs cahiers (à la fin de l'un d'eux, f. 192v), dans la marge inférieure, des notes d'une grosse écriture négligée ont été inscrites à la mine de plomb. Elles se rapportent surtout au salaire du copiste, mais la mention de la fête du jour à trois endroits permet de calculer le temps de la copie.

f.			
	13r	4 sol'	
	25r	in festo sancti Dominici .3. sol'	(4 août)
	37r	4 solid.	
	49r	4 solidi	
	61r	4 solid.	
	73r	4 solid.	
	85r	4 solid.	
	97r	tres sol'd'	
	109r	5 sol' per Gndbertum in crsti/	
		ino (!) apostolorum Symonis et Iude	(29 oct.)
	121r	4 solidi	
	145r	In festo beati Andree .3. solidos	(30 nov.)
		quos recepi <a> Tndberto	
	169r	scriptori .4. solidi. cisternus iste	
		cum tribus sequentibus. pergamenum	
		istius cisterni cum tribus cisternis	
		sequentibus constitit sex sold'.	
	192v	scriptori .4. solid'. pergamenum	
		istius cisterni consti<tit> decem	
		et octo d.	
	193r	scriptori .4. solidi. pergamenum	
		istius cisterni constitit sedecim	
		et o<cto d.>	
	205r	4 solidi	
	217r	4 sol. scriptori	

Si, comme il paraît évident, les annotations concernent chaque cahier une fois celui-ci terminé, il résulte que les ff. 37 à 156 ont été écrits entre le 4 août et le 30 novembre, soit 120 folios en 118 jours. Il y a cependant lieu de présumer des interruptions, au moins pour les fêtes de l'Assomption et de la Toussaint ; en soustrayant ces deux jours, nous obtenons une moyenne quotidienne de 190 lignes (ou un folio plus six lignes).

2. Ms. Paris, Bibl. nationale, lat. 15344

Thomas d'Aquin, I^a-II^{ae} partis Summae. Fin du XIIIe ou début du XIVe siècle, parchemin, 219 ff., 2 colonnes de 52 lignes, 35 x 24 cm., justification 25 x 16 cm. Cahiers de 12 folios, sauf les deux derniers (ff. 205-218 quinion suivi d'un binion). Une seule main. Il ne semble pas y avoir d'indications de pièces, mais le manuscrit est du type universitaire parisien. Provenant de la Sorbonne, il est inscrit dans l'inventaire de 1338 "ex debito magistri Guillermi Britonis" (L. Delisle, Le Cabinet des manuscrits..., t. III, Paris 1881, p. 31). Un personnage de ce nom fut recteur de l'université et procureur de la nation gallicane en 1304 (Chartularium Univ. Paris., t. II, pp. 107 et 117).

A partir du f. 15v jusqu'au f. 162v, des notes d'une petite écriture rapide apparaissent en bas des pages, sur le bord de la marge. Elles se limitent le plus souvent à la mention d'un jour de la semaine, mais la fête du jour est parfois précisée. On apprend ainsi que la Saint-Jean-Baptiste tombait un jeudi, quatre semaines après la Fête-Dieu, ce qui se produit uniquement quand Pâques est célébré le 28 mars. On peut, dès lors, dater chaque note dans l'année :

f.			
	15vb	lune Pasce	(29 mars)
	22ra	sabbato	(3 avril)
	27ra	iouis	(8 avril)
	30vb	dominica	(11 avril)
	34va	mercurii	(14 avril)
	34vb	Stephanus incepi IIII co<lumpnas>	
	36va	ueneris	(16 avril)
	39va	lune	(19 avril)
	40va	martis	(20 avril)
	42va	iouis Ste<phanus> reuertit	(22 avril)
	47rb	dies lune	(26 avril)
	49vb	mercurii	(28 avril)
	52rb	ueneris	(30 avril)
	54vb	dominica	(2 mai)
	56ra	lune	(3 mai)
	58va	mercurii	(5 mai)
	58vb	Ascensio Domini nichil f<eci> simpliciter	(6 mai)
	59vb	ueneris	(7 mai)
	63va	lune	(10 mai)

66ra	mercurii	(12	mai)
69vb	sabbatus prof<esto> Pentecostes	(15	mai)
72rb	martis	(18	mai)
77rb	sabbato	(22	mai)
79vb	lune	(24	mai)
82ra	mercurii Stephanus recessit et scripsi IIII col.	(26	mai)
	et die iouis Sacramenti nichil	(27	mai)
83ra	ueneris	(28	mai)
	sabbato nichil quia feci lectum recentibus straminibus et incepi hunc quasi nouum et durauit usque sero	(29	mai)
84ra	dominica	(30	mai)
85ra	lune	(31	mai)
89ra	ueneris	(4	juin)
92ra	lune	(7	juin)
94ra	mercurii	(9	juin)
95ra	iouis	(10	juin)
97ra	sabbato	(12	juin)
100ra	martis	(15	juin)
103ra	ueneris ante Iohannis	(18	juin)
103rb	sabbato fui uobiscum ad sanctum Dyonisium et nichil scripsi	(19	juin)
104ra	dominica ante Io<hannis>	(20	juin)
107ra	mercurii profe<sto> Io. Baptisti	(23	juin)
110ra	sabbato	(26	juin)
111ra	dominica	(27	juin)
114ra	mercurii	(30	juin)
116vb	sabbato	(3	juillet)
119vb	martis	(6	juillet)
123vb	sabbato	(10	juillet)
128vb	iouis	(15	juillet)
135vb	iouis Magdalene	(22	juillet)
140vb	dies martis post Iacobi	(27	juillet)
143va	ueneris ante Petri scripsi tres co<lumpnas> propter impedimentum	(30	juillet)
147va	in festo Stephani	(3	août)
158va	in profesto Assumptionis	(14	août)
	Item die nichil	(15	août)
162vb	nichil feci causa in Ber<nardi>	(20	août)

L'auteur de ces notes n'est pas le scribe du manuscrit. D'une encre et d'une écriture différentes, elles ont manifestement été ajoutées plus tard, alors que notre manuscrit a servi de modèle pour une nouvelle copie, dont elles indiquent le progrès. Elles étaient sans doute destinées à l'employeur ("fui uobiscum" lit-on au f. 103rb) et suggèrent un contrat de copie qui fixait une vitesse minimum. Depuis au moins 1338, le volume était à la disposition des hôtes de la

Sorbonne, qui pouvaient l'emprunter pour de longues périodes de temps et profiter de ce privilège pour se procurer une copie en évitant les frais de location d'un exemplar. Il semble y avoir eu deux copistes, dont l'un, Stephanus, est nommé trois fois (aux ff. 34v, 42v et 82r). Il n'est pas facile de dater l'écriture hâtive et négligée des notes. Au cours du XIVe siècle, quatre années peuvent être envisagées, celles où Pâques a été célébré le 28 mars : 1339, 1350, 1361 et 1372. Je serais enclin à favoriser l'une des dernières dates, mais on ne peut, à la rigueur, exclure le XVe siècle, pour lequel trois années sont possibles : 1434, 1445 et 1456. Nous voilà bien loin de la pecia et des stationnaires du XIIIe ou du XIVe siècle.

Certes, il serait intéressant de pouvoir examiner la copie et il n'est pas impossible qu'elle soit conservée, mais l'enquête pour l'identifier risquerait d'être longue, car on connaît quelque 220 manuscrits de la Prima secundae de S. Thomas. De toute façon, l'important pour notre propos est d'apprendre à quel rythme le modèle a été transcrit, modèle qui, lui, date bien de la belle époque de la pecia parisienne. Nous sommes servis à souhait : l'objectif quotidien est explicitement déclaré deux fois (aux ff. 34vb et 82ra) ; il était de quatre colonnes. Le 30 juillet, en pleine canicule, on signale que trois colonnes seulement ont été écrites, "propter impedimentum". Au total, cependant, l'objectif a été dépassé, car, si l'on exclut les jours de congé, il n'a fallu que 139 jours pour reproduire 148 folios -comptant chacun quatre colonnes de 52 lignes-, soit une moyenne quotidienne de 221 lignes (ou un folio plus treize lignes), rythme de copie un peu plus rapide que dans le cas précédent. Malgré une différence de 31 lignes, peut-être attribuable à un ouvrage moins appliqué, la convergence demeure notable.

Il serait sans doute imprudent de proposer une conclusion ferme. Le sujet se prête mal à des généralisations. Trop de circonstances variables devraient entrer en ligne de compte : l'âge et l'expérience du copiste, la qualité de son écriture, le climat, la durée plus ou moins longue des jours selon les saisons, et bien d'autres facteurs.

D'après les deux documents cités, il semblerait que le rythme habituel de la copie pour les manuscrits universitaires parisiens du format standard, à l'époque de la pecia, ne dépassait pas beaucoup un folio par jour. Ce que confirment les statuts qui limitaient à une semaine la location de chaque pecia, délai qui semblerait trop généreux si les copistes pouvaient normalement transcrire les quatre folios de la pecia en deux jours (26).

NOTES

* On trouvera en annexe une "Orientation bibliographique" indiquant les principales publications consultées. Je remercie ceux qui m'ont aidé de leurs suggestions, en particulier les PP. René A. Gauthier, Henri D. Saffrey et Jean-Pierre Torrell, ainsi que MM. Richard H. Rouse et Bruno Roy.

(1) M. Guérard, Cartulaire de l'église Notre-Dame de Paris, t. III, Paris 1850, pp. 73-74.

(2) Pour les questions de vocabulaire touchant le livre médiéval, on peut voir P. Faider, "Notes lexicographiques à propos de la pecia et de la transcription des livres au XIIIe et au XIVe siècle", Archivum Latinitatis medii aevi 12 (1938) pp. 153-161.

(3) Voir l'Annexe II pour une brève description de ces deux manuscrits et la transcription des notes qui nous intéressent. Je remercie particulièrement le P. Bertrand G. Guyot, qui a attiré mon attention sur ces notes.

(4) Ainsi les statuts parisiens de 1316 : "Item nullus stationarius alicui carius locet exemplaria quam taxata fuerint per universitatem..., nisi petiam ultra ebdomadam tenuerit" (Chartularium Univ. Paris., t. II, p. 190).

(5) Nous savons aussi que différents exemplars d'un même ouvrage -exemplars dont le nombre et la division des pièces variaient- pouvaient être disponibles chez des stationnaires en compétition dans un même milieu universitaire. Voir ci-dessous, note 12.

(6) Elles pouvaient aussi servir de guides pour la révision et la correction de la copie. Dans ce cas, l'indication ne marquait pas nécessairement le point de transition d'une pecia à l'autre. Le ms. Wien, Nationalbibl. 2361 (Thomas d'Aquin, In Ethicam) en fournit plusieurs exemples ; ainsi au f. 49v, le copiste a noté le numéro de la pecia XIII à quatre endroits différents, là où le texte demandait à être corrigé. Voir à ce sujet R. A. Gauthier, dans S. Thomae de Aquino Opera omnia, t. XLVII, Rome 1969, pp. 80*-82*.

(7) Voir J. Destrez, La Pecia, p. 40.

(8) L'ancien point de transition apparaît dans le ms. Paris, Sorbonne 204, f. 74va, où une note en marge signale le début de la pecia 19 vis-à-vis les mots "cum ergo dolor sit sensus lesionis / videtur quod in Christo". Pour les nouvelles pièces, la division se produit près de deux colonnes plus loin, aux mots "ratione autem potencie habet / secundum comparacionem".

(9) Le mot 'médiéval' a été ajouté pour atténuer cette affirmation, à la suite d'une note amicale que m'a glissée le P. René A. Gauthier : "Je crains que ce ne soit faux. Cf. Aristote. Vous auriez pu tout aussi bien dire tout ce que vous avez dit en prenant des exemples dans Aristote. Il serait mieux de prévenir que vous prenez vos exemples dans l'oeuvre de S. Thomas parce que vous connaissez mieux ce domaine". Je ne peux que m'incliner devant celui qui connaît bien l'un et l'autre domaine.

(10) "<hanc taxationem> infra annos 1275 et 1286 esse factam ex hoc apparet, quod in ea libri post dictos annos compositi non afferantur" (Chartularium

Univ. Paris., t. I, p. 649).

(11) Chartularium Univ. Paris., t. II, pp. 171 et 532.

(12) Ms. Wien, Nationalbibl. 1536, f. 137ra : "Frater Antoni. Non inueni soluciones argumentatorum istius questionis in peciis Roberti. Surrexi itaque et adiui pecias illas antiquas priores Senonensis. Et cum in graui difficultate inueneram peciam in qua erat hec questio, nichil ibi plus erat, quia pecia erat nouiter scripta, sed erat spacium foliorum duorum relictum ad solucionem argumentorum. Et dixit (mots grattés quod pecia non habet plus quam ista [?]) quod quererem residuum quia pecia antiqua est perdita". Nous cherchons jusqu'à ce jour le texte qui faisait défaut. Dans une édition qu'il publia en 1503, le maître général dominicain Vincenzo Bandelli prit l'initiative de combler la lacune et fabriqua une longue interpolation, que les éditions postérieures ont conservée (De potentia, q. 4, a. 2). La note du manuscrit de Vienne, qui aurait fait les délices de Destrez, lui a malheureusement échappé. Elle avait pourtant été signalée dès 1922 par A. Birkenmajer, Vermischte Untersuchungen zur Geschichte der mittelalterlichen Philosophie, Münster/W 1922, pp. 46-47 en note (reprint dans Idem, Etudes d'histoire des sciences et de la philosophie du Moyen âge, Wroclaw 1970, pp. 322-323).

(13) Chartularium Univ. Paris., t. II, pp. 180 et 532.

(14) Il s'agit du ms. Paris, B.N., lat. 3107 (Thomas d'Aquin, Contra Gentiles), au sujet duquel on peut voir H. V. Shooner, Codices manuscripti operum Thomae de Aquino, t. III, Montréal 1985, n. 2283 (avec bibliographie). Le stationnaire Henri l'Anglais pourrait être Henricus dictus de Neuham ou Henricus de Lechelade, qui ont prêté serment, le premier en 1342, le second en 1350 (Chartularium Univ. Paris., t. II, pp. 189, 532 et 657). Le nom se lit encore, plusieurs années plus tard, dans le ms. Paris, B.N., lat. 16399 (Robert Holcot, In Sententias), f. 118v : "Iste liber est domus magistrorum et scolarium de Sorbona, emptus Parisius a Henrico Anglico, stationario, anno 1374".

(15) Un passage des statuts de l'Université de Pérouse, empruntés à ceux de Bologne et datés de 1457, est significatif à cet égard : "Nunc vero quia petiarii praedicti non sunt, neque memoria hominum extat tale ministerium hic exerceri, suspendimus praefatum statutum" (G. Padelletti, Contributo alla storia dello Studio di Perugia nei secoli XIV e XV, Bologne 1872, p. 71). La liste de taxation a pourtant été conservée ; elle pouvait finalement servir de bibliographie.

(16) Ainsi G. Pollard, "The pecia system in the medieval universities", dans Medieval Scribes, Manuscripts & Libraries : Essays Presented to N. R. Ker, Londres 1978, p. 148 [145-161].

(17) La formule reçue "littera inintelligibilis" semble bien venir d'une erreur de lecture pour "littera illegibilis" ; cf. H. F. Dondaine et H. V. Shooner, Codices manuscripti operum Thomae de Aquino, t. I, Rome 1967, p. 7.

(18) Cf. P. Simon, dans S. Alberti Magni Opera omnia, t. XXXVII, pars I, Münster/W 1972, pp. VI-VIII. Pour la date, voir aussi H.-F. Dondaine, "Date du Commentaire de la Hiérarchie céleste de saint Albert le Grand", Rech. de théol. anc. et méd. 20 (1953) pp. 315-322 ; cf. A. Dondaine, dans Bulletin thomiste, t. IV (1934) p. 38.

(19) Cf. A. Vetulani, "Les manuscrits du Décret de Gratien et des oeuvres des décrétistes dans les bibliothèques polonaises", dans Studia Gratiana I, Bologne 1953, pp. 250-255. Ces indications se trouvent confirmées dans le récent Catalogus codicum manuscriptorum medii aevi Latinorum qui in Bibliotheca Jagello-

nica asservantur, vol. II, Wroclaw 1982, pp. 90-91 (notice de Maria Kowalczyk).

(20) Petri Lombardi Sententiae in IV libris distinctae, t. I, pars I, Grottaferrata 1971, pp. 48*, 67*-68* et 134*.

(21) Je remercie Bruno Roy qui a bien voulu examiner ces manuscrits lors d'un récent passage à Paris.

(22) C. H. Talbot, "The Universities and the Mediaeval Library", dans The English Library before 1700. Edited by F. Wormald and C. E. Wright, Londres 1958, p. 68 [66-84].

(23) Communication de Françoise Guichard-Tesson, qui a identifié l'auteur de cette oeuvre : "Evrart de Conty, auteur de la 'Glose des Echecs amoureux'", Le moyen français 8-9 (1982) pp. 111-148.

(24) Cf. V. Doucet, dans Bibliotheca Franciscana Scholastica medii aevi, t. XI, Quaracchi 1935, pp. XXXIII-XXXIV ; C. Cenci, Bibliotheca manuscripta ad sacrum conventum Assisiensem, Assise 1981, I, p. 183. - Un autre exemplar conventuel pourrait être le ms. Paris, B.N. lat. 16663, contenant le Tractatus de musica du Dominicain Jérôme de Moravie (cf. T. Kaeppeli, Scriptores Ordinis Praedicatorum Medii Aevi, vol. II, Rome 1975, n. 1946). Cet exemplar de 24 pièces est demeuré sans descendance, ce qui, pour un stationnaire, aurait signifié un investissement désastreux.

(25) L'édition de cette liste et de la suivante, de 1304, laisse beaucoup à désirer ; cf. R. A. Gauthier, dans S. Thomae de Aquino Opera omnia, t. XLVII, Rome 1969, p. 73* ; t. XLV-1, Rome-Paris 1984, p. 70*.

(26) La vitesse moyenne de 2,85 feuillets par jour qu'ont calculée C. Bozzolo et E. Ornato (Pour une histoire du livre manuscrit au Moyen âge, Paris 1980, pp. 46-48) est le résultat d'une enquête et d'un propos différents. Elle s'appuie sur un échantillon de manuscrits datant surtout du XVe siècle et représentant une grande diversité quant aux formats et aux types d'écriture ou d'exécution.

PECIAE, APOPECIAE, EPIPECIAE

Leonard E. Boyle

In medieval universities the peciae system, in broadest terms, worked as follows. A bookseller (stationarius) obtained a fair copy or other exemplar of the work to be copied and sold. From this exemplar he had made a copy-text or exemplar-text of his own which generally was divided into equal units or peciae. These were then numbered in sequence and hired out in turn for copying to professional scribes (or, to use terminology current much later in England, "scriveners").

A stationer's copy-text thus divided into peciae is, strictly speaking, a "peciae manuscript". However, the term is often used indifferently for both peciae manuscripts as such and for copies made from these. Thus a recent study states that it proposes "to examine a peciae manuscript", yet in fact what it examines is not at all, as one might have expected, a peciae manuscript in the strict sense but a manuscript copied from peciae.

Because of this sort of confusion, some have suggested that the term "peciae" should be reserved, as above, for the units or peciae which the bookseller had made from the exemplar at his disposal, and that copies made from peciae should be called in all simplicity "peciae copies". But, reasonable though this may seem, the term "peciae copies" has its own ambiguity. For it could be taken to mean not copies made from peciae but rather peciae copied from an exemplar.

What I suggest here, as recently I have suggested elsewhere (1), is that to keep ambiguity at bay, some term such as "apopeciae" could be used to describe copies made from stationers' peciae. Unfortunately the introduction of a term such as "apopeciae" does not put an end to ambiguity in discussions of the peciae system. Some writers prefer to speak of a stationer's "exemplar" rather than, as I have done here, of a stationer's peciae. This usage, in turn, creates difficulties. For although in relation to its copies (apopeciae) a stationer's peciae manuscript is indeed an exemplar, there remains the fact that unless the word "exemplar" be carefully qualified each time it is used in this context, the designation "stationer's exemplar" could be understood to mean the exemplar upon which the stationer based his peciae rather than the peciae from which copies or apopeciae were made.

Here again the best way perhaps to avoid this further ambiguity and to keep peciae firmly at the centre of things, is to use a term that explicitly relates the stationer's peciae to their exemplar or source, precisely as "apopeciae" denotes the relationship of copies to their source, peciae. From this point of view the term "epipeciae" may fit the bill. In other words, if an apopeciae manuscript is one that is based on peciae, an epipeciae manuscript is that upon which the peciae themselves are based, thus : epipeciae ◄── peciae ──► apopeciae.

Although, in conclusion, I must confess that I am not ready to go to the stake for the term "epipeciae", I an nevertheless convinced that "apopeciae" is a necessary coinage. For one thing, copies made from peciae surely deserve some sort of name that will nicely describe their place in relation to the peciae from which they have been copied. For another, it is entirely fitting that the considerable number of copies from peciae now known to be extant - over one thousand, as against less than a hundred peciae - should enjoy a decent collective name, not least in that it is upon the rich harvest of apopeciae and not upon the lean yield of peciae that editors of many medieval scholastic texts, notably those of Aquinas, largely depend today.

NOTES

(1) L. E. Boyle, 'Peciae, apopeciae, and a Toronto manuscript of the Sententia Libri Ethicorum of Aquinas', in The Role of the Book in Medieval Culture. Proceedings of the Oxford International Symposium 26 September - 1 October 1982, ed. P. Ganz, 2 vols. (Bibliologia 3-4, Turnhout 1986). I. 71-82.

RESUME

Pour éviter les ambiguïtés de vocabulaire, il serait bon de réserver le terme de peciae aux cahiers matériels de l'exemplar et d'appeler apopeciae les manuscrits copiés sur les peciae et epipeciae le modèle sur lequel ont été établies les peciae.

THE BOOK TRADE AT THE UNIVERSITY OF PARIS, CA. 1250-CA. 1350*

Richard H. Rouse & Mary A. Rouse

In the old days -by which we mean, before Jean Destrez- institutional historians studied, and attempted to explain, the book trade at the medieval University of Paris on the basis of the official documents left by the university. As we now know, they missed the point almost entirely. Destrez, working instead from the manuscripts produced by that book trade, was able to deduce the mechanisms of stationer-production, a process to which the most detailed scrutiny of the archives would never have provided the key. Since Destrez's time, most study of the Paris book trade, and virtually all such study of significant value, has been based as was his upon examination of stationer-produced manuscripts.

It therefore occurred to us that it might prove fruitful to return once again to the published archives and other printed sources - armed, as our predecessors were not, with a knowledge of what was really taking place- and to see if the documents will now give up a bit more information than they yielded in the past. We are fortunate, of course, that by now the printed sources include meticulous studies of numerous pecia-disseminated works of St. Thomas produced by the Leonine Commission, to set alongside the printed charters, regulations, oaths, and tax records. Once begun, however, our study inevitably spread again to touch the manuscripts, incorporating further discoveries of our own and information generously contributed by friends.

We have organized our information around two broad topics -the university bookmen, and the books they produced. Our observations are confined to Paris, and largely to the century from 1250 to 1350.

I. THE UNIVERSITY BOOKMEN

A. LIBRARII AND STATIONARII

First, let us consider the meaning of the word stationarius, and specifically in what respects it differs from librarius. The surviving university documents are not only sparse but ambiguous in their references to the book trade, and the early ones especially are

------

Cf. Planche VI.

casually imprecise in terminology. For example, the oldest surviving Paris book provision (1275) regulates the "stationarii, who are commonly called librarii" -and thereafter consistently refers to the stationers as "the aforementioned librarii" (1). Modern scholars have too often misinterpreted this evidence, with a perverse twist of logic : If stationers are still called librarii in 1275 (they seem to say), then we may justifiably equate librarii with stationers- in 1250, or 1225, or as early as we please. Art historians have been particular, though unintentional, culprits ; for they refer in passing to secondary studies, simply to document the fact that a book trade existed, before getting down to the matter of importance for themselves, the physical evidence for professional illuminators. Thus, one study notes that "the oldest mention of librarii and stationarii goes back to the last third of the twelfth century at Paris, the time when the new system of book production [by peciae] was initiated" ; and another states that, "[in the eleven-seventies] mention is made for the first time of the existence of stationarii". In both cases the ultimate source is a letter (ca. 1175) of Peter of Blois that alludes to a scoundrelly secondhand-book monger (mango librorum), with never a mention of the words librarius, stationarius, or pecia. Robert Branner's excellent study of Manuscript Painting in Paris during the Reign of St. Louis likewise speaks in the text of "students who earned their keep by copying texts for the booksellers" ; in the index, "bookseller" is defined as librarius, but the footnote to this passage refers to Destrez's La pecia (in toto, not to a specific page). Still more recently, in 1982, the distinction between librarii and stationarii has been posed as a sharp dichotomy of old books/new books : "Books... were to be purchased from libraires, who acted as agents selling volumes placed on deposit with them. New manuscripts were commissioned from stationnaires..., who hired calligraphers and other craftsmen" -whereas, in fact, both sorts of bookmen acted as agents for book sales, and both produced new books on commission. (Although this author cites Jules [sic] Destrez, he doubtless derived this characterization of librarii and stationarii from his other source, the nineteenth-century work of Paul Delalain) (2). Now, in none of these instances does the imprecision have any bearing at all on the validity of the art-historical arguments being advanced ; but such careless language adds unnecessary confusion to an already blurred picture.

It is clear from most contemporary contexts that the two terms were not synonymous- that librarius is the general term, and that stationarius refers to one specific kind of librarius. From at least 1316, university book provisions are always careful to name both groups, librarii et stationarii. Moreover, among the thirty-seven bookmen (including two bookwomen) whose individual oaths survive (from a forty-year period, 1314-1354), many are called librarius (or clericus et librarius, librarius et illuminator, librarius juratus) without the designation stationarius ; but every stationarius bears the double title : stationarius et librarius (3).

The term librarius as a noun exists in antiquity, and its use extends uninterrupted, from then through the period we are considering and beyond. Its meaning, however, is unhelpfully elastic, including (not exhaustively) scribe, bookseller, and librarian. On the contrary, at Paris the term stationarius originates as a university phenomenon. The word is not attested at Paris before the last third of the thirteenth century (see below) ; at that time, and without interruption through the fourteenth century at least, this term occurs only and specifically in a university context. We are probably nearer the truth, then, if we consider that stationers were not merely regulated, but created, by the university community.

A stationarius is someone who has a statio. Statio can mean "a fixed place of business, a shop" (4), and scholars have singled this out as the characteristic distinguishing a stationarius from the supposedly itinerant librarius (5). This is clearly wrong, as witness university regulations that distinguish ordinary librarii from those marginal figures who operate out of stalls. The street-by-street Paris tax records of the 1290s also imply a fixed location for librarii. Or to take specific examples : Geoffroy de St-Léger, Thomas de Maubeuge, and Richard de Montbaston were important producers of decorated books for the luxury trade, not itinerants working out of a barrow ; yet all three are known, through their individual oaths, as "mere" librarii and not stationarii (6). Regardless of etymology, at the University of Paris a different connotation of the word applied. A useful analogy is the stationarius of late antiquity : a minor official, military or governmental, who holds a statio, i.e., an office or position. Indeed, by the beginning of the fourteenth century (before 1313) the university's records employ the words "the office of stationer" (7). In the world of Paris booksellers, therefore, a stationarius is not merely one who 'owns a shop" but one who fills a post.

What was unique about that post ? In answering that question, let us first clear the underbrush by noting the things that are not distinctive : both the stationarii and the other librarii were regulated by the university ; both were heavily involved in the secondhand trade ; both produced new books ; and both (as we shall see) were roundly damned by the university as frauds, cheats, and thieving rascals -but without any distinction between one group of bandits and the other. The sole distinguishing factor is that those librarii who were stationers rented out peciae, and those librarii who were not stationers did not. The stationer did not have a different function, but rather an additional one.

1. What did stationers do that was new ?

As Destrez was aware, parcelling out the quires of a manuscript to several scribes at once for rapid reproduction was a time-honored procedure, one that antedated, and eventually coexisted with, stationer production. The system was employed as early as the ninth century -in the production of Bibles at Tours, for example ; Destrez himself cites examples from the thirteenth and fourteenth centuries ; and Doyle and Parkes have shown the same process in operation in the late fourteenth and early fifteenth centuries, among commercial London scribes reproducing works of Chaucer and Gower (8).

The procedure as adapted for stationer-production, however, presents several distinctive additions : 1) The notion of the exemplar, i.e., the production of a text whose sole raison d'être was the production of further copies. 2) The intent to produce many copies simultaneously, rather than a single copy rapidly ; thus, the peciae were not divided up among several scribes at once, but rather each scribe copied each pecia in turn, with other copyists following in stages behind him, doing likewise. 3) The publicized offer of peciae, for a fixed rental fee. 4) Most distinctive of all, the regulation and supervision of this process by the university, backed by its authority and power of monopoly.

2. When did stationer production begin ?

Destrez singled out the period 1225-1235 as the time when "le fonctionnement de la pecia est déjà une institution régulière et normale" -which he qualified in the next sentence with "plus proba-blement". Later he summarizes, "C'est probablement à l'Université de Paris, vers 1225-1235, que cette institution de la pecia fait son apparition". Destrez's date-span was based on a single manuscript of Philip the Chancellor's Quaestiones, B.N. lat. 16387, which he thought to have been copied not long after the work was composed, 1225-35 (9). Destrez's uneasiness, reflected in the repeated "probably", undoubtedly stemmed from the fact that, of the hundreds of other Paris manuscripts with pecia marks that he had found, all clearly date from the second half of the thirteenth century or later. Historians have sometimes seized upon Destrez's date, while ignoring Destrez's reservations, and have cited the university stationers in connection with the production of books in Paris from ca. 1220 or before.

This date seems too early, in that the university did not have sufficient structure to regulate the trade and impose an oath by 1225. The fact that the university was capable of concerted boycott, in the face of student-townsmen riots, does not in any sense imply the capacity for continuing and continuous regulation of details. While the individual faculties were capable of enforcing internal regulations of curriculum, for example, and of attempting to wrest from the chancellor the right to regulate the license to teach, it seems most unlikely that the faculties at that date could have acted in concert to stipulate and enforce detailed regulation of booksellers (10). Compare the later practices with this period : the only recorded delegation of taxatores (those who set rates for pecia rental), in 1304, consisted of the rector, the proctors of the nations, and representative masters of the higher faculties (11) ; the assembling of such a group -and especially the implicit assumption that the rector of the Arts Faculty was the leader- simply does not fit what we know of the University of Paris in the second quarter of the century. The earliest surviving book provisions at Paris, those of 1275, are authenticated with the seal of the university : the university did not have a corporate seal until 1246 (12). In 1275 the university did not even have a customary meeting place for its general congregations ; it conducted corporate business in various borrowed halls, such as the College de St-Bernard or, most frequently, the church of St-Julien-le-Pauvre, before settling on the centrally-located hall of the Mathurins as its quasi-official congregation house. The book provisions of 1275 were adopted at a university session held -uniquely, it seems- in the chapter house of the Dominicans of St-Jacques (13).

What hard evidence do we have, of stationer production at Paris in the first half ot the thirteenth century ? 1) First, there is Destrez's example, the manuscript of Philip the Chancellor with pecia marks. We have not seen this manuscript, but to judge from Destrez's plate, a date before 1250 is not necessarily indicated. The fact that the text is written below, rather than above, the top line of ruling would, on the contrary, tend to date it post 1240 (14). 2) A second matter pertains to Paris only by inference. Graham Pollard notes the Vercelli contract of 1228, which promises the students two exemplatores if they will settle in this city ; and he makes a plausible case for tracing back the existence of exemplatores, via Padua, to Bologna ca. 1200 (15). One may certainly assume that, if pecia-production were in full bloom at Bologna by 1200, it would not have taken 50 years for the University of Paris to recognize the obvious advantages of the system and to adopt it for themselves. The problem with this evidence is the unanswered question : where are the manuscripts ? Why do we not have ten, twenty, fifty Italian law-books with pecia marks surviving from the first decades of the thirteenth century ? We do not know the answer ; but we suggest that the interpretation of the word exemplator is not, in fact, as straightforward as Pollard assumed, and that the service performed by an Italian exemplator in 1300 was not the same as that which his namesake had performed in the year 1200.

The earliest datable pecia mark was thought by Pollard to be in a Parisian manuscript of Hugh of St-Cher's postills on the Pauline epistles, which was bequeathed to Durham Cathedral by Bertram of Middleton, who died in 1258 (16). To judge from its good quality, however, this manuscript is clearly not a pecia manuscript of the type produced by the trade which Destrez is describing. It may reflect a method of producing books internal to St-Jacques of Paris, in which a writer is simply keeping a record of the number of quires he has transcribed. The earliest use (known to us) of the word stationarius at Paris occurs in Roger Bacon's Opus minus (1267) (17). (We should mention that Bacon, in 1267, speaks of stationarii librorum of some forty years earlier, on whose corrupt exemplars he blames the corrupt text of the scriptures ; but his assumption was surely an anachronism : a thoroughgoing survey of thirteenth-century Paris Bibles has revealed none with pecia-marks written before the 1260s or '70s). The work occurs again in 1270, in a Notre-Dame record of a piece of property sold by a stationarius librorum (18).

We may mention in addition two arguments ex silentio -significant silence, in our estimate. First, Destrez cites an exemplum from a sermon of Robert de Sorbon, to document the continuing vitality of the old practice of reproducing a manuscript by distributing its quires, quite outside the university pecia system. The exemplum tells of a beguine who bought at Paris a Summa de vitiis et virtutibus ; subsequently, while living in a cathedral city, she used to provide the priests who came to town with quires of the Summa for copying, with the result that the text was multiplied throughout the whole region. Robert died in 1274. The "significant silence" is the fact that he does not, as one might have expected, explain the beguine's activities to his Parisian audience by likening them to the procedure of the stationers (19).

The second item is the oldest surviving book provision of the University of Paris, dated 1275. It is too long to quote in extenso, but we note the following : 1) It makes no distinction between the terms stationarii and librarii ("stationarii, qui vulgo librarii appellantur"). 2) The document fills 50 lines of print, in the Chartularium ; of these, a total of only 5 lines are concerned with the exemplars of "said booksellers" (dicti librarii). 3) The entire obligation of these "booksellers" with respect to exemplars is expressed in one sentence : "Because great harm ensues from corrupt and faulty exemplars, we order that the said booksellers swear that they will display care and efficiency, diligence and effort, to see that their exemplars are true and correct, and that they will charge for these no more than a just and moderate salary or payment- or whatever rate has been set by the university or its delegates". The simplicity of this document, set alongside the detailed provisions of later ones, suggests the probability that it is not only the earliest to survive, but the earliest that ever existed, at Paris (20).

We do not imply, obviously, that the complex system of pecia-production sprang into instant existence, ex nihilo, in 1275. The following explanation seems more likely : The system had developed in the 1250s and '60s, gradually evolving its own practices, procedures, and customs. By 1275, the transactions of pecia-rental had increased greatly, in number, in usefulness to the university, and in instances of abuse such as over-charging and circulation of faulty texts. At that point, the university both felt the responsibility and had the corporate capacity to attempt to regulate the procedure.

Even in 1275, the university's control of -and interest in- the operation of the stationers was just beginning to take shape. As late as 1302 we find that the university book provisions do not distinguish by nomenclature (although there is distinction of function) between stationers and other librarii. While the statute of 1275 casually refers to all bookman as librarii, the oath of 1302 just as casually calls them stationers : "In AD 1302... the stationers, in general assembly at the Mathurins, swore the following articles...". The subsequent oath, however, like the 1275 document, begins with the rules for selling books on behalf of a third party, a matter that concerned all librarii and not just the stationers. The assembled bookman swore to observe seven detailed articles that regulated their actions as agents for sale, followed by three brief articles concerning exemplaria - that 1) the exemplars should be true and correct, and that the charge for them would be   2) no more than the university's assessed rates, or 3) no more than a just and moderate sum, for exemplars that had not been assessed (21). In other words, the university was scarcely more sophisticated or specific in its dealings with the stationers in 1302 than it had been in 1275.

This state of affairs was to change, and in fairly short order. An addendum to the oath of 1302 provides three further, and detailed, regulations for stationers ; the date of the addition is unknown, but it probably fell within the first decade of the century, surely before 1313 (22). By 1316 at latest, regulation of stationers is still more detailed, the university clearly distinguishes between stationarii and librarii as groups, and the surviving written oaths distinguish precisely the status of individuals in the book trade.

We should be very much surprised, in sum, if there were pecia-produced manuscripts at Paris as early as 1225. More important, we feel that it is very misleading to assume that the nascent pecia-production of the 1250s and '60s came under the sort of detailed university regulation which is first implied by the book provisions of the early fourteenth century.

B. UNIVERSITY CONTROL OVER BOOKMEN

Did the university control all members of the Paris booktrade ? While it is true that a royal ordonnance of 1307 speaks of "the librarii of the university" (librarii universitatis) (23) -from which one might infer the existence of librarii who were not attached to the university- it is clear from other evidence that the university claimed and, by 1313 at latest, exercised jurisdiction over the entire trade : librarii (including stationers), illuminators, parchmenters. A surviving individual oath from 1316 contains an escape clause, to the effect that the oath-taker was not bound if the university failed to compel "all the other librarii of Paris" to abide by the same oath-a clear implication that the university had jurisdiction over every single bookdealer, or ought to. (In later oaths, from 1335 onward, the university prudently dropped this clause). In addition, the royal privilege for the librarii universitatis (discussed below) was, in practice, applied to all the librarii (and illuminators and parchmen-ters) of Paris. The university regulations of December 1316 are quite explicit : Any librarius who had not sworn an oath was limited to the sale of books valued at ten solidi or less (= two quires ? perhaps three ?) and was forbidden to "sit under a roof," i.e., to own a shop (24).

1. Limited Extent of University Control

A necessary distinction must be made, however, when we speak of university "control" of the booktrade. All members of the trade received privileges (legal and financial) from the university, in return for swearing to observe rules that prescribed their dealings with the masters and scholars. But it would be far wrong to assume that all of an individual libraire's work -or even, necessarily, the most lucrative portion of it- had to do with the university. Provided they met their university obligations, librarii (including librarii who were stationers) were otherwise free to produce and sell books, illuminators to illuminate, scribes to write, for anyone else they pleased : the Court, the cathedral, the wealthy laymen of the capital and the provinces. This part of their trade, for many the most substantial part, did not fall under university regulation (25). Major producers of books for the luxury trade -men such as Thomas de Maubeuge, Geoffroy de St-Léger, Richard de Montbaston (see pt. I-C below)- were free to charge whatever the market would bear and to organize production and sales as they wished, in their dealings with outsiders. The external trade of "university" librarii needs to be emphasized, because too often the university's regulations of the internal trade are cited in the context of production of elaborately-decorated deluxe items for king and nobles. The distinction must be borne in mind, as we consider the university's relations with "its" librarii.

2. Resistance to University Control

Relations between university and bookmen at Paris were normally adversarial, and often stormy. And in between the outbreaks that were turbulent enough to have left a record, the attitude must have been continually one of justified suspicion on the part of the university, and justified resentment on the part of the booksellers. An examination of the university book provisions, the oaths required of librarii and stationarii in the thirteenth and fourteenth centuries, shows part of the reason why :
A very large concern, and perhaps the foremost concern, of the university was not with the regulation of pecia-rental, which seems so significant to us, but with what strikes us as a minor matter : the sale of secondhand books. Regulation of this procedure is the first matter dealt with, and it is dealt with at greatest length, in the surviving book-provisions of 1275, 1302, and 1342, and is a major point of contention as well in the only others that survive for our period (1316, repeated verbatim in 1323). The booksellers had to swear, and to deposit a bond to keep the oath, that they would not buy secondhand books and resell them, but would rather merely act

as intermediaries between seller and buyer : the libraires were required to give a professional assessment of the likely price of books submitted to them, to display those books prominently in their shops, to put would be buyers into direct contact with the seller -and to take profit limited to four pence in the pound !- an enormous amount of bother, for a profit (if the book was sold) of 1.7 %, which can scarcely have paid for the time and the "shelf-space" required (26). The booksellers must have found this not merely irritating but well-nigh insupportable ; and they cheated with regularity. The university knew the bookmen were cheating, and repeatedly tried to compel compliance. We see that the oaths drawn up by the university for the librarii almost never begin simply "you do solemnly swear that...". Instead, there is an acrimonious prologue saying something like "Given that certain of the booksellers, out of insatiable greed, have seriously inconvenienced the students and have even prevented them from acquiring the absolutely essential books, by buying from them below market price and selling to them at inflated rates, and by engaging in underhanded maneuvers to inflate prices artificially... they must hereby swear that" etc. (27). In a record from June 1316, when tempers were especially high, even the salutation is menacing : "To whom it may concern, greeting in the name of Him who does not allow the misdeeds of the wicked to go unpunished. Since impunity for evil deeds can only encourage them,... since the librarii and stationarii, subordinates of the university that protects and enriches them, have repeatedly been guilty of actions prejudicial to the well-being of the whole university", therefore the university, for their good as well as its own, orders them to swear that... (28). And although there are a few scoldings concerning corrupt exemplars, much the greater part of the vituperation, and of the meticulously regulated procedures that the librarii and stationarii must swear to observe, refers to the unprofitable business of serving as agents in the secondhand trade.

The documents show, time and again, that the bookmen were reluctant to swear the oath drawn up and imposed by the university. In one instance, the stationarii and librarii yielded only after winning a few concessions. The story of this confrontation is preserved in two documents from 1316. In June of that year, the university record refers to an (undated) earlier contest, in which the librarii et stationarii had taken the oath only with great reluctance. Now, says the document, it is time -indeed, it is well past time- for the oath to be sworn anew. But when they had been summoned in a body before the university officials, the greater part of the bookmen refused to take the oath, saying that they would rather lose their posts than swear to observe such regulations. Therefore, the university blacklists by name twenty-two men, who will no longer receive university privileges and with whom every member of the university is strictly forbidden, under penalty, to do business. In December of 1316, a second document records that the body of librarii et stationarii again appeared before the university officials, and swore to obey the regulations ; the names of fourteen men are listed (29).

On the surface, this looks like abject surrender. In reality, faced with a concerted strike, the university had made concessions -although they are not acknowledged as such in the record which, of course, was drafted by the university. The extent of the concessions is unclear, since we do not have the wording of the immediately preceding regulations for comparison. One change that stands out, however, concerns the librarii as agents for the sale of secondhand books. A comparison with the regulations of 1302 shows what is new : In 1316, the librarius is no longer required to run and fetch the vendor, put the latter in direct touch with the buyer, and stand humbly by while the money changes hands. The librarius himself is empowered to sell, as agent for the vendor, with the sole proviso that he shall name (or even produce) the buyer if the vendor demands it, after the sale. Even so, the tight restriction on the libraire's profit remains unchanged. A second and more significant concession concerns the taxatio ; henceforth, the taxatores, the assessors of rates, will be four of the librarii themselves, chosen by the university- a matter considered at greater length below (30).

3. A Major Instrument of Control : Exemption from the Taille

The university, then, could give ground, on rare occasions, in order to secure the allegiance of the bookmen. In most cases, though, the university had by the early fourteenth century a sufficiently compelling argument, in the form of an important new privilege : In 1307, a royal ordonnance of Philip the Fair exempted all the librarii universitatis from paying the commercial tax, the taille, a privilege that remained in force through subsequent reigns. The reverse of the coin, obviously, was a threat : no oath, no tax-exemption.

The university was aware of the power of this weapon, and brandished it openly : Thus, the document of June 1316, which summarizes the undated earlier confrontation between university and bookmen, recalls with relish that, while some of the booksellers were willing to swear, many others objected, until "with the passage of time they were forced by necessity, namely, the taille of the lord king of the French, from which they enjoy immunity solely under protection of the university" -and they swore.

This undated previous controversy must have occurred between 1307, date of the royal exemption, and the extraordinary taille of 1313 (31). For the university's account goes on to say that all swore the oath except Thomas of Sens. In the taille book for 1313, only three of the librarii of Paris are taxed (all with a second source of income, which probably accounts for their having been taxed), and one of these is Thomas of Sens. In no time at all, Thomas capitulated : His individual oath survives, dated May 1314 ; and since, in actuality, the so-called "taille of 1313" was collected in Paris between December 1313 and June 1314, his timely oath may have been a last-minute attempt to avoid paying taxes. In his individual oath, we should note, Thomas is revealed as a stationer (32).

C. UNIVERSITY BOOKMEN FOUND ON THE TAILLE ROLLS AND OTHER RECORDS

Exemption from the taille was a cherished privilege for members of the booktrade. It is less than a blessing for modern scholarship, however. For the earliest university lists of names of librarii and stationarii -between twenty-two and twenty-seven names, allowing for possible duplication- date from 1316 ; and the shop-by-shop taille records nearest in time are those of 1313 from which, as we have see, virtually all bookmen are exempted. (For example, the Rue Erembourc de Brie, known from earlier taille books to have been thickly settled with booksellers, binders, and especially illuminators, bears a terse notice in 1313 : "La rue Erembourc de Brie : nichil.") (33). Consequently, we are forced to go back, if we wish to see such things as the location or the comparative economic standing of libraires, to the printed tax rolls of 1296 and 1297 ; and it is too much to expect that any large number of those who were university librarii in 1316 would have owned a taxable business twenty years earlier. Fortunately, the oath of December 1316 provides street-names for those who swore, which affords a picture of the geography of the university booktrade in that year (see Map) ; and a surprising number of these men appear on the taille lists or other records (34) :

1) Gaufridus Lotharingus, Rue Erembourc de Brie.
2) Guillelmus de Curia, Rue de Clos-Brunel. At first he was located in or around the cloister of St-Benoît, west of the Rue St-Jacques (1296 taille), but by the time of the 1297 taille he had moved to Clos-Brunel where he still is located in 1316.
3) Guillelmus le Grant, anglicus, Rue des Noyers.
4) Jacobus de Troanco, Rue neuve Notre-Dame. By 1323 he has been succeeded as a sworn librarius by his widow Margareta, doubtless at the same location.
5) Johannes Brito alias de Sancto Paulo, Rue neuve Notre-Dame. He is probably kinsman and successor of Thomas de St-Pol, a librere on the Rue neuve Notre-Dame who appears in the taille lists for 1296-1300.
6) Johannes de Garlandia, Rue des Parcheminiers, also known as the Rue aus Escrivains. He appears on the taille lists for 1296-1300.
7) Nicolaus dictus Petit-clerc, Rue St-Jacques. He appears (as "Nicolas l'anglois") in the taille list of 1313.
8) Stephanus dictus Sauvage, Rue Erembourc de Brie.
9) Thomas Normannus, Rue neuve Notre-Dame. He appears on the taille list for 1297-1300 ; he is possibly succeeded by Gaufridus dictus le Normant, who is succeeded in turn by Johannes dictus le Normant. Thomas was a stationer in 1316.

10) Thomas de Senonis, Rue St-Jacques. He appears on the taille list for 1313. This Thomas also was a stationer, as we have seen. He is discussed further below, pt. I-D.

Besides these, a few names from the university's lists of librarii in the first half of the fourteenth century appear in surviving manuscripts. Three of these appear as scribes of manuscripts written before the dates of their earliest (surviving) oaths as librarii, raising the possibility that they entered the booktrade as simple wage-earners and later advanced to the status of shop-owners :
11) Petrus dictus Bonenfant, who in the oath of December 1316 is a librarius located on the Rue de Bièvre. Almost eight years earlier, he appears as scribe of Arnold of Liège's Alphabetum narrationum in Vendôme Bibl. mun. 181, fol. 147 : "Anno Domini millesimo ccc° viii° [N.S. 1309]... in mense januarii fuerunt complete scripte iste pecie a Petro Bonopuero" (35).
12) Thomas de Wymonduswold (garbled as "Wymondlkold" in the oath of 1323), anglicus. He wrote, and left his name in, a manuscript of Gratian's Decretum, Paris, B.N. lat. 3893 (AD 1314), and a Bible, Paris, Bibl. univ. 9 (36).
13) Johannes de Pointona (also Ponton, Ponitron), anglicus. He swore his individual oath to the university as a librarius in 1335 ; but, given the persistent garbling of his name in the university records, he is probably to be identified with the scribe of a glossed Gratian, Paris, B.N. lat. 14318, written a dozen years earlier, according to its colophon : "Hoc opus complevit Johannes Anglicus de Duntonia AD MCCCXXII". He is probably a kinsman of Guillelmus dictus de Pointona who swears an oath in 1343.

Two other librarii from the university records appear in surviving manuscripts as booksellers, aptly enough :
14) Johannes de Remis, who took the corporate oath in 1323, is probably the man referred to in an undated note that appears in a thirteenth-century glossed Pauline epistles, now Munich Clm 3743, fol. 149 : "Johannes de Sacrofonte emit hunc librum a Johanne de Remis, librario Parisiensi".
15) Matheus Vavassor, who swore his individual oath in 1342, had a shop on the Rue neuve Notre-Dame, according to the purchase note in a manuscript of the Fens of Avicenna (Paris, Bibl. univ. 130) bought in 1352 "ab uxore et executoribus Mathei Vavassoris, defuncti, quondam librarii in vico novo Beate Marie commorantis". Given the sequence of dates, we may suppose Matheus to have died of the plague (37).

The last three names open the door for us to a quite different world. All are producers of de luxe illustrated vernacular texts, with two of them certainly, and the third possibly, illuminators as well as librarii. They are striking examples of the double life of Paris booksellers : On the one hand, as sworn university librarii, they submit to being berated like naughty children by "our mother, the University" (38), over a minuscule profit of four pence in the pound on sales of scruffy used books to students and masters ; and on the other, as participants in the luxury trade outside the university, they are paid as much as a hundred pounds per book by the nobility. While these are the only three names known to us, there must surely have been other librarii in like situation, whose names with luck will be uncovered :

16) Gaufridus de Sancto Leodegario, Rue neuve Notre-Dame. Geoffroy de St-Léger appears in the university records in 1316 : on the blacklist of June (as "Gaufridus de vico novo"), in his individual oath of November (as librarius juratus), and in the corporate oath of December, which gives his full name and street address ; he also takes the corporate oath that survives from 1323, but not that of 1342, the next to survive. He is probably kinsman and successor to Johannes de Sancto Leodegario, who likewise appears on the blacklist of 1316 but who is not mentioned thereafter.

Since 1884 it has been remarked on that Geoffroy's name ("C'est Geufroi de S. Ligier") or the initial G. appears numerous times in a manuscript of Guiart de Moulins' Bible historiale (Paris, Bibl. Ste-Geneviève 22), with reference to the illustrations in this codex (39). François Avril has identified at least thirty-six manuscripts in which the artist of Ste-Geneviève 22 figures, either alone or in collaboration (40) ; and Avril argues convincingly that the artist is the libraire Geoffroy de St-Léger, which means that Geoffroy headed an important shop at the heart of the Paris booktrade. Between the years ca. 1316 and 1337 (41) he also worked in tandem with other illuminators, including both of his neighbors listed below. His patrons included the chancellor of France, nobles such as Louis I duc de Bourbon, and two queens : Clemence of Hungary, second wife of Louis X, and Jeanne of Burgundy, wife of Philip VI. Geoffroy's most frequent products were chivalric romances, Guiart de Moulins' Bible historiale, and the Grandes chroniques de France. For a list of the manuscripts thus far attributed to him, see Avril's introduction to the facsimile edition of the most lavishly illustrated Roman de Fauvel (Paris, B.N. fr. 146), likewise attributed to Geoffroy.

17) Thomas de Malbodio, Rue neuve Notre-Dame. Like his neighbor Geoffroy, Thomas de Maubeuge also appears on three university records for 1316 : the blacklist, his individual oath as librarius (sworn on the same day as Geoffroy's oath), and the corporate oath ; he, too, swore the corporate oath of 1323 but not that of 1342.

One of Thomas's steadiest nonuniversity patrons, it seems, was Mahaut, countess of Artois and Burgundy (1302-1329) (42). The earliest record dates from 1313, when Mahaut purchased two books in French from Thomas for eight pounds Parisian, the Voeux de Paon and a Vie des sains (43). In 1316, insurgents broke into Mahaut's castle of Hesdin, destroying or carrying off objects of value including 200 pounds' worth of books, which she listed in a claim presented to parlement ; Thomas's Vie des sains was one of them (44). In January 1327 (N.S. 1328), the Hesdin accounts note substantial payments to Thomas de Maubeuge of 80 pounds Parisian for a collection of edifying stories in French -saints' lives (a replacement ?), miracles of the Virgin, and the like- and 100 pounds for a French Bible. Thomas was also paid during that year for repairing or replacing missals and breviaries of the chapel at Hesdin (45).

Thomas provided books for other northern nobles. It is recorded in 1323 that he sold a "rommanch de Lorehens" to the count of Hainaut for thirteen pounds Parisian -almost twice the price of the horse purchased for the trip from Hainaut to Paris (46). Perhaps it is also our Thomas de Maubeuge who in 1349 sold a "rommant de moralite sur la Bible" (doubtless Guiart de Moulins) to the future king John the Good (47) : the date is surprisingly late, however, given that Thomas's name does not appear on the oath of 1342.

One surviving manuscript, an illustrated Grandes chroniques de France dated 1318 (now Paris, B.N. fr. 10,132), is securely attributed to Thomas by its elaborate opening rubric, which also did service as an advertisement : "Ci commencent les chroniques des roys de France... lesquelles Pierres Honnorez du Nuef Chastel en Normandie fist escrire et ordener en la maniere que elles sont, selonc l'ordenance des croniques de Saint Denis, a mestre Thomas de Maubeuge, demorant en rue nueve Nostre Dame de Paris, l'an de grace Nostre Seingneur MCCCXVIII" (48). It is a large volume containing at least thirty-one miniatures, the first of which occupies the upper half of the opening of the text ; save where they have been cropped, instructions to the artists survive in the margins. As a whole, the caliber is second-rate or worse, in comparison with the work of artists such as Master Honoré or Pucelle, or even with the early work of Geoffroy de St-Léger. We do not know whether Thomas himself was the illuminator of this manuscript, as well as its producer, although this seems to have been a fairly common situation. What is known, however, is that this illuminator collaborated with Thomas's neighbor and contemporary, Geoffroy de St-Léger, in the production of two other illustrated manuscripts, a Roman de Graal (Paris, B.N. fr. 9123), and the Grandes chroniques that now belongs to the Musée de Castre (49). Whether Thomas or Geoffroy was the titular "producer" of these two is unknown.

18) Richard de Montbaston, Rue neuve Notre-Dame. For unexplained reasons, Richard swore an individual oath twice in 1338, in August and again in October, as librarius et illuminator. His name appears also on the corporate oath of 1342 ; he died (a victim of the plague ?) before 1353, when Johanna, "widow of the deceased Richard de Montbaston", took an oath as libraria et illuminatrix.

One manuscript securely attributed to Richard is an illustrated Légende dorée dated 1348 (now B.N. fr. 241), which contains an advertisement on the back pastedown similar to that of Thomas de Maubeuge : "Richart de Monbaston libraire demourant a Paris en la rue neuve Nostre Dame fist escrire ceste legende en francois, l'an de grace Nostre Nostre [sic] Seigneur mil.CCC.XLVIII". This French translation of the Legenda aurea was made by Jean de Vignay (d. bef. 1350), whose patron was Jeanne of Burgundy- wife of Philip VI, mother of John the Good (50). MS fr. 241 is textually closer to the archetype than virtually any other surviving copy (51). It is not known for whom Richard made this book ; but it is part of the French royal library when that collection first appears in 1518, suggesting that the copy was commissioned by a member of the court circle.

The illustrations of MS fr. 241 -like those in Maubeuge's Chroniques- are workmanlike and nothing more. In the present case, we are doubtless justified in attributing the illustrations as well as the overall production to Montbaston, since he is specifically called an illuminator in his university oath. In three other surviving manuscripts, he can be seen working in collaboration with his neighbor Geoffroy de St-Léger : Paris, Arsenal 3481, Lancelot ; B.N. fr. 60, Roman de Thèbes and Histoire de Troie ; and B.N. fr. 22,495, Roman de Godefroi de Bouillon et de Saladin, dated 1337, the latest fixed date in Geoffroy's life (52). Given that Geoffroy would seem to have been the older of the two by roughly a generation -and that Richard himself was not a libraire until 1338- one would suspect that for these three manuscripts Geoffroy was the contractor, so to speak, who engaged Richard to help out with the illustration.
We should like to emphasize that these three -Geoffroy de St-Léger, Thomas de Maubeuge, and Richard de Montbaston- and doubtless many others as yet unidentified, were sworn university librarii (as all booksellers in Paris were required to be), but not stationarii. Their near-assemblyline production of fancy books for the wealthy- royalty, nobility, prelates, haute bourgeoisie- had no relationship at all with the sort of production that stationers were engaged in, the production of exemplar-peciae for rental which, by 1304 if not before, was regulated by the University of Paris. Rather, these men were the spiritual descendants of Herneis le romanceeur, who as much as a half-century earlier was producing books in the vernacular (hence his sobriquet) for the newly literate upper classes from his shop on the parvis where the Rue neuve Notre-Dame opens out in front of the cathedral. In a manuscript of Justinian's Code translated into French (53) (now Giessen, Universitätsbibliothek MS ·945, ca. 1250), Herneis wrote, as a colophon (fol. 269v), an advertisement of the same sort as that of Thomas de Maubeuge in 1318 or that of Richard de Montbaston in 1348 : "Ici faut Code en romanz, et toutes les lois del code i sont. Explicit. Herneis le romanceeur le vendi, Et qui voudra avoir autel livre, si viegne a lui, il en aidera bien a conseillier, et de toz autres. Et si meint a Paris devant Nostre Dame" (54). The historiated initials in this manuscript, according to Robert Branner, were produced by the Bari atelier in Paris in the 1250s (55). Whether Herneis himself was the artist (and, hence, a part of this atelier) we do not know (56) ; but he was clearly both producer and seller of the manuscript, since the colophon-advertisement is written in the hand of the text. The principal difference between a man like Herneis and the three men just discussed is the fact that, working in the 1250s and '60s,

Herneis likely was not required to take an oath to the University of Paris. In the fourteenth century Geoffroy, Thomas, and Richard were required to swear such an oath ; but it had little bearing on the types of books they produced, and no bearing whatsoever on their methods of production or the prices they charged. For them, swearing the university oath was little more than a formality, an unavoidable one whose occasional minor inconveniences were easily outweighed by the advantages of the privileges that it conferred, and one that had little to do with the way they made a living. About Nicolaus Lombardus, see Addendum, p. 85.

D. A FAMILY OF STATIONERS, ca. 1270-ca.1342

Our search through the taille (57) and other records produced an unexpected dividend, in that it permitted us to identify four successive owners of a single bookshop, three (if not all four) of them stationers, and surely members of one family. Moreover, to our good fortune, this is the shop for which one or, more likely, two taxatiolists survive -the only such lists from Paris.

The taille book for 1292 records, on the west side of the Rue St-Jacques, the name of "Dame Marguerite, de Sanz, marcheande de livres" (58). In this year, the assessors used as their starting point for this segment "la meson mestre Jehan de Meun" outside the Porte St-Jacques without indicating which names on the list represented tenements outside, and which inside, the walls, information that might have helped to locate Margaret more precisely. But at least one may note that next to hers on the list is the name of "Gefroi, l'escrivain". No other bookseller was taxed on this street in 1292.

Dame Margaret does not reappear in the next surviving taille records, those of 1296 : instead, on the same side of the street one finds "Andri de sens, librere : 36s" (59) ; this is the Andrew of Sens, stationer, whose list of exemplars and their rental rates survives from 1304. (We shall have more to say about the contents of his list below). The starting point for the assessors in 1296 reads "A commencier au bout par devers Saint-Jacques, en venant tout contreval", with Andrew's name second on the list. Only one other bookseller, "Raoul le librere", was taxed on the Rue St-Jacques this year, and he is located on the east side of the street (60). Geoffrey does not appear on the 1296 records ; but he was taxed again in 1297, and next to his is the name of "Andri l'englois, libraire : 36s" -surely, despite the discrepancy in the cognomen, the same Andrew of Sens (61). No other bookseller was taxed, on either side of the street, in 1297. In this year the assessors again used the end of the street as their landmark, "De la Porte Saint-Jaque...", with Geoffrey's name first and Andrew's second, on the west side of the street. As a further indication of Andrew's proximity to the Porte St-Jacques one might note the number of names farther north, toward the Mathurins (the end of this segment for the assessors in both 1296 and 1297) : while only one taxable establishment stands between Andrew and the porte, there are fourteen (1296) or fifteen (1297) between Andrew and the Mathurins (see Map). Andrew (as "Andri de sens") continues to appear at this location, paying the same tax of thirty-six sous, through the remaining years of the taille (completed in 1300) (62).

Finally, in the records of the special taille of 1313 we find, thanks to his refusal to take the university oath, "Thomas de senz, libraire et tavernier" (perhaps he added the second trade because of the university ban) (63). This time, the assessors worked the west side of the Rue St-Jacques from north to south, "from the hôtel of Robert Roussel to the well in front of Master Jean de Meun's house outside the gate" ; but the location is assured by the fact that the name on the list following Thomas's is again that of "Geoffroy l'escrivein". Thomas of Sens, as we have seen, swore an individual oath as a stationarius in May 1314 ; he (alone) is mentioned by name, as an example in malo, in the preamble to the university blacklist of June 1316 ; and his name appears, in lists that do not distinguish between stationarii and other librarii, appended to the coporate oath of (December) 1316, 1323, and 1342 (64).

Thomas of Sens is also connected, in some unexplained way, with that curious manuscript, Paris, Bibl. Mazarine 37 (65). Mazarine 37, which bears the ex libris of the Dominicans of St-Jacques, contains the books of the Bible from Genesis to the end of the Psalms ; a scant majority of the quires come from a single Bible, and the numerous lapses and losses have been made up by the insertion of quires from at least three other Bibles of similar size, with a concomitant overlapping of text. For the most part the quires, like peciae, are numbered and are signed by a corrector ; and numerous copyists have left their marks in the margins, to remind them of how far they had gone (66). In addition, there is a series of notes that mark the places, in this text, where the "small peciae" of another text end ("pecia de minoribus" or "pecia parvarum").

At the bottom of fol. 178v, the end of a quire in the text of 2 Paralipomenon, someone has noted in large letters "Tomas de sans qui habitat". Neither its appearance nor its phrasing suggest that this is a mark of ownership. And, in fact, there is little tangible evidence, in the form of surviving manuscripts, that Bibles were produced via the pecia method. Nevertheless, despite the dearth of copies, a Bible does appear on the list of the Sens shop's exemplars, when the shop belonged to Thomas's predecessor (father ?) Andrew in 1304 ; even by that date the exemplar was imperfect, comprised of "120 peciae, 2 of them missing" (In textu Biblie, cxx pecias, ii demptis) (67). There is no plausible relationship of these 120 peciae with the 39 quires (whether or not one calls them peciae) of Mazarine 37 ; and the number of "small" peciae (small, presumably, in physical size but not in amount of text contained) referred to is 32. It is unlikely, then, that Mazarine 37 is the exemplar from Thomas's shop. But it is possible that among the heterogeneous quires that constitute Mazarine 37 there are parts of the old Sens exemplar, particularly since Mazarine 37 wound up in the hands of Thomas of Sens's neighbors at St-Jacques. The marginal note, likely a pen trial, is perhaps an idle copy of the heading of one of Thomas's peciae, one which began with Psalm 90 ("Qui habitat in a diutorio Altissimi...") (68).

To this sequence of Margaret, Andrew, and Thomas "of Sens," circumstantial evidence reveals that a fourth name should be added, at the head of the list : William of Sens. There is no record of William's location ; but certainly he was a university stationer, by 1270 at latest. In that year, according to the cartulary of Notre Dame, "Guillelmus dictus de Senonis, clericus, stacionarius librorum", sold to the bishop of Paris a grange situated just outside the Porte St-Jacques (69). Moreover, accidents of survival have preserved several collections of exemplar peciae that were rented out by the stationer William of Sens, who entered his mark of ownership across the upper margin of the first folio recto of each pecia in a form like this :

xxxviii   tercii thom'   G. Senon. est

i.e., the pecia number, an abbreviated title of the work, and the statement of ownership. Normally, when a work ceased to be in demand for rental and the exemplar-peciae were bound up together as a codex and sold, these marks seldom survived : they were either trimmed off by the binder or were deliberately effaced by the book's new owner. (Also, there is no reason to assume that William carried out this practice consistently). Nevertheless, there are at least four surviving collections of (bound) peciae that preserve one or more of William's marks : Pamplona Cathedral 51, Thomas Aquinas In Tertio Sententiarum ; Paris, Bibliothèque de la Mazarine 333, William Brito Expositiones vocabulorum Bibliae ; Troyes, Bibliothèque municipale 546, G. de Militona Postillae super Ecclesiasticum, and 667 pt. I, Jean de Varzy Postillae super librum Proverbiorum. In two other manuscripts, copied from university exemplars, the scribe whether idly or by design reproduced the exemplar's marginal annotation "Guillelmi Senonensis est" : Vatican Library Borgh. lat. 134, Albertus Magnus De sensu et sensato ; and Paris, Bibliothèque de la Mazarine 281 (top of fol. 26), which contains the biblical concordance in 108 peciae (70).

The concordance to the Bible in 108 peciae appears on the list of the exemplars of Andrew of Sens in 1304 (71) ; we should expect as much, if Andrew were William's successor and heir to his stock as stationer. We note, moreover, that the concordance in 108 peciae had appeared as well on the anonymous taxatio of ca. 1275 (72). It is a reasonable assumption that this earlier taxatio in fact pertains to the same stationer's shop, some thirty years earlier, when it belonged to William. Certainly there is great variation between the bodies of works contained in the two lists, as one might expect with the passing of three decades : more than two-thirds of the works priced in 1275 are absent from the 1304 list, which latter introduces an even larger number of new titles not to be found on the former. Given the time-interval, however, one cannot fail to be impressed instead by the number of exact correspondences (saving the rates, which have nearly all risen) between the two. If we restrict our examples to those works that do not qualify as set texts for the classroom (texts, potentially, widely on offer), we see that both lists of exemplars contain the De principiis rerum of Johannes de Sicca-villa in 14 peciae, the sermon-collection beginning "Precinxisti" in 47 peciae, the collection of distinctions of Maurice of Provins in 84 peciae, the sermons de dominicis and de festis of Nicholas Biard in 69 peciae, and so on. The lists likewise share in common eleven works of canon law, though the 1275 list neglects to specify the number of peciae in these (73). The most notable correspondence occurs in the list of exemplars of St. Thomas's works : Each of the nineteen titles on the list of 1275 reappears on the list of 1304, with the identical number of peciae in most cases (and one suspects the discrepancies of being slips of some sort -e.g., a simple inversion in the number of peciae, lxvi and xlvi respectively, that are recorded for the Quaestiones de veritate) (74).

We accept, then, as a working hypothesis that the taxatio of ca. 1275 lists the exemplars of William of Sens. Minor corroborative evidence is provided by Peter of Limoges (d. 1306). On a blank folio of his manuscript of John of Hauteville's Architrenus (Vatican Reg. lat. 1554 fol. 166v), Peter has jotted down informal accounts, almost all to do with the copying of books. Among these is a note, "I paid William of Sens for the De proprietatibus rerum, part 2 of Thomas's Summa, and the Contra Gentiles" (Solui Willelmo sen. pro proprietati-bus rerum, 2. parte summe thome et contra gentiles) (75). All three of these works appear on the taxatio of 1275 (and on Andrew's list of 1304). One might dismiss the appearance of the Thomistic works as coincidence, on the assuption that any stationer at the time would have offered these (a dubious assumption ; see below) ; but the De proprietatibus rerum of Bartholomaeus Anglicus is not an automatic nor obvious candidate for reproduction by university stationers. (Peter's manuscript of the De proprietatibus, left to the Sorbonne, survives as Paris, B.N. lat. 16099).

Finally, we should note that the two taxationes, of ca. 1275 and 1304, follow one after the other in the surviving archives. The proba-ble explanation for the fact that these two alone survive, and that they survive together, is that they represent the same shop.

Was this shop, even in William's day, at the same location where the taille books later place Margaret, Andrew, and Thomas, i.e., very near the southern end of the west side of the rue St-Jacques ? There is every reason to think so. As the perceptive reader will have recognized, the importance attached to the particu-lar location of Margaret, Andrew, and Thomas of Sens lies in its proximity, not to the porte, but to the Dominican convent of St-Jacques -located on the west side of the street, and bounded on the south by the gate, to which it gave its name. It must have been quite advantageous, for a Paris stationer at the end of the thirteenth century, to sit virtually on the Dominicans' doorstep, with no competitor in the neighborhood. One can see that Andrew, at any rate, exploited this advantage, for his rental list in 1304 offered an impressive catalog of Dominican writers : some thirty works of St. Thomas, some twenty works of St. Albert, eight works of Nicholas of Gorham, two lengthy works -a complete cycle of sermons for the year and a collection of biblical distinctiones (a total of 129 peciae)- of Nicholas Biard, and numerous individual items : the Dominican biblical concordance (76), and works of Robert Kilwardby, William de Malliaco, James of Voragine, etc.

We have already mentioned evidence which shows that William of Sens, also, had at least some Dominican works on offer- namely, his surviving exemplar of Thomas on the Sentences, references to his exemplars of Albert's De sensu et sensato and the concordance, and Pierre de Limoges's note of payment to him for two other works of Aquinas. If, as we believe, the rental list of ca. 1275 is his, its lengthy list of the works of Aquinas strengthens the impression that William's shop was associated with the Dominicans (although the works of Albert the Great are curiously absent).

The strongest case, however, rests on Pamplona Cathedral MS 51, William of Sens's exemplar of St. Thomas on book 3 of the Sentences. The careful work of P. M. Gils reveals several pertinent facts (77). For one thing, Pamplona 51 is not merely the earliest surviving stationer's exemplar of this work, but it is the earliest, and possibly the only, one for whose existence there is any evidence. It was demonstrably in circulation before 1272 (B.N. lat. 15773, a direct copy of William's exemplar, was bequeathed to the Sorbonne by Gerard of Abbeville, who died in that year) -that is, during Thomas's lifetime and before the end of his final stay at St-Jacques. The commentary on the Sentences, we should note, was probably the earliest of Thomas's surviving works (1254-1256), and it is thought to have been later revised. Copious revisions are visible, literally, in William's exemplar, in the form of original text lined through and replaced with marginal revisions, or of folios and even several whole peciae that have been replaced. Because Pamplona 51 remained in circulation for a long time and engendered numerous surviving descendants, one can see the text both as it was originally, in the earlier copies, and as it became after the revisions, in the later ones. Clearly someone, whether or not St. Thomas himself, was able to introduce revisions into the exemplar after, perhaps long after, William had put it into circulation (78). In sum, while Pamplona 51 is not so obliging as to give us William's address, as the first and long-enduring exemplar of a major work of St. Thomas it singles William out as the "official stationer" of the Dominicans of St-Jacques (79). And if, as Gils suggests, the revisions are Thomas's own, one could even assume a quasi partnership, between stationer and convent.

There is, perhaps, one further reference to William, dated 1264 ;

but the identification is not certain, and the meaning of the reference is difficult to interpret. A William of Sens is recorded as the scribe of a four- (formerly five-) volume illuminated Bible that belonged to the Cistercians of Loos near Lille (now Lille, Bibl. mun. MSS 835-838). The colophon of the last volume (MS 838 fol. 265v) reads, "Anno domini MCC sexagesimo quarto scripta fuit hec biblia a Guillermo Senonensi et diligenter correcta secundum hebreos et antiquos libros a fratre Michahele de Novirella tunc priore fratrum predicatorum Insulensium et capellano domini pape, expertissimo in biblia" (80). At present we cannot explain why the statement is framed as if it referred to events of the past ("scripta fuit" instead of "scripta est", "tunc priore" and not simply "priore") ; it may have no significance at all, but the anomaly is unsettling.

Is this William of Sens, scribe, the same man as the Parisian stationer William of Sens ? (81) There is good reason to think so. The date in the colophon, 1264, is appropriate for a man who was a stationer by 1270. More important is the fact that, like William the stationer, the William of the colophon is associated with the Dominicans of Paris, in the person of Michael de Novirella.

Michael came from Neuvirelle in Flanders. Through his mother Beatrix he was the beneficiary of support from Jeanne and Marguerite of Flanders and Hainaut, as well as from Mahaut of Béthune ; and he figures as an executor in the wills of Jeanne (1244) and Mahaut (1258) (82). Inevitably, he must have studied at St-Jacques in Paris, where he became "expertissimus in biblia". No doubt he was there during the period when, under the leadership of Hugh of St-Cher, the Paris Dominicans were scrutinizing the text of the scriptures via comparison with Hebrew and early authoritative Latin versions ("secundum hebreos et antiquos libros") for the compilation of the earliest correctoria in the 1240s. It was probably through the good offices, certainly with the approval, of Hugh of St-Cher, Provincial of the order in France and (from 1244) cardinal (83), that Michael was named prior of the Dominican convent of St-Jacques in Lille (by 1264, and perhaps, to judge from the testament of Jeanne of Flanders, as early as 1244) and chaplain of Pope Urbain IV (d. 1264). Michael's successor as prior is mentioned in 1275, and Michael is specifically referred to as no longer living in a document of 1276 (84).

William the stationer was in Paris, evidently next door to the Dominican house and certainly producing books for Paris Dominicans, by ca. 1270. Michael of Neuvirelle had no doubt studied at the Paris convent, probably in the 1240s, before going to head the convent in Lille. How are these facts to be accommodated with the colophon of a Bible that belonged to the Cistercians of Loos ? In the first place, it is unlikely that Michael, as prior of a large convent, was this five-volume Bible's "corrector", in the technical sense that word has in the medieval book trade ; we assume the colophon is an allusion to his having been part of the Dominican team that corrected the text from which the text of the Lille Bible derives. It is plausible that Michael, in 1264 as prior of Lille, commissioned William of Sens in Paris to copy the corrected Dominican Bible from an authoritative exemplar at St-Jacques of Paris for use at St-Jacques at Lille, and that the Bible was eventually transferred to the Cistercians. Equally plausible is the possibility that the Cistercians of Loos went to Michael and asked him, as a Dominican with Parisian connections, to arrange for the copying of a "corrected text" for their use. This second possiblility would fit with the fact that the writing figure, in the first historiated initial of the Lille Bible, is manifestly a monk (Cistercian ?), rather than the Dominican friar depicted in the corresponding place in the so-called Dominican "exemplar" (Paris, B.N. lat. 16719, ca. 1250) (85). If either of these explanations is correct, then the William of Sens who became a stationer was evidently in 1264 earning his living in part, if not entirely, as a scribe, probably for the Paris Dominicans. We might note that the stationer's rental list of ca. 1275, undoubtedly William's, offers a text of the Bible (86), although Bibles produced via the pecia method are virtually unknown (87). The notion of a pecia-produced Bible, however, is far removed from the reality of the Lille Bible.

The Lille Bible is one of a group of lavishly illuminated multi-volume Bibles with similar and obviously related iconographic programs, dating from the 1260s and '70s ; those that are localized were owned (though not necessarily written or decorated) in the region of Flanders and the Artois. They are all said to have textual affinities with the Dominican "exemplar" (Paris B.N. lat. 16719-16722), but the extent and significance of the correspondence has not been demonstrated as yet. Art historians are still working out the center of production, with Arras, Tournai, Cambrai, perhaps Liège, and Paris as possible candidates. Until the origin of these Bibles is established -and perhaps even then- the identification of the scribe of the Lille Bible will remain problematic. If he was indeed the stationer William of Sens, this would be the only known example of William's involvement in the production of large illuminated books for the luxury trade.

Presumably William of Sens was dead by 1292, since his name is absent from the tax rolls and since a Dame Margaret of Sens -his widow, we presume- now appears as the only libraire close to the Dominican house. While the bookshop evidently survived him, one wonders how the university (and, especially, how the Dominicans) would have dealt with the loss of the most important stationer in this part of town. Would the university have accepted a woman in this office (88) ? There are no contemporary documents to answer the question. Analogies from the next century, however, are suggestive. We know that both man and wife were occasionally sworn as librarii et stationarii : we have the oaths of "Petrus de Perona, clericus, et Petronilla uxor ejus, stationarii et librarii", a. 1323 ; and of "Nicholaus de Zelanda, alias Martel, et Margareta ejus uxor... librarii et stationarii", a. 1350 (89). We also have examples of widows succeeding their husbands as sworn librarii of the university -such as "Margareta uxor quondam Jacobi de Troanco" (Jacobus de Troanco or Troancio or Troencio appears as a librarius in 1316), a. 1323 ; "Agnes relicta defuncti Guillelmi Aurelianensis, libraria" (William appears as a librarius in 1342), a. 1350 ; and "Johanna relicta defuncti Richardi de Monte baculo, illuminatrix, libraria jurata" (Richard de Montbaston appears as librarius, or librarius et illuminator, in 1338 and 1342), a. 1353 (90). In light of later practice -and particularly in light of this bookshop's importance to Dominican masters and scholars- we think it likely that Margaret succeeded not only to the ownership of the shop but also to William's function as stationer.

To summarize : These are the demonstrable facts about William of Sens, Margaret of Sens, Andrew of Sens, and Thomas of Sens : We know, from separate pieces of evidence, that three of the four (all but Margaret) were stationers. Again, information from different sources reveals that three of the four (all but William) occupied the same location, at successive times. We know that the taxatio of 1304 belonged to Andrew, and that the earlier taxatio is more closely bound to it than mere coincidence would account for. We know that the stationer William is explicitly named on surviving exemplars of editions that recur on both lists. Moreover, William appears as the sole disseminator of at least one Dominican work, and he may have been on such terms (friendship ? subordination ? partnership ?) with the order as to alter an existing exemplar, at the order's request.

With the foregoing established, the following may be assumed : that Willian of Sens, stationer, had a shop near the Porte St-Jacques from at least 1270 and probably before ; that the taxatio of ca. 1275 was his ; that Dame Margaret (probably also a stationer), Andrew the stationer, and Thomas the stationer were William's successors, surely his kinsmen, doubtless his widow and, probably, his son and grandson ; and, therefore, that this single family, working at the same location, served the University of Paris in general, and the studium of St-Jacques in particular, as stationers for some three-quarters of a century, from 1270 at the latest until at least 1342.

The Sens family through its several generations was regarded by Paris scholars as the "authorized" or at least authoritative publisher of the works of St. Thomas, to judge from a fascinating note entered in the margin of an early fourteenth-century manuscript of Aquinas's De potentia Dei, now Vienna, Nationalbibliothek 1536 fols. 98-191 (91). The ten quaestiones De potentia, written when Thomas was in Italy 1259-1268, appear to have been taken straight to William of Sens on Thomas's return to Paris and edited there, 1269-1270. The work is included both in the exemplar list of William of Sens (ca. 1275) and in that of Andrew of Sens (1304) (92).

It was perhaps some fifty years after William first made an exemplar of the De potentia that the copyist of Vienna 1536 wrote the following note on the bottom of fol. 137 (in the arguments to quaestio 4) : "Frater Antoni : Non inveni soluciones argumentatorum istius questionis in peciis Roberti. Surrexi itaque et adivi pecias illas antiquas priores Senonensis. Et cum in gravi difficultate inveneram peciam in qua erat hec questio, nichil ibi plus erat, quia pecia erat noviter scripta, sed erat spacium foliorum duorum relictum ad solucionem argumentorum. Et dixit [... erasure] quod querem residuum quia pecia antiqua est perdita". The scribe was using the peciae (pirated ?) of a certain Robert ; two Roberts are mentioned in fourteenth-century university records of bookmen, Robert of Worcester (1316) and Robert Scoti (1342), but the context does not permit one to say whether or not either of these was a stationer (93). When he found that a portion of the text was missing from Robert's exemplar, he sought out what he knew to be the more authoritative peciae -they are called not only antiquae but priores- that belonged to "Senonensis", which at this date must mean Thomas of Sens. Having gone to the trouble ("in gravi difficultate") to locate the corresponding pecia at Thomas's shop, the scribe was dismayed to discover that it also lacked the solutions to this quaestio ; all the Sens pecia had was a space of two folios left blank for the missing text. "He said" (i.e., Thomas, no doubt) that the scribe must search elsewhere for the rest. Therefore the scribe left this explanatory note (as well as three-and-a-half blank columns) for Friar Antony, his patron.

The note also "explains" why the Sens pecia lacked the crucial text : it was a remade pecia, and the original had been lost. This is no surprise, after the passage of so many decades ; but it is not the whole story. For the missing portion was not subsequently located by the scribe, nor by Friar Antony, nor has it been seen to this day. Very likely, then, either the original pecia had been lost almost immediately, before any (surviving) copies of the complete text could be made ; or, more likely still, these solutiones had never been part of the Sens exemplar -perharps due to a fault in the text from which William had made his exemplar, since the stationer was well aware (witness the two blank folios) that part of the text was lacking.

The subsequent history of this lacuna serves to validate the scribe's estimate of the "priority" of the Sens exemplars of St. Thomas. In early days, their shop had a virtual monopoly on the circulation of his works. As a result, if the Sens exemplar lacked a portion of the text, then -for this, as for a number of other works of Aquinas- that portion simply ceased to exist.

E. HENRICUS ANGLICUS : STATIONER ?

We cannot in good conscience relinquish the Sens clan without considering the relationship to this family of a certain Henricus Anglicus : kinsman/business associate ? or rival ? The point of conjunction is the Paris exemplar of Aquinas's Summa contra gentiles in fifty-seven peciae, which appears on both the surviving rental lists, William's (ca. 1275) and Andrew's (1304) ; this missing exemplar, called α by the Leonine editors of Contra gentiles, was the common ancestor of about 80 % of the surviving texts of that work (94). A text of <u>Contra gentiles</u> in fifty-seven peciae, now bound together as Paris B.N. lat. 3107, bears the name "h. englici" (fols. 81, 85 erased, 89) or "henr. anglici" (fol. 121) at the head of four peciae. Moreover, these notations are set out in the same form as, and are surely modeled after, the stationer's mark of William of Sens that we have described above ; e.g., on fol. 81 recto across the top margin is written "xxi^{a} pe^{a} contra gentiles h.englici". On the basis of these externals, one might wonder if Henricus Anglicus were not a kinsman -perhaps on Margaret's side of the family- responsible for (at least) four peciae in the Sens exemplar to which he signed his name. Andrew of Sens, we remember, was called "Andri l'englois" in the taille book of 1297 (95).

Several puzzling aspects of B.N. lat. 3107, however, preclude such a facile assumption. The manuscript, true enough, bears some of the physical signs that characterize a set of exemplar-peciae : there are pecia numbers at the head of each quire ; most of the peciae have been signed by a corrector ; and one can see that many of the quires have been folded in two lengthwise, a common fate of exemplar-peciae that were carried to and fro. Also, the number of peciae matches the number on the Sens lists -the number, as well, that the editors have found in the margins of pecia-produced manuscripts of the <u>Contra gentiles</u>. But both the date of the manuscript and its state of preservation look wrong. From the appearance of the hands (there are at least two), one would date this manuscript between 1300 and 1320 or '30, not 1270 ; and, while some peciae show more signs of use than others, none of B.N. lat. 3107 looks as if it belonged to an exemplar that was in service for some thirty years (1275 to 1304). The deciding evidence, however, is not physical but textual. According to the editors of the <u>Contra gentiles</u> this cannot possibly be the missing exemplar α (96). There are countless errors, including serious lacunae, in the text that are not reflected in α's descendants ; and the fifty-seven peciae of B.N. lat. 3107 do not even divide at the same places in the text that are marked in the descendants of α. The latter discrepancy is all the more curious in view of the fact that the writers of B.N. lat. 3107 have taken pains to make each pecia end at a desired point in the text, either by leaving blank the final line or lines of a pecia's last column (e.g., in peciae 7, 8, 15, 16, 18, 20, 21, etc.) or conversely by adding an extra line or lines to the last column (e.g., in peciae 3, 9, 14, 17, etc.) (97). The editors state explicitly, then, that looks are deceiving : Anyone who wishes to consider B.N. lat. 3107 as an exemplar (at Paris, or anywhere else) of <u>Contra gentiles,</u> they conclude, will have to treat it either as an exemplar that was never copied, or an exemplar whose copies have all vanished (98). The assessment of B.N. lat. 3107 was published by the Leonine Commission in 1930, and one may suppose that, at that early date, they did not understand the possible vagaries and permutations of dissemination via exemplar-pecia as thoroughly as did their successors. Nevertheless, they seem to have asked the right questions of this manuscript.

Perhaps Henricus Anglicus was indeed a kinsman (uncle ? younger brother ?) of "Andri l'englois" alias Andrew of Sens, one who was involved in a belated attempt in the early fourteenth century to recreate the shop's lost exemplar from a derivative text. Perhaps, instead, Henricus Anglicus was a would-be rival, and B.N. lat. 3107 was a pirated exemplar, written in fifty-seven peciae to give it a superficial resemblance to the authoritative exemplar of the Sens shop. In either case, despite the editors' findings, B.N. lat. 3107 was clearly intended to serve as an exemplar ; but it was manifestly an unsuccessful one. And the editors' suggestion, offered ironically, is probably correct : that copies of this exemplar, which must have been very few indeed, have not survived. Regardless of how one interprets the facts, it is likely that there was at some time in the early years of the fourteenth century a Paris stationer named Henricus Anglicus -a negligible member of the ubiquitous Sens family, or their inept and unsuccessful rival- whose existence thus far is witnessed only by the appearance of his name in B.N. lat. 3107 (99).

F. THE NUMBER OF <u>STATIONARII</u> AT A GIVEN TIME

Some studies, including fairly recent ones, speak of "the" university stationer. Others, while less explicit as to the actual number, are obviously based on the contrary assumption that Paris was teeming with stationers, from quite an early date. How many stationers did operate simultaneously ? While it is impossible to answer this question precisely, one can at least examine objectively the surviving evidence that any reasonable estimate must accommodate.

To begin with, one must remember that the total number of librarii (including stationers) was quite modest. Thus, for example, the document of 12 June 1316 reports that "most" (maior pars) of the bookmen refused the university's oath, and it goes on to blacklist only twenty-two people by name (100). When an agreement was reached in the following December, the names of only thirteen oath-taking librarii are listed (101) ; if this number constituted the maior pars (an implicit but perhaps mistaken assumption), the full complement should have numbered no more than twenty-six. The oath of 1323 repeats eleven of those names and adds seventeen more eighteen, with the wife of one man, for a total of twenty-eight. The only other oath that survives from the fourteenth century, that of 1342, again bears twenty-eight names (102).

The recurrence of the figure twenty-eight looks suspiciously as if the university had a fixed quota, and that may in fact have been the case. If true, this might raise a further question : Were the university's sworn librarii merely a select group, chosen from the larger community comprising the librarii of Paris ? But as we have already said, the evidence indicates instead that the librarii universitatis consisted of all the librarii in Paris (103). As further illustration of that point, we note that the taille book of 1297 lists only some seventeen libraires in all of Paris : one on the Right Bank, eight along the Rue neuve Notre-Dame on the Ile, and eight more on the Left Bank. The 1297 taille book is unfortunately not uniform in recording the occupation of every taxpayer (though it outdoes the two earlier books) (104) ; but its evidence obviously would not support the notion of a sizable community of libraires more numerous than the university's (later) twenty-eight.

A second set of numbers survives, but it is difficult to know what to make of it. From the years 1314-1354, thirty-five individual oaths survive (thirty-seven, if one includes two oaths by married couples, but each double oath undoubtedly represents a single shop) (105). From these, the only documents that explicitly distinguish stationers from other librarii, we see that roughly a quarter of the total were stationers -eight of the thirty-five oaths (23 %), or ten of the thirty-seven names (27 %). These oaths are chance survivals, only thirty-five in forty-one years. There is little statistical validity in assuming, on this basis, that one may merely calculate that one-fourth of twenty-eight (the usual number of librarii, perhaps) means seven stationers at any given moment. We are on firmer ground if we look at the years in which the (surviving) oaths were taken, and observe that Thomas of Sens took a stationer's oath in 1314 (106), Thomas the Norman did the same in 1316, John of "Meilac" or "Meillar" (in Brittany) in 1323, and Peter of Peronne and his wife Petronilla a bit later in the same year (107) -and that all five stationers (in four shops) were still in operation, simultaneously, when they took the oath en masse on 26 September 1323 (108). While one cannot be certain that there were no more, therefore, one can at least document that there were no fewer, than four stationer's shops at that specific date.

Even earlier in the century, the language of the university's surviving book provisions gives a sense that there were several stationers. As we have noted, the wording of the earliest (1275, 1302) does not even distinguish between stationers and other librarii. The addendum to the oath of 1302 (written between 1302 and 1313, probably closer to the earlier date), however, speaks as if to a group, in three stipulations concerned solely with production and circulation of exemplars : 1) "that each stationer (quilibet staciona-rius) shall post in his window" a list, with their assessed rates, of those exemplars "which he himself has (que ipse habet)" ; 2) that he shall not circulate exemplars that have not been assessed, or at least offered to the university for assessing ; and 3) "that these stationers (ipsi stacionarii)" procure good exemplars quickly for the convenience of the students "and the use of stationers (et [ad] stacionariorum utilitatem)". A fourth provision contemplates singling out for punishment any one of the group who might break his faith : if stationers (stacionarii) contravene the sworn articles, "a suo officio sit ille qui hoc fecerit alienus penitus atque privatus..." By December

1316, the university regulations take for granted the existence of multiple stationers, in a sequence of articles beginning Nullus stacionarius... -"No stationer shall..." instead of "The stationer shall not..." (These provisions are followed by admonitions to the librarii, beginning similarly Nullus librarius...). The simultaneous existence of competing stationers is further implicit in the stipulation, in this same document, that no stationer shall refuse to rent his exemplar to someone wishing to make a competing exemplar from it, so long as the customer leaves the standard pledge and pays the fixed fee (109).

Evidence shows several stationers operating at once, then, by 1316 at latest and perhaps a decade or more prior to that date. But how many are "several" ? Further evidence inclines us to suggest a very low figure, with the possibility that the earlier in time, the smaller the figure should be.

The following hard fact, in particular, must somehow be made to fit with the preceding : When, in 1304, university officials formally set the rental rates for the exemplars of Andrew of Sens, the surviving record shows that this one stationer had a total of 156 different works on offer (110). To be sure, many of these works were brief, the shortest filling only 2 peciae and the majority requiring fewer than 40. Over a dozen of Andrew's exemplars, however, required 100 or more peciae, with 270 for the longest. This taxatio is a chance survival, the only one from fourteenth-century Paris ; and thus one has scant basis for judging whether the length of Andrew's list of exemplars was fairly typical or, to the contrary, was so unusual as to be virtually useless as an example (111). If one assumes that Andrew's shop was at all comparable to other fourteenth-century stationers', that in itself would tend to ensure that stationers were few in number. Consider the implications : If all four shops in 1323 had an inventory of rental peciae equivalent to Andrew's in 1304, that would total some 600 works that the book-trade had gone to the expense of producing but was prohibited from selling, for the moment. Eventually, when the university agreed that they were no longer in demand, the used peciae could be bound and sold, doubtless very cheaply. In the meanwhile, however, the stationer's capital was frozen in his exemplars, his income dependent upon rentals.

It happens that a contemporary record survives, which documents the sharp contrast between rental price and the cost of producing a book. In the scribbled accounts of Pierre de Limoges, mentioned previously (112), he usually records not only his payments but the agreed rate for the copyist -either so much per page or folio, or so much per quatern or sextern. The smallest figure named seems to be 2s. per quatern (113) ; but there are other records of 2s. 6d. per quatern, 10d. per folio (= 3s. 4d. per quatern), 5s. per sextern (again, 3s. 4d. per quatern), and even 5s. per quatern. Of particular interest are two lines of writing ; their placement on the page implies a tie between them. The first is the line we have quoted above, "Solui Willelmo Senonensis pro proprietatibus rerum..." etc. ; the next begins, "Laurencius pro suo quaterno [this last word is glossed, to forestall cheating, with the added words de exemplare] habens 5 sol.", followed by the usual sequence of gradually increasing numbers that comprised Pierre's running total of payments made. A look at the taxatio of ca. 1275 -probably William of Sens's ; if not, competition and/or the university would have ensured that his for this item was near-identical- reveals that the De proprietatibus rerum contained 102 peciae (100 is the figure on Andrew of Sens's taxatio of 1304). It seems, therefore, that Pierre paid the scribe Laurence 5s. for each pecia copied, a total for this work of over 500 solidi. Let us be prudent, however -perhaps Laurence was hired to copy something else entirely- and let us take, as a figure from the lower range of Pierre's rates, the price 2s. per pecia ; we should still reach a total of 200 solidi, as the price of the copying alone, not counting the additional cost of the parchment. Compare with this the stationer's rental income- 4s. (6s., in 1304) for the whole work -and we see that a stationer would have been financially unable to retain on his list of offerings any exemplars that did not encounter a constant demand and, thus, a rapid turnover, to provide sufficient rental income.

Such a situation produces its own limitations, almost automatically. The size of the "pie" in the form of the number of students, and the amount of money each had for the purpose of renting peciae- did not increase dramatically. As a result, each additional stationer's shop entailed carving the "pie" into ever smaller portions for each. Perhaps, in 1323, the rental market at Paris was large enough, and thus lucrative enough, that four stationers could afford temporarily to immobilize the capital needed for the production of 600 exemplar manuscripts. Would it have been large enough to repay six stationers to produce 900 exemplars, or that hypothetical seven stationers to produce 1050 ? or eight ? nine ? As one can see, in no time at all, by postulating a larger number of stationers one would at the same time be postulating the existence of a huge "library" of manuscripts produced (but not sold) by the commercial booktrade, far exceeding in size the largest contemporary institutional libraries.

A second indication that stationers were few is provided by the reconstructed pecia-history of those works of Aquinas that have been edited by the Leonine Commission. These studies frequently document the existence of duplicate sets of peciae, but there is no situation that could, even hypothetically, be interpreted as evidence for more than two stationers' shops renting a work of St. Thomas at one time. To the contrary, it is usually a safe assumption that the duplicate sets of peciae were produced by a single stationer (one of the Sens tribe, doubtless), either to cope with heavy demand or to replace, gradually, worn-out peciae. Our own study of the pecia-history of Thomas of Ireland's Manipulus florum, published by a stationer in 1306, reveals a similar situation : at most two exemplars, clearly from a single stationer (114).

Studies of the pecia-history of other works may in future modify the picture ; but the implication of what is presently known seems to be that, as a rule, only one stationer disseminated a given work. In effect, the university confirms this implication, in 1316, by forbidding stationers to withhold their exemplars from would-be competitors : as always, the prohibition implies the offense. It is a reasonable assumption, therefore, that the works offered for rental on Andrew of Sens's list of 1304, and perhaps on William's list of ca. 1275, were available from no other stationer, barring the rare "pirated" edition. Andrew's list contains the cream of the crop, of those works in demand by students and masters of theology and canon law at the turn of the century. If his list is exclusive, it would leave no room for major competitors in supplying these faculties. One should note, as well, that surviving evidence of pecia-production for the arts and medical faculties suggests a truly small-scale operation.

A third indication that stationers were few lies not in any one fact, but rather in our skepticism over the "coincidental" omnipresence of the operators of a single shop, who -alone- turn up in a surprising variety of records : William of Sens appears in the cartulary of Notre Dame in 1270, the first individual at Paris to be called a stationer ; his name is recorded on surviving exemplar-peciae, including an important exemplar of Aquinas that may well antedate 1270 ; and his name is associated with three works from the earlier of the two Parisian taxationes, that of ca. 1275, by contemporary scratch notes on a flyleaf. Margaret of Sens appears, as the only bookshop on the Rue St-Jacques, in the taille book of 1292. Andrew of Sens appears on the taille lists of 1296 and 1297, and is named on the taxatio of 1304 - the second earliest person (after William) who can be securely identified as a stationer at Paris. Thomas of Sens appears on the taille list of 1313 ; his individual oath of 1314, the earliest to survive for any bookseller, calls him a stationer, only the third person (after William and Andrew) to be so designated at Paris ; and he, alone, is singled out in the text of the university's angry preamble to the blacklist of June 1316, as the only bookman who had defied the university on the occasion of an earlier confrontation (undated but pre-1313, and yet it still rankled). We should also look more closely at the manner in which the texts of the two taxationes, Andrew's and, we believe, William's, are transmitted. We have previously referred to these somewhat imprecisely as "chance survivals". So they are, but in a peculiar sense. Copies of both are preserved, one immediately following the other, in two compendia of thirteenth- and fourteenth-century university documents- papals letters, charters, regulations, etc. (115). Though the compendia are eclectic, and not entirely identical in content, they assume a quasi-official status in that neither is copied (in whole or part) from the other but they are instead separate witnesses to a larger collection taken to be authoritative by the copyists. Yet these compendia, with documents that date from the 1240s to 1304 or after, contain only two stationer's taxationes.

We do not believe in fairy tales ; no more do we believe that, in the period extending from the mid-thirteenth century through the early years of the fourteenth, there were many stationers in operation, of whom chance has decreed that only a single family should leave clear and numerous footprints. There is no way to document an answer to the question "How many stationers operated simultaneously" save by saying that, in 1323, there was demonstrably a minimum of four shops. However, it seems not only permissible but useful that we go further and record our speculations, on the basis of present information. Let us take them in reverse chronological order :

We feel that the hard economic fact of diminishing returns must have ensured, in 1323 and later, that stationers were few, perhaps no more than the four on record. Even as late as 1316, we think that Thomas of Sens must have been recognizably the most important of the university's (three ? four ?) stationers, in part because he had been confident enough before 1313 to run the risk of a university-ordered boycott, perhaps feeling that he filled too essential a need for the boycott to be observed. Around the turn of the century, largely in consideration of the length and the strength of his list of exemplars, we feel that Andrew of Sens must have had very little competition at all, and certainly none that approached him in importance. As for William of Sens, we suggest the possibility that, at least in the early years, he was unique at Paris.

II. THE EXEMPLARS

A. THE SELECTION OF EXEMPLARS

How did stationers decide which works to rent, and where did they acquire their exemplars ? Destrez, in his exposition of the workings of the pecia process, visualized an orderly procedure : Masters of the university who completed a new work -say, a summa, a series of lectures, even a florilegium- were to edit and correct the reportatio in the case of lectures, or to correct carefully the copy of their autograph for other types of composition, and submit this authentic text to a stationer ; he in turn copied from it an exemplar in peciae, corrected these against the author's text with utmost care, and submitted them to the inspection of the university's delegates for approval and for the setting of a rental price. Only after this were peciae available for rental (116).

The half-century since Destrez's pioneering efforts has shown that in practice the procedure was not at all orderly, at least in Paris. While our clearest evidence of this fact has come from the editions of individual works of St. Thomas, the wording of the regulations itself suggests that the process was rather haphazard. The onus of procuring exemplars -and the very selection of which particular works might be "useful to the studies of the various faculties" (117) (the university's only prescription)- fell entirely upon the stationers.

This was not necessarily a bad system, and it may have worked better than some more cumbersome mechanism ; it was obviously to the stationers' own best interests to ferret out and offer for rental those works for which there would be a heavy demand, i.e., the very ones that any sort of university selection commission would have hoped to choose.

A comparison of the two surviving taxationes suggest the forces of the markeplace at work (118). The earlier, that of ca. 1275, contains a body of some thirty exemplars of works of the Fathers and of such eleventh- and twelfth-century theologians as Anselm, Bernard, and the Victorines, including some fifteen exemplars (most of them containing two or more works) devoted to St. Augustine alone. The stationer whose list this was, probably William of Sens, evidently misjudged his market : for most of these works there is no evidence at all in the surviving manuscripts that they were copied from exemplars. This lack of a market, for various reasons (some obvious, others doubtless more complex), probably explains the absence of patristica and spiritualia from the taxatio of Andrew of Sens in 1304.

Inherent in such a laissez-faire system, however, was a factor that unavoidably worked to the detriment of the texts. In leaving the initiative to the stationers, the university further enjoined them to acquire exemplars "in as good a state and in as short a time as possible" (prout melius et citius poterunt) (119). Given that theirs was, after all, a commercial enterprise, it is small wonder that the stationers put more emphasis on citius than on melius. The prefaces to the various Leonine editions of St. Thomas give ample evidence of over-hasty production of exemplars -for example, the Expositio super Isaiam, whose editors (H.-F. Dondaine, L. Reid) observe that, while the stationer's exemplar "is doubtless the first in date of the representatives" of St. Thomas's apograph, it is "everywhere mediocre... hastily produced... [with] a good number of misreadings and omissions", and they record, in a long list of the latter, omissions of 53, 35, 35, 21, 19, and 13 words in length (120). -Or the notorious example of the Quaestiones disputatae de veritate, where the exemplar has been brutally and, it seems, deliberately shortened (121).

This impression of carelessness (or worse) must be adjusted, however, to make room for the procedure of correction. It is not merely that the university prescribed that exemplars be correct (e.g., in 1275)- one knows, of course, the frequently-cited passage (1316) in which the university decrees that stationers whose exemplars prove to be corrupt shall have to recompense those scholars who have suffered as a result (122). In addition to the regulations, however -which one might suspect of being simply a dead letter- there is the fact that surviving exemplar peciae bear visible correctors' marks, along with unmistakable examples of their corrections.

We receive a self-contradictory message from the manuscripts, therefore : By and large, exemplars were thoroughly corrected copies of miserable texts. Although no single explanation will resolve this paradox, it is such a standard state of affairs that there must surely be a common element, whatever it may be, inherent in the whole process. For the moment, we may take it that the stationers consistently interpreted the injunction prout melius et citius poterunt to mean, "Do the best you can, under the circumstances" -and the circumstances always placed the greater premium on speed of production. When a certain work looked like a "best-seller", a stationer would make a copy of the best text immediately available, and would have his exemplar-peciae corrected as well as time permitted.

At times the stationer sought out a text ; at other times, an author offered his newly-completed work to the stationer. The one place where, it seems, initiative never resided was with the university as a formal body (123). In other words, the notion of some sort of assigned reading list, implied in the heading prefixed by a later hand to the earlier taxatio- "The price set by the University of Paris on those books of theology, philosophy, and law that librarii are supposed to have" (124) -is clearly off the mark.

B. THE SOURCE OF EXEMPLARS

It is possible that in the early years of pecia-rental, before the practice of producing exemplars for the sole purpose of rental had been worked out, booksellers simply dismembered into their component quires some secondhand books in stock, and offered them for rent to anyone who wished to make his own copy. Such a source for "exemplars" may explain, for example, the presence of the extended list of patristics and of pre-scholastic theology on the taxatio of ca. 1275 ; perhaps these titles are relics from a time when pecia-rental was primarily a bookseller's attempt to garner at least some income, however modest, from slow- or non-sellers in his inventory of books.

As it quickly became apparent, however, that the rental market was focused strictly on contemporary and near-contemporary works and on the set texts used in the classroom, a stationer would find it commercially advantageous to acquire in a hurry a good text that he might copy to create an exemplar specifically for rental. The source of his text "in as good a state as possible" occasionally surprises us, however. As we have seen, there was a stationer's shop next-door to St-Jacques, continuously from the lifetime of St. Thomas. This stationer demonstrably had access to Dominican texts. It would appear, however, that neither the stationer nor the members of the order had, or took, the responsibility of seeing that the most authoritative text was the one that was published. Moreover, there is the curous item on the earlier taxatio, "Concordancie de Valle Lucenti, c pecias et viij". This refers to the third version of the St-Jacques concordance to the Bible, as one knows from surviving manuscripts with pecia-marks ; but it looks, from the description, as if the stationer in fact acquired his exemplar from the Cistercians of Vauluisant (125) : We cannot, of course, prove our assumption that this was the taxatio of William of Sens, quasi in-house publisher of St-Jacques ; but in 1304 the concordance in 108 peciae, surely the same exemplar or a copy of it, appears on the list of Andrew of Sens, St-Jacques's next-door neighbor. From these examples, it seems that the source of a stationer's exemplar was not always logically selected.

One must counterbalance this impression, however, with the previously mentioned case of William of Sens's exemplar of St. Thomas on the third book of the Sentences -an exemplar revised, perhaps on the initiative of the Dominicans, if not of Thomas himself, to accommodate revisions. Common sense suggests that a stationer's means of acquiring texts from which to produce an exemplar must have included, among others, the very procedure envisaged by Destrez : that the author of a work, or someone acting for him, offered a text of it to a stationer. Certain evidence would be difficult to explain otherwise. For example, there are four independent witnesses to the text of the Manipulus florum (1306) of Thomas of Ireland : two manuscripts written for or by Thomas as gifts, a third private family of manuscripts, and the manuscripts of the stationer's tradition. These last, only, contain an additional passage near the end of the prologue, "I wish, however, to suppress the compiler's name, lest the collection be despised should its collector be know". Thomas of Ireland himself must have inserted this modest disclaimer, a venerable topos in florilegia prologues, into the public edition of his work when he handed it over to a stationer for dissemination (126).

A striking instance of an author's use of a stationer as his "publisher" is the dissemination of Aquinas's De perfectione spiritualis vitae, which is listed, in seven peciae, on both taxationes. Both the completion and the initial dissemination of this work, an important contribution to the debate between Seculars and Mendicants at the university, can be dated more narrowly than most. Aquinas began his work in the course of the year 1269, at Paris ; but before he completed it, his chief opponent Gerard of Abbeville attacked Thomas's position, in his Quodlibet XIV at Christmas time, 1269. In his concluding chapters, therefore, Thomas took up Gerard's arguments, often verbatim, and replied to them, completing the De perfectione probably before Easter 1270. The work must have been handed almost immediately, and directly, to the stationer (William of Sens, surely) for peciae to be made and rented out. The manuscript of the De perfectione that belonged to Gerard of Abbeville (d. 1272) survives, a descendant of exemplar-peciae ; and even earlier, by mid-1270, Nicholas of Lisieux wrote a reply on behalf of the Seculars, in which he mentions that "there has come into our hands a little book called De perfectione vite spiritualis, written by some Friar Preacher and transmitted by public exemplar [or : committed to a public exemplar]" (...a quodam fratre predicatore editus et publico traditus exemplari). The editor of the De perfectione has shown that there are only three independent witnesses to the archetype, two of which (φ^1 and φ^2) are stationer's editions ; and, since various descendants of exemplar-peciae contain a mixed text, i.e., partly φ^1 and partly φ^2, it is clear that both exemplars belonged to a single shop and circulated simultaneously (127). The logical conclusion is that the Dominicans presented Thomas's apograph to William of Sens immediately upon its completion, and that William was moved (whether by his own commercial sense or by the express request of the Dominicans) to make not one but two copies of exemplar-peciae.

This, surely, is a clear case of publication on the author's initiative. It is an example, too, of the ability of the pecia system to fill sudden demands for new texts. It gives a signal demonstration of the importance to the Dominicans (or to anyone else similarly privileged) of having a quasi-official stationer of their own : Thomas's De perfectione survives today in 118 manuscripts, while Gerard's Quodlibet XIV (privately circulated) survives in 3, and the response of Nicholas of Lisieux in 1 manuscript only (128).

The sources of a stationer's exemplars, in sum, were varied, and no single rule obtains. The history of each text must be considered individually.

C. DID STATIONERS SPECIALIZE ?

The criteria by which a stationer chose the works he would offer are unknown, save that he was guided by his own commercial sense, which doubtless relied partly on the demand of would-be renters and partly on the offers of authors that he knew. But was he also guided -or restricted- by some sort of specialization, or perhaps by a division of the field among stationers ? Some such division, whether formal or informal, was inevitable. It would have been impossible for any other stationer to compete on equal terms with the shop run successively by William, Margaret, Andrew and Thomas of Sens, in acquiring for publication the works of Dominicans masters. Unfortunately, we do not know the locations and have the taxatio-lists of any other stationers, for the sake of comparison. (It takes both elements. Thus, while we know that Thomas Normannus had a stationer's shop on the Rue neuve Notre-Dame in 1316, we have no list of his exemplars).

The gaps in Andrew of Sens' list, however, are almost as revealing as its inclusions. It (and the ca. 1275 list) contains theology, philosophy, and canon law (along with a good sprinkling of preachers' handbooks) -with virtually no other faculty represented. Where are the artes ? Was teaching in the trivium and quadrivium at Paris in the pre-stationer era so well provided with books that the second-hand trade sufficed thereafter to satisfy the student population ? Certainly, such works are noticeably rare, in Destrez's list of surviving exemplar-peciae published by Chenu (129). (Perhaps this explains the university's emphasis on regulation of the second-hand trade). It is difficult to believe, however, that there was not, at any given time, at least one Parisian stationer renting peciae for the Arts Faculty -in which case, Andrew of Sens's list is specialized to the extent that he offers almost none. Moreover, the men who are named as members of the university delegation that set the rates for Andrew's exemplars include, along with rector, proctors, and two representatives of the Faculty of Theology, a representative also of the Faculty of Medicine- yet no medical books appear on the list. The implication is that another stationer was renting out medical books, and that Andrew of Sens was (deliberately ?) not. A dozen years later, we are given a hint as to why a de facto division of the field among stationers might have been effected : As we have seen, in 1316 stationers must swear not to refuse rental even to someone who wishes to make an exemplar of his own to rent out. Evidently, each stationer attempted to retain a monopoly on his own exemplars, and such attempts were very often successful- else why the regulation ?

D. ASSESSMENT OF THE RENTAL PRICE

Once a stationer had selected a work, found an accessible text of that work, had a copy made in peciae, and had a corrector go through the exemplar, there remained one more step before rental : the assessment of the rental price. The wording of the various university regulations is obscure on this matter. In 1275, stationers are required to charge "no more than a just and reasonable payment or no more than the price set by the university". In 1302, stationers swear that they will not ask more from scholars and masters than the price set by the university, or for exemplars not assessed by the university, "no more than a just and moderate price" ; and the undated addendum (before 1313) specifies that unassessed (i.e., new) exemplars shall not be circulated "until they have been offered to or assessed by the university". The regulations of December 1316, on the contrary, say flatly, "No stationer shall rent out an exemplar before it has been corrected and its rate set by the university."(130).

Should one infer that, at least until 1316, the university distinguished between two types of books, ones essential to the university for which the university assigned rates, and others less important to the university which the stationer might rent, if he chose, without a fixed rate ? We cannot say. Unfortunately, the wording of the two still-later fourteenth-century book provisions gives no help (131). The regulations of 1323 are simply a verbatim copy of those of December 1316, the only change occurring in the names of those who swore the oath. And the regulations of 1342 are a thorough grab-bag of articles quoted from earlier documents -of 1302, of the addendum to 1302, and of 1316 (1323)- with no attempt to reconcile mutually contradictory statements. Thus this document says that unassessed exemplars must be rented at a just price (1302), that new exemplars must be offered to or assessed by the university (1302 addendum), and that no exemplar may be circulated before the university has fixed its rental rate (1316). It is almost as if the exact wording were irrelevant, provided the stationarii et librarii were willing to swear obedience.

We do see, at any rate, in those book provisions that survive, the university beginning in 1316 to take care each time to appoint the taxatores for the ensuing term. It is unfortunate in this respect (as in so many others) that there are no other surviving lists like Andrew of Sens's, preserving not only the books, the price, and the number of peciae, but also the names and positions of the assessors and the date of the assessment. We assume, however, that such lists can never have been numerous. Ordinarily, the assessors must (either periodically or on demand) have set a price only for the new exemplars, and a reassessment of the whole inventory would occur on necessary occasions -to take account of inflation, or perhaps to mark the establishment of a new shop or changing proprietorship of an existing one.

Nevertheless, the composition of this committee of assessors was, or eventually became, a matter of importance. The regulations say in 1275 that "the university or its delegates", and in 1302 simply "the university", shall set the rates. Probably the composition of the delegation that assessed Andrew of Sens in 1304 was typical : the university rector, the proctors, and three masters representing the higher faculties. In 1316, however, there was a change. We have previously mentioned the minor relaxation of the rules concerning the sale of second-hand books (132). The concerted action of the bookmen in 1316 effected at least one other significant change, this one pertaining especially to the stationers. Beginning in December 1316, the assessment of peciae-rentals is no longer to be done by university officials, but instead by four men appointed by the university from among the sworn librarii et stationarii. It is they, members of the trade, who henceforth set the rates. These librarii deputati (1316) or principales librarii taxatores (1342) have other charges as well. They are to seek out any bookmen operating without university license and to collect from these the required surety deposit (100 pounds), for delivery to the university at its next general convocation (133). The librarii deputati receive an unspecified salary for their services ; and before the end of the century (by 1376 at latest), the four who hold this office are required to post a bond twice that of the rest of the trade (i.e., 200 pounds), which suggests that their positions had become powerful, lucrative, and, no doubt, open to abuse (such as bribery and embezzlement) (134). Moreover, the wording of the 1316 regulations implies that these taxatores, besides pricing peciae, likewise set the price on all book sales -sales, that is, to masters and scholars, not to the lay public. In sum, the assembled librarii et stationarii took important steps in 1316 toward gaining some control even of the university portion of their trade-

including control over the price of pecia-rental (135).

E. THE MECHANICS OF PECIA RENTAL

The actual procedure of renting out peciae is one on which the university regulations and other documents are obstinately silent. We must therefore be content to read between the lines. For example, a passage (1316) previously mentioned stipulates that "no stationer shall refuse to rent exemplars to anyone -even to someone who wishes to make another exemplar- provided he gives for it the sufficient pledge and pays the established fee" ; this must mean that it was standard practice to deposit a pledge as security when renting peciae. The next sentence but one states, "If pledges engaged to the stationer are not redeemed within a year, the stationer may then sell them" (136). Though, admittedly, these might be semi-pawnshop transactions, the fact that the document specifies stationarii and not the general term librarii is by this date significant. Moreover, it implies that the pledge was in the form of a book -the sort of object a stationer could readily sell ; this is not unexpected, since books served as the commonest pledged items in student communities.

Having wrung this much from the documents, we look for any possible manuscript verification to support our interpretation of the words -and one turns up immediately. Delisle transcribes a series of notes, a running account, that appears at the end of a manuscript of Peter of Poitiers' Commentary on the Sentences which belonged to the Sorbonnist, Master Jean de Gonesse. The notes are cryptic and (at least in transcription) not always intelligible, but they mean something like this : "Master Jean de Gonesse, clericus, paid 18 denarii and still owes 2 solidi for the exemplar of the Historia [scholastica]. He does not have a pecia [at present]. He needs to have the third pecia again. Master Jean de Gonesse owes for the Histories [a total of] 3 solidi and 6 denarii, of which he has paid 18 denarii and later another 12 denarii. He has finished the twelfth pecia. He does not have pecia 13. At present he owes 6 denarii. He is lacking four peciae, and does not have a pecia [at present]. He has a pecia. He has paid ?? (36 d. ?). He still owes 6 denarii" (137). This manuscript of the Commentary must be the book that Master John left in pledge, while he copied or caused to be copied the stationer's exemplar of the Historia scholastica ; and the stationer kept a running account on the flyleaf of John's pledge. The Historia scholastica appears (without the number of peciae) on the stationer's list from ca. 1275, with an overall rental of 3 solidi (138), whereas John (d. 1288) is paying 3s. 6d., a not unreasonable rise in price given the increase (averaging about 30 %) in charges of the 1304 list over the ca. 1275 list. Having found one likely example, we suggest that there are other such notes, less readily recognizable unless one is looking for them, which have hitherto been regarded as straightforward pawnbrokers' records (139).

The foregoing notes have the further implication that one paid a fixed rental fee (though it need not be in one lump sum) for the whole work, rather than an amount for each pecia. This assumption is confirmed by the two surviving taxationes. Although these document do not state explicitly that the assigned sums are rates per exemplar and not per pecia, the rates themselves make the fact obvious, since they vary up or down in rough proportion to the number of peciae contained.

We catch another glimpse of the process, as it functioned in 1316, from one of the university's standard injunctions that stationers are to charge no more for rental than the university allows-to which is casually added, "unless the pecia is kept for more than a week" (140). This tells us that the ordinary length of rental was one week, maximum, and that the ordinary quantity was one pecia at a time. Common sense says as much, since it is the whole point of the process to have the exemplar available for simultaneous copying by as many people as possible. The note about John of Gonesse's rental, from the late thirteenth century, likewise speaks of only one pecia at a time, "Debet rehabere terciam", and the repeated "Habet (or Non habet) peciam". The manuscripts of St. Thomas also suggest as much. For example, the editor of the Expositio super Job singles out two (of the four) manuscripts with pecia marks whose texts reveal that one pecia (a different in each) was not accessible at the proper time, so that space had to be left for its later insertion (141) ; and R. Gauthier mentions the note of a corrector, in a manuscript of the Sententia libri Ethicorum, "These four folios are not corrected because we were unable to get the pecia, which was out, or lost, or in any event unfindable" (142).

Yale University, Beinecke MS 207, St. Thomas on book three of the Sentences, provides an exceptionally interesting insight into the practical difficulties that a scribe might encounter in producing a text from exemplar peciae. Beinecke 207 was copied from the exemplar rented out by the stationer William of Sens, most of which survives as Pamplona Cathedral MS 51 (143).

As we have mentioned, Pamplona 51 was in use over a long period, and at some point it was revised. Eventually these revisions obliged William of Sens to discard four successive peciae, nos. 16-19, and replace them with four others (designated 16*-19*) containing revised text ; two at least -18 and 19- were replaced en bloc. A comparison of numerous progeny of Pamplona 51 shows that this change occurred after the exemplar had begun to circulate ; these descendants likewise verify the fact that, in replacing the successive peciae -provided only that the text at the beginning of pecia 18* followed directly upon the final words of pecia 17*, and that the text at the end of 19* led without omission to the opening words of pecia 20- William was under no compunction to see to it that the bloc's internal division (end of 18*/beginning of 19*) occurred at exactly the same spot in the text as the former divisions had done.

In the event, the location of this internal division in the remade bloc of Pamplona 51 did vary, markedly, from the original.

With this as background, let us turn now to the unlucky scribe of Beinecke 207, who had the misfortune to encounter two difficulties simultaneously (144). The first was not uncommon : a pecia he needed was unavailable, and so he was obliged to leave blank the amount of space that he thought adequate for the missing text, and to continue on with the next available pecia, returning later to fill in the gap. The second difficulty, however, was a rarity : the time at which he was copying peciae 18-19 just happened to coincide with the time at which they were in the process of being replaced by the revised pecia 18*-19*. The result is a mess, esthetically and textually.

The sequence of the mishaps that befell this scribe is fairly clear. He had copied peciae 16 and 17, but 18 was unavailable when he wanted it. He therefore left blank what he estimated to be a sufficient number of columns, and continued on. What he copied next, however, was not the original, but the new pecia 19*, which he began (as scribes tended to do) with the beginning of a fresh page, fol. 46va top. Later -perhaps immediately thereafter- he found that the omitted pecia was now available. What he cannot, at least initially, have realized is that William of Sens was supplying him with the old pecia 18, not the new one. Unluckily for the scribe, old and new did not contain identical portions of the text ; in fact, the end of remade 18* -and thus the beginning of 19*, which he had already copied- occurred a full column farther along in St. Thomas's text than the end of old 18, the pecia he now began to copy. As if this were not enough of a problem, it turned out that he had not, in fact, left quite enough room even for the text of old pecia 18 to fit in ; and he failed to anticipate the problem soon enough to absorb the excess text by compressing or abbreviating his script over the course of the last two or three columns. As a result, when he had filled all the lined space on fol. 46r, he was left with some five lines of the text of pecia 18 still to copy and with nowhere to put them -since fol. 46v had already been filled, in advance.

The several steps in the scribe's attempt to solve his dilemma are likewise fairly clear, but the explanation for them is elusive. First, he added the remaining text on fol. 46rb, as five lines extending into the bottom margin directly beneath the second column. Then, he changed his mind and scraped away what he had just written. Turning the page, he effaced as well the first eleven lines on fol. 46va (the beginning of pecia 19*) ; into the space thus created, he attempted to squeeze both the left-over five lines of pecia 18 and the beginning (eleven lines, formerly) of pecia 19*, by quite noticeably compressing his script. The attempt was unsuccessful, however, and he was compelled to write in the margin after all- although, in this final state, it is the left-hand margin of fol. 46v instead of the bottom margin of 46r ; and the marginal text is not the end of pecia 18, but the end of that portion of pecia 19* which he had rewritten. Finally, he turned back to fol. 46rb and added at the bottom below the scrape-marks, in a small but formal script, "Note : Cursed be the stationer who made me ruin the book of a worthy man" (145).

Why the double, and doubly unsuccessful, attempt at overcoming his lack of space ? And in particular, why this vehement condemnation of the stationer (William of Sens) (146) ? There are at least two plausible explanations, neither of which flatters the candor and probity of the scribe.

1) One may suppose, as one possibility, that the problem of old pecia/new pecia, and the resultant loss of a column's worth of text, had nothing to do with the scribe's dilemma at all. Scribes were expected merely to make a swift, accurate, and legible copy of whatever was presented to them, not to read critically for content. Therefore, the scribe of Beinecke 207 may well have completely failed to notice that the juncture of the text at the end of his eighteenth pecia and the beginning of his nineteenth reads like nonsense (147). In that case, we must expect a purely physical and esthetic explanation. Taken as a whole, Beinecke 207 is a well-presented text, with modest but attractive colored initials ; the scribe's pecia marks were deliberately written at the very edge of the page, where they would for the most part disappear when the finished book was trimmed, and most of those which survived the trimming have been carefully scraped away ; and all four margins are spacious. It would seem, in other words, that appearances mattered, to the "worthy man" for whom the book was written. After the scribe had first attempted to accommodate in the lower margin the "excess" text at the end of pecia 18, therefore, he may have felt that the resulting extra lines, destroying the symmetry of the page and calling attention to themselves, would surely displease his patron. His attempt to rectify the situation only made matters worse, however ; for he still was unable to avoid writing in the margin, and he had made, as well, rather a mess of effacing his first attempt. Therefore, he added a note cursing the stationer, to imply that someone else was responsible for what was, in fact, the result of his own miscalculation.

2) Or one may suppose, instead, that the scribe was eventually quite conscious of the fact that the text at the end of his pecia 18 did not "fit" with the beginning of 19*. In that case, the sequence of events would have been something like this : The scribe found, when he reached the end of fol. 46rb, that there were five more lines to copy and no proper space for them, so he added them neatly in the bottom margin ; the result would have been a noticeable but not unsightly (nor unusual) correction. He would only at this point have recognized that the text he had just managed with difficulty to complete (pecia 18) did not, in fact, attach directly to the text he had previously written on the verso (pecia 19*). For, while he was likely giving little or no notice to the sense of what he copied, there was one small item at the very end of pecia 18 that caught his attention : the catchword. (So far as we know, every exemplar-pecia

that survives bears a catchword at the end, for obvious reasons). The catchword at the end of pecia 18 did not at all match the opening words of pecia 19*, and the scribe at last realized that his problems extended beyond mere lack of space. What to do ? On the one hand, his patron would not be pleased to pay for an incomplete text ; and, because of his having to extend the last five lines of pecia 18 into the margin, the scribe had unintentionally called attention to the very place in the text where something -he probably did not know how much- was missing. On the other hand, the fault truly was not his. He had asked the stationer for pecia 19, and had dutifully copied what he was given ; then he did the same for pecia 18. Although he now recognized that there was some sort of anomaly, it was not clear -to the scribe, at any rate- that he was obliged to spend the extra time, for which he would receive no extra pay, to straighten the matter out. He had fulfilled the letter, if not the spirit, of his contract ; but even so, he must have doubted that his patron would be tolerant enough to share this viewpoint. So he cunningly covered his tracks : he effaced not only the added lines at the bottom of 46rb but also the first few lines of 46va, and rewrote both passages together, at the top of 46v. The previously eye-catching division between peciae, inviting detection of the loss of text, was thus thoroughly disguised ; it now occurs about halfway through the fifth line of an eleven-line segment that was unmistakably written all at one sitting. This explanation of the facts, while it implies more serious deceit on the scribe's part than the alternative, at least has the advantage of providing a satisfying reason for the scribe's bitterness, in the note added to fol. 46r. It was in fact the stationer, William of Sens, who was guilty of continuing to circulate the old pecia 18 after it had been superseded, and who therefore created the scribe's dilemma. Perhaps as one final line of defense, should his deception after all be discovered -or, more likely, as a heartfelt expression of frustration- the scribe called down curses on the stationer's head.

*

*   *

With this observation, we reach the end of the information we have thus far quarried out of the printed sources. But we are optimistic that it is by no means a dead end, just a temporary halt. It seems to us that future knowledge of the mechanism of stationer-production will emerge from a cross-fertilization between textual studies of specific university books, on the one hand, and reexamination -or rather reinterpretation- of the documents and regulations, on the other.

Of the myriad unsolved questions, we feel certain that several will soon be answerable, once a bit more evidence is added to the common pool. For example : Did one pay for the exemplar as a whole ? Or could one rent merely a selection of peciae, if one wanted only part of a book ? Our study of the university texts of the Manipulus florum suggested that many renters failed, seemingly deliberately, to copy the last pecia, which comprised a booklist unessential to the usefulness of the body of the florilegium (148). Yet the two taxatio lists give the rental price per work, not per pecia. And Master John of Gonesse's account, previously mentioned, states the price as a single total ; although he reached that total through, it seems, four separate payments, they were obviously not payments by the pecia. Evidence to illuminate this point will surely turn up in time.

Or to take another example, there is the matter of correction : Was the corrector invariably someone other than the scribe -a second pair of eyes, as it were ? Many peciae of the surviving exemplar of the Manipulus florum bear two separate correctors' marks, including one who leaves his name ("Matt.'"). Was "correcting" a specialized skill in any sense ? The taille rolls list, on the Rue aus Porees in the heart of the university, an "Adam, corrigeeur" in 1292 (149) ; his name survives, "Ade correctoris", in a thirteenth-century Parisian exemplar of Aristotle De natura animalium, now Cesena, Malat. sin. XXIV 4 (150). In the taille books for 1296 and 1297, we find that Adam has been succeeded in the same location (next door to "Robert de Craonne/Craen, libraire") by "Jehannot le corrigeeur" · (151). Gauthier, on the basis of the corrector's note cited above, speculated that it was a common practice for individual scholars to rent exemplar-peciae for the purpose of correcting existing texts (whether texts copied from those same peciae, or texts of an independant tradition) ; and he cites the statutes from other universities -Bologna, Padua, Montpellier, Toulouse- which stipulate a reduced rate for peciae rented for this purpose (152) ; but no such statute survives from Paris. Surely, future studies will help to clarify the role of correctors and corrections.

Larger questions will doubtless remain a matter of controversy for some time to come. One of the most perplexing is this : Why did the pecia system disappear at Paris, after the middle of the fourteenth century ? The date naturally suggests the Black Death as a contibuting cause, but that cannot be the whole explanation. Masters continued to write, and students to read ; why was it no longer the practice to disseminate new texts via the pecia-rental method that had served so well in the past ? Men (and women) continue to be called stationers, in oaths to the University of Paris or in notes of sale in manuscripts. Yet there is no evidence -in the form of surviving manuscripts copied from exemplar-peciae- that these later stationers functioned as their predecessors had done in the first half of the century. It is to be hoped that the study of the texts produced after the mid-fourteenth century will eventually shed light on the changed mechanics of dissemination.

One major question that remains unanswered is perhaps unanswerable : What were the specific origins of the pecia system ? To be sure, reproduction of texts by the use of exemplar-peciae was "merely" an innovative adaptation of a known procedure (153) ; but what a brilliant and hugely successful innovation it was ! It would be most illuminating to know where, when, why, how, and by whom the process was first devised. We have no evidence on this matter beyond what has been set forth in this paper ; but we should like to conclude by suggesting the direction in which, it seems to us, that evidence points.

We suggest that the Parisian form of pecia publication was devised by the Dominicans of St-Jacques, probably in the 1240s. Much of the reason for our conclusion will be apparent to readers of this paper : the evidence for the very close connections between the Dominicans and the stationer's shop of the Sens family, combined with the variety of indications that the shop of William of Sens was very important, very early, and originally without commercial competition. Moreover, it seems -as a subjective judgment- that Dominican authors on the whole benefited most, and earliest, from the possibilities offered by the pecia system. This impression may well be illusory, based less upon thirteenth-century reality than upon the concentration of twentieth-century editors on St. Thomas. There is also the early (pre-1258) Parisian manuscript of Hugh of St-Cher's postills that contains a pecia mark, though the manuscript does not appear to be a product of the stationer's trade ; this may reflect a style of in-house book production at St-Jacques (154). We recall, as well, that the earliest university book provisions to survive, and probably the earliest that were promulgated at Paris, were adopted at a general session held in 1275 at St-Jacques.

Our principal reason, however, for supposing the Dominicans of St-Jacques and not some member of the book trade to have devised the pecia system lies in the fact that the Dominicans of Paris, from ca. 1230 on, were demonstrably masters of innovation in the devising of aids to scholarship. The creation of the St-Jacques verbal concordance to the Bible is by no means the sum total of their efforts (155), but it offers, unaided, a clear enough analogy to illustrate our point. Like the creation of the pecia system, the making of the concordance involved intelligent and trail-blazing solutions to problems of technique ; it utilized the notion of division of labor among many scholar-writers working simultaneously ; and it had as its purpose a vast increase in the availability of information to scholars and preachers (156). We shall not force the analogy any further, nor consider by name other thirteenth-century Dominican enterprises of similar intent, for in the final analysis this does not constitute evidence. It simply contributes to our sense that there is no other explanation so likely as this -that the Dominicans devised the version of pecia publication known at Paris.

If so, the system would doubtless have remained for a time completely internal to the convent of St-Jacques. The relationship with William of Sens and ultimately with his heirs -whatever its nature : partnership ? employer/employee ? patron/tradesman ?- would have occurred somewhat later (1260s ?), when the usefulness of the system necessitated professional help. The rapid importation of the process from Bologna, evidently its place of origin, and its speedy adaptation to the specific needs of the University of Paris, would be explicable in terms of wandering Dominican scholars.

La pecia dans le monde universitaire leaves its readers with a sense of security, because of the precision and clarity with which Destrez sets forth his evidence. The research of scholars since Destrez has made it possible to examine the production of university books with even greater precision and breadth, but at the expense of the sense of security. Their work has raised questions that had not previously been asked, leaving one with a profound sense of how much still remains to be learned about the university book trade in Paris.

Addendum to p. 56

Addendum to p. 56.

In the realm of Latin manuscripts for the wealthy, Branner and De Hamel mention Nicolaus Lombardus as an earlier publisher whose product is known. Nicolaus appears on the mid-century tax lists of Ste-Geneviève-la-Grande, abd in 1254 stands surety for Odelina the widow of Nicolaus the parchmenter in the sale of her house. A note in B.N. lat. 9085 records the details of his commission to provide Gui de la Tour, bishop of Clermont (1250-1286), with a multi-volume glossed Bible ; Nicolaus venditor librorum was to provide the scribe and to receive the payment (40 lb. par., and two second-hand books). Like Herneis, Nicolaus likely was not required to take an oath to the University.

APPENDIX 1

A NOTE ON THE SOURCES

In the course of this article, and especially in our attempts at prosopography, we have had occasion to mention a variety of printed documents, some cited from Denifle and Chatelain's Chartularium of the University of Paris and others from the editions, by Géraud and Michaëlsson, of taille books of the city of Paris (157). Anyone who wishes to investigate the nature of these documents in depth is referred to their editors' introductions, and to the substantial subsequent literature. It is useful, however, to give here a brief description of the documents we have cited and to draw attention to the particular implications pertinent to our argument.

I. UNIVERSITY DOCUMENTS

A. TAXATIONES

The two extant taxationes from the University of Paris do not survive in the original but only in copies, included in two roughly similar collections of university documents compiled in the fourteenth century, Vatican Reg. lat. 406 and London B.L. Add. 17304 (158). Reg. lat. 406, written ca. 1304 evidently for the use of the Picard Nation, has been well cataloged by Dom Wilmart (159). B.L. Add. 17304, also, is a formal collection, written by a single hand in littera textualis, with the latest documents dated in the 1380s ; it is thought to have been made for the use of the English Nation (160). The fact that they are copies has serious implications for the trustworthiness of the taxationes ; for these lists are replete with roman numerals (numbers of peciae, prices of rental), which are notoriously susceptible to errors in copying. Unlike copyists' errors in prose, for which one at least has grammar and sense as guides, errors in lists of numbers are difficult even to detect, let alone correct. When their two sources disagreed, the editors of the taxationes, working long before the revelations of Destrez, were compelled simply to rely upon the reading of the manuscript which had proved more faithful in other contexts ; and, as we now know, this sometimes led them to the wrong choice (161).

There are countless anomalies in both taxationes that await explanation. It has been suggested, for example, that the list of legal texts printed at the end of the ca. 1275 taxatio (CUP 1.648-649) may be a separate item, perhaps pertaining to a different stationer :

it bears a separate heading, "Hec est taxatio exemplarium", and it repeats, with a rental of "iiii s.", the glossed Raymond of Peñafort mentioned toward the beginning of the 1275 list (CUP 1.645) with a rental of "iii s" (162). We note, however, that the heading for this final section does not differ much from other internal headings -e.g., "Ista sunt exemplaria super theologiam" ; one would merely have to suppose the loss of a single word, "Hec est taxatio exemplarium [legum]". There seems little logic in the headings throughout. The list as a whole has no (contemporary) heading at all. And the section of "exemplaria super theologiam" in fact contains only works of Augustine, while the works of Gregory, Isidore, Anselm, Bernard, and Hugh of St-Victor all appear in a previous and untitled section of the list. For the moment, the strongest evidence for the integrity of the taxationes as printed is the fact that the fourteenth-century scribes of the surviving copies clearly considered each to be a unit.

B. BOOKMEN'S OATHS, CORPORATE AND INDIVIDUAL

Beginning with its earliest (surviving) book provision in 1275, and in all subsequent ones, the University of Paris prescribed that the librarii et stationarii must swear an oath of observance. No names of bookmen are appended to the early documents, however- even though one still has the (an ?) original, complete with seal, of the 1275 oath. Either the signatures were recorded elsewhere, on something now lost, or, more likely, the bookmen swore viva voce in assemblage before the university's officials.

The first list of bookmen's names in the university records, in fact, appears not on an oath but in a blacklist, dated 12 June 1316. When the dispute was settled on 4 December 1316, the librarii et stationarii who took the oath in a body were listed by name, along with the street on which each was located. The two other surviving oaths from this century (1323, 1342) likewise record the names (but not the addresses) of those who swore as a group before the university's officials.

In addition to these four lists of bookmen as a group, Denifle and Chatelain give brief notice of some 35-37 individual oaths from the years 1314-1354, the originals of which survive in the Archives Nationales. These are records of the oath by a single bookman (or, on two occasions, man and wife) who swore -before the officialis curiae, surprisingly enough : a reminder of the complex lines of authority still connecting university and cathedral- to observe the regulations of the University of Paris, simultaneously posting a bond to indemnify the university in case of malfeasance. These oaths are chance survivals, and there must originally have been many times this number, as witness the many names on the university's corporate oaths for which the individual oaths do not survive. We suspect that, normally, a libraire or stationer swore an individual oath and formally posted his bond only once, upon taking possession of his shop by purchase or inheritance -or as soon thereafter as it became either prudent or inescapable that he do so- and that the requisite annual (?) (163) renewal of the oath before the assembled university masters was done viva voce, by the bookmen in a body. Two individual oaths survive, however, for Richard de Montbaston (August and October 1338) and Henricus Guilloti (1351 and 1353), which shows that, if a single written oath was the norm, there were exceptions (164). The especial usefulness of the individual oaths for our purposes lies in the fact that they distinguish, as the other records do not, between ordinary librarii and those who held the offices (the plural officia is often used ; see CUP 2.189n) of stationarius et librarius.

As we have noted in the course of this article, the only university bookmen whose appearance in university records antedates 1316 belong to the Sens family : 1) Thomas of Sens, whose individual oath of May 1314 is said to have been sworn, not before the officialis curiae like all the others of which we have a record, but "at the Mathurins, in the presence of the university's representatives, namely, Master Thomas Anglicus, doctor of theology, and Master Hugh of Macon, doctor of canon law, and of numerous other masters there present" (165) ; and 2) Andrew of Sens, whose name as stationer appears, along with those of the university's assessors, on the taxatio of 1304. (William of Sens does not appear in any university record, but he is called stationer by a charter of Notre Dame in 1270).

II. THE BOOKS OF THE TAILLE

Taille books survive for part of the sequence 1292-1300, and for the extraordinary taille (feudal dues for the knighting of Philip the Fair's eldest son) of 1313. The records for 1292, 1296, 1297, and 1313 have been edited, while those for 1298-1300 are extant in manuscript at Paris, Arch. nat. KK.283. The taille books of 1292-1300 record the payment, in annual increments, of a fixed sum levied in lieu of Philip the Fair's tax (maltote) on commercial transactions, since the latter would have been a nuisance to collect ; therefore, one may assume that the rates in those years, if not in 1313 as well, provide a rough comparison of commercial income (rather than, say, a comparison of the worth of real property or of inherited wealth). Two aspects of these records make them less helpful than one might wish, for the purposes of this article.

First is the fact that what survives is not the original report of the individual assessors, but a formal copy made for deposit ; indeed, Michaëlsson, the most recent editor of taille books, demonstrated that at least two, and more likely three, formal copies of the taille book were made in 1313, and he assumed that the same was true of the earlier books. Therefore, there is a strong possibility that scribal error and/or misinterpretation of the assessors' returns has crept undetected into the only surviving copy for any given year.

The second problem is the date of the tailles. As we have noted, the earliest list of bookmen in the university records dates from 1316. The taille nearest in date is that of 1313 ; but, by royal ordonnance of 1307, the university's sworn bookmen were exempted from taxation, and they are nearly all absent from the taille book of 1313. This has left us in the position of trying to compare names of university bookmen from 1316 and later with the printed taille records of 1297 and before. As one might expect, the results have been slender.

Finally, we should mention that the taille books make no distinctions between stationarii and the other librarii, but simply use the general designation librere for them all.

APPENDIX 2

LIBRARII AND STATIONARII AT PARIS, 1292-1354

We list here all those men and women who are designated as librarii (or librarii et stationarii) by records of the University of Paris, from the earliest through 1354, or who appear on the street-by-street tax or taille records of the City of Paris, 1292-1313,designated as libreres. The date-span has been determined for us by the records : 1292 is the date of the first taille book ; since the earliest university oath (without names of those who swore, unfortunately) dates from 1275, we assume that all booksellers who appear in the taille books of the 1290s came under the university's jurisdiction, in theory, and doubtless the vast majority in practice. At the other end of the span, 1354 is the date of the last surviving individual oath, in a series of oaths that stretches virtually uninterrupted from 1314. After 1354, there is a gap of thirteen years in the surviving oaths ; and those who swore their oaths at the end of the century (from 1367 onward) belong to a rather different world -certainly a different set of circumstances- from the university book trade described in this paper. We have made only one exception to our chronological limits, to incorporate William of Sens ; although he antedates both the taille records and the university's oaths-with-names, we know from other evidence that he served university masters and scholars as a stationer.

Within these limits, the list is as complete as we can make it. The manuscript taille records for the three years 1298, 1299, and 1300 obviously cannot be rechecked and cross-checked as can the printed volumes, and that for 1298 in particular is in a poor physical state that makes it impossible to read in places. Nevertheless, in examining this manuscript in 1985 we made a good effort to find everyone specifically called librere in the taille for 1298-1300. Our list does not include other aspects of the book trade -illuminators, scribes, correctors, parchmenters, binders, or ink-makers- except for the occasional man or woman who appears in the taille with such a designation in one year and the designation librere in another, or those who appear with a double designation (e.g., librere et enlumi-neeur). Our list is intended to complement, but not to duplicate, those of Baron for thirteenth- through fifteenth-century illumina-tors (but not booksellers) (166), and de Winter's for several aspects of the book trade, but at the end of the fourteenth century (167).

The taille books of 1292 and 1296-1300 provide a cross-section of the location of the book trade ; so, too, does the corporate university oath of December 1316, which gives the street address for each man who swears the oath. For this quarter-century, then, we can see clearly the double focus of the trade : one group centered on the Rue neuve Notre-Dame, on the Ile de la Cité ; and a second clustered around the university on the Left Bank, in the tangle of little streets bounded roughly by St-Sevrin on the north, the Sorbonne on the west, St-Jacques to the south, and Ste-Geneviève on the east (see Map). Chance survivals of the addresses of librarii after this date (1317-1323) -mentions in surviving manuscripts, or (very rarely) records of location in individual oaths- do nothing to alter this picture, although they cannot be regarded as representative. (De Winter's people from the end of the century also seem to reflect the same pattern of distribution). Among the some 125 names on our list, the known exceptions are 5 : Guillaume d'Auvergne, librere, on the Rue de Hirondelle 1292-1297 (north and west of St-Sevrin) ; Henri le petit, librere, 1296, and (his successor ?) Guillaume le librere, enlumineeur, 1297, on the Rue des Cordeles (the eastern end, beside the Franciscan house) ; to the east, Jehan le librere on the Rue de Versailles (near the Collège de St-Bernard and the Porte St-Victor) in 1297 ; and a mention, in the year 1297, of another Jehan le librere, the only librere recorded on the Right Bank during the years covered by the list (just outside the Porte St-Honoré and, not incidentally, near the Louvre palace).

Having compiled this list permits us one further general observa-tion : that the book trade was a family business, one which often passed from a man to his widow and from father or mother to son -or son-in-law. This is not unexpected, but it is pleasing to be able to document the process, in a few cases at least. The time-period covered by the list coincides with the gradual establishment of family names, which exist side-by-side with nicknames and names that designate a place of origin. Thus, one may find in the taille (cf. 1292 taille p. 118) a man called "Jehan le blont" in order to distinguish him from his next-door neighbor "Jehan le fort" ; and it would be ludicrous to suggest that this Jehan must, or even might, be kin to everyone else in Paris called "blont". At the same time, one has groups like the Sens family. William and Margaret may indeed have come to Paris from Sens- though even that is not necessarily the case. But when, in the same shop, one later comes to Andrew "of Sens", and still later to Thomas "called 'of Sens'" (dictus de Zenonis, as his individual oath puts it), the reference clearly is not to their native town but to their parentage. We have been cautious in suggesting kinship for librarii with similar names ; but when there is a sequence of two or three such people, following one another chronologically and filling the same office, it is a near-certainty that we are seeing a family business handed on from one member to the next.

It is our hope in presenting this list that in future many of the names will be identified in manuscripts, accounts, and charters, thereby serving on the one hand to enlarge present knowledge of the Paris book trade and, on the other, to provide a context -of date, place, and circumstances- for anyone studying those manuscripts and other documents.

Organization of the List :

Alphabetization. The list is alphabetized by first name and then by cognomen. While we have attempted to record significant variants in the Old French and Latin renderings of a person's name, we have alphabetized them all according to the Latin form. Thus, for Alain (or any variations thereof), see Alanus ; for Etienne (etc.), Stephanus ; for Geoffroy, Gaufridus ; for Giles, Egidius ; for Guillaume, Guillelmus ; for Henri, Henricus ; for Jean or Jehan, Johannes ; for Nicole, Nicolaus ; for Pierre, Petrus ; for Raoul, Radulfus.

Arrangement of the entries. Entries are arranged in the following order : (1) Name, with any significant variants ; (2) designation of ·métier as given by the sources ; (3) the first and last date at which he/she is known ; (4) street address, if known ; (5) sources in which the name appears ; (6) any other pertinent information, including cross-references to other members of the same family.

Sources. Bibliographic reference to CUP appears in n. 1 above, and to the printed taille books (for 1292, 1296, 1297, 1313) in n. 6 above. Citations of the 1298, 1299, and 1300 taille books refer by folio number to Paris, Arch. nat. KK.283. For a discussion of the comparative advantages and shortcomings of the different sources, see App. 1 above.

+ A dagger to the left of a name is meant to allow readers to locate rapidly those who are specifically said to have been stationers. (Distinctions between stationers and ordinary librarii is made only in individual oaths ; see app. 1).

Aaliz a lescurel/de lescurel [librere ?]. See Fortin de lescurel.

Adam le corrigeeur [librere ?]. See Jehan le corrigeeur.

Agnes [de Aurelianis], libraria. 1350. (CUP 2.658n, individual oath). Widow and successor of *Guillelmus de Aurelianus.

? Alanus Brito, principalis serviens facultatis decretorum. 1342. (CUP 2.543, corporate oath ?) Alanus Brito, although his name is not among those who took the oath in 1342, crops up at the end of the document as one of the four taxatores librorum for 1342. It is not said that he was himself a librarius. Probably the university had reclaimed the right to appoint one of its own employees or officers (serviens is rather an all-purpose designation) to the group tha set the rates for pecia-rental and other book sales (see above, pt. II-D), likely as early as 1323. See *Gaufridus Brito and *Johannes de Guyendale.

Alain le jeune/le genne, [librere]. 1292. Rue neuve Notre-Dame. (1292 taille, p. 149). No occupation is listed for him, but his widow *Julienne is called "la fame Alain le genne librere", in 1296.

+ Andreas dictus de Senonis/Andri de Sens/Andri l'englois, librarius et stationarius. 1296-1304. Rue St-Jacques. (1296 taille, p. 234 ; 1297 taille, p. 217 ; 1299 taille, fol. 221 ; 1300 taille, fol. 293 ; CUP 2.107, taxatio). Concerning Andreas and the other members of his family *Guillelmus, *Marguerite, and *Thomas of Sens, see above, pt. I-D.

Christoforus de Ravenelo, scriptor et librarius juratus. 1350. (CUP 2.658n, individual oath).

Colin le librere. 1300. Rue Erembourc de Brie. (1300 taille, fol. 291v).

Colin de la chastelet (?), librere. 1298. Rue neuve Notre-Dame. (1298 taille, fol. 144). Possibly the same as *Colin de la lande.

Colin de la lande, librere. 1300. Rue neuve Notre-Dame. (1300 taille, fol. 288). Possibly the same as *Colin de la chastelet.

Colinus Trenchemer, librarius or stationarius. 1316. (CUP 2.180, blacklist). Possibly the same as any of the preceding.

Conerardus/Corrardus Alemanus, librarius or stationarius. 1342. (CUP 2.532, corporate oath).

Daniel de Loctey, librarius. 1354. (CUP 2.658n, individual oath).

[Egidius] Gile de Soisson/de Sessons, lieeur de livres, librere. 1292-1300. Rue neuve Notre-Dame. (1292 taille, p. 148 ; 1296 taille, p. 214 ; 1297 taille, p. 198 ; 1300 taille, fol. 288v). Gile is called librere only in 1300.

Egidius de Vivariis, <u>librarius</u> or <u>stationarius</u>. 1323. (CUP 2.273n, corporate oath). Perhaps the successor, and doubtless the kinsman, of *Michael de Vivariis.

Fortin/Sire Fortin de lescurel, <u>librere</u>. 1292-1299. Rue neuve Notre-Dame. (1292 taille, p. 148 ; 1299 taille, fol. 214v). Son of the Dame Aaliz de lescurel who is mentioned not only in 1292 and '99 but in the taille books for 1296 (p. 214) and 1297 (p. 199) as well. Her occupation is not named ; but in the earlier records it is she who is taxed, with only a passing mention (1292) of "Fortin, son fuiz". Only in 1299 does his name take precedence ("Sire Fortin de lescurel librere... Dame Aaliz de lescurel sa mere"). Probably Aaliz was also a <u>libraire</u>, and her son took charge of the business in 1298 or '99.

[Gaufridus] Gefroi/Giefroi de biauvez, <u>librere</u>. 1292-1299. In 1292 and 1299 he is recorded as if on the "Rue de Froit-Mantel", but other tailles locate him more specifically on the little "Rue sanz chief encontre l'ospital [de St-Jean]", which branches off from Froit-Mantel. (1292 taille, p. 163 ; 1296 taille, p. 237 ; 1297 taille, p. 219 ; 1299 taille, fol. 222).

? Gaufridus Brito, <u>notarius publicus</u>. 1316. Rue neuve Notre-Dame. (CUP 2.191, corporate oath). Although he took the oath with the <u>librarii</u> and <u>stationarii</u> in 1316, there is no reason to think that he was himself a bookseller. See the similar cases of *Alanus Brito and *Johannes de Guyendale.

Gaufridus Burgondus, <u>librarius</u> or <u>stationarius</u>. 1316. (CUP 2.180, blacklist). Possibly to be identified with *Gaufridus Lotharingus ; G. Burg. (but not G. Lothar). is on the blacklist of June 1316, while G. Lothar. (but not G. Burg). swears the oath, in the settlement of Dec. 1316. Gaufridus Burgondus is possibly kinsman and predecessor of *Guillelmus dictus le Bourgignon.

Gaufridus le Cauchois, <u>librarius</u> or <u>stationarius</u>. 1342. (CUP 2.532, corporate oath).

Gaufridus de Evillane, <u>librarius</u>. 1338. (CUP 2.189n, individual oath).

Gaufridus Lotharingus, <u>librarius</u> or <u>stationarius</u>. 1316-1323. Rue Erembourc de Brie. (CUP 2.192, CUP 2.273n, corporate oaths). Possibly the same as *Gaufridus Burgondus (q.v. for discussion).

Gaufridus dictus le Normant, <u>librarius</u> or <u>stationarius</u>. 1323. (CUP 2.273n). Probably related to the later *Johannes dictus le Normant, and perhaps to the earlier *Thomas Normannus -despite the fact that Gaufridus and Thomas took the oath simultaneously in 1323, which is somewhat unusual for members of the same shop/family.

Gaufridus de Sancto Leodegario/Gaufridus de vico novo, <u>clericus, librarius juratus</u>. 1316-1323. Rue neuve Notre-Dame. (CUP 2.180, blacklist ; CUP 2.188-189, individual oath ; CUP 2.192 and 2.273n, corporate oaths). Geoffrey of St-Léger is better known as an

illuminator ; see discussion above, pt. I-C. He is probably a kinsman and successor of *Johannes de Sancto Leodegario.

Gilbertus de Hollendia, Anglicus, clericus, librarius. 1342. (CUP
2.189n, individual oath ; CUP 2.532, corporate oath).

Gude (?) de biaune, librere. 1299. Rue neuve Notre-Dame. (1299
taille, fol. 214v).

Guerin l'englois, librere. 1292-1300. At first he is recorded on "La
ruele aus Coulons", a tiny street that ran into the Rue neuve
Notre-Dame ; from 1296, he is simply reported as being on the
Rue neuve. (1292 taille, p. 149 ; 1296 taille, p. 212 : 1297 taille,
p. 197 ; 1299 taille, fol. 214 ; 1300 taille, fol. 288).

Guidomarus de Cuomeneuc (?), clericus, librarius. 1350. (CUP 2.658n,
individual oath ; the editors note that the name is almost illegible).

Guillaume, librere, enlumineeur. 1297. Rue des Cordeles. (1297 taille,
p. 215). He is perhaps successor to *Henri le petit, the only
librere on this street in 1296, as Guillaume is the only one in
1297. Guillaume may, instead, have taken over the shop of Jehan
d'orli, l'enlumineeur (on this street in 1296 ; taille, p. 232), whose
tax of 10 sous in 1296 is identical with Guillaume's in 1297.

Guillelmus de Aurelianus, librarius or stationarius. 1342, d. bef. 1350.
(CUP 2.532, corporate oath). Succeeded by his widow *Agnes.

Guillaume d'Auvergne/l'avergnaz, librere. 1292-1297. Rue de Hirondelle, parish of St-André-des-Arts. (1292 taille, p. 159 ; 1296
taille, p. 231 ; 1297 taille, p. 213).

Guillelmus dictus le Bourgignon, librarius or stationarius. 1342. (CUP
2.532, corporate oath). Possibly kinsman and successor of *Gaufridus Burgondus.

Guillelmus de Caprosia, librarius. 1342. (CUP 2.189n, individual oath ;
CUP 2.532, corporate oath).

Guillelmus dictus Cumbaculo, librarius or stationarius. 1323. (CUP
2.273n, corporate oath).

Guillelmus de Curia/Guillaume de la court, librarius or stationarius.
1296-1316, prob. d. before 1323. At first he was situated in or
around the cloister of St-Benoît, west of the Rue St-Jacques, but
by 1297 (still in 1316) he had moved to the Rue de Clos-Brunel,
east of the Rue St-Jacques. (1296 taille, p. 235 ; 1297 taille, p.
220 ; CUP 2.180, blacklist ; CUP 2.192, corporate oath ; cf. CUP
2.273n, corporate oath).

[Guillelmus de Garlandia ? CUP 2.273n, says that the takers of the
corporate oath of 1323 included the same names as in 1316 with
three exceptions, one of whom is "Guillelmus de Garlandia". There
is no such name on the 1316 list. Probably an error for *Johannes

de Garlandia].

Guillelmus le Grant, Anglicus, librarius or stationarius. 1316-1323. Rue des Noyers. (CUP 2.192, CUP 2.273n, both corporate oaths).

Guillelmus Herberti, librarius or stationarius. 1342. (CUP 2.532, corporate oath).

Guillelmus dictus de Pointona, librarius. 1343. (CUP 2.189n, individual oath). Probably kinsman and successor of *Johannes de Pointona.

+ Guillelmus Senonensis/dictus de Senonis, clericus, stationarius librorum. [1264 ?] 1270, prob. d. before 1292. [Rue St-Jacques]. Concerning William and other members of his family, *Andreas, *Marguerite, and *Thomas of Sens, see above, pt. I-D.

+ Henricus Anglicus/Englicus : His name occurs in Paris, BN lat. 3107 (St. Thomas, Contra gentiles). Concerning this stationer (?), see the discussion above, pt. I-E.

Henricus de Cornubia, clericus, librarius. 1338-1342 [- 1350 ?]. (CUP 2.189n, individual oath ; CUP 2.532, corporate oath). This may be the same as the man with the confusing name, *Henricus le Franc de Venna Anglicus, burgensis Parisiensis (q.v. for discussion).

Henricus le Franc de Venna Anglicus, burgensis Parisiensis, librarius. 1350. (CUP 2.658). He pledged his property in 1350 to guarantee the bond posted by the stationer *Henricus de Lechlade. Denifle and Chatelain suggest that "Venna" may perhaps refer to Venn-Ottery in Cornwall (CUP 2.658 n. 1) ; if so, Henricus le Franc de Venna is probably the same as *Henricus de Cornubia. It is equally likely that this is yet another variant of the name *Henricus dictus de Neuham alias Henricus de Nevanne. Both Henry of Cornwall and Henry of Newham are attested in the years 1338 and 1342, which means that both are likely to have been still living in 1350 and to have been by then in a financial position that would permit them to extend a hand to a fellow countryman.

Henricus Guilloti, librarius. 1351-1353. (CUP 2.658n, individual oaths). For unknown reasons, Henricus swore two individual oaths, two years apart.

+ Henricus de Lechlade, Anglicus, librarius et stationarius. 1350. (CUP 2.657-658, individual oath). His bond of office was guaranteed by *Henricus le Franc de Venna, which implies that Lechlade's own property (also pledged) was not thought valuable enough to serve as collateral for the bond.

+ Henricus dictus de Neuham/de Nevanne, Anglicus, librarius et stationarius. 1338-1342 [- 1350 ?]. (CUP 2.189n, individual oath ; CUP 2.532, corporate oath). Perhaps the same as *Henricus le Franc de Venna Anglicus, burgensis Parisiensis (q.v. for discussion).

Henri le petit, librere. 1296. Rue des Cordeles. (1296 taille, p. 232). His shop may have passed to *Guillaume, librere, enlumineur.

Herbertus dictus de Martray, librarius or stationarius. 1342. (CUP 2.532, corporate oath).

[Herneis le romanceeur. 1250s ? "Devant Nostre Dame" (probably on the parvis). Probably not, at this date, a sworn librarius of the university. For a surviving manuscript of his, see pt. I-C above].

Jacobus Blancheti (Blanchetus ?), clericus, librarius. 1343. (CUP 2.189n, individual oath).

Jacobus de Treciis, librarius or stationarius. 1316. (CUP 2.180, blacklist).

Jacobus de Troencio/de Troanco/de Troancio, librarius or stationarius. 1316, d. by 1323. Rue neuve Notre-Dame. (CUP 2.180, blacklist ; CUP 2.192, corporate oath ; cf. CUP 2.273n). He is succeeded by his widow *Margareta.

Johanna, relicta defuncti *Richardi de Montebaculo, illuminatrix, libraria jurata. 1353. (CUP 2.658n, individual oath).

Jehan, le librere. 1297. In the parish of St-Eustache, "de la Porte St-Honore jusque devant les avugles". (1297 taille, p. 267).

Jehan, le librere, regratier. 1297. Rue de Versailles, in the parish of Ste-Genevieve "la Grant". (1297 taille, p. 224).

Johannes de Anglia, librarius or stationarius. 1316. (CUP 2.180, blacklist). Perhaps he is identical with another Johannes on this list, excluding those whose names appear on the blacklist with him, namely, Johannes de vico novo (= *Johannes Brito de Sancto Paulo), *Johannes de Garlandia, *Johannes de Sancto Leodegario.

Johannes de Belvaco, librarius. 1353. (CUP 2.658n, individual oath).

Jehan aus beus/bues. See Jehan de St-Pere aus bues.

Jehan Blondel, librere. 1292. Rue neuve Notre-Dame. (1292 taille, p. 147).

Johannes Brito juvenis, librarius or stationarius. 1323. (CUP 2.273n, corporate oath). He, along with *Johannes Brito alias de Sancto Paulo, was named one of the four taxatores in 1323, which makes it unlikely that they were kinsmen.

Johannes Brito alias de Sancto Paulo, librarius or stationarius. 1316-1323. Rue neuve Notre-Dame. (CUP 2.191-192, CUP 2.273n, corporate oaths). Probably not kin to *Johannes Brito juvenis (q.v. for discussion). Probably kinsman and successor of *Thomas de St-Pol. Possibly to be identified with *Johannes de vico Novo.

Jehan (Jehannot) le corrigeeur/Jehan courageus, librere. 1296-1300. Rue aus Porees. (1296 taille, p. 234 ; 1297 taille, p. 216 ; 1299 taille, fol. 221 : 1300 taille, fol. 293). Jehan is identified as a librere only in the last two sources ; to judge from the tax that he paid (18 sous, more than the librere *Robert de Craen next door to him), he was not a simple corrector by occupation but rather "le corrigeeur" either pointed out one aspect of his services, or acted as a quasi cognomen. He replaces at the same address *Adam le corrigeeur, known in 1292 (taille, p. 161). Likely Adam also was a librere ; and the tax of 58 sous reported for Adam is probably a misreading for 18 (lviii for xviii). For Adam in his role as corrector, see p. 83 above.

Johannes de Fonte, librarius or stationarius. 1342. (CUP 2.532, corporate oath).

Johannes de Garlandia/Jehan de garlande (guellande), librarius or stationarius. 1296-1316, probably d. before 1323. Rue des Parcheminiers alias rue aus Escrivains. (1296 taille, p. 229 ; 1297 taille, p. 211 ; 1299 taille, fol. 219, as "Jehan l'englais, librere" ; 1300 taille, fol. 290v ; CUP 2.180, blacklist ; CUP 2.192, corporate oath). Denifle and Chatelain (CUP 2.273n) note that the name of *Guillelmus de Garlandia is one of three that swear in 1316 but not in 1323 ; since Guillelmus is not recorded on the oath of 1316, this is probably a slip for "Johannes...".

? Johannes de Guyendale, Anglicus, serviens Universitatis. 1323. (CUP 2.273n, corporate oath). Although Johannes de Guyendale swore the oath along with the assembled librarii et stationarii, he (alone) is given this special designation. He is one of the four taxatores librorum for 1323. It is not certain that he was a bookseller. See *Alanus Brito for discussion.

Johannes Magni, librarius or stationarius. 1342. (CUP 2.532, corporate oath). The sobriquet (in the genitive, acc. to the edition) is evidently employed to distinguish him from *Johannes Parvi Anglicus, recorded in the same document ; and it is possible that neither man used these nicknames (?) in other contexts. Either of them, then, may be the same as some other Johannes on our list, saving those who are named with them in the same document of 1342 : *Johannes de Fonte, *Johannes dictus le Normant, *Johannes Pointona, *Johannes dictus Prestre-Jehan, and *Johannes Vachet.

+ Johannes de Meillac/de Meillar, clericus, stationarius et librarius. 1323. (CUP 2.189n, individual oath : CUP 2.273n, corporate oath).

Johannes dictus le Normant, librarius or stationarius. 1342. (CUP 2.532, corporate oath). Probably related to the earlier *Gaufridus dictus le Normant, and perhaps to the still earlier *Thomas Normannus.

Johannes de vico Novo, librarius or stationarius. 1316. (CUP 2.180, blacklist). This is probably either the last record of *Jehan de St-Pere-aus-bues, attested 1292-1300, or the first of *Johannes Brito alias de Sancto Paulo, attested from the end of 1316 to 1323 ; both lived on the Rue neuve Notre-Dame.

Johannes Parvi Anglicus, librarius or stationarius. 1342. (CUP 2.532, corporate oath). The nickname (if such it is) "Parvi" distinguishes him from *Johannes Magni, and he may not have used it in other circumstances.

Johannes dictus Persenal, scriptor et librarius juratus. 1350. (CUP 2.658n, individual oath).

Johannes de Pointona/Poniton/Ponton, Anglicus, clericus, librarius juratus. [1322-] 1335-1342. (CUP 2.189n, individual oath ; CUP 2.532, corporate oath). Probably kinsman and predecessor of *Guillelmus dictus de Pointona. Concerning his surviving manuscript see pt. I-C above.

Johannes Pouchet, librarius or stationarius. 1323. (CUP 2.273n, corporate oath). If the final letter in Pouchet is in fact the scribal misreading of a slashed l (= Pouchelle), this entry may disguise Jean Pucelle ; the earliest fixed point in his career is his appearance in accounts covering the years 1319-1324, with a suggested date of late 1323 for the item that mentions Pucelle (Kathleen Morand, Jean Pucelle [Oxford 1962] 39 no. 1).

Johannes dictus Prestre-Jehan/Johannes Presbyter, librarius. 1335-1342. (CUP 2.189n, individual oath ; CUP 2.532, corporate oath).

Johannes de Remis, librarius or stationarius. 1323. (CUP 2.273n, corporate oath). Concerning his surviving manuscript see pt. I-C above.

Jehan de St Pere aus bues/Jehan aus bues (beus), librere. 1292-1300 [- 1316 ?]. Rue neuve Notre-Dame. (1292 taille, p. 149 ; 1296 taille, p. 214 ; 1297 taille, p. 199 ; 1299 taille, fol. 214v : 1300 taille, fol. 288v). Possibly to be identified with *Johannes de vico Novo, known in 1316.

Johannes de Sancto Leodegario, librarius or stationarius. 1316. (CUP 2.180, blacklist). Probably kinsman and predecessor of *Gaufridus de Sancto Leodegario.

+ Johannes de Semer, Anglicus, stationarius et librarius. 1338. (CUP 2.189n, individual oath).

Johannes Vachet, librarius or stationarius. 1342. (CUP 2.531, corporate oath).

Julienne, fame Alain le joenne (genne, jenne)/Juliane la normande, librere. 1296-1300. Rue neuve Notre-Dame. (1296 taille, p. 214 ; 1297 taille, p. 199 ; 1298 taille, fol. 143v). Widow and successor of *Alain le jenne. By 1300 she is situated outside the Porte St-Victor, evidently living with (a kinsman ?) Thomas le normant, mason (1300 taille, fol. 222).

Margareta uxor quondam Jacobi de Troancio, libraria or stationaria. 1323. (CUP 2.273n, corporate oath). Widow and successor of

*Jacobus de Troancio.

+ Margareta [uxor Nicolai de Zelanda], libraria et stationaria. 1350. (CUP 2.658n, individual oath). Margaret is not the widow, but the partner, of *Nicolaus de Zelanda ; the two take the oath jointly.

Dame Marguerite de Sanz, marcheande de livres. 1292. Rue St-Jacques. (1292 taille, p. 160). Concerning Margaret and the other members of her family, *Andreas, *Guillelmus, and *Thomas de Sens, see above, pt. I-D.

Matheus de Attrebato, clericus, librarius. 1316-1323. (CUP 2.180, blacklist ; CUP 2.189n, individual oath ; CUP 2.273n, corporate oath).

Matheus Vavassor/Matheus le Vauvasseur, clericus, librarius. 1342, d. by 1352. Rue neuve Notre-Dame. (CUP 2.189n, individual oath ; CUP 2.532, corporate oath). His address, and the date by which he was dead, are provided by his surviving manuscript ; see above, pt. I-C.

Michiel de Vacqueria, librarius or stationarius. 1342. (CUP 2.532, corporate oath).

Michael de Vivariis, librarius or stationarius. 1316. (CUP 2.180, blacklist). Probably a kinsman, and perhaps the predecessor, of *Egidius de Vivariis.

Nicolas le librere/le lieeur/Nicolas l'englois, lieeur de livres. 1292-1299. Rue neuve Notre-Dame, in the parish of St-Christofle. (1292 taille, p. 147 ; 1297 taille, p. 197 ; 1299 taille, fol. 214). This Nicolas is called librere only in 1299 ; binding must have been his principal occupation. He is to be distinguished from the contemporary *Nicolas d'Estampes (also on the rue neuve) and the slightly later *Nicolaus dictus Petit-clerc alias l'englois (rue St-Jacques).

Nicole le librere. 1326-1327. Rue neuve Notre-Dame. Mahaut d'Artois bought books from Nicole in these years. (J.-M. Richard, Mahaut comtesse d'Artois et de Bourgogne [Paris 1887] p. 104).

Nicolas l'anglois/l'englois. See Nicolas le librere, Nicolaus dictus Petit-clerc.

Nicolaus de Branchis, librarius or stationarius. 1342. (CUP 2.531, corporate oath).

Nicolas d'Estampes, librere. 1292-1296. Rue neuve Notre-Dame, parish of Ste-Geneviève-la-petite. (1292 taille, p. 149 ; 1296 taille, p. 214). Not to be identified with *Nicolas le librere (= le lieeur) situated elsewhere on the Rue neuve (parish of St-Christofle). In 1296, Nicolas is partnered with *Robert d'Estampes.

Nicolaus de Ybernia [Hibernia], librarius or stationarius. 1323. (CUP 2.273n, corporate oath). Perhaps kinsman of *Stephanus Hibernicus.

Nicolaus Lombardus, venditor librorum. See Additional Note p. 113.

Nicolaus Martel. See Nicolaus de Zelanda.

Nicolaus dictus Petit-clerc/Nicolaus Peneler (= Peticler)/Nicolas l'anglois, librarius or stationarius. 1313-1323. Rue St-Jacques, east side. (1313 taille, p. 250 ; CUP 2.180, blacklist ; CUP 2.192, CUP 2.273n, corporate oaths). Nicolaus was one of only three libreres (*Thomas de Sens and *Thomas de Mante were the others) who appear on the tax rolls in 1313, where he is listed (Nicolas l'anglois) as librere et tavernier ; he was taxed either because he had not taken the university oath (like Thomas de Sens) or because he had a second source of income (the case, probably, of Thomas de Mante, q.v.). In Dec. 1316 Nicolaus is named as one of the four taxatores for the year.

Nicolaus de Scotia, librarius or stationarius. 1323. (CUP 2.273n, corporate oath). Possibly kinsman and predecessor of *Robertus Scoti.

Nicolaus Tirel, clericus, librarius. 1335-1342. (CUP 2.189n, individual oath ; CUP 2.532, corporate oath).

+ Nicolaus de Zelanda alias Martel, librarius et stationarius. 1350. Rue St-Jacques. (CUP 2.658n, individual oath). Partnered with his wife *Margareta.

Oudin de biauvez, librere. 1296. Rue St-Etienne-des-Gres. (1296 taille, p. 237).

Oudin le breton, librere. 1298. Rue Erembourc de Brie. (1298 taille, fol. 145v).

+ Petronilla, uxor [*Petri de Perona, stationaria et libraria]. 1323. (CUP 2.189n, individual oath ; CUP 2.273n, corporate oath). She takes both oaths with her husband.

Petrus Boneffant/dictus Bonenfant/Bonuspuer, librarius or stationarius. [1309 -] 1323. Rue de Bièvre. (CUP 2.180, blacklist ; CUP 2.192, CUP 2.273n, corporate oaths). Concerning a manuscript written by him, see pt. I-C above.

+ Petrus de Perona, clericus, stationarius et librarius. 1323. (CUP 2.189n, individual oath ; CUP 2.273n, corporate oath). His wife, *Petronilla, takes both oaths with him.

Poncet/Ponce/Poince le librere. 1292-1300. Rue neuve Notre-Dame. (1292 taille, p. 147 ; 1297 taille, p. 196 ; 1299 taille, fol. 214v ; 1300 taille, fol. 288).

Poncius Gilbosus de Noblans, clericus et librarius. 1323. (CUP 2.189n, individual oath ; CUP 2.273n, corporate oath).

Raoul le librere. 1296-1300. Rue St-Jacques, east side. (1296 taille, p. 236 ; 1300 taille, fol. 293).

Radulfus Abbatis, librarius or stationarius. 1316 (CUP 2.180, blacklist).

Mestre Raoul le Breton/Raoul le vieil Breton, librere. 1292-1300. Rue neuve Notre-Dame. (1292 taille, p. 149 ; 1296 taille, p. 214 ; 1297 taille, p. 199 ; 1299 taille, fol. 214v ; 1300 taille, fol. 288v). Possibly kinsman to *Raoul le genne Breton, whose shop was on the opposite side of the rue neuve ; the distinction Raoul le vieil and Raoul le genne would suggest father and son. It is not typical, however, for family members to set up in competition with one another -and to pay tax on two establishments, instead of on one.

Raoul le genne Breton, librere. 1296-1299. Rue neuve Notre-Dame. (1296 taille, p. 214 ; 1297 taille, p. 198 ; 1299 taille, fol. 214v). See *Raoul le vieil Breton.

Radulfus de Varedis, librarius or stationarius. 1323. (CUP 2.273n, corporate oath).

Richardus dictus Challamannio, librarius or stationarius. 1323. (CUP 2.273n, corporate oath).

Richardus de Monbaston [sic]/dictus de Montbaston/de Monte baculo, clericus, librarius et illuminator. 1338-1348, d. by 1353. Rue neuve Notre-Dame. (CUP 2.189n, two individual oaths ; CUP 2.532, corporate oath). For unknown reasons, Montbaston swore two individual oaths in 1338. He is referred to as "defunctus" in the 1353 oath of his widow *Johanna. Concerning Montbaston's manuscripts, including one dated 1348, see pt. I-C above.

Mestre Robert a l'ange, parcheminier, librere. 1292-1300. Rue des Escrivains alias des Parcheminiers. (1292 taille, p. 157 ; 1296 taille, p. 229 ; 1297 taille, p. 211 ; 1300 taille, fol. 291v). Robert's occupation is listed as parchmenter in 1296, as librere in 1300.

Robert de Craen/Robert de Craonne/Robert l'englais, librere. 1292-1300. Rue aus Porees. (1292 taille, p. 161 ; 1296 taille, p. 234 ; 1297 taille, p. 216 ; 1299 taille, fol. 221 ; 1300 taille, fol. 1293). In 1300, he has become "Sire Robert le librere".

Robert d'Estampes, librere. 1296-1297. Rue neuve Notre-Dame. (1296 taille, p. 214 ; 1297 taille, p. 199). He is partnered with *Nicolas d'Estampes (a kinsman ?) in 1296 ; his name alone is attached to the shop in 1297.

Robert de l'Ille-Adam/de lyle Adam/de lile Adam, librere. 1292-1300. Rue neuve Notre-Dame. (1292 taille, p. 149 ; 1299 taille, fol. 214v ; 1300 taille, fol. 288v).

Robertus Scoti, librarius or stationarius. 1342. (CUP 2.532, corporate oath). Possibly kinsman and successor of *Nicolaus de Scottia.

Robertus de Wigornia, librarius or stationarius. 1316. (CUP 2.180, blacklist).

Rogerinus Marcote, librarius. 1351. (CUP 2.658n, individual oath).

Stephanus Hibernicus, librarius or stationarius. 1316. (CUP 2.180, blacklist). He is perhaps to be identified with Estienne le roy (= l'Irois ?), lieeur de livres, on the Rue Erembourc de Brie in 1297 (taille, p. 402). Stephanus may be a kinsman of the later *Nicolaus de Ybernia.

Stephanus Savage/dictus Sauvage, librarius or stationarius. 1316-1323. Rue Erembourc de Brie. (CUP 2.180, blacklist ; CUP 2.192, CUP 2.273n, corporate oaths).

Symon dictus l'Escolier, librarius. 1342. (CUP 2.189n, individual oath ; CUP 2.532, corporate oath).

Thomas Anglicus, librarius or stationarius. 1342. (CUP 2.532, corporate oath). Possibly to be identified with *Thomas de Wymondswold, Anglicus.

Thomas de Malbodio/Thomas de Maubeuge, librarius. 1316-1323. Rue neuve Notre-Dame. (CUP 2.180, blacklist ; CUP 2.189n, individual oath ; CUP 2.191, CUP 2.273n, corporate oaths). Concerning his manuscripts, see pt. I-C above.

Thomas de Mante/de Maante, librere. 1292-1313. In the section of the parish of St-Sevrin near the Petit-Pont, street not specified. (1292 taille, p. 153 ; 1296 taille, p. 221 ; 1297 taille, p. 204 ; 1313 taille, p. 219). Thomas is one of only three libreres taxed in 1313 (along with *Nicolaus dictus Petit-clerc and *Thomas de Sens), in his case probably because his wife had an income as a "lingiere" (1296) or "ferpiere" (1313).

+ Thomas le Normant/Thomas Normannus, stationarius et librarius. 1297-1323. Rue neuve Notre-Dame. (1297 taille, p. 199 ; 1298 taille, fol. 214v ; 1300 taille, fol. 288v ; CUP 2.180, blacklist ; CUP 2.189n, individual oath ; CUP 2.191, CUP 2.273n, corporate oaths). Thomas takes his oath as a stationer only in 1316. He is perhaps kinsman and predecessor of the later *Gaufridus dictus le Normant and the still later *Johannes dictus le Normant.

Thomas de Saint-Pol, librere. 1296-1300. Rue neuve Notre-Dame. (1296 taille, p. 214 ; 1297 taille, p. 198 ; 1300 taille, fol. 288v). Probably kinsman and predecessor of *Johannes Brito alias de Sancto Paulo.

+ Thomas de Senonis/dictus de Zenonis/Thomas de Senz, stationarius et librarius. 1313-1342. Rue St-Jacques. (1313 taille, p. 234 ; CUP 2.171, individual oath ; CUP 2.179, mention ; CUP 2.180, blacklist ; CUP 2.192, CUP 2.273n, CUP 2.531, corporate oaths). Concerning Thomas and other members of his family *Andreas, *Guillelmus, and *Marguerite de Sens, see above, pt. I-D.

Thomas de Wymonduswold, Anglicus, librarius or stationarius. [1314 -] 1323 [- 1342 ?]. (CUP 2.273n, corporate oath). Possibly to be identified with the *Thomas Anglicus who took the oath in 1342.

Concerning Wymonduswold's manuscripts, see pt. I-C above.

Yvo dictus Brito/Yvo dictus le Breton, clericus, librarius. 1342. (CUP 2.189n, individual oath ; CUP 2.532, corporate oath).

Yvo Greal/Yvo dictus Greal, librarius or stationarius. 1342. (CUP 2.532). Yvo was one of the four taxatores for the year.

NOTES

*This article could not have been written without the generosity of numerous scholars, whose contributions on special topics are acknowledged throughout. Here we wish to thank especially Louis Bataillon O.P. and Hugues Shooner, who graciously shared with us their knowledge of the subject as a whole.

(1) Chartularium Universitatis Parisiensis, ed. H. Denifle and E. Chatelain, 4 vols. (Paris 1889-1897), no. 462 (vol. 1 pp. 532-534) ; hereafter cited as CUP.

(2) See Paul Delalain, Etude sur le libraire parisien du XIIIe au XVe siècle (Paris 1891) pp. xvii-xxii, esp. xviii-xix ; François Avril, "A quand remontent les premiers ateliers d'enlumineurs laïcs à Paris ?' in Les dossiers de l'archéologie : Enluminure gothique, no. 16 (1975) 37 n. 3 ; Walter Cahn, "St Albans and the Channel Style in England", in The Year 1200 : A Symposium (New York 1975) p. 199 and n. 75 ; R. Branner, Manuscript Painting... (Berkeley 1977), p. 2 and n. 6 ; and Patrick M. de Winter, "The Grandes Heures of Philip the Bold, Duke of Burgundy ; The Copyist Jean l'Avenant and His Patrons at the French Court", Speculum 57 (1982) 786 and n. 1. De Winter also mistakenly assumes that "both libraires and stationnaires... lent, against a set fee, controlled and approved exemplaria from which copies could be made" (ibid.).

(3) Concerning the nature of these oaths, see Appendix 1 below, "A Note on the Sources".

(4) The word "shop" here, and throughout this paper, means merely "place of business" and does not imply "workshop" : boutique, not atelier.

(5) See, for example, Delalain, Etude xvii and nn. 2, 3. Concerning the permutations of the word stationarius, see the forthcoming study of the terminology of the medieval university by Olga Weijers. Her work clearly shows that the term was used differently at the Southern universities from the use at Paris. We thank her for permitting us to consult her dictionary in typescript.

(6) See CUP 2.191 : "nullus non juratus habeat aliquem librum venalem altra valorem decem solidorum, nec sub tecto sedeat". Four (of the surviving seven) taille books of Paris have been published. H. Géraud, ed., Paris sous Philippe-le-Bel... Le rôle de la taille... 1292 (Paris 1837) ; Karl Michaëlsson, Le livre de la taille de Paris... 1296, Göteborgs Universitets Årsskrift 64 no. 4 (Göteborg 1958) ; idem, Le livre de la taille de Paris... 1297, ibid. 67 no. 3 (Göteborg 1962) ; and idem, Le livre de la taille de Paris... 1313, ibid. 57 no. 3

(Göteborg 1951). Concerning Geoffroy, Thomas, and Richard, see pt. I-C below.

(7) CUP 2.98 : regulations "circa officia stacionariorum", with a threat that should any stationer contravene them, "ex tunc a suo officio sit ille qui hoc fecerit alienus" (italics ours). Concerning the date of these regulations, added to the oath of 1302, see below. The term continued to be used regularly ; see CUP 2.189, at the end of the editors' lengthy note.

(8) E. K. Rand, A Survey of the Manuscripts of Tours (Cambridge, Mass. 1929) vol. 1 pp. 22-23, 31, 135-136, no. 77 ; J. Destrez, La pecia (Paris 1935), p. 21 and n. 1 ; and A. I. Doyle and M. B. Parkes, "The Production of Copies of the Canterbury Tales and the Confessio amantis in the Early Fifteenth Century", in Medieval Scribes, Manuscripts and Libraries : Essays Presented to N. R. Ker, ed. M. B. Parkes and A. G. Watson (London 1978), pp. 163-210.

(9) Destrez, La pecia, pp. 23, 42.

(10) Surviving records of individual faculties' exercising the right to enforce their own statutes date only from the 1270s at Paris ; see Pearl Kibre, Scholarly Privileges in the Middle Ages (Cambridge, Mass. 1962) p. 251 n. 1.

(11) CUP no. 642 = vol. 2 p. 107.

(12) Kibre, Privileges p. 99.

(13) CUP 1.534 : "Acta ex deliberacione et statuta sunt hec in congregatione generali Parisius in capitulo fratrum predicatorum et sigillo Universitatis sigillata". All the later book provisions discussed in this article were issued from the Mathurins. For the Collège de St-Bernard see CUP 1.539 (1276) ; for St-Julien-le-Pauvre see CUP 1.257 (1254), 1.589, 1.590, 1.591 (all 1281) ; and cf. 1.542 (1277, law faculty) and 1.570 (arts faculty).

(14) Destrez, La pecia, pl. 1 ; N. R. Ker, "From 'Above Top Line' to 'Below Top Line' : A Change in Scribal Practice", Celtica 5 (1960) 1316.

(15) Graham Pollard, "The Pecia System in the Medieval Universities", in Medieval Scribes, Manuscripts and Libraries, pp. 145-161, esp. 146-148.

(16) Ibid. p. 146.

(17) Roger Bacon, Opus minus, in his Opera, ed. J. S. Brewer, Rolls Series 15 (London 1859) p. 333.

(18) B. Guérard, Cartulaire de Notre-Dame 3 (Paris 1850) 73-74. Concerning this stationer, William of Sens, see below, pt. I-D.

(19) Destrez, La pecia p. 21 and n. 2.

(20) CUP no. 462 = vol. 1 pp. 532-534. Although we are considering in this article only the University of Paris, we note that it is instructive as well to compare the simplicity of that university's book provisions of 1275 with the more detailed regulations found in the earliest surviving book provisions of Bologna, edited by Miroslav Boháček, "Zur Geschichte der Stationarii von Bologna", Eos 48 pt. 2 (1956) 258. Contemporary with the Paris document (Boháček offers the date 1274-1276), the wording of the Bolognese statutes seems to imply that university had begun to regulate booksellers and stationers slightly earlier, on the one hand. On the other hand, marked similarities -both Paris and Bologna are primarily concerned with regulating the secondhand book trade, not the rental of pecia ; and the two universities allow booksellers exactly the same commission, on sales made as agents for third parties- confirm that the two were each well aware of the other's practices. Such a useful practice as book-production via pecia-rental, in other words, would have been transmitted almost at once from one university to the other. In weighing such subjective matters as "wording" and

"tone" of these documents, we must also recognize that, in 1274-76 and later regulations, the language at Bologna tends to be precise and legalistic, whereas at Paris, in 1275 and later, book provisions are apt to read like sermons calling sinners to repentance.

(21) CUP no. 628 = vol. 2 pp. 97-98.

(22) CUP no. 628, addendum = vol. 2 p. 98. The original of this document does not survive. The addendum was made "tempore Johannis de Briquebec", presumably the rector, but his dates are not know. The only surviving full copy of the oath and its addendum is contained in Vatican Library MS Reg. lat. 406, a collections of (largely) thirteenth-century university material made evidently for the Picard Nation. The collection was written by a single hand at the beginning of the fourteenth century, the latest dated document being the taxatio of 1304 ; see A. Wilmart, Codices Reginenses latini 2 (Vatican City 1945) pp. 477-482. The addendum must in any case antedate the taille of 1313 ; see below.

(23) CUP no. 661 = vol. 2 p. 123.

(24) CUP no. 732 = vol. 2 pp. 188-189, esp. the editors' note at the end ; CUP no. 733 (1316) = vol. 2 p. 191.

(25) Only one sort of regulation consistently mentions "outsiders" (extranei), namely, the agent's fee that a bookseller might add to the cost of a secondhand book sold for a third party : the charge to nonuniversity purchasers was 50 % higher. Such regulations always forbade the librarius to demand a fee from the seller also, if that seller was "magister vel scolar" (see CUP no. 628 [1302] = vol. 2 p. 97 ; CUP no. 1064 [1342] = vol. 2 p. 531). Moreover, stationers were forbidden to exceed the university's set rental rates, if they were renting to masters or scholars (ibid.). Pointedly in these cases, tacitly in others, the university regulated the booktrade strictly for the good of the university ; caveat extraneus !

(26) If the buyer was an extraneus, the fee rose to six pence in the pound, or 2,5 % -still quite small. At Bologna in 1274-76 (see n. 20 above), the agency fee was expressed differently : twelve pence for a book sold at three pounds or less- thus, the same 1,7 % for a sale at three pounds ; but the percentage increased proportionally on cheaper books. The most notable difference from the Parisian regulations is the sharply graduated decrease in the percentage of the commission, as prices rose ; thus, the stipulated commission at Bologna on a book sold for forty pounds was only five solidi, a microscopic 0,625 %.

(27) CUP no. 462 (1275) = vol. 1 p. 533.

(28) CUP no. 724 = vol. 2 p. 179.

(29) Ibid. (June 1316) ; and CUP no. 733 (December 1316) = vol. 2 p. 190 ff.

(30) See below, at n. 132.

(31) Concerning the tailles, and taille records, see Appendix 1 below.

(32) The other two (cited from Michaëlsson, 1313) are "Mestre Thomas de mante, libraire, et sa fame, ferpiere" (p. 219) and "Nicolas l'anglois, librere et tavernier" (p. 250). Thomas, also, lists a second occupation : "Thomas de Senz, libraire et tavernier" (p. 234). His individual oath is printed as CUP no. 711 (10 May 1314) = vol. 2 p. 171. Whether because he left it too late, or because he had a second business, the taille book records that Thomas did in fact pay his tax.

(33) Michaëlsson, 1313, p. 228.

(34) Unless otherwise specified, the following names and street addresses

are taken from CUP 2.191-192, no. 733, the corporate oath of 4 December 1316. To avoid repetition we have not cited here the various appearances in university and tax records of the eighteen men listed below. All are included, with bibliographic references, in App. 2 below, listed alphabetically by first name.

(35) The meaning of the colophon of this and a series of related manuscripts is discussed by G. Fink-Errera ; see Jean Destrez and G. Fink-Errera, "Des manuscrits apparemment datés", Scriptorium 12 (1958) 83-86. The use in the colophon of the word "pecie", by this date, implies that Pierre Bonenfant was working for a stationer (as opposed to the possibility that pecia merely means "quire"). The wording does not suggest that Bonenfant himself was the stationer, however.

(36) See François Avril, "Manuscrits", in Les fastes du gothique : Le siècle de Charles V, exhibition catalog of the Ministère de la Culture (Paris 1981) 288 no. 233.

(37) The note is printed in CUP 2.189, n. 2. It has also been tentatively suggested that Matheus Vavassor might be the illuminator known only as Mahiet (some twenty manuscripts dated ca. 1330-ca. 1350 attach to his name), a collaborator of Pucelle ; Avril, "Manuscrits" 300 no. 247.

(38) CUP 2.190 no. 733 (the corporate oath of December 1316), "ad ipsius Universitatis nostre matris honorem". Cf. "Universitas nostra... tanquam pia mater", in the highly colored prose of the university's blacklist of the booktrade (CUP 2.179, June 1316) -both Geoffroy of St-Léger and Thomas de Maubeuge, discussed below, were blacklisted at that time ; and cf. Geoffroy's individual oath (CUP 2.188, November 1316), in which he places himself "sub protectione matris sue universitatis". It is interesting to see the metaphor of University-as-mother applied to booksellers as well as to students.

(39) Samuel Berger, La Bible française au moyen âge (Paris 1884) 288, 376-377.

(40) See François Avril's introduction to the forthcoming facsimile edition of Paris, B.N. fr. 146, Roman de Fauvel. We are grateful to M. Avril for generously permitting us to consult his work in typescript. (see p. 113).

(41) The last firm date in Geoffroy's career is taken from a manuscript that was made in collaboration with Richard de Montbaston, discussed below (no. 18).

(42) J.-M. Richard, Une petite-nièce de saint Louis : Mahaut, comtesse d'Artois et de Bourgogne (Paris 1887) 99-106, chap. 8 : "Les livres". We thank John Benton for referring us to Mahaut and the information about her.

(43) Thomas's receipt of payment is printed, ibid. 102 n. 3.

(44) Le Roux de Lincy, "Inventaires des biens meubles et immeubles de la comtesse Mahaut d'Artois..", Bibliothèque de l'Ecole des Chartes 3e sér. 3 (1852) 53-79 ; booklist on 63 (no. 56).

(45) See Richard 104 and n. 4.

(46) Godefroy Ménilglaise, "Etat des bijoux et joyaux achetés à Paris pour Marguerite et Jeanne de Hainaut en 1323", Annuaire-Bulletin de la Société de l'histoire de France 6 (1868) 126-147, at 143-144 ; cf. 143 n. 4.

(47) L. Delisle, Cabinet des manuscrits 2 (Paris 1868) 15-16 and n. 9 ; Richard 105.

(48) We are grateful to Walter Cahn, who referred us to this manuscript.

(49) See Avril, intro. to Roman de Fauvel, cited above.

(50) Concerning Jean de Vignay see the article by Christine Knowles in the Dictionnaire des lettres françaises 4 (Paris 1954) 431-433.

(51) We are grateful to Richard Hamer for having referred us to this manuscript, and for sharing with us his findings regarding the place of this manuscript on the stemma of the Légende dorée.

(52) See Avril, intro. to Roman de Fauvel, cited above.

(53) Regarding the translation of Roman law into Old French see R. Bossuat, Manuel bibliographique de la littérature française du moyen âge (Melun 1951) nos. 2958-2960 ; and, in particular, H. Suchier, Die Handschriften der castilianischen Übersetzung des Codi (Halle 1900) and F. Olivier-Martin, Les Institutes de Justinien en français (Paris 1935). We are grateful to Terry Nixon for these references.

(54) The colophon is printed by J. Valentino Adrian, Catalogus codicum manuscriptorum Bibliothecae Academicae Gissensis (Frankfurt a.M. 1840) 278, from which it has been cited in the secondary literature. See, e.g., W. Wattenbach, Das Schriftwesen im Mittelalter (Leipzig 1896) 560 ; Branner, Manuscript Painting p. 2 ; etc.

(55) Branner, Manuscript Painting pp. 1, 103, 229-230 (pl. 285b), assigns nineteen manuscripts to this atelier, and lists another five that are related.

(56) Of the manuscripts attributed to the Bari atelier, two others (besides the Justinian) are in Old French, a Bible (Paris, B.N. fr. 899, s. XIII^2) and the famous Roman de Poire (B.N. fr. 2186, s. XIII^2). One wonders if Herneis, singled out as le romanceeur, was involved in their production.

(57) We refer in this section to the editions of the taille books of Géraud and Michaëlsson cited in n. 6 above.

(58) 1292 taille, p. 160.

(59) 1296 taille, p. 234.

(60) 1296 taille, p. 236, "Du cymetire Saint-Beneoit, jusques a la porte Saint-Jaque" -an assessment, according to the rubric on p. 235, of the east side of the street, "le coste de la Grant-Rue devers Saint-Ylaire".

(61) 1297 taille, p. 217. As we explain below (Appendix 1), the taille book is at best a copy, and possibly a copy of a copy, of the original returns, a fact that leaves room for copyists' errors. See also pt. I-E below, however.

(62) Paris, Arch. nat. KK.283 fol. 221 (1299), fol. 293 (1300).

(63) 1313 taille, p. 234.

(64) See CUP 2.171, 179, 180, 192, 273n, 531.

(65) To add to the results of our own examination of this manuscript and to the detailed dossier of Destrez (40 handwritten pages), we have benefited from the advice of Louis Bataillon, who first drew our attention to the appearance in it of Thomas of Sens's name.

(66) For an illustrated description of the signs by which scribes marked, in exemplars, the place where they finished one session of copying, see P. M. Gils's study of Pamplona MS 51 (cited in n. 77 below) -an exemplar from the Sens shop.

(67) CUP 2.109.

(68) It was the practice of William of Sens to write his name and a short running title at the head of exemplar peciae ; see below.

(69) Cited above, n. 18. This William is to be distinguished from Master William of Sens, who also disposed of a grange, to the Sorbonne in 1254. CUP 1.270-271 ; cf. CUP 1.222.

(70) For references to and information about these manuscripts, we are grateful to Louis Bataillon O.P., J.-G. Bougerol O.F.M., B.-G. Guyot O.P., and Hugues Shooner. Concerning the two Troyes manuscripts see Fr. Bougerol's Les manuscrits franciscains de la Bibliothèque de Troyes, Spicilegium Bonaventurianum

23 (Grottaferrata 1982) pp. 21-22, 29.

(71) CUP 2.109, no. 642.

(72) CUP 1.645, no. 530. For the sake of brevity, we occasionally refer to this as "the list of 1275".

(73) Concerning the canon law texts in the 1275 list, see Appendix 2 below.

(74) CUP 1.646 and 2.108. Concerning the surviving copies of the taxationes, see Appendix 2 below.

(75) We thank Louis Bataillon, O.P., who brought this note to our attention. Inter alia, the same page records payments to scribes, with the rate of payment (sometimes per quire produced, sometimes per pecia copied) ; one scribe's name is written in Hebrew characters, probably to be associated with the codex of excerpts from the Talmud (B.N. lat. 16558) left by Peter of Limoges to the Sorbonne. See Bataillon's discussion and transcription of these accounts in the present volume.

(76) But see below, at n. 125, for a curious anomaly.

(77) P.-M. Gils O.P., "Codicologie et critique textuelle : Pour une étude du ms. Pamplona, Catedral 51", Scriptorium 32 (1978) 221-230 and pls. 17-19. We are grateful to Fr. Gils, and to F. F. Hinnebusch O.P., for sharing with us their knowledge of Thomas In tertium Sententiarum.

(78) Gils (pp. 226-227) makes the logical and probably correct assumption that the revisions were Aquinas's own, but this remains to be demonstrated. As he points out (227 n. 15), we shall not know either the extent or the sense of the textual revisions until the publication of the Leonine Commission's edition of this work. For an example of the disastrous effect of these revisions on one scribe, see below at n. 143.

(79) For an example of the advantage to St-Jacques of this association, see below at nn. 126-127.

(80) The colophon has been the subject of considerable interest to art historians studying a group of late thirteenth-century Bibles with related programs of illustration. Like the Lille Bible, others in this group are probably associated with Flanders and Artois, but their origin is as yet undetermined. See especially E. J. Beer, "Liller Bibelcodices, Tournai und die Scriptorien der Stadt Arras", Aachener Kunstblätter 43 (1972) 190-226 ; see also W. B. Clark, "A Re-United Bible and Thirteenth-Century Illumination in Northern France", Speculum 50 (1975) 33-47 ; A. von Euw and J. M. Plotzek, Die Handschriften der Sammlung Ludwig 1 (Cologne 1979) 85-103 ; and the bibliography cited in all three studies.

(81) Beer (193 and n. 26) and others after her (e.g., von Euw and Plotzek 88) identify the William of the colophon with a Dominican mentioned in the Vitae fratrum ordinis Praedicatorum necnon Cronica ordinis ab anno MCCII usque ad MCCLIV of Gerardus de Fracheto, ed. B.M. Reichert (Louvain 1896). Fracheto tells an edifying tale of a certain William, former officialis curiae of Sens, who received extreme unction at the convent in Orléans and died a good death : "Frater Guillelmus quondam officialis curie Senonensis dum in conventu Aurelia-nensi esset inunctus... paulo post... in domino quievit" (pp. 251-252). Given the facts that Fracheto himself was dead in 1271, that his chronicle extends only to 1254, and that the William of whom Fracheto writes was already dead at the time of writing, chronology makes it most unlikely that this William was the writer of the Lille Bible in 1264. Moreover, the vita associates the Dominican William with the bishop of Sens and the Dominicans of Orléans, but not with either Paris or

the environs of Lille, the two places associated with Michael de Novirella (see below).

(82) See M.-D. Chapotin, Histoire des Dominicains de la Province de France (Rouen 1898) 346-347. He prints the wills of Jeanne (346 n. 1) and Mahaut (347 n. 2).

(83) The most recent summary of the career of Hugh of St-Cher is that of Robert E. Lerner, "Poverty, Preaching, and Eschatology in the Revelation Commentaries of 'Hugh of St-Cher'", in The Bible in the Medieval World : Essays in Memory of Beryl Smalley, ed. K. Walsh and D. Wood (Oxford 1985) 157-189.

(84) Beer 193 and nn. ; Chapotin 635-636. Chapotin (636 n. 2) prints the charter of Michael's successor Hellin de Comines (1276) which refers to "frater Michael... dum viveret...".

(85) See Beer's comparative table of illustrations, 195-197. Beer (191 and n. 18) treats with justifiable caution the proposed identification of B.N. lat. 16719-16722 as supposed "exemplar" for this group of Bibles ; see below.

(86) CUP 1.647 (rental list of ca. 1275), without note of the number of peciae ; it is probably the same exemplar, now in imperfect state, that we noted on the rental list of Andrew of Sens in 1304.

(87) We are grateful to Laura Light for sharing with us her unique knowledge of the manuscripts of thirteenth-century Parisian Bibles.

(88) As we have noted above, however, it is not certain that the university had clearly defined and distinguished the office of stationer by this date.

(89) CUP 2.189 and 2.658n.

(90) CUP 2.273n and 2.658n.

(91) We are indebted to Hugues Shooner for bringing this manuscript to our attention and for sending us a reproduction of the pertinent folio. For further discussion of this manuscript see his "La production du livre par la pecia", in this present volume.

(92) CUP 1.646 and CUP 2.108, respectively.

(93) Also, four other Roberts are called librere in the taille books from the end of the thirteenth century : Robert a l'ange, Robert de Craen, Robert d'Estampes, Robert de l'Ille-Adam. For references to all the Roberts, see App. 2 below.

(94) St. Thomas Aquinas, Opera omnia iussu edita Leonis XIII 13 (Rome 1918) intro., esp. p. xxix.

(95) We thank Louis Bataillon for bringing this manuscript to our attention, and for suggesting the possible connection with "Andri l'englois".

(96) St. Thomas Aquinas, Opera omnia iussu edita Leonis XIII 15 (Rome 1930) xv-xx.

(97) Ibid. xvii n. 2.

(98) Ibid. xxi : "Si quis ms. Par. 3107 exemplar dicere velit, aut erit exemplar sine exemplatis aut si mavis exemplar exemplatorum quae exsulaverunt omnia a traditione manuscripta superstite !".

(99) This Henricus Anglicus, ca. 1300-1330, is not to be identified with the stationer of the same name who is mentioned near the end of the century in a manuscript of Holcot on the Sentences, Paris B.N. lat. 16399 (s. XIV^2) : "Emptus Parisiis a Henrico Anglico stationario anno 1374". By 1374 -to judge from the absence of pecia-produced manuscripts- a "stationer" performed some different function from that of the earlier Parisian stationers discussed in this article.

Perhaps the Henricus Anglicus of 1374 is to be identified with either "Henricus dictus de Neuham, Anglicus" or "Henricus de Lechlade, Anglicus", both of whom we know from their individual oaths (1342 and 1350, respectively) to have been stationers. We thank Louis Bataillon for referring us to this manuscript.

(100) CUP 2.179-180.

(101) CUP 2.191-192 ; concerning Gaufridus Brito, who also took the oath at this time, see Appendix 2 below sub nom.

(102) CUP 2.273n and 2.531-532.

(103) See above, at nn. 23-24.

(104) Although the taille book of 1296 is equally consistent, its entire section recording the "Menuz", those who paid 5s or less, has been lost. The oldest, that of 1292, is quite haphazard in recording occupations. None of these three, as edited, has an index by métier, so that the figures given here are based on a page-by-page search.

(105) CUP nos. 711, 732 and n., 1179 and n. = vol. 2 pp. 171, 188 f., 657 f. Included in this total is a possible duplicate, the "Henricus le Franc de Venna Anglicus... librarius" named in the text of CUP no. 1179 (see Appendix 2). No individual oaths survive from before 1314, and the next in date after 1354 is a series extending from 1367 to 1394, which exceeds the chronological limits of this paper. Concerning the distinction between written individual oaths and the viva voce oaths sworn by a group, see the Appendix below.

(106) CUP no. 711 = vol. 2 p. 171.

(107) These last four are recorded in the note to CUP no. 732 = vol. 2 p. 189.

(108) CUP no. 825 = vol. 2 p. 273.

(109) CUP nos. 462 (1275), 628 (1302 and after), and 733 (Dec. 1316) = vol. 1 p. 532 ff., vol. 2 p. 97 f., and p. 190 ff.

(110) CUP no. 642 = vol. 2 p. 107 ff.

(111) The only other surviving Parisian taxatio, from thirty years earlier, is nearly as long, listing 138 exemplars ; CUP no. 530 = vol. 1 p. 644 ff.

(112) See above at n. 75.

(113) The rate for the scribe Gregorius says cryptically, "p.5.d.". If this is rate per folio rather than the rate per page (= one-half folio), that would equal only 1s. 8d. per quatern. Gregorius copied five works for Pierre, more than any other scribe on this record ; perhaps he was so frequently employed because he worked cheaply. He is also the first on the page, however ; and it may be that he was indeed inexpensive, but that prices -or Pierre's standards- went up as time passed. For a discussion of the matter of prices, see the article by H. Shooner in this present volume.

(114) R. H. and M. A. Rouse, Preachers, Florilegia and Sermons : Studies on the Manipulus florum of Thomas of Ireland, P.I.M.S. Studies and Texts 47 (Toronto 1979) pp. 162-181, esp. 180.

(115) Concerning these collections, see Appendix 1 below.

(116) Destrez, La pecia, esp. pp. 26-29. Destrez's description, however, was merely an attempt to "resumer grosso modo ce qui... se trouve être commun à toutes les Universités", and he was quite well aware that further study would lead to revision of his broad sketch.

(117) "Libri utiles pro studio cujuscunque facultatis" : CUP no. 628 (between 1302 and 1313) = vol. 2 p. 98, repeated verbatim in 1342 (CUP no. 1064).

(118) CUP nos. 530, 641 = vol. 1 p. 644 ff., vol. 2 p. 107 ff.

(119) Cited in n. 117 above ; in CUP no. 628, the complete regulation (third, in a list headed "Universitas ordinavit que sequuntur"), reads, "Quod ipsi stacionarii librorum utilium pro studio cujuscunque facultatis exemplaria prout melius et citius procurabunt ad commodum studentium et stacionariorum utilitatem".

(120) Sancti Thomae de Aquino Opera omnia iussu Leonis XIII P.M. edita (hereafter cited as "Leonine edition") vol. 28, ed. H.-F. Dondaine and L. Reid (Rome 1974), introduction ; see esp. pp. 38* and 69*.

(121) Leonine edition, vol. 22.1, ed. A. Dondaine (Rome 1975), pp. 61*-113*.

(122) CUP no. 462 (1275) = vol. 1 p. 533, "quod exemplaria vera habeant et correcta" ; CUP no. 733 (Dec. 1316) = vol. 2 p. 191, "stationarii qui talia [scil. exemplaria corrupta] locant, judicio Universitatis puniantur et scolaribus emendare cogantur".

(123) This refers to Paris only. Some southern universities, in contrast, seem to have required masters to publish and to have specified how it was to be done. There is no indication, however, in the form either of surviving regulations or of surviving manuscripts, that this was the case at Paris in the period considered here.

(124) CUP no. 530 - vol. 1 p. 644.

(125) Ibid. p. 645 line 5.

(126) Rouse and Rouse, Preachers, Florilegia and Sermons, p. 173.

(127) See Leonine edition, vol. 41B, ed. H.-F. Dondaine (Rome 1969), introduction, esp. pp. B5-9 and B31-37.

(128) Ibid. p. B6 n. 2, p. B9.

(129) Jean Destrez, "Exemplaria universitaires des XIIIe et XIVe siècles", with intro. by M.-D. Chenu, Scriptorium 7 (1953) 68-80.

(130) CUP nos. 462 (1275), 628 (1302 and after), 733 (Dec. 1316) = vol. 1 p. 533, vol. 2 pp. 98, 190.

(131) CUP nos. 825 (1325), 1064 (1342) = vol. 2 pp. 273, 530 ff.

(132) See above, at nn. 29-30.

(133) CUP no. 733 = vol. 2 pp. 191-192.

(134) CUP no. 1407 and n. = vol. 3 pp. 227-228 ; the wording of the oath taken by a librarius superior implies some of the abuses that the university anticipated from holders of this office. The size of the bond for ordinary librarii varied, in the second half of the century, but the sum is reported to have been "40 or 50 pounds, or sometimes more" ; see CUP 1335 and nn. = vol. 3 pp. 161-163 (individual oaths from the years 1367-1394).

(135) It would seem that the university again changed its mind on this issue, shortly thereafter ; for in both 1323 and 1342 (the only later surviving corporate oaths of bookmen), one of the four annual taxatores is a university agent of some sort. (See Appendix 2, sub nom. Alanus Brito). If this is the case, the change is not recorded in the surviving regulations.

(136) CUP 2.190.

(137) Delisle, Cabinet des manuscrits 2.157-158.

(138) CUP 1.645 line 6.

(139) In at least one instance records of some sort were kept on the exemplar itself, which is perplexing. In Troyes B.M. 546 (see n. 70 above) on fol. 24 is a note "Magister G. de mortuo mari habet iii pecias" and on fol. 96, "Magister G. de mortuo mari habet ii p." ; there are no payments recorded, and

this may be a scribe's notes to himself.

(140) CUP 2.190.

(141) Leonine edition vol. 26, ed. A. Dondaine (Rome 1965) p. 108*.

(142) Leonine edition vol. 47, ed. René Gauthier (Rome 1969) pp. 80*-81*.

(143) See above at n. 77.

(144) This manuscript is discussed by Gils, "Codicologie et critique textuelle", p. 228. A fuller description appears in B. A. Shailor, Catalogue of Medieval and Renaissance Manuscripts in the Beinecke Rare Book and Manuscript Library, Yale University, vol. 1, Medieval and Renaissance Texts & Studies 34 (Binghamton, N.Y. 1984) pp. 282-283. We thank Yale University for allowing us to examine this manuscript. We are grateful to Hugues Shooner for locating for us the exact juncture between pecia 18 and pecia 19*. For further discussion of this manuscript see his "La production du livre par la pecia", in the present volume.

(145) "Nota. Confundatur stacionarius qui me fecit deturpari librum alicuius probi viri" ; Yale, Beinecke MS 207 fol. 46rb.

(146) This is the only such note Destrez came across, in the course of surveying thousands of manuscripts ; see Shooner, art. cit., in this volume.

(147) This is Gils's tentative conclusion (loc. cit., n. 144 above) : "Il ne l'a peut-être jamais su". Gils was unaware, however, that the scribe of Beinecke 207 had also rewritten the beginning of pecia 19*, as well as the end of pecia 18, a fact that may have influenced his judgment.

(148) Rouse and Rouse, Preachers, Florilegia and Sermons, p. 179.

(149) Géraud, 1292, p. 161.

(150) We thank Louis Bataillon, O.P., for this information about the Cesena manuscript.

(151) Michaëlsson, 1296 p. 234 and 1297 p. 216. For Jehannot as librere, see Appendix 2 below.

(152) Gauthier, loc. cit. (n. 142 above).

(153) See above, at n. 8.

(154) See above, at n. 16.

(155) See Rouse and Rouse, Preachers, Florilegia and Sermons, index s.v. Dominicans.

(156) Concerning the making of the concordance, see ibid. pp. 9-11 ; and R. H. and M. A. Rouse, "The Verbal Concordance to the Scriptures", Archivum Fratrum Praedicatorum 44 (1974) 5-30.

(157) These works are cited in nn. 1 and 6 above.

(158) A third collection, formerly Phillipps no. 876, omits copies of the taxationes.

(159) Cited in n. 22 above.

(160) B.L. Add. 17304 continued in use long after the collection of documents was written. Later additions include a calendar (ca. 1520s ?), and signatures of successive rectors upon taking office (to 1673).

(161) See A. Dondaine's edition of St. Thomas's Quaestiones de veritate, Leonine edition vol. 22.1, p. 6*.

(162) We thank Hugues Shooner for this suggestion.

(163) In 1275 the oath is prescribed to be sworn "annis singulis vel de biennio in biennium" (CUP 1.533), and in 1342 "anno quolibet" (CUP 2.530), with an addition in both cases, "or as often as the university may wish".

(164) For references, see these names in Appendix 2 below.

(165) The original does not survive. One has only the copy in B.L. Add. 17304 (see above), which seems to be a summary rather than a verbatim reproduction ; thus, for example, it says merely that "he swore the things stationers are required to swear" ("juravit... articulos quos tenetur jurare stationarii"). We assume that he posted a bond, but the record does not say so. See CUP 2.171.

(166) F. Baron, "Enlumineurs, peintres et sculpteurs parisiens des XIIIe et XIVe siècles, d'après les rôles de la taille", Bulletin archéologique du Comité des travaux historiques et scientifiques, n.s. 4 (1969) 37-121 ; idem, "Enlumineurs, peintres et sculpteurs parisiens des XIVe et XVe siècles, d'après les archives de l'hôpital Saint-Jacques-aux-Pèlerins", ibid. n.s. 6 (1970-1971) 77-115.

(167) P. M. de Winter, "Copistes, éditeurs et enlumineurs de la fin du XIVe siècle : La production à Paris de manuscrits à miniatures", Actes du 100e Congrès national des Sociétés savantes (Paris 1978) 173-198 ; see especially Appendice, pp. 185-198, "Copistes (écrivains) et éditeurs (stationnaires) parisiens de la période 1375-1405 : Travaux pour lesquels ils sont connus".

Additional Note to p. 99

[Nicolaus Lombardus venditor librorum. 1250s-1260s ? Probably not, at this date, a sworn librarius of the university. See R. Branner, "Manuscript-Makers in Mid-Thirteenth Century Paris", The Art Bulletin 48 (1966) 65, and C. De Hamel, A History of Illuminated Manuscripts (Boston 1986) 117. For a surviving manuscript of his, see pt. I-C above].

Additional Note to p. 106

(40) For an overview of the vernacular trade at the turn of the century, see Joan Diamond, "Manufacture and Market in Parisian Book Illumination around 1300", Europäische Kunst um 1300, ed. E. Liskar (Vienna 1986) 101-110.

114

RESUME

A Paris, alors que les *librarii* s'occupaient de la confection
et de la vente des livres, les *stationarii* étaient ceux qui
détenaient les *exemplaria* et en louaient les *pecie*. Grâce aux
rôles de taille et à d'autres documents, il est possible de
dresser une liste des libraires et stationnaires de la fin du
XIIIe siècle et du début du XIVe/ Les stationnaires de la famille
de Sens ont joué un rôle particulièrement important, probablement
sous l'impulsion des Dominicains dont ils étaient voisins.

OSSERVAZIONI SULL'EXEMPLAR

Giulio Battelli

Dinanzi a colleghi che vantano una sicura esperienza come editori di testi, il presente intervento si limita a proporre qualche riflessione suggerita dall'osservazione esterna di manoscritti, senza prentendere di presentare risultati di assoluta originalità.

Quando esaminiamo un manoscritto e riconosciamo i segni delle pecie da cui il testo è stato copiato, siamo portati a provare compiacimento, come se trovassimo un mezzo prezioso, che ci aiuti a risolvere i problemi della tradizione testuale : ma proprio i testi copiati da pecie, pecia dopo pecia, presentano problemi più complessi di quelli copiati da un normale modello. Certo, la presenza di pecie uguali in due manoscritti permette di riconoscere la derivazione da un modello comune ; ed anzi, se accade di riconoscere il modello -nel nostro caso, l'exemplar- siamo autorizzati a considerarlo testimone privilegiato e a trascurare tutte le copie derivate.

Nella pratica però gli exemplaria, quali oggi possiamo riconoscere, raramente presentano per intero il testo autorevole : la loro formazione in fascicoli staccati, cioè in pecie, li esponeva a perdite e a completamenti irregolari. Dobbiamo a Jean Destrez il merito di avere illustrato e divulgato le modalità tecniche della produzione dei manoscritti universitari, basata sul sistema delle pecie ; e di aver indicato i caratteri e la funzione dell'exemplar, avvertendo che esso può presentare deficienze verificatesi, durante il suo uso, per la sostituzione di pecie originali con altre rifatte (1). Le successive ricerche di Guy Fink-Errera hanno approfondito questo aspetto, che è fondamentale agli effetti della critica testuale : egli ha precisato i caratteri dell'exemplar al fine di facilitarne il riconoscimento, insistendo sul fatto che la realtà non corrisponde alla teoria (2). Nonostante le norme stabilite dagli statuti universitari, che miravano a salvaguardare l'integrità e la fedeltà dei testi in uso mediante il controllo degli exemplaria e delle singole pecie, si avevano già allora exemplaria irregolari, non ufficiali, in un certo senso abusivi rispetto alle prescrizioni statutarie.

Perciò, nella ricerca della tradizione di un testo, non basta riconoscere ad un manoscritto o ad una parte di esso la qualità di exemplar, occorre piuttosto osservarne attentamente la composizione, per accertare i caratteri e il valore delle singole pecie.

Il nostro compito è dunque una verifica di quanto è stato da più parti osservato. A tal fine ho scelto un gruppo di exemplaria universitari di diverse discipline : nove di essi, riconosciuti dal Destrez, sono compresi nell'elenco pubblicato dal p. Chenu (3), gli altri tre sono stati segnalati più tardi. Ho esaminato direttamenti i sei della Biblioteca Vaticana (di cui due non segnalati dal Destrez), e i due della Biblioteca Augusta di Perugia.

1. - Città del Vaticano, Bibl. Vat., Arch. di S. Pietro, C. 108 : Guglielmo Durand, Rationale divinorum officiorum.

Ms. di 240 ff., cm. 39 x 25, scrittura uniforme di tipo francese, sec. XIV, a due colonne per lo più di 51 righe.

La pergamena si presenta come ondulata nello spazio tra le due colonne, senza però una traccia sicura di piegatura nel senso verticale ; nei margini sono ampie rasure.

E' composto da 61 pecie di 4 ff. (tranne la pecia LIV alla fine del libro VI del testo e l'ultima, che sono di due fogli). La loro numerazione è segnata nel margine inferiore del verso dell'ultimo foglio ; i numeri delle pecie X e XXIII sono di altra mano, la pecia XXIII è di formato più piccolo ; le pecie XXXII et LIX terminano con una colonna in bianco, alla fine della LIX una mano posteriore avverte : nihil deest.

Nella maggior parte delle pecie c'è la nota della correzione : Cor., e il richiamo. Nel testo, si hanno correzioni per sostituzione di parole o per brevi aggiunte.

Iniziali a colori sono aggiunte dopo che l'exemplar fu usato come manoscritto ordinario ; alle estremità superiori e inferiori delle pagine si hanno scritte preparatorie delle rubriche ; nei margini, riferimenti a testi canonistici e a libri sacri.

Il ms. presenta dunque i caratteri di un exemplar ufficiale, ma con qualche pecia sostituita.

2. - Città del Vaticano, Bibl. Vat., cod. Borghes. 17 : Enrico di Gand, Summa theologiae (4).

Ms. di 242 ff., cm. 29,5 x 23 (ma rifilato nella rilegatura), scrittura a due colonne, sec. XIII ex.- XIV in., numero delle righe da 51 a 54, tranne un gruppo di fascicoli con 45 righe ; è formato da 4 sesterni di 12 ff. (ff. 1-148) + 1 f. aggiunto (f. 48 bis) + 1 bifolio (ff. 49-50) + 42 binioni di 4 ff. (ff. 51-218) + 2 sesterni (ff. 219-242).

L'intero testo porta le indicazioni di 134 pecie, ma mentre le prime 86 e le ultime 6 sono scritte di seguito come nei manoscritti ordinari, le 42 pecie dei ff. 51-218 appartengono ad un exemplar. Esse non hanno la nota Cor. e sono state scritte a gruppi da mani diverse ; spesso terminano con righe in bianco ; la pergamena appare sciupata da uso, con facilità di piegatura tra le colonne.

Le 42 pecie non sono originali, in quanto non sembra provengano da un exemplar ufficiale ; ma la numerazione di tutte le pecie comunque indicate nel manoscritto corrisponde a quella riportata in altri manoscritti-copia, come hanno accertato le attente e precise ricerche di R. Macken (5).

La decorazione è aggiunta : il manoscritto rappresenta un bell'
esempio dell'utilizzazione di una parte notevole di exemplar (non
originale) per ottenere un manoscritto ordinario aggiungendo la copia
della parte mancante al principio e alla fine.

3. - Città del Vaticano, Bibl. Vat., cod. Borghes. 26 : Bartolomeo da Brescia, Apparatus Decretorum (glossa ordinaria al Decretum
Gratiani) (6).

Ms. di 426 ff., molto rovinato nei margini esterni e di formazione irregolare : fascicoli di dimensioni ineguali (cm. 28,2 x 17,2
fino a 22,4 ; 23 x 16 ; 24 x 16,5), molti di 4. ff., ma anche di 3, 2
e perfino di un foglio, almeno come si può osservare oggi, dopo la
rilegatura e il restauro.

Il testo è diviso in quattro parti secondo la partizione del
Decretum e porta una numerazione di pecie per ogni parte :

       Pars I, D. 1-100 (ff. 1-100) : pecie 32 (o 33 ?)

       Pars II, C.1 - C.33 qu. 2 : pecie 75

       De Poenitentia : pecie 15

       De Consecratione : pecie 9

Il ms. è dunque costituito da quattro exemplaria che presentano
caratteri comuni : pergamena giallastra con difetti di concia, numero
ineguale di righe, scrittura di diverse mani e soprattutto le indicazioni delle pecie sono irregolari. Solo poche volte la loro numerazione
è riferita al fascicolo, e nel fascicolo stesso si ha la nota della correzione (Cor.) : nella maggior parte dei casi essa è segnata nel margine del testo. Le vere pecie (a fascicoli indipendenti) sono poche, ma
talvolta portano i nomi dei correttori. Nella prima parte si trova :
Cor. per Th. et N. (ff. 60v e 64v), Cor. per Io. (f. 97r) ; nella sedon-
da parte : Cor. per N. (ff. 100r, 276v), Cor. per Io. (ff. 138v, 142v,
185v, 218r raso), Cor. per Io. et N. (f. 150v), Cor. per Io. cum additionibus (ff. 154v, 162v, 166v, 170v), Cor. per Io. cum additionibus et
N. (f. 158v) ; nella terza parte ci sono due note : Cor. per N. (ff.
356v, 392v svanito) ; nella quarta parte non ce n'è nessuna. Si hanno
dunque i nomi di tre correttori che si sono avvicendati.

In alcune pecie c'è uno spazio bianco alla fine o la scrittura è
più rada per riempire le righe o prosegue nel margine perché lo
spazio era insufficiente o alcune righe sono cancellate perché il testo
è scritto nella pecia seguente. Queste irregolarità sono state ben
individuate dal Destrez come caratteristiche delle pecie rifatte.

Solo le pecie con la nota della correzione sono parte di un
exemplar ufficiale.

4. - Città del Vaticano, Bibl. Vat., cod. Vat. lat. 2119 :
Guglielmo di Ockam, Logica.

Ms. di 82 ff., cm. 28,6 x 19,2, a due colonne, sec. XIV, composto di fascicoli di 8 ff., di cui i primi tre quaterniones sono stati
supposti parte di un exemplar perché multum usitati sunt eo modo
quo fasciculi exemplariorum stationis esse solent (7).

Ma, oltre il logorio dei fogli e un foglio rimasto in bianco alla fine della prima parte dell'opera (f. 24), non ci sono altri indizi per riconoscere la presenza di pecie di un exemplar.

5. - Città del Vaticano, Bibl. Vat., cod. Vat. lat. 2386, ff. 121-144 : Galieno, De Alimentis, trad. dal greco di Guglielmo da Moerbeke.

Il ms. (composito) contiene diverse opere di Galieno ; solo il De Alimentis è formato da pecie di 4 ff., cm. 34 x 22,5 (ma rifilati nella rilegatura) ; esse sono 6 e, tranne la 4°, portano nel margine inferiore dell'ultima pagina il numero progressivo, il richiamo e la nota : Cor. per P. in caratteri grossi.

La scrittura è regolare, a due colonne, nel testo le iniziali furono lasciate in bianco ed eseguite più tardi (sec. XV) in lettere capitali ; nei margini, correzioni e brevi aggiunte ; ma le mani cambiano ad ogni pecia ; i capitula delle rubriche sono scritti solo nei ff. 129-140.

La pecia IV termina con uno spazio di 9 righe lasciato in bianco (f. 136). Sembra dunque che 5 pecie siano originali ed ufficiali, una (la quarta) sia rifatta.

6. - Città del Vaticano, Bibl. Vat., cod. Vat. lat. 3980, ff. 98-113 : Bernardo di Compostella, Apparatus alle Novelle di Innocenzo IV (8).

Il ms. è composito, formato da scritti e testi frammentari, che probabilmente provengono dalla bottega di uno stazionario bolognese. Il testo che ci interessa è contenuto in 4 pecie di 4 ff., cm. 38,8 x 25,3 (ma rifilati) ; la scrittura è del sec. XIV, a due colonne. La numerazione delle singole pecie è scritta nel margine superiore della prima pagina ; in tutte si ha la nota : Cor., aggiunta in carattere grosso nel margine inferiore dell'ultima pagina. Ma il loro testo non fu scritto di seguito, pecia dopo pecia, perché alla fine dell'ultima pagina della prima pecia sono rimaste in bianco quattro righe, nella seconda pecia sono in bianco circa 40 righe, nella terza 9 righe, e nella seconda colonna della quarta si hanno solo due righe scritte (ma essendo la fine del testo, la mancanza non ha valore). Si hanno dunque pecie corrette e perciò di valore ufficiale, ma non originali, in quanto copiate da pecie in cui il testo di ciascuna doveva riempire per intero le ultime pagine (eccetto l'ultima pecia).

L'esame di un gruppo di manoscritti universitari ordinari ha permesso di riconoscere riferimenti alle pecie del presente exemplar (o di altro analogo) : nel cod. Pal. lat. 629 al f. 271r si ha : finit III (pecia), nel cod. Vat. lat. 1391 al f. 310v : finit I pecia. Ma le liste di tassazione di Bologna portano l'indicazione di cinque pecie invece di quattro.

7. - Darmstadt, Landesbibl., ms. 331 : Giovanni di Andrea, Glossa al Liber Sextus (9).

Ms. di 207 ff., cm. 28,5 x 21,2, a due colonne, littera Parisiensis, fascicoli di 4 ff. (con qualche eccezione) un f. aggiunto, uno tagliato. Pergamena grossolana, molto usata, facilità di piegatura fra le colonne.

I fascicoli portano le indicazioni tipiche delle pecie, ma con irregolarità, per cui si distinguono tre parti :

1) ff. 1-64 e 72-182 : pecie 1-16 e 19-46 di due mani, con la numerazione segnata nel margine inferiore della prima pagina, ma una seconda numerazione è ripetuta (fino al f. 116) nel margine superiore ;

2) ff. 65-71 : pecie 17 e 18, senza numerazione e con irregolarità nel testo ;

3) ff. 184-207 : pecie 47-52, con la numerazione principale come nel primo gruppo, ed inoltre una seconda numerazione da LV a LX.

Alle tre parti corrisponde la diversità del numero delle righe : 49 (in qualche caso 47 o 48), 50 e (nella terza parte) da 38 a 46.

Alla fine delle pecie c'è il richiamo e, di altra mano, la nota : Cor. della correzione ; alla fine della terza parte la correzione è datata : 13 aprile 1312.

E' questo l'unico esemplare finora segnalato in Germania, non avendo il Destrez visitato le biblioteche tedesche.

8. - Durham, Bibl. della Cattedrale, ms. A.III.13 : Nicola di Gorran, In Psalmos (10).

Ms. di 396 ff., cm. 31,3 x 20,7, scrittura a due colonne, sec. XIII ex. : è formato da 48 pecie di 8 ff., senza traccia di facilità di piegatura tra le colonne e senza segni della correzione : oltre la numerazione progressiva delle pecie, si ha nel testo (dal principio fino al f. 359) una seconda numerazione di 79 pecie, che corrisponderebbe ad un'altra partizione del testo in pecie di 4 ff.

9. - Durham, Bibl. della Cattedrale, ms. A.III.31 : Nicola di Gorran, In Lucam (11).

Ms. di 291 ff., cm. 29 x 19, scrittura a due colonne, sec. XIII ex. : è formato da 70 pecie di 4 ff. (eccetto l'ultima di un foglio), che hanno la nota della correzione.

E' dunque un exemplar regolare.

10. - Gand, Bibl. Univ., cod. 117 : S. Tommaso, In IV librum Sententiarum (12).

E' costituito da 98 pecie di 4 ff., cm. 31,4 x 21, scrittura del sec. XIII ex. o XIV in. La numerazione delle pecie è segnata nel margine superiore della prima pagina ; nel margine inferiore dell'ultima pagina è la nota : Cor. e, a destra, il richiamo.

La pergamena è logora per uso ; il primo foglio della pecia IX mostra di essere stato piegato più volte in senso verticale, fino a produrre una lacerazione tra le due colonne della scrittura ; l'ultima colonna della stessa pecia ha le ultima tre righe del testo cancellate. Il Destrez osserva che le tre righe furono cancellate per non lasciare lo spazio in bianco, e perciò la pecia è rifatta.

Per le rimanenti pecie, si deve ritenere che appartengono ad un exemplar ufficiale.

11. - Perugia, Bibl. Augusta, ms. 817, che contiene : Prima compilatio Decretalium di Bernardo di Pavia, Secunda compilatio di Giovanni di Galles, Tertia compilatio di Pietro di Benevento, tutte con la glossa di Tancredi (13).

Ms. di 307 ff., cm. 38 x 24, di fattura unitaria, costituito da fascicoli di 4 ff., che portano nel primo foglio una numerazione progressiva per ciascuna delle tre parti del testo. Il Destrez ha riconosciuto a tali fascicoli il carattere di pecie : nella prima parte sono 27, nella seconda 14 e nella terza 36.

Tuttavia le dimensioni del ms. e soprattutto l'impostazione della scrittura corrispondono ai caratteri dei normali manoscritti di diritto, con il testo al centro della pagina, a due colonne, e attorno, nei margini molto ampi, la glossa aggiunta con spazi bianchi intercalati secondo l'esigenza del testo. Si aggiunga che i titoli sono finemente decorati di prima mano. Il Destrez ha notato l'anomalia e nelle sue note manoscritte (che ho potuto consultare grazie alla cortesia del p. Bataillon) osserva che, se i fascicoli non fossero di 4 fogli e non avessero la numerazione progressiva alla fine, non si penserebbe che siano pecie di exemplar.

Il Fransen ha pure osservato che sarebbe necessario riconoscere se il carattere di exemplar e di pecie si riferisce al testo delle Compilationes o alla glossa ; e segnala di aver trovato indicazioni di pecie nella glossa di Tancredi contenuta nel cod. Paris. lat. 14.321 (14).

Se poi le indicazioni delle pecie si riferissero insieme al testo e alla glossa, sarebbe questo un caso unico.

12. - Perugia, Bibl. Augusta, ms. 1077 : Adenolfo di Anagni, Super VIII libros Topicorum di Aristotele nella traduzione di Boezio.

Ms. di 119 ff., cm. 28 x 19 (rifilati nella rilegatura), fascicoli di 4 ff. (tranne uno di due e l'ultimo di uno), scrittura a due colonne, sec. XIII ex.

I fascicoli portano una numerazione progressiva nel margine inferiore dell'ultima pagina, da I a XXXI ; ci sono pure i richiami. Non ci sono note della correzione. Sono pecie di exemplar, ma nella prima le ultime 16 righe sono in bianco.

Il testo è inedito. Il Lohr (15) segnala altri manoscritti, di cui uno (Bruges, 493) è descritto nelle note manoscritte del Destrez (che ho potuto consultare grazie ancora al p. Bataillon) ; ma in esso le pecie sono indicate solo nel commento di alcuni libri e con numerazione diversa da quella del codice perugino : sono 7 per il libro I, 4 per il IVe pure per il V e 5 per il VI.

L'exemplar perugino resta dunque isolato : non ha caratteri di ufficialità e la prima pecia sembra rifatta.

Gli esempi esaminati, anche se limitati di numero, permettono una serie di considerazioni, che non sono in contrasto con i caratteri dell'exemplar indicati dal Destrez e dal Fink-Errera, ma ne limitano la portata pratica ai fini della loro utilizzazione per la critica testuale.

Per facilitare la loro citazione, rinvierò al numero progressivo dei dodici manoscritti sopra descritti, invece che alla segnatura bibliografica o al contenuto.

La prima osservazione è che quasi tutti devono la loro conservazione al fatto di essere stati usati, dopo il loro uso come exemplaria, come manoscritti ordinari destinati alla lettura e allo studio ; ne fanno eccezione i nn. 5 e 6, cioè i più piccoli costituiti da solo 4 o 5 pecie, provenienti casualmente dalla bottega di uno stazionario insieme ad altri testi più o meno frammentari. In quasi tutti gli esempi la decorazione delle iniziali e le rubriche furono aggiunte in questo secondo momento della vita del manoscritto e, occorendo, fu completato il testo.

Si hanno così exemplaria che contengono il testo intero, con pecie rifatte, ed altri con pecie relative solo ad una parte di esso (nn. 2, 3, 4).

La nota della correzione (Cor.) aggiunta nelle singole pecie è (o sarebbe ?) la prova che esse appartengono ad un exemplar controllato secondo le prescrizioni degli statuti universitari (nn. 1,3,5,6,7,9 e 10), ma la presenza di singole pecie senza il Cor. o senza il numero progressivo (nn. 2, 7, 11) o con righe in bianco o con righe di testo scritte nel margine dell'ultima pagina (nn. 1, 3, 5, 6, 7, 10 e 12) indica che quelle non sono originali : l'exemplar è "ufficiale" solo in parte.

Quanto ai caratteri esterni, è comune a tutti gli esempi la scrittura gotica textualis di manoscritti del tempo, a due colonne (tranne il n. 11, che ha una presentazione insolita) ; si hanno due formati fondamentali : uno di circa 28-30 x 20 cm. o poco meno, e l'altro, meno comune, di circa 39 x 25 cm. come i manoscritti universitari ordinari. Che la scrittura di un exemplar sia di una o di più mani, non ha importanza.

La pergamena è di regola grossa e giallastra, con difetti di concia ; spesso i singoli fogli presentano segni di usura tra le colonne, che è stato attribuito a modalità della loro copia (16) ; spesso si osservano ampie rasure nei margini, che probabilmente hanno determinato l'eliminazione di segni deturpanti, prodotti dai copisti.

Le pecie sono composte effettivamente da 4 fogli (due binioni) ; i tre quaterniones del n. 4 non sono pecie ; sembra però che la seconda numerazione aggiunta nel n. 8 si riferisca all'adozione di pecie di 8 fogli. Quando si ha una seconda numerazione delle pecie all'interno del testo (nn. 3 et 7), si può supporre che essa si riferisca ad altro exemplar, forse agli effetti del pagamento della taxa stabilita.

Ma il risultato più rilevante delle presenti osservazioni è la conferma di quanto ha affermato il Brounts (17) a proposito del

122

l'edizione del commentario di S. Tommaso sull'Etica di Aristotele :
che lo studio critico dell'exemplar deve farsi per pecia, che ogni
pecia forma una unità a sé ed ha una propria storia : il suo testo è
"vivo", in movimento. L'exemplar originale, "ufficiale" o no, fedele in
ogni sua parte, testimone privilegiato del testo, è più raro di quanto
non si sia supposto.

NOTES

(1) J. Destrez,"La pecia dans les manuscrits universitaires du XIIIe et du
XIVe siècle", Paris 1935, pp. 27 ss.

(2) G. Fink-Errera, "Une institution du monde médiéval : la "pecia", in
Revue philosophique de Louvain, 60 (1962), pp. 208 ss.

(3) M. D. Chenu, "Exemplaria universitaires des XIIIe et XIVe siècles, in
Scriptorium, 7 (1953), pp. 68-80.

(4) G. Battelli,"L'"exemplar" della Summa di Enrico di Gand", in Mélanges
Jacques Stiennon, Liège 1983, pp. 23-33, con 2 tavole.

(5) R. Macken,"Bibliotheca manuscripta Henrici de Gandavo", 2, Leuven 1979,
pp. 732-736 (Ancient and medieval Philosophy, De Wulf-Mansion Centre, series 2).

(6) G. Battelli, "De quodam "exemplari" Parisino Apparatus Decretorum", in
Apollinaris, 21 (1948), pp. 135-145 ; Fink-Errera, op. cit., p. 212.

(7) A. Maier, Codices Vaticani latini, codd. 2118-2192, Città del Vaticano
1961, p. 6.

(8) G. Ancidei, "Un exemplar dell'Apparatus Novellarum Innocentii IV di
Bernardo di Compostella", in Palaeographica Diplomatica et Archivistica, studi in
onore di Giulio Battelli, Roma 1979 (Storia e letteratura, Raccolta di studi e
testi, 139) pp. 333-341 ; G. Battelli, "Le pecie della glossa ordinaria al Digesto, al Codice ed alle Decretali in un elenco bolognese del Trecento", in Atti
del II Congresso Internazionale della Società Italiana di Storia del Diritto,
Firenze 1970, pp. 6 e 21.

(9) K. H. Staub, "Ein sogennantes "Exemplar" der Glosse des Johannes
Andreae zum Liber Sextus in der Hessischen Landes- und Hochschulbibliothek
Darsmstadt", in Scriptorium, 29 (1975), pp. 66-69.

(10) Fink-Errera, op. cit., pp. 217 e 222 nota 72.

(11) Fink-Errera, loc. cit.

(12) Destrez,"La pecia"cit., p. 94 et tavole 12-13.

(13) St. Ktuttner, Repertorium der Kanonistik (1140-1234), Città del
Vaticano 1937, rist. 1981 (Studi e Testi 71), pp. 341, 352 e 365. Nell'elenco
degli exemplaria pubblicato dal p. Chenu il codice è indicato con il n. 819 per
un evidente errore di stampa.

(14) G. Fransen, La tradition manuscrite de la "Compilatio prima", in
Proceedings of the Second International Congress of Medieval Canon Law, Città del
Vaticano 1965, p. 57 nota 7.

(15) Ch. H. Lohr, "Medieval latin Aristotle commentaries", in Traditio, 23 (1967), p. 325.

(16) Fink-Errera, op. cit., p. 209 nota 33.

(17) A. Brounts, "Nouvelles précision sur la "pecia"", in Scriptorium, 24 (1970), p. 355.

(18) Altre comunicazioni al presente "Symposium", e in particolare quelle di L. Boyle, C. Luna et J. Decorte, hanno confermato tale giudizio.

RESUME

Etude de plusieurs manuscrits qui ont été proposés comme constituant des exemplaria. Plusieurs d'entre-eux ne présentent qu'une partie plus ou moins grande des caractéristiques de l'exemplar universitaire.

EXEMPLARIA, MANOSCRITTI CON INDICAZIONI DI PECIA E LISTE DI TASSAZIONE DI OPERE GIURIDICHE*

Stefano Zamponi

Un'avvertenza preliminare : questa relazione non presenta un contributo inedito su un argomento specifico, intende invece prospettare alcuni problemi che ritengo particolarmente importanti ; inizieremo così la discussione alla quale è riservata quest'ultima seduta del Symposium.

Mi riferirò soprattutto a casi concernenti manoscritti giuridici, poiché la mia esperienza di lavoro verte esclusivamente su di essi.

Per primo affronteremo il problema della moltiplicazione degli exemplaria. Credo che si debbano seguire due linee di analisi : A. in sincronia, duplicazione diretta e conforme di un exemplar da un altro exemplar. - B. in diacronia, duplicazione di un exemplar da un exemplar anteriore, suddiviso in un diverso numero di pecie (di norma minore) e stratificarsi sul nuovo exemplar di una doppia serie di pecie, le cosiddette 'pecie improprie'.

A. Il primo caso prevede la pubblicazione sincrona di un exemplar attraverso un altro exemplar. Questa possibilità è stata accertata solo negli ultimi decenni.

Ripercorrendo la storia del problema, vediamo che J. Destrez, La Pecia, pp. 63-5, ricorda con grande precisione gli statuti di Parigi e Bologna (dico Bologna per brevità, per indicare anche Padova, Perugia, Firenze, i quattro statuti studiati da Denifle) (1) secondo i quali dovevano esserci tanti exemplaria quanti sono gli stazionari ; il testo degli statuti è esplicito e non ammette incertezze di interpretazione. Destrez avanza immediatamente questo dubbio : se in una università, come è accertato, operano più stazionari, per una stessa opera dovremo trovare tante diverse partizioni in pecie quanti sono gli stazionari. Ma, poiché lo studio della tradizione manoscritta non attesta questa pluralità di partizioni in pecie, Destrez propone la sua nota soluzione e, attraverso una breve analisi della funzione del librarius e dello stationarius, conclude che in una stessa università, in uno stesso tempo, c'è un solo exemplar di ogni singolo testo di studio (2).

Questa soluzione emana unicamente da un rilievo di ordine testuale ; poiché manoscritti di una stessa opera con indicazioni di pecia, sincroni, presso una stessa università, presentano sempre, in ultima analisi, la stessa divisione, è sufficiente questa omogeneità per formulare l'ipotesi di un exemplar unico. Destrez, pressato anche da urgenze di filologo medievale, si muove solo sulla base della tradizione del testo, non cerca conferme o smentite da un esame archeologico degli exemplaria, né si cura delle norme degli statuti contrarie alla sua conclusione (ma con grande onestà riporta queste norme, alle quali si deve aggiungere l'inventario di Solimano, che Destrez interpreta in maniera riduttiva) (3).

Rimane essenzialmente circoscritto ad uno studio della tradizione testuale anche un secondo momento di ricerca sugli exemplaria sincroni, rappresentato dall'attività della Commissio Leonina. A partire dal 1954, quando Saffrey dimostra su basi filologiche per il Liber de causis la necessaria compresenza di due exemplaria sincroni, le cui pecie venivano indifferentemente offerte ai copisti secondo la disponibilità in statione (4), si sono moltiplicati i casi nei quali si può documentare la pluralità di exemplaria di una stessa opera di S. Tommaso in uno stesso periodo (5).

Se, confortati dalle norme degli statuti e dalle ricerche della Commissio Leonina, siamo giunti alla certezza che presso un unico stazionario, in uno stesso periodo, possono esistere più exemplaria, dovremo pure trovare un certo numero di exemplaria derivati, duplicati da un altro exemplar. Una maggiore attenzione archeologica al libro manoscritto ha permesso, in questo ultimo decennio, alcune prime acquisizioni. René Antoine Gauthier, presentando la versione latina dell'Ethica Nicomachea, segnala un exemplar derivato sicuramente da un altro exemplar, ma offre una descrizione del manoscritto molto ridotta, praticamente infruibile per un'analisi codicologica (6). Recentemente Giuliana Ancidei, in uno studio molto dettagliato, ma che forse non ha prospettato tutti i problemi che si potevano sollevare, illustra un exemplar e dimostra chiaramente che è derivato da un altro (7). Anche chi vi parla ha pubblicato da poco un lavoro nel quale, credo con assoluta sicurezza, è individuato un exemplar · derivato da un altro exemplar (8). In questo stesso Symposium altri casi di exemplaria duplicati sono presentati da Concetta Luna e Giulio Battelli.

Finalmente possiamo oggi dire, con sufficiente attendibilità, come si individua attraverso un esame archeologico un exemplar derivato da un altro exemplar : di norma attraverso una serie di aggiustamenti che intervengono in fine di duerno, di pecia ; il copista tenta di far coincidere con la fine di ogni duerno la fine della pecia che sta esemplando, ma non sempre arriva a calcolare con precisione, in alcuni casi sconfinerà nel margine inferiore, in altri lascia spazi vuoti, oppure allarga e serra artificiosamente la scrittura dell'ultima facciata (9).

Laddove esistano le concrete fatture e caratteristiche dell' exemplar, questi aggiustamenti sono la prova archeologica sicura della duplicazione di un exemplar, che risulta copia conforme di un altro (ovviamente -non ne tratto in questa sede- diverse sono le caratteristiche di singole pecie o blocchi di pecie rifatte).

Due annotazioni in margine all'acquisita certezza della duplicazione di exemplaria sincroni.

In primo luogo dobbiamo notare che, attraverso i pochi studi analitici pubblicati, si documentano casi di exemplaria duplicati che non hanno palesemente svolto funzioni di exemplar. Mentre è certo che l'exemplar attestato del ms. C 126 della Biblioteca Capitolare di Pistoia è passato fra le mani di numerosi copisti, che hanno abbondantemente lavorato sui suoi margini (10), è altrettanto certo che i due exemplaria studiati dall'Ancidei e dalla Luna -si badi bene, exemplaria duplicati ufficiali con segni di correzione- non recano segni d'uso, non hanno mai funzionato come exemplar nella bottega di uno stazionario. La tesi prospettata in questo convegno, l'exemplar fallito per motivi di vario ordine, è per ora molto debole, perché la produzione di un exemplar duplicato sembra spiegarsi solo sulla base della richiesta di molti copisti ; risulterebbe affatto anomalo il caso dello stazionario che fa duplicare un'exemplar che non ha mercato.

In secondo luogo vorrei sollecitare un atteggiamento di ricerca attento e critico sulla duplicazione : sono certo che, lavorando sugli exemplaria, si troveranno numerosi exemplaria derivati, se curiamo di censire analiticamente le loro caratteristiche. Vi propongo subito un esempio. Ho lavorato a lungo su alcuni dei manoscritti peciati fiorentini illustrati recentemente da Gabriella Pomaro (11). Riguardo al ms. Conv. Soppr. 460 della Biblioteca Medicea Laurenziana Pomaro dice semplicemente : "In parecchi duerni il testo non riempie tutta l'ultima colonna, oppure vengono ripetute alcune parole dell'inizio del fascicolo seguente" (12). Da un controllo effettuato su questo exemplar risulta che oltre il 60 % dei fascicoli presenta artifici per fare coincidere la fine del fascicolo e il testo della pecia ; nell'ultima carta ci sono spazi vuoti, oppure la scrittura si allarga, si restringe, oltrepassa la linea della squadratura. Bisognerà pure definire meglio che cosa sia questo exemplar : è di un'unica mano, non sono visibili pecie rifatte, reca costanti segni di correzione ma nessuna traccia d'uso, è con ogni probabilità un exemplar derivato e modellato su un altro exemplar.

Un censimento analitico di tutti gli exemplaria giuridici noti porterà sicuramente ad individuare numerosi exemplaria duplicati, e fra questi exemplaria falliti, permettendo uno studio non occasionale di un fenomeno che ora sfugge ad ipotesi organiche.

B. Un secondo processo di duplicazione degli exemplaria, in diacronia, è prospettato dalle cosiddette 'pecie improprie'.

Torniamo di nuovo a Destrez che, appena si rilegge, sorprende sempre. Alle pp. 76-7 della Pecia è segnalato il ms. Vat. lat. 1451 che porta una doppia serie di indicazioni di pecia, denominate vecchie e nuove. Giustamente Destrez prospetta che in questo manoscritto si faccia riferimento a due exemplaria, uno più antico e uno più recente. Successivamente con le ricerche del Battelli su alcuni manuscritti giuridici (13), si venne a definire il concetto di 'pecia impropria' : presso lo stazionario è in affitto un exemplar ufficiale, ma ripartito in un numero di duerni diverso (di solito maggiore) rispetto alle pecie fissate dalla legislazione universitaria ; questo exemplar, che duplica e sostituisce un exemplar probabilmente ormai inservibile, segnala sui margini, talora costantemente, dove cadono le originarie indicazioni di pecia, per attestare la divisione e il prezzo di locazione stabilite dall'Università (14).

Nella sua analisi sui manoscritti del Digestum Vetus Battelli giunge ad alcune acquisizioni di grande importanza, che probabilmente potranno estendersi a numerosi testi giuridici presenti nella lista bolognese e che rendono meglio comprensibile il fenomeno della duplicazione attraverso pecia impropria. Soprattutto è importante accertare che tutti i manoscritti del Digestum Vetus presentano lo stesso numero di pecie ; la stessa partizione è documentata da manoscritti bolognesi e da manoscritti non bolognesi. In altre parole, la partizione in pecie degli exemplaria giuridici sembra un fatto puramente tradizionale e viene mantenuta inalterata per una serie di exemplaria successivi ; a conferma di tutto questo possiamo rilevare che i manoscritti della glossa al Digestum Vetus con indicazioni di pecia rimandano sicuramente ad exemplaria distinti, perché la tradizione non bolognese presenta un testo palesemente diverso, ma ad una identica partizione in pecie (15).

L'esistenza di una partizione convenzionale facilita certo la possibilità che testi quali il Digestum Vetus, oggetto di studio per tutto il periodo di funzionamento dell'exemplar, attraverso successive duplicazioni vengano distribuiti in un numero di duerni diverso rispetto alla partizione originaria : si avrà così una doppia partizione, quella tradizionale, eventualmente annotata ai margini, che serve per la tassazione e quella nuova concretamente scandita dal succedersi dei duerni.

Ricordiamo anche che Battelli, quando ha coniato il termine di 'pecia impropria', non conosceva la lista di Autun (16) e, ovviamente, la lista di Montpellier illustrata or ora da Genest, le quali di nuovo sottolineano con forza l'assoluta convenzionalità delle indicazioni tradizionali di pecia per le opere di diritto.

Per concludere questo breve esame sui due processi di duplicazione degli exemplaria che lo studio archeologico del libro manoscritto ha permesso recentemente di individuare, si può riprendere il problema che ha principalmente travagliato Destrez, l'esigenza di un exemplar unico. Per i manoscritti giuridici dobbiamo probabilmente postulare due momenti nell'edizione universitaria : la prima fase, che permette di rivendicare l'unicità dell'exemplar, è la taxatio, cioè la partizione ufficiale di un testo, sotto il controllo dell'Università, in un certo numero di pecie, una divisione che talora rimane invariata per lunghi periodi e che costituisce l'unico riferimento legale per il costo di affitto delle pecie ; la seconda fase è costituita dalla concreta utilizzazione dell'exemplar posto in statione (17) ; potremo allora avere più exemplaria sincroni, copia conforme dell'exemplar originario, qualora le leggi del mercato impongano immediatamente questa duplicazione ; nel caso di opere che, come il Digestum Vetus, accompagnano immutate tutta la storia di uno

Studium, possiamo avere successivi rifacimenti dell'exemplar
originario, con una partizione reale in duerni di solito maggiore del
numero di pecie fissate dalla tradizione universitaria.

Un secondo problema generale, documentato solo per i manoscritti giuridici, è costituito dal rapporto fra quaternus e petia nelle
liste di tassazione, la cui concreta utilizzabilità rimane tutta da
definire.

Dalle liste di Autun e Montpellier risulta con sufficiente
sicurezza che quaternus indica una partizione del testo doppia di
petia (18). Bisogna prospettare questo problema : è una partizione
puramente teorica, di calcolo, oppure esistono exemplaria di opere
giuridiche in quaterni sicuramente individuabili come tali (19) ? Lo
studio archeologico del libro manuscritto offre una prima, provvisoria
risposta affermativa. Il ms. Conv. Soppr. J.I.7 della Biblioteca
Nazionale Centrale, censito da Pomaro (20), Liber sextus decretalium,
è ripartito in sette quaterni e due fogli, contro la tassazione bolognese di VII quaterni cum dimid. (21). La concordanza fra il manoscritto e la lista è quasi perfetta ed è corroborata dal fatto che
questo exemplar sembra sicuramente un testo ufficiale, scritto tutto
di seguito, accuratamente corretto e con i consueti segni di correzione in fine ai quaterni. Rimane però inspiegabile, come in altri casi
che ho citato sopra, il mancato funzionamento dell'exemplar, che reca
note marginali posteriori, ma non segni di uso da parte di copisti.

Di norma è estremamente complessa l'utilizzazione delle liste
di tassazione note (Bologna 1274-6 ; Bologna 1317-47 ; liste di Autun,
Dubrovnik, Venezia e ora Montpellier) (22), perché sono rari i
manoscritti -siano exemplaria o testi con indicazione di pecia- la cui
partizione trova una qualche corrispondenza con le liste di tassazione.
Abbiamo già visto che Genest ci ha potuto mostrare solo alcuni casi
di corrispondenza fra l'exemplar realmente circolante e copie con
indicazione di pecia. A titolo puramente esemplificativo si possono
enumerare altre mancate corrispondenze.

La tradizione universitaria della Glossa in Clementinas di
Giovanni d'Andrea è stata studiata da Destrez su 54 manoscritti, di
cui 10 con indicazioni di pecia, sempre ed esclusivamente ripartiti in
22 pecie (23) ; l'exemplar pistoiese da me individuato è anch'esso
in 22 pecie (24), la lista di tassazione bolognese rimanda invece a 9 o
8 quaterni, cioè 18 o 16 pecie (25) ; l'incongruenza è netta (26).
Ancora per Giovanni d'Andrea, la Glossa in sextum ; contro un'indicazione della lista bolognese di XVIII et dimid. quaterni (27) conosco
un manoscritto diviso in 35 pecie e 5 colonne (28), due ripartiti in 37
pecie (e questi corrispondono esattamente) (29) e il riferimento ad
un manoscritto in 52 pecie (!) (30). Per il Liber sextus decretalium,
oltre all'exemplar in VII quaterni et dimidium, censito da Pomaro,
al quale ho accennato sopra, conosco un testo diviso in 14 pecie (31)
ed uno diviso in 15 pecie e mezzo (32). Il riscontro dei passi che
individuano il succedersi delle pecie permette di verificare che fra
l'exemplar e i due manoscritti del Sextus reciprocamente non c'è

alcuna corrispondenza.

In conclusione, non si capisce che valore abbiano avuto nella vita universitaria queste liste di tassazione, ma certo non sembrano né regolare né documentare in pieno l'estrema varietà di forme di produzione del libro tramite exemplar.

Per finire, vorrei proporre all'attenzione di tutti alcuni testi singolari. Seguendo il modello ormai canonico proposto da Destrez, integrato e modificato dagli studi più recenti, possiamo grosso modo ipotizzare come si origina un exemplar. Pure, dagli statuti dell' Università di Bologna, emerge un ignoto modello di origine dell' exemplar, attraverso un passo che non è mai né citato né discusso nelle ricerche recenti sulla pecia e che risulta male comprensibile allo stato attuale delle nostre conoscenze. Nel capitolo XIX degli Statuti, ove si regola la funzione dei petiarii, si legge :

"Teneantur eciam predicti petiarii expensis generalis bidelli Questiones suo tempore disputatas per doctores, et ipsi bidello traditas, in duplex exemplar redigi facere et corrigi duplicatas infra viginti dies, ex quo tradite fuerint, pena quadraginta solid. Bonon. pro qualibet questione bidello, si ad ipsorum mandatum hoc non fecerit, infligenda et ad ipsorum requisitionem per rectores vel ipsorum alterum exigenda de questionibus scribendis. Teneatur stacionarius questionum suis expensis describi facere questiones in quaterno sibi tradito per notarium, quem notarius dat sibi de libro questionum, quem ad perpetuam memoriam in capssa universitatis volumus reponi" (33).

La diffusione delle questioni tramite due exemplaria, lo stacionarius questionum, la capsa universitatis : si aprono dinnanzi a noi squarci sostanzialmente ignoti di vita universitaria. Dopo 50 anni di studi possiamo misurare quanto siano ampie le aree da esplorare, quanto le nostre conoscenze possono progredire attraverso lo studio sistematico delle fonti, siano esse codici universitari o documenti legislativi.

NOTES

* Il testo che segue riproduce, con modesti aggiustamenti formali (soprattutto con l'aggiunta dei riferimenti bibliografici), una comunicazione orale che ha aperto l'ultima giornata del convegno.

(1) H. Denifle, Die Statuten der Juristen-Universität Bologna vom J. 1317-1347, und deren Verhältniss zu jenen Paduas, Perugias, Florenz, "Archiv für Litteratur und Kirchengeschichte des Mittelalters", 3 (1887), pp. 196-397.

(2) Cf. Destrez, La Pecia, pp. 65-8.

(3) Destrez, La Pecia, pp. 64-5. L'inventario di Solimano, edito da L. Frati, Gli Stazionari bolognesi nel Medio Evo, "Archivio Storico Italiano", s. 5, 45 (1910), pp. 380-90, è ricordato a pp. 74-5.

(4) S. Thomae de Aquino super librum de causis expositio, ed. H.D. Saffrey, Fribourg-Louvain 1954, pp. LXI-LXVI (Textus philosophici Friburgenses, 4-5).

(5) Indicazioni riassuntive su questi studi in L.J. Bataillon, Problèmes posés par l'édition critique des textes latins médiévaux, "Revue Philosophique de Louvain", 75 (1977), pp. 243-5.

(6) R. A. Gauthier, Praefatio a Ethica Nicomachea (Aristoteles Latinus, XXVI 1-3, fasc. primus), Leiden - Bruxelles 1974, pp. CCXI-CCXV.

(7) G. Ancidei, Un "exemplar" dell' "Apparatus Novellarum innocentii IV" di Bernardo di Compostella, in Palaeographica, Diplomatica et Archivistica. Studi in onore di Giulio Battelli, I, Roma 1979, pp. 333-41.

(8) S. Zamponi, Manoscritti con indicazioni di pecia nell'Archivio Capitolare di Pistoia in Università e società nei secoli XII-XVI. Atti del nono Convegno Internazionale del Centro Italiano di studi di storia e d'arte (Pistoia, 20-25 settembre 1979), Pistoia 1982, pp. 447-84 (in particolare le pp. 448-51, 455-60, 469-71).

(9) Si veda Ancidei, Un "exemplar", pp. 336-7 e Zamponi, Manoscritti con indicazioni di pecia, pp. 459-60 e tavv. 3, 4, 5, 7.

(10) Zamponi, Manoscritti con indicazioni di pecia, p. 458 e tavv. 1, 2, 5.

(11) G. Pomaro, Manoscritti peciati di diritto canonico nelle biblioteche fiorentine, "Studi Medievali", s. 3, 22 (1981), pp. 421-66.

(12) Pomaro, Manoscritti peciati, p. 439.

(13) G. Battelli, De quodam "exemplari" parisino apparatus decretorum, "Apollinaris", 21 (1948), pp. 135-45 (rist. in Scritti scelti. Codici, documenti, archivi, Roma 1975, pp. 111-21) e Ricerche sulla pecia nei codici del "Digestum Vetus" in Studi in onore di Cesare Manaresi, Milano 1953, pp. 311-30 (rist. in Scritti scelti, pp. 151-70).

(14) Per spiegare le caratteristiche del ms. Vat. Lat. 1451 Destrez propone un'ipotesi complessa e dispendiosa, che il copista controlli personalmente la nuova divisione in pecie su quella vecchia, attraverso un testimonio (il vecchio exemplar non più in uso ; manoscritti con indicazioni di pecia) della partizione anteriore.

(15) Per tutte queste osservazioni cf. Battelli, Ricerche sulla pecia, p. 319.

(16) Per la quale si veda T. Kaeppeli - H.-V. Shooner, Les manuscrits médiévaux de Saint-Dominique de Dubrovnik. Catalogue sommaire, Roma 1965, pp. 112-3, 116-8, 120-1.

(17) In altre forme, con il rapporto exemplar-souche/exemplar, la distinzione fra un momento unitario che collega tutti gli exemplaria sincroni di una stessa opera e il loro concreto funzionamento presso gli stazionari è stata prospettata de G. Fink-Errera, Une institution du monde médiéval : la "pecia", "Revue philosophique de Louvain", 60 (1962), pp. 197-222 (trad. it. in G. Cavallo [ed.], Libri e lettori nel Medioevo, Roma-Bari 1977, pp. 138-52).

(18) Si veda in particolare Kaeppeli-Shooner, Les manuscrits médiévaux, p. 116 nota 17.

(19) Destrez, La Pecia, p. 27 segnala il reperimento di exemplaria tardivi

in 8 fogli, ma non offre ulteriori indicazioni.

(20) Pomaro, Manoscritti peciati, pp. 434-5.

(21) Denifle, Die Statuten, p. 300, l. 19.

(22) Eccetto la lista di Montpellier, illustrata in questa sede da Genest, testo essenziale di riferimento è Kaeppeli-Shooner, Les manuscrits médiévaux, pp. 111-29.

(23) Destrez, La Pecia, p. 99.

(24) Zamponi, Manoscritti con indicazioni di pecia, pp. 455-60, 469-70.

(25) Dati contraddittori offerti in Denifle, Die Statuten, pp. 301, l. 4 e 302, ll. 26-7.

(26) Un caso di non corrispondenza fra exemplar e liste di tassazione anche in Ancidei, Un "exemplar", pp. 339-40.

(27) Denifle, Die Statuten, p. 298, ll. 22-3.

(28) Firenze, Biblioteca Nazionale Centrale, ms. Conv. Soppr. da ordinare Vallombrosa 47, descritto erroneamente da Pomaro, Manoscritti peciati, pp. 432-4 come 34 pecie e mezzo.

(29) Pistoia, Archivio Capitolare, ms. C 129, descritto in Zamponi, Manoscritti con indicazioni di pecia, pp. 460-3, 471-4 ; Firenze, Biblioteca Medicea Laurenziana, ms. Fies. 121, citato ma non descritto da Pomaro, Manoscritti peciati, p. 422 nota 6.

(30) G. Orlandelli, Il libro a Bologna dal 1300 al 1330, Bologna 1959, p. 79 regesto n° 180.

(31) Testimoniato dal ms. Fies. 121 della Biblioteca Medicea Laurenziana, già citato in nota 29.

(32) Pistoia, Archivio Capitolare, ms. C 129, descritto in Zamponi, Manoscritti con indicazioni di pecia, pp. 460-2, 470-1.

(33) Denifle, Die Statuten, p. 280, l. 19 - 281, l. 4.

RESUME

Les problèmes posés par l'existence de plusieurs exemplaria d'un même ouvrage peuvent être classés en deux groupes. D'abord on peut reproduire un exemplar préexistant en conservant exactement sa division en peciae ; on peut aussi reproduire cet exemplar en un nombre différent de cahiers tout en notant les endroits où se limitaient les peciae du précédent. Dans ce dernier cas, fréquent à Bologne pour les ouvrages de droit, la division ancienne sert alors à la taxation ; il est aussi difficile de voir le rapport exact entre quaterni et peciae. Enfin se pose la question du dépôt d'un exemplar in capsa universitatis.

LE FONDS JURIDIQUE D'UN STATIONNAIRE ITALIEN A LA FIN DU XIIIe SIECLE : MATERIAUX NOUVEAUX POUR SERVIR A L'HISTOIRE DE LA PECIA

Jean-François Genest

Les inventaires de stationnaires sont des documents fort rares. Pour l'Italie, toutefois, notre connaissance de ce type de sources s'est sensiblement enrichie au cours des vingt dernières années. Longtemps le seul document accessible aux historiens a été l'inventaire du fonds du stationnaire bolonais Solimano di Martino, inséré dans son testament le 30 juillet 1289, deux mois avant sa mort (1). Dès 1935, pourtant, J. Destrez avait signalé l'existence de deux catalogues de stationnaires, remployés comme feuillets de garde dans des manuscrits conservés, l'un à Venise (Bibl. Marciana, lat. IV. 37 [2214], f. 110r), l'autre à Autun (Bibl. Mun. 101 [Libri 81], f. 1r) (2). Mais ces listes sont restées inédites jusqu'en 1965. A cette date, H.V. Shooner les publia en annexe au catalogue des manuscrits médiévaux de Saint-Dominique de Dubrovnik, rédigé en collaboration avec le P. Kaeppeli (3). Il y joignit le texte d'une troisième liste, découverte précisément à Dubrovnik (ms. 1, f. 267v), et démontra l'origine italienne de celle d'Autun, que Destrez avait cru française. Enfin, il mit en relation ces divers matériaux avec les données fournies par les listes de taxation bolonaises qui nous sont parvenues. Celles-ci sont au nombre de deux. L'une, bien connue depuis Denifle, est insérée dans les statuts universitaires de 1317-1347 (4). L'autre a été trouvée en 1955 par M. Boháček dans un manuscrit d'Olomouc, où elle est accompagnée de dispositions réglementaires concernant les attributions des stationnaires : M. Boháček a vu dans ces clauses un extrait des statuts de 1274-1276 (5). C'est à l'intérieur de ce dossier que vient tout naturellement prendre place le document présenté ici, que nous avons eu la chance de découvrir en 1982 lors d'une mission à Montpellier.

I. LA LISTE DE MONTPELLIER

Le ms. 9 de la Bibliothèque interuniversitaire de Montpellier (section de Médecine), est un recueil de Décrétales dont l'écriture et la décoration attestent l'origine italienne (6). Il comprend 261 folios

------

Cf. Planches VII et VIII.

de grand format (457 x 292 mm), écrits à deux colonnes encadrées de glose. En tête figurent des tables (f. 1r-3r, 4r-5v, 7r-8v). Viennent ensuite :

- f. 6v, 9r-232v, les cinq livres des <u>Décrétales</u> de Grégoire IX et l'<u>apparatus</u> de Bernard de Parme ;
- f. <u>233r-244r</u>, les <u>Novelles</u> d'Innocent IV, avec la glose de Bernard de Compostelle ;
- f. 244r-253v, le recueil des <u>Novissimae</u> de Grégoire X (<u>Cum nuper</u>), promulgué le 1er novembre 1274 et accompagné ici de la glose de Jean Garsias ;
- f. 254r-261v, le recueil de décrétales <u>Cupientes</u> de Nicolas III (13 décembre 1279), avec l'<u>apparatus</u> du même Garsias.

Le manuscrit est richement décoré de compositions certainement exécutées par un atelier bolonais : Alessandro Conti y reconnaît même la participation d'un collaborateur de Jacopino da Reggio (7). En plusieurs endroits (f. 6v, 9, 70, 119, 169, 233, 244, 254) le volume porte les armes d'un possesseur italien non identifié : d'or à trois bandes de sinople. On ignore comment ce manuscrit est parvenu à Clairvaux, où il a été catalogué en 1472 sous la cote R 13 (8). Il devait y rester jusqu'à la Révolution, avant d'être transféré à Troyes, puis à Montpellier.

Lors de son passage à la bibliothèque de la Faculté de médecine de Montpellier, Destrez avait examiné ce volume, dont il a laissé une analyse (9). Mais, sans doute pressé par le temps, il était allé droit au texte pour y chercher des mentions de pièces et le document qui nous intéresse ici lui a échappé. Il est en effet camouflé parmi les tables. L'un des feuillets sur lesquels celles-ci ont été rédigées, l'actuel f. 3, est un remploi. Il porte au verso, écrite à deux colonnes, la liste suivante, à laquelle nous ajoutons seulement le numéro des articles (v. pl. VII) :

[f. 3va]

1. Textus Decretorum in petiis, .xlvii. quaterni minus .x. columpnis, taxatus in .xxxvi. quat(ernis).

2. Textus Decretalium cum Novis Innocentii in petiis, .xxv. quat(erni) et .vii. columpne, taxatus .xxv. quat(ernis).

3. Textus Codicis in petiis, .xxxi. quat(erni) et una petia, taxatus .xxviii. quat(ernis).

4. Textus FF. Veteris in petiis, .xxxvi. quat(erni) et una petia et due columpne, taxatus .xxx. quat(ernis).

5. Textus Inforciati in petiis, .xxxiiii. quat(erni) minus .iiii.^{or} columpne, taxatus .xxvii. quat(ernis) et med(io).

6. Textus FF. Novi in petiis, .xxxiii. quat(erni) minus .iii. col(umpnis), taxatus .xxviii. quat(ernis).

7. Textus Institucionum in petiis, .vii. quat(erni) minus .iiii. col(umpnis), taxatus .vii. quat(ernis).

8. Textus Autenticorum in petiis, .xiiii. quat(erni) et una petia et .vi. col(umpne), taxatus .xiiii. quat(ernis).

9. Textus Trium Librorum Codicis in petiis, .viii. quat(erni) minus .viii. col(umpnis), taxatus .vii. quat(ernis).

10. Textus Feudorum in petiis, .ii. quat(erni) minus .viii. col(umpnis), non taxatur.

11. Apparatus Decretorum in petiis, .xxix. quat(erni) et una petia, taxati in .xxx. quat(ernis).

12. Apparatus Decretalium cum Novis Innocentii in petiis, .xli. et .viii. col(umpne), taxati in .xxxviiii. quat(ernis).

13. Apparatus Codicis in petiis, .xxxii. quat(erni), et sic taxatus.

14. Apparatus FF. Veteris in petiis, .xlii. et .viii. col(umpne), taxati in .xlii. quat(ernis).

15. Apparatus Inforciati cum Tribus Partibus in petiis, .xxxii. et .ii. col(umpne), taxati in .xxx. quat(ernis).

16. Apparatus FF. Novi in petiis, .xxxvii. quat(erni), et sic taxatus.

17. Apparatus Institucionum in petiis, .viiii. quat(erni) et .xiiii.^{or} col(umpne), taxati in .viiii. quat(ernis).

18. Apparatus Autenticorum in petiis, .viii. quat(erni) et una petia, taxati in .viiii. quat(ernis).

19. Apparatus Trium Librorum Codicis in petiis, .vi. quat(erni) et una petia, taxati in .v. quat(ernis).

20. Item alio modo habebamus in petiis, scilicet in .x. petiis et .vi. col(umpnis).

21. Item in .xi. petiis et .viii. col(umpnis).

22. Apparatus Usus feudorum in petiis, .vii. petie et .vi. col(umpne), non taxatur.

23. Textus Novissimarum in petiis, unus parvus quaternus minus fere .ii. col(umpnis).

24. Apparatus Novissimarum per Garsiam, .ii. quat(erni).

25. Apparatus Hostiensis, primus liber in petiis, .xlii. quat(erni).

26. Secundus liber in petiis, .xlii. quat(erni) et .viii. col(umpne).

27. Tercius liber in petiis, .xxxvi. quat(erni) et .xi. col(umpne).

28. Quartus liber in petiis, .viiii. quat(erni).

29. Quintus liber in petiis, .xxvii. quat(erni) et .vii. col(umpne).

30. Apparatus Innocentii in petiis, .xliiii. quat(erni) et .xvi. col(umpne).

31. Lectura Petri Samsonis in petiis, .xv. quat(erni) minus .ii. col(umpnis).

32. Summa Archiepiscopi in petiis, super primo libro, .xv. quat(erni) et .viii. col(umpne).

33. Secundus in petiis, .xv. quat(erni) minus .iii. col(umpnis).

34. Tercius in petiis, .xiii. quat(erni).

35. Quartus in petiis, .vii. quat(erni) et una petia.

36. Quintus in petiis, .xvii. quat(erni) et .v. col(umpne) et media.

37. Summa Gufredi in petiis,.xvii. quat(erni) et .v. col(umpne) et media, taxata in .xvii. quat(ernis).

38. Casus Decretorum in petiis cum Ystoriis, .xx. quat(erni) minus .i. col(umpna). Taxatur in .xx. quat(ernis).

39. Casus Decretalium cum Novis in petiis, .xvii. quat(erni) et .iiii.^{or} col(umpne). Credo quod taxatur in .xvii. quat(ernis).

40. Summa Açonis super Codicem et Instituciones et Extraordinaria in petiis, .xxxviii. quat(erni) minus .viii. col(umpnis) et media. Taxatur in .xxx. quat(ernis).

[f. 3vb]

41. Summa Autenticorum in petiis, .ii. quat(erni) et .xii. col(umpne). Taxatur in .ii. quat(ernis) et med(io).

42. Summa Trium Librorum Codicis in petiis, .ii. quat(ernis) et .iiii.^{or} columpnis.

43. Additiones domini Oddofredi super Summam Açanis [sic] in petiis, .ii. quat(erni).

44. Summa feudorum potest esse in petiis, .ii. quat(erni), scilicet illa quam compilavit dominus Martinus, sed plures alie inveniuntur.

45. Libellus Rofredi in iure civili in petiis, .xxviiii. quat(erni) et .x. col(umpne), taxati in .xxviii. quat(ernis).

46. Libellus Rofredi in iure canonico in petiis, .xvii. petie et .iiii.^{or} quat(erni) [sic pro columpne], taxate in .viii. quat(ernis).

47. Libellus Egidii in petiis, .v. quat(erni) et .x. columpne parvi quaterni.

48. Questiones Pilei in petiis, .v. quat(erni) et .xii. columpne, taxate.

49. Questiones Rofredi in petiis, .v. quat(erni) et .xiiii. columpne, taxate in .v. quat(ernis).

50. Questiones Bartholomei Brixiensis in petiis, .v. quat(erni) minus .vii. columpne.

51. Questiones doctorum in petiis in iure civili, .xv. petie et .iii. col(umpne). Iam sunt .xii. anni quod nullam habui.

52. Questiones doctorum in petiis in iure canonico, .vii. petie parve. Etiam sunt .xii. anni quod nullam habui.

53. Brocarda Açonis in petiis, .xvii. petie minus una carta et quarta parte alterius.

54. Brocarda Damasii in iure canonico, .iii. petie.

55. Casus Institucionum in petiis, .vii. quat(erni) minus una col(umpna), taxati in .viii. quat(ernis).

56. Casus Autenticorum in petiis, .iiii.^{or} quat(erni) minus .iii. col(umpnis) et media.

57. Casus Trium Librorum Codicis in petiis, .vii. petie minus .v. col(umpnis).

58. Libellus Tancredi in petiis, .iii. quat(erni) et .ii. columpne.

59. Summa Tancredi de matrimonio in petiis, .iii. et .ii. col(umpne).

60. Dispensationes Iohannis de Deo in petiis, .ii. et media, taxate .i. quat(erno).

61. Distinctiones Iohannis de Deo in petiis, .viii. quat(erni) minus .ii. col(umpnis), taxati in .viii. quat(ernis).

62. Questiones Iohannis de Deo in petiis, .iiii.^{or} quat(erni) minus .viii. col(umpnis), taxati in .v. quat(ernis).

63. Penitentiarium Iohannis in petiis, .iii. quat(erni) minus .viii. columpne parve.

64. Cavillationes Iohannis in petiis, .v. quat(erni), et sic taxantur parvi.

65. Libellus Iohannis in petiis, .ii. quat(erni) minus .iiii.^{or} col(umpnis). Taxatur in .ii. quat(ernis).

66. Pastorale Iohannis in petiis, .ii. quat(erni) et .viii. col(umpne), taxati in .iii. quat(ernis).

67. Perfectio Uguçonis in petiis, .vii. petie et .vi. col(umpne), taxate in .iii. quat(ernis) et med(io).

68. Albertanum in petiis, .vii. quat(erni) minus .iiii.^{or} col(umpnis) et non magni, sed parvi.

69. Summa Rolandini in petiis, .viiii. quat(erni) et .xii. col(umpne), taxati in .xii. quat(ernis) et med(io).

70. Flos Rolandini in petiis, .vii. petie parve.

71. Aurora eiusdem in petiis, .xiii. petie parve, nec est completa.

72. Autentica Codicis in petiis, .iii. petie minus .ii. col(umpnis) fere et parve.

73. Margarita Bernardi, .i. parvus quat(ernus) minus .ii. col(umpnis).

II. PROBLEMES D'INTERPRETATION

Cette liste (que nous désignerons par le sigle M̲) frappe d'abord par son ampleur : avec soixante-treize articles elle vient largement en tête, devant celles d'Autun (trente-neuf), de Dubrovnik (vingt-cinq) et de Venise (dix-neuf). Plus intéressante encore est la comparaison avec l'inventaire de Solimano. Ce dernier compte soixante-huit articles, mais la plupart de ceux-ci mentionnent l'existence de deux ou trois jeux de pièces pour un même ouvrage, quelquefois davantage (10). Solimano l'emporte donc nettement pour le nombre des exemplaria : environ deux fois plus (11). Par contre, si l'on considère l'éventail des titres offerts à la clientèle, la différence entre les deux fonds apparaît minime : soixante-cinq ouvrages juridiques dans la boutique de Solimano, soixante-trois dans celle que révèle la liste M̲ (12).

L'auteur de celle-ci est évidemment le stationnaire lui-même, qui à plusieurs reprises s'exprime à la première personne. C'est ainsi qu'au passage il signale un exemplar disparu : Item alio modo habebamus (n° 20). Ailleurs, on le voit hésiter sur la taxation d'un ouvrage : Credo quod taxatur in XVII petiis (n° 39). Plus loin, il constate avec satisfaction la présence de deux collections de Quaestiones doctorum, genre littéraire qui depuis douze ans n'était plus représenté dans son stock : Iam sunt XII anni quod nullam habui (n° 51), Etiam sunt XII anni quod nullam habui (n° 52). Le propriétaire du fonds avait donc depuis longtemps pignon sur rue.

Ces remarques fournissent quelques indices sur la destination du document. La mention d'un exemplar disparu et surtout la formule dubitative déjà relevée (Credo quod taxatur in XVII petiis) permettent d'écarter sans hésitation l'hypothèse d'une liste destinée au public : on n'imagine pas un commerçant faisant savoir par voie d'affiche à sa clientèle qu'il ignore le prix de l'un de ses articles. Il est tout aussi invraisemblable que ce relevé ait été établi à l'intention des autorités universitaires chargées de taxer les exemplaires : ce même aveu d'ignorance eût été en l'occurrence parfaitement oiseux. Reste donc que la liste a été dressée par le stationnaire à son usage personnel. C'est d'ailleurs un état du stock, et non un tarif : aucun prix n'est indiqué pour la location des pièces (13).

L'inventaire s'articule en plusieurs sections, séparées les unes des autres par un double interligne (14). Sont successivement recensés : les textes entrant dans la composition des deux Corpus (n°s 1-10) ; les apparatus correspondants (n°s 11-22) ; les Novissimae avec leur glose (n°s 23-24) ; enfin tout le reste de la littérature juridique : sommes, questions et traités divers. Ce plan n'a rien d'original. La répartition en trois groupes : textes, gloses ordinaires et libri extraordinarii apparaît déjà dans la liste de taxation bolonaise découverte par M. Boháček (15). On la retrouve dans l'inventaire de Solimano, dans la liste d'Autun (v. pl. VIII) et (sous une forme rudimentaire parce qu'elles sont plus courtes) dans celles de Dubrovnik et de Venise. Cette division correspond d'ailleurs à des dispositions pratiques : tout stationnaire était tenu de posséder au moins les textus et les apparatus ; pour le reste, le stock variait d'une boutique à l'autre (16).

A quelle date cet inventaire a-t-il été dressé ? Au plus tard dans les dernières années du XIIIe siècle, car on n'y trouve aucune mention du Sexte, promulgué par Boniface VIII en 1298 et aussitôt diffusé dans toutes les universités. On peut même remonter sans trop de risques cette limite jusqu'aux alentours de 1290, car la liste, malgré sa richesse en ouvrages divers, ignore le Speculum iudiciale de Guillaume Durant, terminé entre 1289 et 1291, et d'ailleurs absent lui aussi de l'inventaire de Solimano, mais présent dans la liste d'Autun. Plus délicate est la fixation du terminus post quem. La liste mentionne des décrétales novissimae (n° 23), ainsi que leur glose par Garsias (n° 24). Mais il existe deux recueils de Novissimae : le premier Cum nuper) a été promulgué par Grégoire X en 1274, le second (Cupientes) par Nicolas III en 1280 (17). Tous deux ont été glosés par Garsias (18). Le seul indice permettant de trancher la question est heureusement fourni par l'inventaire lui-même : l'exemplar contenant l'apparatus de Garsias (n° 24), comprenait deux quaterni, c'est-à-dire quatre pièces. Or dans les copies subsistantes -et précisément dans le ms. 9 de Montpellier- chacune des deux gloses de Garsias correspond à une distribution en huit pièces au moins (19). Il est donc impossible que l'apparatus recensé par notre inventaire désigne les deux gloses réunies : le texte serait trop long pour deux quaterni. Par conséquent, les Novissimae mentionnées par l'inventaire sont celles du recueil Cum nuper de 1274. Quant à la glose que Garsias leur a consacrée on ignore sa date exacte, mais on en connaît une copie datée de 1282 où elle est déjà qualifiée de glose ordinaire (20). Rassemblant ces diverses données, on peut conclure que l'inventaire a été rédigé entre 1280 (voire quelques années plus tôt) et 1290. Il est en tout cas antérieur à la liste d'Autun, qui date de la dernière décennie du siècle.

Deux caractéristiques confèrent au document de Montpellier son originalité. D'abord, le stationnaire distingue soigneusement, pour un certain nombre d'ouvrages, la composition de l'exemplar figurant dans sa boutique et celle de l'exemplar officiel servant à la taxation : cette double indication numérique apparaissait déjà dans la liste d'Autun, dont elle fait le principal intérêt (21). D'autre part -et sur ce point la liste M n'a aucun équivalent connu- il ressort immédiatement de la lecture de l'inventaire que la taxation n'est pas la règle universelle. A côté des exemplaria dont la location est soumise au contrôle des autorités universitaires, quantité d'autres semblent relever uniquement de la loi du marché : non seulement de nombreux titres ne sont accompagnés d'aucune mention de taxation, mais en deux cas il est formellement précisé à propos de l'exemplar: non taxatur (n° 10 et 22). Discordance entre la composition de l'exemplaire-étalon et celle des exemplaires loués par le stationnaire, existence d'un secteur libre : tels sont les deux enseignements que révèle la liste M. Ils conduisent à réviser quelques idées reçues concernant le fonctionnement du système.

1. La part du secteur libre

Sur soixante-trois ouvrages recensés, trente-six seulement sont signalés comme taxés et deux sont accompagnés de la mention opposée : non taxatur. Rien n'est dit du régime auquel étaient soumis les vingt-cinq autres textes (22). Faut-il en conclure que le prix de location des exemplaria correspondants était librement fixé par le stationnaire ?

Cette intreprétation paraît, en effet, la plus naturelle et même la seule conforme au sens obvie du texte : si le stationnaire, dont le souci de précision et la minutie ressortent à chaque ligne, n'indique pas de taxation, c'est que l'exemplar n'est pas taxé. Mais alors, pourquoi a-t-il éprouvé le besoin de noter : non taxatur en face de deux titres, si cette précision était superflue ? La réponse à cette objection doit être cherchée dans la nature même des ouvrages auxquels il a accolé cette formule. Il s'agit du textus Feudorum (n° 10) et de son apparatus (n° 22), c'est-à-dire de textes intégrés au Corpus juris civilis, que l'on s'attendrait donc à voir taxés. Or ils ne l'étaient pas. Cette exception s'explique sans doute par leur entrée tardive dans le Corpus. A l'époque où l'inventaire a été dressé, cette survivance devait toutefois commencer à paraître singulière, suffisamment en tout cas pour que le stationnaire prît soin de la noter afin de réserver ses droits. Mais ce qui faisait figure d'exception, ce n'était pas l'absence de taxation en soi : c'était qu'elle fût encore la règle pour les Libri feudorum et leur glose ordinaire, depuis long-temps matière d'enseignement.

Sur ce point, d'ailleurs, le témoignage du stationnaire est d'autant plus précieux qu'il apporte la solution d'une énigme à laquelle se sont jusqu'à présent heurtés les historiens du droit médiéval. Analysant le contenu de la liste d'Olomouc, M. Bohaček s'est à juste titre étonné de ne pas y trouver le texte des Libri feudorum (ainsi, d'ailleurs, que celui de l'apparat) (23). Après avoir rejeté l'hypothèse que ce texte aurait été primitivement joint aux exemplaria de l'Authenticum comme decima collatio, il a finalement reconnu qu'aucune explication satisfaisante ne rendait compte de cette lacune (24). Reprenant en 1972 l'examen du problème, R. Feenstra a estimé que l' "édition-standard" des Libri-feudorum avait été tardive et il a proposé pour celle-ci l'année 1279/1280 : cette date, figurant sur trois copies plus récentes, serait en réalité celle de l'exemplar officiel (25). Mais si par édition-standard on entend un texte contrôlé et taxé par l'Université, on ne comprend toujours pas, dans cette hypothèse, pourquoi dix ou quinze ans plus tard les Libri feudorum sont encore absents de la liste d'Autun, certainement postérieure à 1290 (26) et qui ne recense que des textes taxés. Tout s'explique au contraire de la manière la plus simple si, renonçant à ce postulat, on admet -comme le document conservé à Montpellier nous y contraint- que la diffusion d'un texte par voie d'exemplar n'implique pas nécessairement sa taxation préalable par les autorités universitaires. Pour le textus Feudorum et sa glose ordinaire on a désormais la preuve que le marché libre a précédé la taxation. Le cas n'est sans doute pas unique ; on peut même se demander s'il n'a pas été la règle générale. En comparant l'inventaire M et la liste bolonaise de 1317-1347, on constate en effet qu'un tiers des ouvrages sans mention de taxation dans la première figurent par contre dans la seconde (27). Entre ces dates extrêmes, la liste aujourd'hui à Autun signale comme taxée la Summa Archiepiscopi d'Henri de Suse, qui apparemment ne l'était pas à l'époque où M a été rédigé (28). Tout se passe donc comme si progressivement, et en fonction de critères qu'il faudrait dégager, certains textes passaient du secteur libre au secteur taxé, tandis que d'autres continuaient d'y échapper (29).

C'est en tenant compte de ces observations et à la lumière des données nouvelles apportées par M, que le problème de la datation de la liste d'Olomouc (O) devrait être réexaminé. Il existe, on le verra, un indice important, peut-être même décisif, en faveur de l'origine bolonaise de M. Or parmi les ouvrages inventoriés en M sans mention de taxation, il s'en trouve trois qui sont taxés en O : les Quaestiones de Barthélemi de Brescia (n° 50), la Summa Archiepicopi déjà citée n°s 32-36) et le Paenitentiarium de Jean de Dieu (n° 63) (30). Comme il est hautement improbable que les textes ainsi taxés aient brusquement cessé de l'être quelques années plus tard (d'autant qu'on les retrouve ultérieurement dans la liste de 1317-1347) (31), on est fondé à conclure que O est postérieur à M. Du même coup, la date de O devrait être avancée au moins au début des années 1280 (32). L'un des arguments les plus forts en faveur d'une datation haute de la liste d'Olomouc était l'absence des Novissimae de Grégoire X (1274) (33). Mais M nous apprend que celles-ci ne figuraient pas dans les textes taxés, à la différence des parties les plus anciennes du Corpus juris canonici (34) : situation semblable à celle des Libri feudorum parmi les textes de droit civil. L'absence des Novissimae ne prouve donc pas que 0 soit antérieur à la publication de ce recueil. La remarque pourrait être généralisée : du fait du décalage chronologique entre la diffusion d'une oeuvre par voie d'exemplar et sa taxation, une simple liste de taxation non datée risque toujours de paraître plus ancienne qu'elle ne l'est en réalité. Par contre, lorsqu'on a affaire à un inventaire exhaustif, regroupant textes taxés et textes non taxés, comme c'est le cas de M, ce risque de distorsion disparaît.

2. Le secteur taxé : réglementation et réalité

Une des caractéristiques de la liste de Montpellier est la minutie de ses descriptions. Le stationnaire a indiqué en détail la composition de chaque exemplar, usant à cette fin d'un vocabulaire hiérarchisé : quaternus, petia, carta (n° 53) ; il va même jusqu'à la colonne et à la demi-colonne. Sur le sens de ses termes aucun doute ne subsiste : le quaternus comprend deux peciae, chacune d'elles comptant quatre feuillets : la pecia n'est en définitive qu'une feuille de parchemin pliée en quatre. Par charta il faut entendre un bifolio (35). Le format est également signalé : il est question de parvi quaterni (n°s 23, 47, 64, 68) et de petie parve (n°s 52, 63, 70-72). Le petit format est d'ailleurs l'exception : neuf exemplaires seulement sur soixante-treize (36).

Après avoir ainsi noté la composition de l'exemplar qu'il a en magasin, le stationnaire indique, quand l'ouvrage est taxé, celle de l'exemplar-étalon. Si les deux concordent, il se borne à mentionner : et sic taxatus. S'il y a discordance, il indique le nombre de quaterni que compte l'exemplaire de taxation, en descendant, s'il le faut, jusqu'au demi-quaternus.

Cette double indication numérique figure aussi dans la liste d'Autun. Son sens apparaît clairement à la lecture des statuts bolonais de 1274-1276. Ceux-ci comportent la clause suivante touchant le renouvellement des exemplaires :

Item quod nullus stationariorum sine rectorum licentia, qui pro tempore fuerint, exemplaria in maiori peciarum vel quaternorum numero debeat renovare. Facta autem exemplaria per pecias minores, secundum quod rectores duxerint arbitrandum, iuxta modum exemplariorum veterum reformentur (37).

Ces dispositions avaient pour objet de limiter les abus auxquels pouvait facilement donner lieu le remplacement des jeux de pièces usés, ainsi que la multiplication des exemplaires à l'intérieur, non seulement de la même ville, mais de la même boutique. Niée jadis par Destrez (38), cette pluralité simultanée des exemplaires est aujourd'hui admise par tous les spécialistes. La liste de Montpellier en offre d'ailleurs une nouvelle illustration : on y voit que le stationnaire avait en stock trois exemplaria de l'Apparatus Trium Librorum Codicis (n°^{s} 19-21), tous de structure différente. Or le prix de location d'un exemplar dépendant, au moins en partie, du nombre des pièces, la modification de celui-ci risquait de fausser le système. D'où la règle posée par les statuts, que les nouveaux exemplaires compteraient autant de pièces que les anciens. Elle admettait toutefois des dérogations, relevant du pouvoir discrétionnaire des autorités universitaires. Ce mécanisme ayant été déjà analysé par M. Bohaček et H. V. Shooner, nous ne nous y attarderons pas (39). A en juger par la liste de Montpellier il semblerait que dans la pratique les exceptions à la règle posée par les statuts aient été fréquentes, car ici, sur trente-huit exemplaires taxés, il n'y en a que trois (n°^{s} 13, 16 et 64) dont la composition coïncide avec celle de l'exemplar-étalon. Comme on pouvait s'y attendre, le nombre des pièces de l'exemplar dérivé est dans la majorité des cas supérieur à celui de l'exemplar de taxation (40). Dans la liste d'Autun, plus récente, la discordance entre exemplar inventorié et exemplar de taxation atteint une moindre proportion : vingt-et-un item sur trente-neuf (41). Faut-il voir dans ce relatif retour à la norme l'effet d'une application plus stricte des statuts ? En tout cas, c'est une chance que les auteurs des deux listes aient pris soin de noter minutieusement la composition des exemplaires aberrants. Pour chacun d'eux on dispose désormais d'une véritable fiche signalétique, permettant de suivre leur trace dans le temps et dans l'espace.

3. La liste de Montpellier et celle d'Autun émanent-elles de la même boutique ?

La question qui se pose aussitôt est de savoir si certains des exemplaires irréguliers attestés dans l'inventaire de Montpellier ne se retrouvent pas dans la liste d'Autun. Toutes deux ont en commun vingt et un textes pour lesquels la structure de l'exemplaire recensé diffère de celle de l'exemplaire de taxation (42). Or, de fait, on constate dans neuf cas que le nombre des pièces et, éventuellement, des colonnes est rigoureusement identique d'une liste à l'autre. En voici le relevé (43) :

M 9. Textus Trium Librorum Codicis in petiis, .viii. quat(erni) minus .viii. col(umpnis), taxatus .vii. quat(ernis).

A 6. Textus Trium Librorum Codicis, .xv. pec(ie) et med(ia), tassatus .vii. quat(ernis).

M 11. Apparatus Decretorum in petiis, .xxix. quat(erni) et una petia, taxati in .xxx. quat(ernis).

A. 17. Apparatus Decretorum, pec(ie) .lix., tass(atur) .lx.

M 14. Apparatus FF. Veteris in petiis, .xlii. et .viii. col(umpne), taxati in .xlii. quat(ernis).

A 11. Apparatus FF. Veteris, .xlii. et colump(ne) .viii., tass(atur) .xlii. quat(ernis).

M 15. Apparatus Inforciati cum Tribus Partibus in petiis, .xxxii. et .ii. col(umpne), taxati in .xxx. quat(ernis).

A 13. Apparatus Inforciati, .xxxii. quat(erni) et colump(ne) .ii., tass(atur) .xxxii. quat(ernis) cum Tribus Partibus.

M 19. Apparatus Trium Librorum Codicis in petiis, .vi. quat(erni) et una petia, taxati in .v. quat(ernis).

A 16. Apparatus Trium Librorum, .vi. quat(erni) et dimid(ius), tass(atur) .v. quat(ernis).

M 39. Casus Decretalium cum Novis in petiis, .xvii. quat(erni) et .iiii.^{or} col(umpne). Credo quod taxatur in .xvii. quat(ernis).

A 27. Casus Decretalium, .xvii. quat(erni) et .iiii.^{or} col(umpne), tass(atur) .xvi. quat(ernis).

M 45. Libellus Rofredi in iure civili in petiis, .xxviiii. quat(erni) et .x. col(umpne), taxati in .xxviii. quat(ernis).

A 29. Super libello in iure civili, .xxxix. [sic] quat(erni) et .x. col(umpne), tass(atur) .xxviii.

M 46. Libellus Rofredi in iure canonico in petiis, .xvii. petie et .iiii.^{or} quat(erni) [sic pro columpne], taxate in .viii. quat(ernis).

A 25. Super libello in iure canonico, .xvii. pec(ie) .iiii. col(umpne), tass(atur) .xvi.

M 60. Dispensationes Iohannis de Deo in petiis, .ii. et media, taxate .i. quat(erno).

A 36. Dispensationes, .i. quat(ernus) .viii. col(umpne), tax(atur) .i. quat(erno).

De toute évidence, le hasard ne peut expliquer ces résultats, qui portent sur près de la moitié du matériel comparable. Force est donc de conclure qu'il existe un lien, dont la nature reste à préciser, entre le fonds inventorié dans la liste de Montpellier et celui que révèle la liste d'Autun. Ou bien on a affaire au même stationnaire, dont le stock s'est progressivement modifié au cours des années qui séparent les deux inventaires, tout en conservant un noyau identique. Ou bien il s'agit d'un successeur chez lequel subsiste une partie du stock antérieur, quelles que soient d'ailleurs les modalités de cette transmission : héritage ou achat du fonds. Entre ces différentes hypothèses il est impossible de trancher absolument, bien que la seconde soit plus probable, en raison notamment des différences de main et de vocabulaire ; mais la conclusion est suffisamment inattendue pour qu'on en souligne l'intérêt.

Resterait à entreprendre, mais cette fois à partir d'autres sources, une enquête sur le rôle joué par cette officine dans la production des livres juridiques en Italie à la fin du XIIIe siècle. Là encore le seul indice est la structure des exemplaria dérivés telle qu'elle est décrite dans les deux inventaires. En d'autres termes : à défaut de retrouver aujourd'hui l'un de ces exemplaires, peut-on du moins identifier des copies faites sur tel ou tel d'entre eux, et qui auraient survécu ?

Une telle investigation débordant largement le cadre du présent travail, on se bornera ici à deux rapprochements.

G. Battelli a été l'un des premiers à signaler sous le nom de pecia impropria, l'existence de manuscrits où la division en pièces ne correspond pas à celle des listes officielles (44). Pour le texte du Digestum vetus cette discordance est relativement fréquente. Alors que les documents officiels bolonais (liste d'Olomouc et statuts de 1317-1347) fixent la taxation sur la base de trente quaterni (c'est-à-dire soixante pièces), une demi-douzaine de copies conservées, toutes originaires de Bologne, portent des mentions attestant une division en soixante-treize pièces. L'un de ces manuscrits est aujourd'hui à Paris (Bibl. nat., lat. 14339). Les autres, décrits par G. Battelli, sont conservés à la Bibliothèque Vaticane (Pal. lat. 731 et 732 ; Vat. lat. 1409, 1411 et 2513) (45). Or la liste d'Autun, tout en confirmant, comme celle de Montpellier, le principe d'une taxation en trente quaterni, recense un exemplar divisé en trente-six quaterni et demi, autrement dit soixante-treize pièces (n° 2). Cet exemplar dérivé pourrait donc fort bien avoir servi de modèle aux six manuscrits étudiés par Battelli qui datent de la fin du XIIIe ou du XIVe siècle.

Plus significatif encore est le cas d'un manuscrit du Digestum novum conservé aujourd'hui dans l'Archivio capitolare de Pistoie sous la cote C 154 et récemment analysé par Stefano Zamponi (46). Ce volume date de la seconde moitié du XIIIe siècle, plus précisément même de la décennie 1270-1280 (47). Or dans cette copie le texte est divisé en soixante-six pièces (trente et une pour la première partie et trente-cinq pour la seconde), ce qui correspond exactement à la structure de l'exemplar décrit dans la liste d'Autun (48). Nous pouvons maintenant y ajouter celui de la liste de Montpellier, qui selon toute apparence ne fait qu'un avec le précédent.

Enfin le manuscrit de Pistoie permettrait d'apporter une réponse probable à la question que nous avons jusqu'à présent laissée de côté : dans quelle ville était installée la boutique de ce stationnaire ? Les taxations indiquées par les listes de Montpellier et d'Autun concordent presque toujours avec celles de Bologne (49). Mais à elle seule cette coïncidence ne prouve rien, car Bologne a servi de modèle à toutes les universités d'Italie. L'origine bolonaise du décor dans le manuscrit de Montpellier et dans les copies citées plus haut constitue une présomption supplémentaire. Elle ne suffit pas toutefois à dissiper entièrement l'incertitude, car les ateliers bolonais ont également illustré des manuscrits copiés dans d'autres centres, comme Padoue. Il faudrait donc un indice plus précis, et c'est le manuscrit de Pistoie qui le fournit. A la fin de plusieurs cahiers on y trouve, en bordure de la marge inférieure, la mention d'un certain Bartolomeo della capella di S. Isaia, -probablement un stationnaire, comme le remarque S. Zamponi (50). Quant à la capella di S. Isaia, elle désigne une ancienne division territoriale de Bologne (51). C'est donc en cette ville qu'il conviendrait de localiser le fonds recensé par les listes de Montpellier et d'Autun.

Quoiqu'il en soit de ce dernier point, le principal intérêt de ces inventaires, échappés comme par miracle à la destruction, est d'apporter un éclairage nouveau sur le fonctionnement d'une institution beaucoup plus complexe qu'on ne l'a longtemps cru. Leur examen mène à penser, contrairement à l'opinion ancienne, que les trois fonctions attribuées à la pecia : authentification, multiplication et taxation des textes, n'entretiennent entre elles que des rapports accidentels.

III. TABLE ET CONCORDANCE DES LISTES

Pour chaque texte, on a d'abord indiqué la composition de l'exemplar inventorié par le stationnaire dans les listes de Montpellier et d'Autun (52) :

M : Montpellier, Bibl. interuniv., Médecine 9, f. 3v.

A : Autun, Bibl. mun. 101 [Libri 81], f. 1r.

On a ensuite mentionné la composition de l'exemplar servant de base à la taxation telle qu'elle est mentionnée dans ces mêmes documents, puis dans les autres listes :

D : Dubrovnik, Dominikanska Bibl. 1 [36. VII. 15], f. 267v

V : Venise, Bibl. Marciana, lat. IV. 37 [2214], f. 110r,

enfin dans les sources officielles :

O : Olomouc, Bibl. capitul. C. O. 209, f. 163v

B : taxation bolonaise de 1317-1347.

A ces listes on a ajouté, bien qu'il ne mentionne pas la structure des exemplaires :

S : inventaire du fonds de Solimano di Martino (30 juillet 1289).

La composition de l'exemplar est indiquée en quaterni (q.), peciae (p.), et le cas échéant en chartae (cart.) et colonnes (col.).

ACCURSIUS,
- Apparatus Authenticorum : 8 q. + 1 p., M 18 ; 9 1/2 q., A 15.
Tax. 9 q. : M 18, A 15 ; D 11, V 7 ; O 16, B 73. - S 20.
- Apparatus Codicis. Tax. 32 q. : M 13, A 10 ; D 2, V 1 ;
0 10, B 67. - S 15.
- Apparatus Digesti Novi. Tax. 35 q. : V 3 ; 37 q. : M 16,
A 12 ; O 12, B 68. - S 18.
- Apparatus Digesti Veteris : 42 q. + 8 col., M 14, A 11. Tax.
42 q. : M 14, A 11 ; D 4, V 2 ; O 11, B 66. - S 16.
- Apparatus Infortiati cum Tribus Partibus : 32 q. + 2 col.,
M 15, A 13. Tax. 30 q. : M 15 ; 32 q. : A 13, B 69 ; 24 q. + 8 q. :
V 4 + V 5, O 13 + O 14 ; 33 q. : D 6 + D 7. - S 17.
- Apparatus Institutionum : 9 q. + 14 col., M 17 ; 9 q., A 14.
Tax. 8 q. : A 14 ; 9 q. : M 17 ; D 9, V 6 ; O 15, B 70. - S 19.
- Apparatus Trium Librorum Codicis : 6 q. + 1 p., M 19 ; 6 1/2
q., A 16. Alio modo : 10 p. + 6 col., M 20 ; 11 p. + 8 col., M 21.
Tax. 5 q. : M 19, A 16 ; D 13, V 8 ; O 17, B 74. - S 66.

AEGIDIUS FUSCARARIUS,
- Libellus (Ordo iudiciarius) : 5 q. + 10 col. parvi quaterni,
M 47. Tax. 5 q. : B 23. - S 54.

ALBERTANUS (ALBERTUS GALEOTTUS),
- Summula quaestionum sive Margarita : 7 q. - 4 col., non
magni sed parvi, M 68. Tax. 3 q. : B 105.

Apparatus Authenticorum : v. ACCURSIUS.
Apparatus Codicis : v. ACCURSIUS.
Apparatus Decretalium : v. BERNARDUS PARMENSIS.
Apparatus Decretorum : v. BARTHOLOMAEUS BRIXIENSIS.
Apparatus Digesti Novi : v. ACCURSIUS.
Apparatus Digesti Veteris : v. ACCURSIUS.
Apparatus Infortiati : v. ACCURSIUS.
Apparatus Institutionum : v. ACCURSIUS.
Apparatus Trium Librorum Codicis : v. ACCURSIUS.
Apparatus Usus Feudorum : v. IACOBUS COLUMBI.
Authentica Codicis : 3 p. - 2 col., et parve, M 72. - S 66.

AZO,
- Brocarda : 17 p. - 1 1/4 cart., M 53. Tax. 8 q. : B 90. -
S 56.
- Summa super Codicem et Institutiones. Tax. 30 q. : M 40,
A 22 ; D 18 ; O 20. - S 49. Summa super Codicem et Institutiones
cum Extraordinariis (Iohanis Bassiani Summa Authenticorum etc.) : 38
q. - 7 1/2 col., M 40 ; 44 q. + 7 col., A 22. Tax. 34 (?) q. : B 79
(Padoue, 44 q.). Cf. IOHANNES BASSIANUS, Summa Authenticorum.

BARTHOLOMAEUS BRIXIENSIS,
- Apparatus Decretorum : 29 q. + 1 p., M 11 ; 59 p., A 17.

Tax. 30 q. : M 11, A 17 (60 p.) ; D 15 ; O 18, B 10. - S 24.
- Casus Decretorum cum Historiis super libro Decretorum : 20 q. - 1 col., M 38. Tax. 20 q. : M 38, A 28 ; D 22 ; O 26 ; B 17. - S 38.
- Quaestiones (dominicales et veneriales) : 5 q. - 7 col., M 50. Tax. 5 q. : O 43 ; 7 q. : B 35. - S 46.

BERNARDUS COMPOSTELLANUS iunior,
- Apparatus in Novis Innocentii : v. BERNARDUS PARMENSIS, Apparatus Decretalium cum Novis Innocentii.
- Margarita : 1 q. parvus - 2 col., M 73. Tax. 2 q. : B 31. - S 58.

BERNARDUS PARMENSIS,
- Apparatus Decretalium, cum Bernardi Compostellani iunioris Apparatu in Novis Innocentii : 41 q. + 8 col., M 12 ; 42 q. + 6 col., A 24. Tax. 39 q. : M 12 ; D 17 ; O 19, B 11. - S 23.
- Casus longi : 17 q. + 4 col., M 39, A 27. Tax. 17 (?) q. : M 39 ; 16 q. : A 27 ; O 25, B 16. - S 37.

Casus Authenticorum : v. GUILLELMUS PANZO.
Casus Decretalium : v. BERNARDUS PARMENSIS.
Casus Decretorum cum Historiis : v. BARTHOLOMAEUS
                                     BRIXIENSIS.
Casus longi Institutionum : v. GUILLELMUS ACCURSII.
Casus Trium Librorum Codicis : 7 p. - 5 col., M 57. Tax. 3 q. : B 88. - S 58.

DAMASUS,
- Brocarda in iure canonico : 3 p., M 54. Tax. 2 q. : B 38. - S 57.

GOFFREDUS DE TRANO,
- Summa super rubricis Decretalium : 17 q. + 5 col., M 37, Tax. 17 q. : M 37, A 23 ; D 20 : O 22, B 13. - S 28.

GUILLELMUS ACCURSII,
- Casus longi Institutionum : 7 q. - 1 col., M 55. Tax. 8 q. : M 55 ; 7 q. : B 89.

GUILLELMUS PANZO,
- Casus Authenticorum : 4 q. - 3 1/2 col., M 56. Tax. 5 q. : B 87.

HENRICUS DE SEGUSIA, EBREDUNENSIS archiepiscopus, postea OSTIENSIS cardinalis,
- Apparatus (Lectura in Decretales Gregorii IX) : 156 q. + 26 col., (lib. I : 42 q. ; lib. II : 42 q. + 8 col. ; lib. III : 36 q. + 11 col.; lib. IV : 9 q. ; lib. V : 27 q. + 7 col.), M 25-29. Tax. 156 q. : B 1. - S 25.

- Summa super titulis Decretalium : 67 q. + 1 p. + 10 1/2 col. (lib. I : 15 q. + 8 col. ; lib. II : 15 q. - 3 col. ; lib. III : 13 q. ; lib. IV : 7 q. + 1 p. ; lib. V : 17 q. + 5 1/2 col.), M 32-36 ; 58 q. - 5 col., A 30. Tax. 60 q. : A 30 ; O 28, B 2. - S 26.

IACOBUS COLUMBI,
- Apparatus Usus Feudorum : 7 p. + 6 col., M 22. Non tax. : M 22. Tax. 3 q. : D 25 ; B 75. - S 22.

INNOCENTIUS papa IV (SINIBALDUS FLISCUS),
- Apparatus in quinque libros Decretalium : 44 q. + 16 col., M 30 ; 42 q., A 20. Tax. 42 q. : A 2O ; 43 q. : B 3. - S 27.

IOHANNES BASSIANUS,
- Summa Authenticorum : 2 q. + 12 col., M 41. Tax. 2 1/2 q. : M 41 ; O 21 ; 3 q. : D 19.

IOHANNES DE DEO,
- Cavillationes : 5 q., M 64, A 37. Tax. 5 q. : M 64, A 37 ; B 33 ; 6 q. : O 30. - S 31.
- Dispensationes : 2 1/2 p., M 60 ; 1 q. + 8 col., A 36. Tax. 1 q. : M 60, A 36 : O 37 : 3 q. : B 34. - S 29.
- Distinctiones : 8 q. - 2 col., M 61. Tax. 8 q. : M 61, A 32 ; O 31. - S 30.
- Libellus : 2 q. - 4 col., M 65. Tax. 2 q. : M 65 ; O 35 ; 1 q. : B 44. - S 36.
- Paenitentiarium : 3 q. - 8 col., M 63. Tax. 3 q. : O 40, B 37. - S 32.
- Pastorale : 2 q. + 8 col., M 66. Tax. 3 q. : O 36, B 50. - S 33.
- Perfectio Hugutionis sive Summa super quatuor causis Decretorum : 7 p. + 6 col., M 67. Tax. 3 1/2 q. : M 67 ; O 41 ; 2 q. : B 41. - S 35.
- Quaestiones : 4 q. - 8 col., M 62. Tax. 5 q. : M 62, A 38 ; O 39. - S 34.

IOHANNES GARSIAS,
- Apparatus Novissimarum : 2 q., M 24.

MARTINUS SYLLIMANI,
- Summa Feudorum : 2 q., M 44.

ODOFREDDUS,
- Additiones super Summam Azonis : 2 q., M 43.

PETRUS DE SAMSONE,
- Lectura in Decretales Innocentii IV : 15 q. - 2 col., M 31. - S 53.

PILIUS,
- Quaestiones : 5 q. + 12 col., M 48. Tax. : M 48. Tax. 5 q. :
O 45, B 91. - S 44.
Quaestiones doctorum in iure canonico : 7 p. parve, M 52. -
S 62.
Quaestiones doctorum in iure civili : 15 p. + 3 col., M 51. -
S 61.

ROFFREDUS,
- Libellus in iure canonico : 17 p. + 4 col., M 46, A 25. Tax.
8 q. : M 46, A 25 (16 p.) ; O 23, B 15 ; 23 (!) q. : D 21. - S 41.
- Libellus in iure civili : 29 q. + 10 col., M 45 ; 39 (!) q. + 10
col., A 29. Tax. 28 q. : M 45, A 29 ; D 23 ; B 78 ; 29 q. : O 27.
- S 52.
- Quaestiones : 5 q. + 14 col., M 49 ; 11 p., A 26. Tax. 5 q. :
M 49, A 26 (10 p.) ; O 24, 44, B 93. - S 45.

ROLANDINUS (PASSAGERII),
- Aurora : 13 p. parve (non completa), M 71. - S 43.
- Flos : 7 p. parve, M 70. - S 43.
- Summa artis notariae : 9 q. + 12 col., M 69. Tax. 12 1/2 q. :
M 69 ; 7 q. : B 104. - S 42.
Summa Authenticorum : v. IOHANNES BASSIANUS.
Summa Feudorum : plures, M 44 ; cf. MARTINUS SYLLIMANI.
Summa Trium Librorum Codicis : 2 q. + 4 col;, M 42.

TANCREDUS,
- Libellus (Ordo iudiciarius) : 3 q. + 2 col., M 58. Tax. 1 q. :
O 46 ; 6 q. : B 32. - S 67.
- Summa de matrimonio : 3 p. + 2 col., M 59. - S 68.
Textus Authenticorum : 14 q. + 1 p. + 6 col., M 8 ; 14 1/2 q.,
A 7. Tax. 14 q. : M 8, A 7 ; D 10, V 14 ; O 6, B 61. - S 6.
Textus Codicis : 31 q. + 1 p., M 3. Tax. 28 q. : M 3, A 1 ;
D 1, V 9 ; O 1, B 57. - S 1, 14.
Textus Decretalium, cum Novis Innocentii : 25 q. + 7 col.,
M 2 ; 26 q. + 5 col., A 9. Tax. 25 q. : M 2, A 9 ; D 16 ; O 9 ; 24
q. : B 53 (sine Novis). - S 12, 13.
Textus Decretorum : 47 q. - 10 col., M 1 ; 50 q., A 8. Tax.
36 q. : M 1, A 8 ; D 14 ; O 8 ; 47 q. : B 52. - S 10, 11.
Textus Digesti Novi : 33 q. - 3 col., M 6 ; 33 q., A 3. Tax.
28 q. : M 6, A 3 ; V 11 ; O 3, B 59. - S. 4.
Textus Digesti Veteris : 36 q. + 1 p. + 2 col., M 4 ; 36 1/2 q.,
A 2. Tax. 30 q. : M 4, A 2 ; D 3, V 10 ; O 2, B 56. - S 2.
Textus Feudorum : 2 q. - 8 col., M 10. Non tax., M 10. Tax.
2 q. : D 24 ; 1 q. : B 63. - S 8.
Textus Infortiati cum Tribus Partibus : 34 q. - 4 col., M 5 ;
34 q., A 4. Tax. 27 1/2 q. : M 5, A 4 ; O 4 ; 27 q. : B 58. - S 3.
Textus Institutionum : 7 q. - 4 col., M 7. Tax. 7 q. : M 7,
A 5 ; D 8, V 13 ; O 5, B 60. - S 5, 9.

Textus Novissimarum (Gregorii X, A. D. 1274) : 1 q. parvus - 2 col., M 23.

Textus Trium Librorum Codicis : 8 q. - 8 col., M 9 ; 15 1/2 p., A 6. Tax. 7 q. : M 9, A 16 ; D 12, V 15 ; O 7, B 62. - S 7.

NOTES

(1) Bologne, Archivio di Stato, Memoriali, vol. 76, f. 326ra. Edition L. Frati, Gli stazionari bolognesi nel Medio Evo, in Archivio storico italiano, ser. 5, t. 45 (1910), p. 388-390. Texte de nouveau publié par le P. R. A. Gauthier dans sa préface au tome XLVII de l'édition Léonine, Sententia libri Ethicorum, Rome, 1969, p. 86*-87*.

(2) J. Destrez, La Pecia dans les manuscrits universitaires du XIIIe et du XIVe siècle, Paris, 1935, p. 32-33.

(3) Th. Kaeppeli et H. V. Shooner, Les manuscrits médiévaux de Saint-Dominique de Dubrovnik, Rome, 1965, Appendice II, Listes de taxation d'ouvrages de droit, p. 111-129.

(4) H. Denifle, Die Statuten der Juristen Universität Bologna vom J. 1317-1347 und deren Verhältnis zu jenen Paduas, Perugias, Florenz, in Archiv für Literatur- und Kirchengeschichte des Mittelalters, t. 3 (1887), p. 298-302. Cette liste a été reprise à Bologne même en 1432 ; elle a été également insérée dans les statuts des universités de Padoue (1331) et de Florence (1387). Cf. Destrez, Listes d'exemplaria publiées par les universités médiévales, in Scriptorium, t. 7 (1953), p. 80.

(5) Olomouc, Bibl. capitul. C. O. 209, f. 163v. Docuement magistralement édité par Miroslav Boháček, Zur Geschichte der Stationarii von Bologna, in Symbolae Raphaeli Taubenschlag dedicatae, II, Wroclaw, 1957, p. 241-295 (numéro spécial de la revue Eos, t. 48-2). Version italienne mise à jour : Nuova fonte per la storia degli stazionari bolognesi, in Studia Gratiana, t. 9 (1966), p. 409-460 (liste p. 419-426).

(6) La notice de quelques lignes de G. Libri dans le Catal. gén. des manuscrits des bibl. publiques des départements (série in 4°), t. I, Paris, 1849, p. 288, est non seulement périmée, mais inexacte : "Summa juris canonici, auctore Raimundo, cum glossa" (l'erreur remonte à G. Haenel, Catalogi librorum manuscriptorum..., Leipzig, 1830, col. 243).

(7) A. Conti, La miniatura bolognese, Scuole e botteghe, 1270-1340, Bologne, 1981, p. 51-52. Je remercie vivement M. Alessandro Conti, qui a bien voulu examiner un échantillon du décor du manuscrit de Montpellier et me communiquer ses conclusions.

(8) "Item ung autre tresbeau grant volume contenant les Decretales bien glosees, figurees et enluminees de grans hystoires d'or, commençant on texte du tiers feullet apres la table fideles Christi sunt, et finissant on texte du penultime devant une grande table "de consanguinitate et affinitate" statuta ibidem. Ainsi signé : R 13." (La bibliothèque de l'abbaye de Clairvaux du XIIe au XVIIIe siècle, t. I, Catalogues et répertoires publiés par A. Vernet et J.-F. Genest,

Paris, 1979, p. 252 ; cf. p. 752, n. 73 : "Summa juris canonici. Cod. membr. fol.", parmi les volumes choisis par Prunelle à Troyes en 1804 et expédiés ensuite à l'Ecole de médecine de Montpellier).

(9) Figurant parmi les archives Destrez, conservées aujourd'hui à Paris, à la bibliothèque du Saulchoir.

(10) L'exemplar est le plus souvent signalé comme "duplicatum", "triplicatum", voire "quadruplicatum".

(11) Un calcul effectué à partir des mentions citées à la note précédente révèle l'existence d'au moins cent-cinquante-cinq exemplaria complets, auxquels viennent s'ajouter des jeux de pièces incomplets.

(12) A côté des ouvrages de droit, le fonds de Solimano comprenait aussi un Avicenne (n° 50), une Bible (n° 51) et un Galien (n° 55). Dans la liste de Montpellier, le nombre des titres offerts à la clientèle est inférieur à celui des articles, car certains ouvrages distribués en plusieurs livres se voient réservés autant d'item (n°s 25-29, 32-36). De plus, chacun des exemplaria de l'Apparatus Trium Librorum Codicis forme à lui seul un article (n°s 19-21).

(13) Aucune trace de clouage n'apparaît sur le document. Par contre, la liste a fait l'objet d'un pointage : dans la marge de droite, en face de chaque article on a tracé après coup, au plumeau renversé, un double trait oblique (//). En outre, on trouve en face des n°s 7 (Textus Institucionum et 14 (Apparatus FF. Veteris) un signe supplémentaire en forme de croix.

(14) Même disposition dans les listes de Venise et d'Autun (cf. Shooner, Listes de taxation, p. 119 et 120-121).

(15) Bohaček, Nuova fonte, p. 429-432.

(16) Selon les statuts de 1317 ; "Teneatur eciam stacionarius librorum in stacione tenere et comodare omnes pecias, saltem in textu et ordinariis glosis et in iure canonico et civili (...) Extraordinarios autem libros vel ipsorum exempla possint rectores cum conscilariis per diversas distribuere staciones, prout viderint convenire, et stationarii teneantur illorum ordinacioni parere". Denifle, Die Statuten der Juristen Universität Bologna, p. 292.

(17) Schulte (F. von), Geschichte der Quellen und Literatur des canonischen Rechts, t. II, Stuttgart, 1877, p. 30-34. Cf. R. Naz, s. v. Novelles Grégoriennes, in Dictionnaire de droit canonique, t. VI, Paris, 1957, col. 1023.

(18) Schulte, ibid., p. 161-162.

(19) Dans ce manuscrit, l'Apparatus de Garsias sur le recueil de Grégoire X (f. 244-253v) correspond à un exemplar comprenant plus de sept pièces ; quant à l'Apparatus sur le recueil de Nicolas III (f. 254-261vb) il porte en marge du f. 261ra l'inscription : "fi. .vii."

(20) Erlangen, Universitätsbibl. 350 [Irmischer 464], f. 243v : "Expliciunt glose ordinarie novarum constitucionum domini Gregorii pape decimi a domino Garcia iuris civilis et canonici professore composite. Deo gracias. Anno Domini M°CC°LXXXII°". (H. Fischer, Katalog der Handschriften der Universitätsbibliothek Erlangen, t. I, Erlangen, 1928, p. 409).

(21) Shooner, Listes de taxation, p. 116-118.

(22) Ces ouvrages sans mention de taxation correspondent aux numéros 23, 24, 25-29, 30, 31, 32-36, 42, 43, 44, 47, 50, 51, 52, 53, 54, 56, 57, 58, 59, 63, 68, 70, 71, 72, 73. - Pour la liste d'Autun, le problème ne se pose pas, car elle ne contient que des ouvrages taxés. Là où la formule tassatur n'apparaît pas, on constate en effet que le nombre des pièces coïncide avec celui qu'indiquent les

deux listes bolonaises. L'absence de la mention tassatur dans A équivaut donc à la note sic taxatus dans M.

(23) Bohaček, Nuova fonte, p. 435-436.

(24) Ibid.

(25) R. Feenstra, Deux manuscrits du Corpus iuris civilis au Château d'Anholt et un problème de datation, in Texts and Manuscripts, Essays presented to G. I. Lieftinck, t. 2, Amsterdam, 1972, p. 85.

(26) Puisqu'elle signale le Speculum judiciale de Guillaume Durant, achevé entre 1289 et 1291, et la Lectura sur le Décret, de Perceval de Milan, mort entre 1287 et 1290 (cf. Shooner, Listes de taxation, p. 113). Avant 1317, la seule liste d'exemplaria taxés où apparaissent les Usus feudorum et leur glose est celle de Dubrovnik, malheureusement non datée (Shooner, ibid., p. 119).

(27) En voici le relevé par ordre alphabétique des auteurs : le Libellus d'Aegidius Fuscararius (47), la Summula quaestionum d'Albertus Galeottus (68), les Brocarda d'Azo (53), les Casus Trium Librorum Codicis (57), les Brocarda in iure canonico de Damasus (54), les Casus Authenticorum de Guillelmus Panzo (56), l'Apparatus d'Henri de Suse (25-29) et celui d'Innocent IV (30) : soit au total huit ouvrages.

(28) Nos 32-36 dans la liste de Montpellier, 30 dans celle d'Autun.

(29) A Paris, l'existence de ces deux secteurs est attestée par les décisions de l'Université sur le serment des stationnaires, prises en 1275 et en 1302. Dans la première il est stipulé "quod pro exemplaribus aliquid ultra justum et moderatum salarium vel mercedem, seu ultra id quod ab Universitate vel deputatis ab ea taxatum fuerit, non exigent a quocunque". (H. Denifle et E. Chatelain, Chartularium Universitatis Parisiensis, t. I, n° 462, p. 533). Dans la seconde on lit: "Item jurabitis quod pro exemplaribus ab Universitate non taxatis ultra justum et moderatum precium vel salarium non exigetis". (Ibid., t. II, n° 698, p. 98).

(30) Dans la liste d'Olomouc, ces trois ouvrages se trouvent respectivement sous les numéros d'édition 43, 28 et 40 (Bohacek, Nuova fonte, p. 425 et 421).

(31) Nos 35, 2 et 37 (Denifle, Die Statuten der Juristen Universität Bologna, p. 298-299).

(32) Le seul indice dont on dispose pour dater le règlement sur les stationnaires transcrit avec O est la mention qui y est faite du bedellus generalis, Arditio. Divers actes attestent qu'il occupait cette charge en 1265, 1268 et 1273. On sait, d'autre part, qu'il a exercé le métier de stationnaire de 1256 à 1287 (Bohaček, Nuova fonte, p. 444-451). Aucune de ces données ne s'oppose à ce que la liste O ait été dressée dans les années 1280, quelle que soit par ailleurs la date des statuts. En effet, comme l'observe M. Bohaček lui-même (ibid., p. 432-433), il ne s'agit pas d'une liste de taxation générale, mais seulement du relevé des exemplaria taxés en dépôt chez un stationnaire déterminé. La liste peut donc fort bien être plus récente que le règlement copié à la suite.

(33) D. Maffei, dans un important article publié en 1975, a suggéré que les dispositions concernant les stationnaires contenues dans le manuscrit d'Olomouc pourraient remonter aux statuts de 1252 (Un trattato di Bonaccorso degli Elisei e i più antichi statuti dello studio di Bologna nel manoscritto 22 della Robbins Collection, in Bulletin of Medieval Canon Law, t. 5 (1975), p. 92-93). A l'appui de cette conjecture, il invoque l'absence, dans la liste O, d'ouvrages indubitablement postérieurs à 1252. Mais cet argument a silentio présuppose que toute oeuvre accessible sous forme d'exemplar a nécessairement fait l'objet d'une

taxation préalable : présupposé que la liste de Montpellier oblige aujourd'hui à abandonner.

(34) Voir n°^{S} 23-24.

(35) Cf. Shooner, Listes de taxation, p. 116, qui cite notamment d'après Orlandelli un acte passé à Bologne le 7 juin 1303, concernant une vente de livres "in peciis (...), faciendo duas pecias unum quaternum". (G. Orlandelli, Il libro a Bologna del 1300 a 1330, Bologne, 1959, p. 64). La comparaison de la liste d'Autun avec O et B (statuts de 1317) confirme l'équivalence entre pecia et demi-quaternus. On sait d'autre part, d'après les statuts, que chaque pecia comprenait seize colonnes, donc quatre folios (cf. P. Sella, La "pecia" in alcuni statuti italiani, in Rivista di storia del diritto italiano, 1929, p. 548-551). Ces données concordent avec la définition du quaternus par Jean de Gênes : "ubi quatuor chartae seu octo folia" (Du Cange, Glossarium mediae et infimae latinitatis, ed. nova, 1883-1887, t. VI, p. 604), d'où résulte aussi l'identité entre charta et bifolio. C'est ainsi que les "Brocarda Açonis in petiis, .xvii. petie minus una carta et quarta parte alterius" (53) comprenaient seize pièces, plus une dix-septième réduite à un bifolio dont la dernière page était blanche.

(36) Pour la Margarita d'Albertus Galeottus, la discordance apparente entre les sept quaterni moins quatre colonnes, "non magni, sed parvi" (n° 68), et les trois quaterni de la liste de 1317, s'explique par un changement dans le format de l'exemplar.

(37) Bohaček, Nuova fonte, p. 427.

(38) Destrez, La pecia, p. 63-72.

(39) Bohaček, Nuova fonte, p. 455-457 ; Shooner, Listes de taxation, p. 116-118.

(40) N°^{S} 1-9, 12, 14, 15, 17, 19-21, 37, 39, 40, 45, 46, 49, 55, 60, 67. En sens opposé : n°^{S} 7, 11, 18, 38, 41, 61, 62, 65, 66, 69.

(41) Liste d'Autun, n°^{S} 2-4, 6-9, 11, 13-16, 22, 24-27, 29, 36 (nombre de pièces plus élevé que dans l'exemplar de taxation) et n°^{S} 17, 30 (nombre inférieur).

(42) En voici la liste (M = Montpellier, A = Autun) : Apparatus Authenticorum (M 18, A 15), Apparatus Digesti Veteris (M 14, A 11), Apparatus Infortiati cum Tribus Partibus (M 15, A 13), Apparatus Institutionum (M 17, A 14), Apparatus Trium Librorum Codicis (M 19, A 16) ; Azo, Summa (M 40, A 22) ; Bartholomaeus Brixiensis, Apparatus Decretorum (M 11, A 17) ; Bernardus Parmensis, Apparatus Decretalium (M 12, A 24) et Casus longi (M 39, A 27) ; Henricus de Segusio, Summa (M 32-36, A 30) ; Iohannes de Deo, Dispensationes (M 60, A 36) ; Roffredus, Libellus in iure canonico (M 46, A 25), Libellus in iure civili (M 45, A 29) et Quaestiones (M 49, A 26) ; Textus Authenticorum (M 8, A 7), Textus Decretalium cum Novis (M 2, A 9), Textus Decretorum (M 1, A 8), Textus Digesti Novi (M 6, A 3), Textus Digesti Veteris (M 4, A 2), Textus Infortiati cum Tribus Partibus (M 5, A 4), Textus Trium Librorum Codicis (M 9, A 6).

(43) Rappelons pour l'interprétation de ces données que huit colonnes représentent un bifolio (quatre pages à deux colonnes), c'est-à-dire une demi-pecia (d'où M 9 = A 6 ; M 60 = A 36).

(44) G. Battelli, De quodam "exemplari" parisino Apparatus Decretorum, in Apollinaris, t. 21 (1948), p. 135-145 (réimpr. in Scritti scelti, Rome, 1975, p. 111-121) ; Ricerche sulla pecia nei codici del "Digestum vetus", in Studi in onore di Cesare Manaresi, Milan, 1953, p. 309-330 (Scritti scelti, p. 151-170) ; Le

pecie della Glossa ordinaria al Digesto, al Codice e alle Decretali in uno elenco bolognese del Trecento, in Atti del II Congresso internazionale della Società Italiana di storia del diritto (Venezia, 18-22 sett. 1967), Florence, 1970, p. 3-22 (Scritti scelti, p. 397-418).

(45) Ricerche sulla pecia nei codici del "Digestum vetus", p. 314-316 (Scritti scelti, p. 154-156).

(46) S. Zamponi, Manoscritti con indicazione di pecia nell'Archivio capitolare di Pistoia, in Università e società nei secoli XII-XVI, Atti del nono Convegno internazionale... Pistoia... 20-25 sett. 1979, Bologne, 1983, p. 463-468.

(47) Ibid., p. 463.

(48) Ibid., p. 466 (le rapprochement est fait par l'A.)

(49) Voir la concordance à la fin du présent travail.

(50) Zamponi, ibid., p. 464-465.

(51) Ibid., p. 466; - H. V. Shooner avait proposé pour la liste d'Autun (ainsi que pour celles de Venise et de Dubrovnik) une origine padouane. A Padoue, en effet, d'après les statuts universitaires de 1331 et à la différence de ce qui se faisait à Bologne, le prix de location des exemplaria taxés était déterminé uniquement d'après leur nombre de pièces. On peut donc imaginer que si la liste d'Autun n'indique pas ce prix, c'est parce qu'il découle immédiatement de la composition de l'exemplar officiel. Mais (sans même parler de l'argument tiré du manuscrit de Pistoie, qui oriente positivement vers Bologne), cette conjecture ingénieuse cadre mal avec les données nouvelles fournies par la liste de Montpellier : celle-ci signale des exemplaria non taxés, donc échappant à ce système de calcul, et pourtant elle ne mentionne pas davantage leur prix de location.

(52) Si l'exemplar en stock comprend exactement le nombre de cahiers ou de pièces fixé pour la taxation, on a seulement indiqué ce dernier (ex. Apparatus Codicis, Apparatus Digesti Novi).

LES TEXTES THEOLOGIQUES ET PHILOSOPHIQUES DIFFUSES A PARIS PAR EXEMPLAR ET PECIA

Louis Jacques Bataillon

Pour savoir quels livres ont été diffusés par le système de la division en pecie d'un exemplar, nous disposons, en plus de quelques renseignements sporadiques, d'une part des listes émanées des universités ou exposées chez les stationnaires et taxant les ouvrages, de l'autre des manuscrits eux-mêmes. Je voudrais comparer ici les renseignements que nous pouvons tirer de ces deux sources.

Je ne m'occuperai ici que de Paris et que des ouvrages de théologie et de philosophie. Seule en effet l'université de Paris nous a laissé une documentation sur les textes de ce type (1) ; nous n'avons aucun document pour la médecine ; toutes les autres listes concernent uniquement les livres de droit. Nous n'avons d'ailleurs aucune taxation venant de Montpellier, de Naples ou des universités anglaises.

Nous avons deux listes pour Paris (2). La seconde est bien datée du 25 février 1304 ; elle taxe les exemplaria conservés chez le stationnaire André de Sens et a été vérifiée par deux maîtres en théologie, un en médecine et un ès arts. La première, qui précède immédiatement la seconde dans les trois recueils de documents universitaires qui la contiennent, est sans aucun repère : sans date, sans noms du stationnaire ni des maîtres chargés de l'établir. On peut cependant la dater d'entre 1272 et 1276 (3) : après 1272, car elle comporte deux ouvrages de saint Thomas d'Aquin publiés vers cette date : la Secunda Secunde de la Somme de théologie et les questions disputées De malo ; avant 1277, car elle ne contient pas encore le premier Quodlibet d'Henri de Gand ; la date probable est de 1274 ou 1275 ; je dirai désormais la liste de 1275. Quant au stationnaire, il s'agit presque certainement de Guillaume de Sens comme le montrent les contributions de Richard H. Rouse et de Hugues Shooner (4).

Cette première liste comprend d'abord quelques ouvrages de Pères de l'Eglise et de théologiens du XIIe siècle. Nous trouvons ensuite des traités relevant plus ou moins de la Faculté des Arts : Barthélemy l'Anglais, Alexandre Nequam, le De ortu scientiarum de Robert Kilwardby, enfin des traductions latines de commentaires grecs d'Aristote. Suivent trois manuels de théologie d'usage constant dans l'enseignement : la Summa de penitentia de Raymond de Pennafort, les Sentences de Pierre Lombard, l'Historia scolastica de Pierre Comestor ; entre ces deux derniers est insérée la mention d'une concordance biblique. Vient ensuite une rubrique : Ista sunt exemplaria in theologia avec une longue série d'oeuvres d'Augustin et le Liber Dyonisii cum commentis (5). Nous trouvons après des groupements d'ouvrages d'un même auteur précédés d'une rubrique avec son nom : Hec sunt scripta fratris Thome de Aquino, avec des ouvrages uniquement théologiques, puis : Hec sunt scripta fratris Petri de Tarantasia ; ceux-ci sont suivis, sans nouvelle rubrique, des Sentences de Kilwardby, de deux postilles de Guillaume d'Altona et de cinq de Guillaume de Mélitona. Nouvelle rubrique : Hec sunt scripta fratris Bone fortune de ordine fratrum minorum, dans laquelle est interpolée une série de postilles bibliques d'autres auteurs (6). Les ouvrages qui viennent après sont d'abord la Bible et la Glose, et une série de quatorze recueils de modèles de sermons (7) avec addition de la Légende dorée de Jacques de Voragine et des Distinctiones de Maurice de Provins. Une dernière rubrique : Hec est taxatio exemplarium annonce une liste de seize ouvrages de droit canonique et de dix de droit civil.

La liste de 1304 commence par les ouvrages de Thomas d'Aquin en théologie avec une longue interpolation des livres d'Aristote suivis du De principiis rerum de Iohannes de Siccavilla et du commentaire d'Alexandre sur les Météores ; puis trois rubriques annoncent : Opera fratris Nicolai de Gorham, Opera fratris Egidii super theologiam, Opera fratris Richardi (de Mediavilla) ; celles-ci sont suivies, sans titre spécial, des Quodlibets de Pierre d'Auvergne, d'Henri de Gand et de Godefroid de Fontaines ; il y a ensuite la Bible avec quelques instruments de travail, notamment Guillaume Breton, enfin des ouvrages pour prédicateurs : Barthélemy l'Anglais, Jacques de Voragine, distinctiones, recueils d'exempla et des collections de sermons parmi lesquels s'est glissé le De ortu scientiarum de Kilwardby. La rubrique suivante annonce Opera in iure canonico et comport dix-neuf ouvrages de droit canonique sans aucun de droit civil. Les derniers titres sont : Hec est taxatio librorum philosophie avec les commentaires de Thomas d'Aquin sur Aristote, puis Commenta fratris Alberti et, enfin, Opera fratris Egidii super philosophiam.

En comparant les deux listes, on remarque d'abord que, malgré quelques accidents, le classement de la seconde liste par ordre de dignité décroissants des facultés est beaucoup plus soigné que celui de la première ; dans celle-ci d'ailleurs les Arts ne sont représentés que par huit ouvrages curieusement insérés au milieu des Pères et des maîtres anciens.

Une seconde constatation regarde les changements considérables dans le choix des ouvrages : la liste de 1275 comporte 138 articles, celle de 1304 en a 156 : or elles n'ont en commun que 42 ou 44 titres : quatre de la première liste ont été regroupés en deux dans la seconde. On ne peut qu'être frappé de voir la disparition des oeuvres de Bonaventure et de Pierre de Tarentaise alors que ces deux théologiens continuaient à être très estimés et utilisés.

Il faut aussi noter que, si les quodlibets taxés sont passé d'une seule collection à six et les questions disputées de cinq à dix, les recueils de sermons, qui étaient quatorze dans la première liste ne sont plus que neuf dans la seconde, et les commentaires bibliques de contemporains sont réduits de vingt-et-un à douze. Et tout ce qui était oeuvre des Pères de l'Eglise ou des théologiens du XIIe siècle a disparu.

Passons maintenant au témoignage des manuscrits eux-mêmes. Ici ma source principale sera la documentation laissée par Destrez, notamment une liste des manuscrits à pièces vus par lui, et par Fink Errera. Presque tous les ouvrages des auteurs dont le nom est mis en rubrique dans l'une ou l'autre liste sont connus comme ayant été transmis par exemplar (8) ; il en va de même pour un bon nombre d'instruments de travail pour prédicateurs et de bien des recueils de sermons (9). Pour certains titres cependant la documentation est très modeste : pour les sermons de Guillaume de Mailly, pour lesquels Kaeppeli cite 81 manuscrits, il en existe 36 complets des XIIIe et XIVe siècles dont 18 dans des bibliothèques visitées par Destrez ; or jusqu'ici on n'a trouvé d'indications de pièces que dans le seul Paris B.N. lat. 3536 C (10). Pourquoi n'a-t-on pu jusqu'ici repérer qu'une seule indication de pièces dans l'unique Siena Comun. G VII 23 parmi les 29 manuscrits des Distinctiones de Nicolas de Biard relevés par le Repertorium biblicum de Stegmüller alors que pour celles de Maurice de Provins dont le même ouvrage cite 54 manuscrits, au moins quatorze portent des indications marginales de pecie (11) ?

Le cas du De perfectione spiritualis uite de Thomas d'Aquin est encore plus étrange ; les listes de taxation le mentionnent avec une division en sept pecie ; aucun manuscrit ne porte d'indications explicite. Mais l'étude critique a permis d'identifier quinze manuscrits dépendant directement d'un premier exemplar et sept d'un second (12).

D'autres séries de textes montrent une situation assez différente. Si, à côté d'un exemplar italien de la Bible, nous avons les restes d'un exemplar parisien (peut-être de plusieurs), il reste que Destrez, qui avait regardé des centaines de Bibles, n'en a trouvées que trois ayant des traces de copie par pecia (13).

La situation est encore plus négative pour les Pères de l'Eglise. La liste de 1275 donne quinze séries d'ouvrages d'Augustin avec trente-huit titres en tout, parmi lesquels bon nombre d'apocryphes. Or les cahiers de Destrez ne signalent qu'un seul manuscrit à indications de pièces pour le De genesi ad litteram (14). Des deux items des Originalia Anselmi, seul le second est représenté par un manuscrit de Todi contenant le De incarnatione et les Similitudines, avec une seule indication dans chacun de ces ouvrages (15). Rien de saint Bernard si ce n'est un manuscrit des Flores sancti Bernardi de Guillaume de Courtrai portant deux indications de pecia qui semblent montrer qu'il ne s'agit pas de l'article Floreber, généralement interprété comme Flores Bernardi, de la plus ancienne des deux listes (16). Quant à

Grégoire le Grand, cette même liste mentionne un exemplar des Moralia in Iob et un des Homélies. Destrez n'a vu qu'un manuscrit à indications de pièces pour les Dialogues à côté d'un des Moralia (17).

Si en effet on est loin de trouver des indications de pièces dans les manuscrits conservés des ouvrages taxés, il y a toute une série de texte qui ont été transmis par exemplar et pecia mais qui ne figurent pas sur les listes.

Il y a d'abord, évidemment, toute une série d'œuvres éditées après la confection de la liste de 1304 : le Manipulus florum de Thomas d'Irlande (18), la Summa Pisana de Bartolomeo di San Concordio (19), les Sentences de Guillaume de Ware, Jean Duns Scot Durand de Saint-Pourçain, Pierre Auriol, Hugues de Novo Castro, Guiral Ot et Bradwardine (20), le De causa Dei de ce dernier (21), le commentaire sur la Sagesse de Robert Holcot et celui sur les Psaumes de Pierre de la Palu (22) et surtout un grand nombre des postilles de Nicolas de Lyre (23) ; les recueils de sermons de Jacques de Lausanne et de Philippe de Moncalieri (24). C'est probablement aussi à la période postérieure à la liste de 1304 qu'il faut rattacher le manuscrit de la Troisième décade de Tite Live qui contient des indications de pièces ; peut de temps après probablement et en Italie, Quintilien sera copié par quaterni (25).

Une autre série est constituée par des ouvrages antérieurs à la liste de 1275 ; nous trouvons parmi eux de grandes oeuvres théologiques : la Summa de bono du chancelier Philippe (26), la Summa aurea de Guillaume d'Auxerre (27), surtout la Summa fratris Alexandri (28) ; comme commentaires sur les Sentences, nous trouvons Eudes Rigaud, Hugues de Saint-Cher, Richard Rufus et Annibaldo degli Annibaldi (29). Parmi les commentaires bibliques, il y a plusieurs postilles d'Hugues de Saint-Cher (30), des commentaires de Jean de la Rochelle (31) et des ouvrages de Guillaume de Méliton différents de ceux qui figurent sur la liste (32) ; il faut ajouter, dans un genre littéraire différent, les Distinctiones in Psalterium d'Eudes de Chateauroux (33). Nous trouvons ensuite des ouvrages de polémique, les Collectiones catholice de Guillaume de Saint-Amour et un quodlibet de Gérard d'Abbeville (34). Le Speculum historiale et le Speculum doctrinale de Vincent de Beauvais ont aussi été édités par pièces (35). Notons encore les deux sommes de Guillaume Peyraud sur les vices et les vertus (36) et la Summa iuniorum de Simon de Hinton (37). Comme recueils de sermons, il y a ceux de Jean d'Abbeville, de Jean de la Rochelle, de Pierre de Reims et de Constantin d'Orviéto (38), les deux recueils De dominicis et De festis de Guibert de Tournai (39) (seuls les Sermones ad status figurent dans la liste de 1304) ; enfin des Sermones Guilberti nouissimi (40), parfois attribués à Guillaume d'Ockham mais certainement à tort, car les manuscrits sont plus anciens et ces sermons comportent nombre d'expressions en français.

Reste la période entre 1275 et 1304. Nous trouvons des indications de pecia dans des manuscrits des Questiones disputate de Gauthier de Bruges (41), dans celles de Richard de Mediavilla ainsi que dans ses Quodlibeta (42), alors que la liste de 1304 ne donne que ses commentaires sur les Sentences. Il y a aussi la Summa d'Henri de Gand (43) et les Conclusiones d'Humbert de Prully (44). Dans le secteur de la pastorale, on peut relever la Summa confessorum de Jean de Fribourg ainsi que son abrégé par Guillaume de Cayeux (45), l'Alphabetum narrationum (46), la Dieta salutis (47) et les sermons d'Evrard du Val des Écoliers (48). Du côté des Arts, quelques commentaires d'Aristote : les Topiques d'Adénulphe d'Anagni, dont nous a parlé le Professeur Battelli (49), la Métaphysique, les Météoro- logiques, et le De sompno de Pierre d'Auvergne (50). Enfin, mais la date n'est pas sûre, le De musica de Jérôme de Moravie dont nous avons l'exemplar et une copie fragmentaire (51).

Il y a sûrement d'autres ouvrages qui ont été copiés à Paris par le système de la pecia ; l'exploration systématique des bibliothèques hispaniques, germaniques et slaves, de nouvelles recherches dans des fonds jamais épuisés comme Florence, Oxford, Paris ou la Vaticane, apporteraient probablement quelques autres titres. Il semble toutefois que ceux que nous trouvons dans les listes et dans les manuscrits permettent déjà d'envisager, sinon des conclusions, du moins quelques résultats intéressants.

Ma première remarque concerne l'absence dans cet ensemble d'ouvrages transmis par reportation, avec deux exceptions, dont une significative. Il s'agit en effet de la Lectura in Iohannem de Thomas d'Aquin reportée par son secrétaire Raynald de Piperno et rédigée par lui à la demande d'Adénulphe d'Anagni, très probablement avec l'approbation et peut-être sous le contrôle de son maître ; ce commentaire rentre donc dans la catégorie des ouvrages approuvés par des maîtres en théologie (52).

Ce qui frappe ensuite est la faible part laissée aux ouvrages de la faculté des Arts à l'exception des textes d'Aristote et de ses commentateurs grecs ; et si nous regardons de plus près les commen- taires latins transmis par exemplar, nous constatons que tous sont dûs à des maîtres en théologie ou à des maîtres ès arts devenus ensuite maîtres en théologie : Kilwardby, Albert le Grand, Thomas d'Aquin, Adénulphe d'Anagni, Pierre d'Auvergne, Gilles de Rome.

Une troisième chose à noter est la part importante donnée aux ouvrages de pastorale dont la plupart n'entraient pas dans les pro- grammes universitaires : traités spirituels comme la Dieta salutis, vies de saints, recueils d'exempla, distinctiones, collections de sermons, ouvrages de référence pour la confession telles que les sommes de Guillaume Peyraud et de Jean de Fribourg. Il faut proba- blement chercher la raison de cette abondance dans le fait que l'Université avait comme première fonction, non d'être un centre de recherches savantes, mais un lieu de formation pour un clergé qualifié pour prêcher et confesser.

Ces trois constatations ne sont peut-être pas étrangères les unes aux autres : textes vérifiés par les maîtres, textes dûs à des théologiens, ouvrages approuvés pour l'exercice du ministère, tout cela fait penser qu'il pourrait y avoir là une marque du souci de la faculté de théologie de s'assurer le contrôle de la marche de l'Université.

NOTES

(1) Pour l'ensemble des listes d'exemplaria, voir J. Destrez - M. D. Chenu, "Exemplaria universitaires des XIIIe et XIVe siècles", Scriptorium 7 (1953), p. 68-80 (plus spécialement : II. J. Destrez, "Listes d'exemplaria publiées par les universités médiévales", p. 76-80) et compléter par J.-F. Genest, "Le fonds juridique d'un stationnaire italien à la fin du XIIIe siècle", dans ce volume, p. 133-154.

(2) H. Denifle - Ae. Châtelain, Chartularium Universitatis Parisiensis, t. I, n. 530, p. 604 ; t. II, n. 642, P. 107.

(3) J. Destrez, La Pecia dans les manuscrits universitaires du XIIIe et du XIVe siècle, Paris, 1935, p. 32, note 1.

(4) Voir dans ce volume p. 41-113 et 017-137.

(5) Il s'agit probablement, bien que l'on n'ait jamais relevé d'indications de copie par pecia dans les différents témoins, de l'édition étudiée par H.-F. Dondaine, Le corpus dionysien de l'université de Paris, Rome, 1953.

(6) Voir la contribution de J.-G. Bougerol dans ce volume, p. 205-208.

(7) Ces recueils ont fait l'objet de l'étude de D. L. d'Avray, The Preaching of the Friars. Sermons diffused from Paris before 1300, Oxford, 1985 ; voir spécialement l'appendice : "Preaching and the Pecia system of the Paris University Stationers", p. 273-286.

(8) Les quatre entrées de la seconde liste pour Richard de Mediavilla correspondent toutes à des manuscrits à indications de pecie. Il en va de même pour Pierre de Tarentaise dans la première liste, à l'exception des mystérieuses Postille predicti super Lucam, signalées aussi par la Tabula dite de Stams mais jusqu'ici non identifiées. Pour Thomas d'Aquin, seul le commentaire sur le Perihermeneias n'a montré jusqu'ici aucune trace de division par pecia ; pour le cas du De perfections spiritualis uite, voir plus loin (note 12). Pour Gilles de Rome, il convient d'attendre le catalogue en cours des manuscrits de ses oeuvres entrepris sous la direction de Fr. Del Punta ; dans les notes de Destrez ne manquent que l'exposition des décrétales Firmiter et Cum Martha, le De laudibus diuine sapientie, De gradibus formarum, De esse et essentia et De formatione hominis.De Nicolas de Gorran, toujours selon les papiers de Destrez, ne manque que la postille sur l'Apocalypse. Pour le cas de Bonaventure, voir la communication du P. Bougerol dans ce volume, p. 205-208.

(9) Les sermons Compendii n'ont pas été identifiés bien que Pierre de Limoges les cite souvent en note ; les manuscrits que j'ai pu examiner des Sermones prouincialis de Tussia d'Aldobrandino Cavalcanti et des Sermones Alleabatenses, s'ils correspondent bien aux Sermones attrebatenses de ordine predicatorum de

Troyes 1536, f. 3r-55v, ne présentent pas trace de copie par pecia.

(10) Bibliothèque Nationale, Catalogue général des manuscrits latins, t. VI (Paris, 1975), p. 39-43.

(11) Sur les manuscrits à indication de pecia des Distinctiones de Maurice de Provins, cf. L. J. Bataillon, "Les problèmes de l'édition des sermons et des ouvrages pour prédicateurs au XIIIe siècle", p.120 note 41 dans The Editing of Theological and Philosophical Texts from the Middle Ages, collection Acta Universitatis Stockholmiensis, Studia Latina, Stockholm 1986.

(12) S. Thomae de Aquino, Opera omnia, t. IX (Roma, 1970) p. B 31- B 37.

(13) Exemplar italien : Novara, Capit. VII ; Exemplar parisien, Paris, Mazar. 37 ; manuscrits à indications de pecia : Paris, B.N. lat. 28 ; 9381 ; 14238.

(14) Paris, B.N. lat. 15288.

(15) Todi, 19.

(16) Troyes 1520. Il semble que le texte corresponde à dix pièces doubles, soit moitié des quarante indiquées pour Floreber par la liste de 1275.

(17) Dialogues : Boulogne-sur-Mer 69 ; Moralia : Dijon 172.

(18) Sur la tradition du Manipulus florum, voir l'étude exhaustive de R. H. et M. A. Rouse, Preachers, Florilegia and Sermons : Studies on the Manipulus florum of Thomas of Ireland, Toronto, 1979. Liste des manuscrits à indications de pièces, p. 171 et 176.

(19) Brugge, Stadsb. 214 ; Paris, Univ. 221.

(20) Guillaume de Ware : Cesena, Malat. D.XVIII 1. Jean Dun Scot : Troyes 277 ; Paris, B.N. lat. 3062 (ses Quodlibets se trouvent dans Paris, Mazar. 3511 ; B.N. lat. 3062 ; Troyes 994). Pierre Auriol : Vendôme 72. Hugues de Novo Castro : Firenze, Laur. S. Croce XXX d.2 ; Paris, B.N. lat. 15863. Guiral Ot: Sarnano E 98 (son commentaire sur l'Ethique avec indications de pièces est dans Paris, Mazar. 3496. Bradwardine : Troyes 505. Durand : Paris, B.N. lat. 15879 ; Troyes 438, 766 ; Vaticano, Chigi B VII 138 ; Vat. lat. 1072.

(21) Paris, Mazar. 901.

(22) Holcot : Paris, B.N. lat. 16791 ; Troyes 907. Pierre de la Palu : Milano, Ambros. A. 246 inf.

(23) Postilles littérales : Amiens 45, 66 ; Arras 43 (37) ; Assisi 60, 62, 78, 81 ; Bruxelles, B.R. II 1136 (268) ; Charleville 267 ; Dole 25 ; Milano, Ambros. E 17 inf. ; Paris, Arsenal 142 ; Mazar. 157 ; B.N. lat. 360, 402, 407, 460, 462, 489, 618, 15262 ; Subiaco XLVII (49) ; Valenciennes 68, 82. Postilles morales : Amiens 32.

(24) Jacques de Lausanne : Brugge, Stadsb. 267 ; Chartres 235 (détruit) ; Paris, Arsenal 404 ; B.N. lat. 13374 ; Toulouse 332. Philippe de Moncalieri : Assisi 238, 239, 245 ; Oxford, Bodl. L., Laud. misc. 281 ; Todi 61 ; Vaticano, Chigi C. VII 199.

(25) Tite Live : Paris, B.N. lat. 5733 ; les indications vont de la pièce 38 à la pièce 69, ce qui fait penser que la première décade a fait aussi l'objet d'une édition par pecie. Quintilien : Paris, B.N. lat. 7722.

(26) Philippi Cancellarii Parisiensis Summa de bono, ed. N. Wicki, Bernae 1985 ; p. 29*-37*, 88*-101*. Alors que Destrez n'avait noté que quatre manuscrits portant des indications de pièces, W. a pu en relever six autres. Sermons du Chancelier : De dominicis : Paris, B.N. lat. 3281 ; festiui : Paris, B.N. lat. 15933.

(27) Angers 222 ; Paris, B.N. lat. 15739, 15740, 15742.

(28) Assisi 107 ; Bologna, Archig. A 920 ; Brugge, Stadsb. 210, 211 ; Cambrai 348, 349, 431, 433 ; Cesena, Malat. D. XIV 4, D. XV 1 ; Firenze, Laur. S. Croce XXIV d.2, XXIV d.5 ; Naz. Conv. sopp. I III 9 ; Oxford, Oriel 30 ; Padova, Anton. 264, 265 ; Paris, Mazar. 784, 785 ; B.N. lat. 3033, 3034, 3036, 3037, 3038, 14529, 15328, 15334 : Reims 471, 472, 473 ; Todi 87, 188 ; Troyes 396 ; Vaticano, Borgh. 359 ; Chigi B VII 110 ; Ottob. lat. 189, 193, 210 ; Vat. lat. 702.

(29) Eudes Rigaud : Todi 69. Hugues de S. Cher : Brugge, Stadsb. 178 ; Canterbury A 12. Richard Rufus : Assisi 176. Hannibald : Paris, Mazar. 878.

(30) Je renonce à donner ici la liste qui demanderait trop de vérifications.

(31) Marc : Paris, B.N. lat. 15597 ; Tours 121 ; Luc : Paris, B.N. lat. 15597 ; Milano, Ambros. A 211 inf. ; Paul : Paris, B.N. lat. 15602.

(32) Genèse, Ex., Lev., Num. : Paris, B.N. lat. 15558 ; Apoc. : Assisi 321.

(33) Assisi 323 ; Milano, Ambros. L 75 sup. ; Paris, B.N. lat. 15569, 16293, Ste Geneviève 1195.

(34) Guillaume de S. Amour : Paris, B.N. lat. 14536 ; Tours 112. Gérard d'Abbeville, Quodl. XIX (Vat. XV) : Brugge, Stadsb. 177. Ce dernier manuscrit contient aussi les Questiones de cogitatione de Gérard avec des indications de pièces.

(35) Speculum historiale : Cambridge, Corpus Christi 8 ; London, B.L. Royal 13 D VIII ; Paris, Arsenal 1011 ; Troyes 170. Speculum doctrinale : Paris, B.N. lat. 16100. L'abréviation Materia totius operis a été elle aussi diffusée par pièces : Paris, B.N. lat. 16221.

(36) De uiciis : Epinal 93 ; Lucca, Govern. 1396 ; Paris, Mazar. 794 ; B.N. lat. 3238 C, 16429. De uirtutibus : Laon 126 ; Metz 170 ; Oxford, Bodl. L. Laud. misc. 530 ; Paris, Univ. 728 ; Reims 542. Les sermons de Peyraud ont eu aussi une édition par exemplar : De epist. domin. : Arras 543 (837) ; Oxford, Bodl. L. Laud. misc. 439 ; De euang. domin. : Dijon 220 ; Festiui : Avignon 595.

(37) Paris, B.N. lat. 16412.

(38) Jean d'Abbeville : Paris, B.N. lat; 3560. Jean de la Rochelle : Paris, B.N. lat. 15568, 16477 ; Troyes 816 ; Zürich, Zentralb. Rh.181. Pierre de Reims : Assisi 452. Constantin d'Orviéto : Arras 549 (840).

(39) Auxerre 41 ; Paris, B.N. lat. 15933 ; Troyes 1778.

(40) Padova, Univ. 1593 ; Todi 147.

(41) Troyes 665.

(42) Firenze, Laur. S. Croce XXX d.10 ; Padova, Univ. 685 ; Paris, Arsenal 516 ; Mazar. 3491.

(43) R. Macken, Bibliotheca manuscripta Henrici de Gandavo, II, Leuven-Leiden 1979, p. 1020, 1042-1066.

(44) Troyes 1393, 1517.

(45) Jean de Fribourg : Arras 829 (525) ; Basel, Univ. B III 12 ; Cambridge, Peterhouse 62, Chartres 324 ; Douai 450 ; Firenze, Laur. S. Croce VII s. 6, Milano, Ambros. D 548 inf. ; Montecassino 135 ; Paris, B.N. lat. 3261, 15378, 15924 ; Univ. 220 ; Reims 551 ; Saint-Omer 136 ; Tours 451 ; Vaticano, Vat. lat. 2303 ; Worcester F 62. Guillaume de Cayeux : Paris, B.N. lat. 17493.

(46) Brugge, Stadsb. 555 ; Chartres 252 (détruit) ; Oxford, St John's 112 ; Paris, Arsenal 365 ; Siena, Com. G. VII 8 ; Troyes 1781 ; Vendôme 181.

(47) Troyes 1787, 1939.

(48) Troyes 1512.

(49) Voir p. 120.

(50) Questiones in Metaph. : Paris, B.N. lat. 16158. Sententia in Meteor. :
Firenze, Laur. S. Croce XXIX d.12 ; Paris, B.N. lat. 16097. Sent. in De sompno :
Paris, B.N. lat. 16158.

(51) Th. Kaeppeli, Scriptores Ordinis Praedicatorum Medii Aevi, II, Romae
1975, p. 249, n° 1946.

(52) L'autre exception est celle des Questiones in Metaphysicam de Pierre
d'Auvergne.

LA TRADUCTION LATINE MEDIEVALE DES MAGNA MORALIA. UNE ETUDE CRITIQUE DE LA TRADITION MANUSCRITE

Christine Pannier

L'édition d'un texte médiéval, plus précisément d'une traduction, est une entreprise captivante, un travail qui comprend de nombreux aspects et qui pose maints problèmes. Dans la présente étude nous voulons faire un bilan provisoire de nos recherches. Il est évident que nous ne pouvons pas examiner tous les problèmes avec la même profondeur. Nous ne parlerons que très occasionnellement de la tradition grecque. C'est surtout la tradition latine qui nous occupera ici. D'abord, nous décrirons avec précision les manuscrits qui sont à la base des diverses familles manuscrites. Ensuite et à partir d'un examen détaillé d'un passage du texte, nous définirons la filiation des manuscrits et nous essaierons de déterminer la qualité de chaque manuscrit individuel. Pour conclure, nous formulerons les principes de l'édition, qui découlent de cette étude et selon lesquels nous avons rédigé le texte. Bien que nous ne puissions pas dépouiller le texte entier et analyser tous les passages difficiles, nous sommes convaincus qu'il puisse être intéressant d'énoncer clairement les problèmes, d'examiner en détail quelques passages représentatifs de tout le texte et de proposer ensuite des options et des solutions valables pour tout le texte.

LES MANUSCRITS

La liste des manuscrits

La traduction latine médiévale des Magna Moralia nous a été transmise dans 56 manuscrits. La liste suivante comprend, pour chaque manuscrit, les données principales que nous offre le catalogue de l'Aristoteles Latinus (1), notamment, la référence complète, la date, l'endroit où se trouvent les Magna Moralia et le numéro du catalogue. En plus de cela, les manuscrits portent un sigle, que nous avons attribué au cours de nos recherches. Ces sigles sont formés de deux lettres minuscules, pour les distinguer clairement des sigles officiels de l'Aristoteles Latinus, que l'on peut retrouver dans les volumes publiés. Nous les ajoutons entre parenthèses afin de faciliter les comparaisons. Exception doit être faite pour le manuscrit de

Valence, dont nous n'avons ni un microfilm ni des reproductions à notre disposition.

Cantabrigiensis, Bibl. Harvardiana, lat. 39
saec. XIIIex.-XIVin.   fol. 150v-176v   A.L.[1] 9   hd

Cantabrigiensis, Bibl. Hoferiana, Typ 233H
saec. XIII-XIV (1280) fol. 1r-17r   A.L.[1] 16   ca   (Hr)

Urbaniensis, Bibl. Universitatis, $\frac{X\ f.\ 881}{A\ 8\ XL}$
saec. XIVin.   fol. 51v-65r   A.L.[1] 20   ur

Claustroneoburgensis, Bibl. Monasterii, 748
saec. XIII-XIV   fol. 111r-126v   A.L.[1] 47   cl

Plagensis, Bibl. Monasterii, 22 Cpl. (476[b]) 21
saec. XIV   fol. 156v-176r   A.L.[1] 71   pl   (Sh)

Vindobonensis, Bibl. Nationalis, 52
saec. XIVex.   fol. 107r-125v   A.L.[1] 85   vi

Pragensis, Bibl. Capituli Metropolitani, L. XLVI/I
saec. XIVin.   fol. 199r-227v   A.L.[1] 188   pr

Cantabrigiensis, Bibl. Aulae Valencae Mariae, 130
saec. XIVin.   fol. 220r-241r   A.L.[1] 219   cn

Londinensis, Museum Britannicum, Harleianus, 5004
saec. XIV   fol. 184v-207r   A.L.[1] 304   lo   (Uh)

Oxoniensis, Bibl. Bodleiana, Canon. lat. class., 174
saec. XIV   fol. 206r-233r   A.L.[1] 324   ox

Oxoniensis, Bibl. Collegii Balliolensis, 112
saec. XIVin.   fol. 161v-171r   A.L.[1] 345   ba

Oxoniensis, Bibl. Collegii Mertonensis, 276
saec. XIV   fol. 53r-67r   A.L.[1] 368   oo

Audomarensis, Bibl. Municipalis, 594
saec. XIV   fol. 66r-88r   A.L.[1] 424   ad

Audomarensis, Bibl. Municipalis, 598
saec. XIIIex.-XIVin.   fol. 73r-95v   A.L.[1] 426   am   (Qy)

Augustodunensis, Bibl. Seminarii, 67A
saec. XIIIex.   fol. 1r-17v   A.L.[1] 433   aq   (Au)

Bononiensis, Bibl. Municipalis, 110
saec. XIV   fol. 131r-146v   A.L.[1] 450   bs

Burdigalensis, Bibl. Municipalis, 1000
saec. XIV   fol. 1r-21v   A.L.[1] 455   bu

Cameracensis, Bibl. Municipalis, 314
saec. XIIIex.   fol. 88r-123v   A.L.[1] 457   cb   (Ca)

Cameracensis, Bibl. Municipalis, 921
saec. XIIIex.-XIVin.   fol. 102r-122r   A.L.[1] 460   cm

Parisinus, Bibl. Nationalis, lat. 6307
saec. XIIIex.   fol. 117r-140v   A.L.[1] 562   pa   (Pc)

Parisinus, Bibl. Nationalis, lat. 7695A
saec. XIV   fol. 30r-48r   A.L.[1] 609   pq

Parisinus, Bibl. Nationalis, lat. 16584
saec. XIII   fol. 68v-95v   A.L.[1] 694   px   (Kw)

Parisinus, Bibl. Nationalis, lat. 17810
saec. XIII-XIV   fol. 191r-212v   A.L.[1] 713   py   (Kx)

Parisinus, Bibl. Nationalis, lat. 17832
saec. XIII-XIV   fol. 301r-318r   A.L.[1] 714   pz   (Ku)

Parisinus, Bibl. Nationalis, nouv. acq. lat. 633
saec. XIV   fol. 59r-85r   A.L.[1] 720   pp

Berolinensis, Bibl. Borussica Publica, Lat. Fol. 572
saec. XIVin.   fol. 170v-189v   A.L.[1] 808   be

Erfordiensis, Bibl. Urbica, Ampl., Fol. 24
saec. XIVin.   fol. 96r-112v   A.L.[1] 860   ef   (Er)

Erfordiensis, Bibl. Urbica, Ampl., Fol. 35
saec. XIVex.   fol. 29r-39v   A.L.[1] 871   er

Fuldensis, Bibl. Fuldensis, C. 14b
saec. XVex.   fol. 185r-241r   A.L.[1] 926   fd

Guelferbytanus, Bibl. Ducalis, 488 Helmst.
saec. XIVin.   fol. 92r-114v   A.L.[1] 941   wo   (Wl)

Guelferbytanus, Bibl. Ducalis, 593 Helmst.
saec. XIV   fol. 159v-177v   A.L.[1] 943   gu

Lipsiensis, Bibl. Universitatis, 1337
saec. XIVin.   fol. 183v-207r   A.L.[1] 962   li

Lipsiensis, Bibl. Universitatis, 1438
saec. XV   fol. 1r-94r   A.L.[1] 994   lp

Monacensis, Bibl. Bavarica Publica, Clm. 306
saec. XIII-XIV   fol. 231r-257v   A.L.[1] 1016   mn

Monacensis, Bibl. Bavarica Publica, Clm. 8003
circa 1300   fol. 48r-65r   A.L.[1] 1037   mo   (Mo)

Norimbergensis, Bibl. Municipalis, Cent. V, 21
saec. XIV   fol. 186r-195r   A.L.[1] 1089   no

Matritensis, Bibl. Nationalis, 1413
saec. XIVin.   fol. 128r-146v   A.L.[2] 1191   ma

Matritensis, Bibl. Nationalis, 2872
    saec. XIVex.   fol. 87r-114v   A.L.^{2} 1196   mt

Salamancensis, Bibl. Universitatis, 2705
    saec. XIII   fol. 225r-228v   A.L.^{2} 1206   sa   (Sa)

Valentinensis, Bibl. Capituli, 70
    saec. XIV-XV   fol. 287v-325v   A.L.^{2} 1247

Florentinus, Bibl. Laurentiana, Conv. Soppr. 95
    saec. XIV   fol. 1r-29r   A.L.^{2} 1334   fn

Florentinus, Bibl. Laurentiana, S. Crucis, Plut. XIII Sin. 6
    saec. XIIIex.   fol. 177r-188v   A.L.^{2} 1367   fe   (Fz)

Florentinus, Bibl. Laurentiana, S. Crucis, Plut. XXVII, Dext. 9
    saec. XIIIex.   fol. 176r-188v   A.L.^{2} 1379   la

Florentinus, Bibl. Nationalis Centralis, Conv. Soppr., G.V. 1290
    saec. XIV   fol. 74r-101v   A.L.^{2} 1402   fl

Florentinus, Bibl. Riccardiana, 113
    saec. XIV   fol. 184r-206v   A.L.^{2} 1419   fo

Mediolanensis, Bibl. Ambrosiana, F. 141 Sup.
    saec. XIV   fol. 157r-182v   A.L.^{2} 1444   md

Tudertinus, Bibl. Communalis, 152
    saec. XIII   fol. 166r-181r   A.L.^{2} 1586   to

Venetus, Bibl. S. Marci, Lat. VI, 43 (2488)
    saec. XIV   fol. 170v-191r   A.L.^{2} 1603   sm   (Jo/Um)

Cracoviensis, Bibl. Jagellonica, 501
    saec. XIII-XIV   fol. 68r-85v   A.L.^{2,s} 1660   cr   (Ky)

Upsalensis, Bibl. Regalis Universitatis, C. 587
    saec. XIVin.   fol. 186r-211v   A.L.^{2} 1703   up

Vaticanus, Bibl. Apostolica, Borghesiani, 170
    saec. XIV   fol. 1r-22r   A.L.^{2} 1737   va

Vaticanus, Bibl. Apostolica, Palat., Lat. 1011
    saec. XIVin.   fol. 130v-152v   A.L.^{2} 1781   vn   (Pw)

Vaticanus, Bibl. Apostolica, Palat., Lat. 1012
    saec. XIII-XIV   fol. 159v-178r   A.L.^{2} 1782   vc

Vaticanus, Bibl. Apostolica, Urbinates, Lat. 1392
    saec. XV   fol. 14r-33r   A.L.^{2} 1821   vt

Cantabrigiensis, Bibl. Musei Fitzwilliamensis, C.F.M. 14
    saec. XIV   fol. 166v-190v   A.L.^{2} 1908   fz   (Cf)

Cracoviensis, Bibl. Czartoryskiana, 2060
    saec. XIV   fol. 394-449   A.L.^{s} 2171   cy

Les exemplars et les manuscrits à pièces

Le manuscrit pl

Le manuscrit pl est un manuscrit en parchemin, datant du XIVe siècle et grand de 307 mm sur 215 mm. Le texte est disposé en deux colonnes et écrit d'une main soigneuse. Le manuscrit comprend 209 folios et comporte, en plus des Magna Moralia, les Ethiques, la Politique, la Rhétorique, l'Economique et la Tabula Ethicorum attribuée à Thomas d'Aquin (2). Le copiste du manuscrit pl a reproduit tous les numéros de pièces. Il indique à la fois la fin d'une pièce et le commencement de la suivante. Il signale le numéro de la pièce en chiffres romains et une seule fois en toutes lettres, il omet le plus souvent le mot "pecia", il l'a mis en abrégé à la fin des pièces 2, 4, 5, 7. Les indications se trouvent dans les marges extérieures et à hauteur de l'endroit où tombe le changement de pièces. Il se peut que certains éléments aient disparu à la reliure ou à la rognure.

Nous signalerons ci-après toutes ces indications et leur emplacement précis, et nous donnerons le texte correspondant. L'indication étant souvent disposée en deux lignes, il n'est pas très simple de savoir où se trouve précisément le point de transition, d'autant plus que nous n'avons pas pu trouver jusqu'à maintenant des indications soit explicites soit implicites dans d'autres manuscrits. Il s'ensuit que nous sommes obligés de donner un passage assez long. Ajoutons finalement que nous mettrons entre parenthèses les éléments de l'indication qui sont mal lisibles sur le microfilm.

Le texte des Magna Moralia commence au folio 156vb. Le commencement de la première pièce n'est pas marqué. Nous trouvons successivement :

159rb : "finit prima / incipit II" :
..., si autem non omnino irascamur in quibus oportet, et ubi male habemus ad iram. Medium ergo habens... (1186a18-20),

161vb : "finit II (p̄) / incipit III" :
..., neque timidum dicendum esse timidum neque fortem eum qui non timet. Non ergo in talibus timoribus et audaciis... (1190b13-15),

164vb : "finit III / incipit IIII" :
..., puta depositionem privare iniustum est, iniustificatio autem est utique iniuste quid operari. (1195a10-11),

167va : "finit IIII pē / incipit V" :
...., non utique videbitur ledere. Bona enim que sibi putat esse bona, non bona sunt. Principatus enim... (1199b13-14),

170rb : "finit V (p) / incipit VI" :
... Aut neuter neutrum sequitur ? Incontinens quidem enim est cuius ratio passionibus contrariatur, intemperatus autem non talis, ... (1203b25-26),

172vb : "finit VI / incipit VII" :
... non prohibent intellectum suum opus agere, tunc erit quod

fit secundum rectam rationem. Ita, sed fortassis dicat quis utique, ... (1208a19-21),

175rb : "finit VII (p) / incipit VIII" :

    ... aliquid de aliquo bono benivoli sumus. Utrum igitur et amici, aut non ? Non enim quis erat Dario benivolus... (1212a3-5).

Le texte se termine au folio 176rb.

    Un petit calcul nous apprend que chaque pièce comprend, en moyenne, 330 lignes de l'édition Bekker. Il semble que l'exemplar fut composé de 8 pièces, chacune formant un binion à 16 colonnes d'environ 21 lignes de l'édition Bekker, à l'exception de la dernière pièce qui ne comprend que la fin du texte, étant de 134 lignes. Ces données nous permettent d'identifier l'exemplar avec celui annoncé sur la liste de taxation de 1304 (3).

    Le manuscrit pl n'est pas la seule copie de l'exemplar qui nous a été transmise. Nous avons pu discerner une vingtaine de manuscrits très semblables, qui constituent la tradition universitaire issue de l'exemplar en question. Comme nous n'avons pas pu découvrir d'autres indications de pièces et que nous avons isolé lesdits manuscrits sur la base de l'état textuel général, nous préférons les présenter plus loin, quand nous discuterons en détail la filiation des manuscrits.

L'exemplar px et ses copies

    Le manuscrit px est un manuscrit en parchemin, datant du XIIIe siècle et grand de 248 mm sur 170 mm. Il se compose des Ethiques, des Magna Moralia et de la Métaphysique (translatio nova) (4). Le texte est disposé en deux colonnes, l'écriture, en général, est peu soignée et se caractérise par des changements très brusques dans la grosseur des lettres et l'écartement des mots, les lettrines colorées n'ont pas été inscrites, les corrections et les notes sont très nombreuses.

    A part l'exposé du Père Gauthier dans sa préface des Ethiques (5) et les particularités que nous venons de mentionner, nous croyons pouvoir alléguer d'autres éléments qui prouvent que nous avons effectivement affaire à un vrai exemplar. Le folio 81 porte en tête du recto la note suivante : le numéro quatre en chiffres romains et le mot "moralium" en toutes lettres au milieu, à côté et à droite le nom "Johannis Cornubyensis". Nous retrouvons une indication similaire, quoique moins claire et conservée seulement en partie, en tête des folios 73r et 77r. Il est évident qu'il s'agit du premier folio des pièces de l'exemplar, notamment des pièces 2, 3 et 4. Afin d'assurer un bon fonctionnement et une identification rapide, le copiste, ou est-ce le correcteur, a mis le numéro d'ordre, le titre de l'ouvrage et un nom ; est-ce le nom du copiste lui-même ou du correcteur, ou est-ce le nom du stationnaire à qui appartiendra l'exemplar (6) ? Il est probable que cette note figurait originairement au commencement des autres pièces, mais qu'elle a été perdue à la rognure. En bas du folio 88v et dans le coin droit nous trouvons la réclame "delectatio enim", qui est reprise sur le recto du folio 89. Il se peut que d'autres réclames aient disparu à la rognure. Les éléments conservés nous permettent toutefois de reconnaître la composition des cahiers. Chaque pièce est formée d'un binion. Les commencements des pièces se situent respectivement en tête du recto des folios 69, 73, 77, 81, 85, 89, 93. En bas et à droite du folio 69r nous voyons, tout à fait sur le bord de la marge, et pas très claire, une indication de correction. Remarquons que l'emplacement de cette note ne convient pas à ce que dit Destrez. Il nous apprend que l'indication de correction se retrouve, en règle générale, à la fin du dernier folio de chaque pièce (7). De plus, nous pouvons relever un nombre considérable de points de repère. On les rencontre d'un bout à l'autre du texte, sous différentes formes. Nous donnons quelques exemples. A hauteur de la dernière ligne du folio 68v nous observons un trait avec cinq points ; dans la marge extérieure du folio 69v nous remarquons un petit groupe de trois points, et plus bas deux traits croisés ; dans la marge centrale du folio 71r nous apercevons un signe en forme d'un huit arabe, et dans la marge extérieure du folio 72v nous observons une croix double. Çà et là un mot ou une partie d'un mot ont été encadrés ; au folio 76ra, par exemple, nous lisons "sustinent", la syllabe -nent étant mise dans un petit cadre. Il arrive également que certains mots du texte soient répétés dans la marge, accompagnés ou non d'un point de repère. Ainsi, en haut de la marge extérieure du folio 69v nous apercevons les mots "quod non est", écrits en abrégé et précédés de deux traits croisés, et au milieu de la marge extérieure du folio 77v nous voyons "utique tales", écrits à l'encre légèrement moins noire. Il est certain que toutes ces marques ont été apposées par les divers scribes qui ont copié l'exemplar, pour qu'ils puissent rapidement retrouver tel ou tel passage quand ils se remettaient au travail.

Pour ce qui est des corrections, nous n'avons pas réussi à distinguer avec une certitude absolue les différents stades du texte, faute d'avoir pu consulter le manuscrit même, ce qui nous aurait permis de mieux reconnaître les changements dans la couleur de l'encre. Nous essaierons toutefois de décrire à grands traits ce qui s'est passé. Nous distinguons deux grandes catégories de corrections, d'une part les corrections qui constituent un complètement du texte, d'autre part les corrections qui effectuent un changement de la leçon originale. Les mots ou parties de mots complémentaires, qui étaient omis par l'auteur de l'exemplar, sont inscrits soit à même le texte (8) soit dans la marge (9). Il est très probable qu'aucune de ces additions n'a été mise par le copiste au cours de son travail. Quelques-unes sont écrites à l'encre nettement plus claire, quoique d'une écriture très semblable ; d'autres sont écrites d'une main courante très peu soignée. Les changements du texte se font, eux aussi, de différentes manières. Très souvent nous trouvons deux leçons juxtaposées, dont la première est exponctuée ou, parfois, barrée ; la deuxième constitue la leçon correcte, définitive. Il est évident que c'est le copiste lui-même qui, travaillant trop rapidement

et avec peu d'attention, a ainsi supprimé de nombreuses erreurs (10).
De même il a pu modifier des leçons en changeant les traits (11).
D'autres corrections ont été superposées ou inscrites dans la marge,
après que la leçon originale a été exponctuée ou rayée. Il n'est pas
impossible que quelques-unes de ces modifications soient de la main
du copiste (12), mais la plupart d'entre elles doivent être attribuées
certainement à des correcteurs (13). Il est très difficile de se décider
sur le nombre des correcteurs. Nous observons des changements dans
la couleur de l'encre et des changements dans l'écriture, mais
comment les délimiter ? Est-il, d'ailleurs, tout à fait inconcevable
qu'un même correcteur ait écrit quelques leçons d'une main posée et
d'autres d'une main plus courante ? Est-il exclu que le copiste lui-
même ait vérifié le texte avant qu'il soit mis en circulation, et
qu'il ait ajouté des corrections, à l'encre différente et d'une écriture
légèrement distincte ? Nous sommes convaincus que la distinction
des mains n'est pas sans intérêt pour l'histoire du texte. Il importe
cependant relativement peu -dans le cas des Magna Moralia, soyons
clairs- de connaître la chronologie précise des diverses corrections,
puisque les copies de l'exemplar sont basées sur le texte corrigé et
qu'elles reproduisent, en général, la leçon définitive. Il arrive
pourtant qu'une ou plusieurs copies reprennent la leçon fautive,
quoique celle-ci ait été supprimée par l'auteur même de l'exemplar
et que la leçon définitive doive avoir été inscrite. Nous reviendrons
sur ce fait assez remarquable en commentant les apparats du passage
1207b20-1209b2.

Pour ce qui est des copies de l'exemplar, nous avons pu découvrir deux manuscrits, à savoir les manuscrits lo et sm, qui portent
des indications de pièces correspondant exactement à la division en
cahiers de l'exemplar. Rappelons que nous avons pu induire plus haut,
à partir des notes identifiant les pièces et la seule réclame conservée, que chaque pièce est formée d'un binion et que les commencements des pièces tombent successivement en tête du recto des folios
69, 73, 77, 81, 85, 89 et 93. Il est surprenant de voir que le texte
des Magna Moralia ne commence pourtant pas au recto du folio 69.
En fait, le texte commence en haut du verso du folio 68 et fait donc
partie de la dernière pièce des Ethiques. De même, le texte des
Magna Moralia se termine au verso du folio 95 et le texte de la
Métaphysique commence immédiatement au recto du folio 96. Les
unités matérielles ne concordent pas avec les unités formelles. Du
reste, les autres pièces comportent un texte d'une longueur très
semblable, avec une moyenne de 362 lignes de l'édition Bekker ou
23 lignes par colonne.

Les commencements des pièces correspondent aux endroits
suivants :
69r :   Nulla enim neque scientia neque potentia causa ma - (rature)
        mali est. (1182a35),
73r :   Vituperamus enim et tales, quando ipsos putamus causas esse
        egrotandi aut - male habere corpus,... (1187a27),

77r :   Liberalitas autem est medietas pro - digalitatis et illi-
        beralitatis. (1191b39),
81r :   Et iste est quidem secundum quod iniustum - facit, est autem
        secundum quod non iniustum facit. (1196b1),
85r :   ..., a desiderio autem ductus operatur ; - talis enim erat
        incontinens. (1201a22),
89r :   ..., sed magis operatur ? - Delectatio enim movet ad magis
        operandum... (1206a9),
93r :   Utrum autem est ipsi amicitia - et ad ipsum amicitia, aut
        non,... (1210b33).

Le manuscrit lo porte tous les numéros de pièces à l'exception du premier et du cinquième. Le numéro d'ordre est écrit en chiffres romains ; le mot "pecia" est abrégé sous la forme de p̃, il est manquant dans l'indication de la septième pièce. Dans le manuscrit sm nous retrouvons également toutes les indications, sauf la première et la septième, le numéro en chiffres romains, le mot "pecia" sous la forme d'un p avec signe abréviatif. Pouvons-nous conclure de l'absence du premier numéro que la première page du texte et la première pièce, dans leur ensemble, étaient considérées comme une unité, en d'autres mots, que les copistes pouvaient emporter chez eux toute cette partie du texte ?

Revenons finalement à une particularité de l'exemplar qui s'est révélée extrêmement importante. Au recto du folio 79 nous remarquons une tache qui a rendu illisibles ou très peu lisibles les premiers mots de trois lignes successives. Il s'agit du passage 1194b8-10, traduit ainsi : "Hoc enim maxime est in equalitate ; communicantes enim cives quidam, et similes volunt esse nature, modo autem alteri". L'état actuel du texte est tel que les mots "in equalitate" nous paraissent déchiffrables pour celui qui suit bien le raisonnement, quoique les lettres "in e-" soient en partie effacées. Les mots "cives" et "nature" aux lignes suivantes ont complètement disparu ; il ne reste que quelques traits insignifiants. Le "quidam" est moins clair mais bien lisible ; le "modo" peut certainement poser des problèmes. Considérant l'importance que peut avoir un tel accident en vue de l'identification des manuscrits dépendant de l'exemplar -à condition, bien sûr, que l'accident se soit produit avant la transcription du texte-, nous avons examiné minutieusement ce passage dans tous les manuscrits. Et nous sommes arrivés à un très bon résultat. Nous avons pu vérifier que le mot "cives" a été remplacé par un blanc dans les manuscrits lo sm fn va, primitivement aussi dans les manuscrits fo pq et bu ; il a simplement été omis dans les manuscrits py sm mt fz ef li lp fl et fe ; le mot a été inscrit ultérieurement, à même le texte dans les manuscrits fo et bu, en marge dans le manuscrit pq. La même chose s'est produite pour la leçon "nature" : nous retrouvons un blanc dans les manuscrits lo mn fz fn va et, originairement, dans les manuscrits fo pq et bu, une simple omission dans les manuscrits py sm mt ef li lp fl et fe ; le mot a été suppléé à même le texte dans les manuscrits fo et bu, en marge dans le manuscrit pq. Quant à la leçon "modo", la situation est nettement moins uniforme : les manuscrits mn fn va bu présentent un blanc, le manuscrit fe a omis la leçon, les manuscrits ef li lp ont mis "quomodo", le manuscrit sm a opté pour "quando", les autres manuscrits mentionnés ci-dessus ont reproduit la bonne leçon (14). Le "quidam" a été conservé dans la plupart des manuscrits, le "quidem" qu'on retrouve, entre autres, dans les manuscrits mt pz ef li et lp, peut être considéré comme une simple corruption, qui ne peut pas avoir son origine dans le texte de l'exemplar. Les mots "in equalitate" n'ont été mutilés que dans les manuscrits py fo sm et mt, qui ont respectivement "pro qualitate", "pro equalitate", "equalitate" et "pro qualitate". Somme toute, c'est grâce à ce passage et à un examen précis de l'état textuel général, que nous représenterons ci-dessous, que nous avons pu définir la tradition universitaire issue de l'exemplar px. Les manuscrits descendant de l'exemplar sont au nombre de 17, à savoir, les manuscrits py fo lo sm mt mn pq fz pz ef li lp fn va bu fl fe.

Il est remarquable de noter que les coupures des pièces ne tombaient pas aux mêmes endroits dans les exemplars px et pl et que les pièces, dès lors, n'étaient pas interchangeables. Les manuscrits universitaires suivent, dans l'ensemble, un des deux exemplars.

LA FILIATION DES MANUSCRITS

Les tableaux que vous trouverez ci-après, ont trait à 23 leçons du fragment 1207b20-1209b2, dont nous donnons plus loin le texte et les apparats. Les 23 leçons en question ont été soulignées. Les chiffres indiquent le nombre de leçons communes entre deux manuscrits. A l'exception des manuscrits hd to pr vi gu sa fe et le manuscrit de Valence, tous les manuscrits qui comprennent le texte des Magna Moralia figurent dans les tableaux. (Cf. Tableau 1, p. 202 ; Tableau 2, p. 203 ; Tableau 3, p. 204).

Avant de commenter en détail ces tableaux, il faut faire quelques remarques préliminaires. D'abord, soulignons que tout choix comprend nécessairement une sélection : nous prenons en considération certains éléments, nous en omettons d'autres. En fait, nous avons sélectionné une partie du texte, qui constitue à peu près un 17ème du texte entier. Ensuite, nous avons choisi 23 leçons. Ce choix ne s'est pas fait d'une façon arbitraire. Nous avons fait les calculs afin de mieux connaître la filiation des manuscrits, donc, avant d'avoir distingué avec précision les diverses familles manuscrites. Or, nous avons pris des leçons pour lesquelles les manuscrits nous offraient des variantes, où l'on voyait surgir des groupes de manuscrits semblables, où l'on pouvait constater que ces groupes divergeaient et s'écartaient, d'une façon ou d'une autre, de la leçon exacte, authentique. Cette démarche explique que les chiffres des tableaux révèlent surtout à quel point les groupes des manuscrits sont différents l'un de l'autre, et qu'ils ne font pas apparaître suffisamment à quel point les manuscrits restent conformes. En outre, nous avons pu constater, après coup, que dans quelques cas ce ne sont pas les grands groupes parfaits, théoriques qui se dessinent ; nous apercevons que les groupes se subdivisent, ou bien qu'un ou plusieurs manuscrits d'un groupe suivent la leçon d'un autre groupe ou qu'ils ont conservé la leçon exacte. Cela complique ce petit examen, mais le rend en même temps plus justifiable et plus exact. Puis, il faut bien se rendre compte que les chiffres ne donnent qu'une information très limitée. Ils indiquent, comme nous l'avons dit, le nombre de leçons communes entre deux manuscrits. Plus le nombre est élevé, plus les manuscrits concernés se ressemblent et plus grande est la parenté entre lesdits manuscrits. En principe, les chiffres ne disent donc rien sur la qualité des manuscrits. De plus, ils ne disent rien sur les rapports réciproques que peuvent avoir trois ou plusieurs manuscrits : on ne peut conclure qu'avec une extrême prudence que les manuscrits A et C, éléments de deux couples de manuscrits semblables AB et BC, se ressemblent au même point. En somme, quelque limitée que soit l'information, nous sommes convaincus que les tableaux nous offrent des renseignements très importants.

Quant aux premier tableau, nous pouvons constater très facilement que les vingt manuscrits, allant de pl jusqu'à er sur l'abscisse, se ressemblent très largement. Il s'agit ici d'un groupe très solide. C'est la tradition universitaire qui remonte à l'exemplar mentionné par Denifle dans la liste de taxation de 1304. Nous rappelons que c'est le manuscrit pl qui porte des indications de pièces très claires. C'est pourquoi nous appellerons par la suite cette tradition la tradition universitaire pl. Le manuscrit pl nous servira de point de repère pour juger de l'ensemble de la tradition. Nous constatons, en effet, que tous les manuscrits ne se ressemblent pas au même point. Les chiffres vont de 23 à 16. Comme 23 constitue le maximun de conformité, nous pouvons dire que les manuscrits pl pa vc vn sont à peu près identiques. Est-ce qu'ils ont le mieux conservé le texte de l'exemplar ? Les manuscrits mo ma ba up bs ad md vt be cy fd peuvent être classés dans ce même groupe strictement pris. Les derniers de ces manuscrits comportent, probablement, quelques fautes supplémentaires, d'où vient qu'ils ne sont pas aussi conformes aux premiers. En ce qui concerne les manuscrits aq am wo er, la situation n'est pas tout à fait claire. Le nombre des leçons communes entre ces quatre manuscrits et les 16 autres est, généralement, moins élevé. Les manuscrits am wo er, ayant 21 ou 20 leçons en commun, constituent un petit groupe, tandis que le manuscrit aq n'est très semblable ni à ce petit groupe ni au plus grand groupe que nous venons de discerner. Que pouvons-nous en conclure ? Nous présumons soit que les manuscrits am wo er et le manuscrit aq forment deux subdivisions de la tradition universitaire en question, soit que ces manuscrits mêmes ou leurs prédécesseurs -ce qui, en fait, est plus probable, vu la date et l'état textuel des manuscrits concernés- sont de la même génération que l'exemplar. Dans l'état actuel de nos recherches, nous sommes tentés de croire que le manuscrit aq descend de l'exemplar, ne fût-ce qu'indirectement, et que les manuscrits am wo er sont plutôt des cousins. Quoi qu'il en soit, tous les vingt manuscrits se ressemblent très fort et peuvent être considérés comme une seule famille, quand il s'agit de reconstituer le texte original et de rechercher les leçons authentiques. Remarquons d'ailleurs que ce grand groupe, incluant les manuscrits am wo er et aq, se maintient d'un bout à l'autre du texte, mais que nous n'avons pas encore suffisamment examiné si les rapports entre les sous-groupes am wo er et aq et les autres manuscrits restent toujours pareils. Il faudra vérifier toutes les pièces, si l'on veut atteindre une assez grande certitude. Le fragment étudié n'enfourche que deux pièces ; il comprend la fin de la sixième pièce et la première partie de la septième pièce. Les rapports entre les manuscrits ne changent pas au cours de ce fragment, plus précisément, au point de transition d'une pièce à l'autre.

Revenons une dernière fois au premier tableau afin de considérer les rapports entre la tradition universitaire pl et les manuscrits indépendants, désignés par les sigles supérieurs de l'ordonnée. Il est surprenant que la tradition pl ne se rattache pas très visiblement à l'un des groupes indépendants. Il faut donc que l'exemplar lui-même se soit éloigné beaucoup du texte original, chose qui peut paraître quelque peu étrange, puisque les exemplars étaient habituellement corrigés avant d'être mis en circulation. Mettons que la tradition pl est d'une qualité inférieure quoique, ayant l'intention de copier simplement le texte, elle ait très souvent reproduit fidèlement la bonne leçon. La tradition pl se rapproche le plus des manuscrits ox et la, encore qu'il ne puisse pas être question d'une vraie ressemblance. Il convient, par ailleurs, de remarquer qu'il faut juger le manuscrit ox avec beaucoup de prudence. Alors que ce manuscrit ne s'affilie pas à une des deux traditions universitaires tout au cours du fragment étudié, il s'associe très manifestement à la tradition pl, par ascendance ou par cousinage, dans les passages précédents. Il est nécessaire de collationner les autres pièces du manuscrit afin de pouvoir juger avec plus de précision. Nous pourrons examiner également, en considérant les manuscrits la cl ca ur, si la tradition pl reste toujours le plus conforme au manuscrit la.

Nous essaierons ensuite d'expliquer d'une façon analogue les données du deuxième tableau. Le manuscrit px, tout à gauche sur l'abscisse et représentant le deuxième exemplar, nous met d'emblée sur la bonne piste. Il est assez probable que les manuscrits qui ont un nombre élevé de leçons communes avec px, descendent de cet exemplar ou dépendent, au moins, d'un prédécesseur commun. C'est là un problème difficile, que nous n'avons pu résoudre avec certitude qu'à l'aide du passage 1194b8-10, examiné plus haut. Or, nous pouvons affirmer que les seize manuscrits, désignés par les sigles py jusqu'à fl, descendent de l'exemplar px, et qu'ils constituent la tradition universitaire px. Quand nous comparons les chiffres de la tradition pl avec ceux de la tradition px, nous remarquons immédiatement qu'il y a une différence. Tous les manuscrits de la tradition pl sont très pareils, alors que ceux de la tradition px ont nettement moins de leçons communes. Comment cela se fait-il ? De toute évidence, cela est dû au fait qu'un nombre limité seulement de manuscrits sont de très proches parents de l'exemplar px. Nous croyons pouvoir prétendre que tous les manuscrits désignés par les sigles py fo lo sm mt mn sont des parents au premier ou au second degré. Deux d'entre eux portent des indications de pièces très claires, ce sont les manuscrits lo et sm, comme nous l'avons indiqué plus haut. Les manuscrits restants descendent de l'exemplar, certes, mais ils n'ont pas conservé le texte aussi bien que les autres. Leurs copistes n'ont pas eu pour seul but de copier le texte tel qu'ils l'avaient sous les yeux, ils ont voulu produire un texte lisible, coulant, et ils se sont servis de divers moyens pour arriver à ce but. Ils ont consulté d'autres manuscrits, ils ont inséré des conjectures. Les données du tableau nous permettent de noter que les manuscrits fn va bu d'une part, les manuscrits li lp d'autre part, forment deux subdivisions de manuscrits identiques. Il est assez probable que le manuscrit lp descend du manuscrit li ; pour les manuscrits fn va bu il n'est pas encore très clair s'ils sont parents en ligne directe ou collatérale. De plus, nous pouvons poser que les manuscrits pq fz et les manuscrits pz ef constituent deux autres sous-groupes de l'exemplar, -une conclusion qu'il est difficile de dégager du tableau, mais à laquelle nous conduit l'examen du texte entier, comme on le verra plus loin, en consultant les apparats. Le manuscrit fl, finalement, occupe une position assez particulière ; il ne s'associe pas de très près à l'un des autres manuscrits et il nous offre, comme le groupe fn va bu, un texte fort façonné.

Pour ce qui est des rapports entre cette tradition universitaire et les manuscrits indépendants, nous voyons que les chiffres indiquant la ressemblance, sont nettement plus élevés que dans le cas de la tradition pl. Disons que l'exemplar px est mieux intégré dans l'ensemble de la tradition manuscrite et qu'il ne s'éloigne pas autant du texte original. La concordance avec les manuscrits cr no et avec le manuscrit cn est la plus manifeste. Le manuscrit cn, qui n'a pas conservé les leçons qui caractérisent les meilleurs manuscrits et qui est toutefois très semblable à ces meilleurs manuscrits indépendants aussi bien qu'à l'exemplar px, pourrait être considéré comme terme intermédiaire. En plus de cela, il est remarquable que le groupe fn va bu se rapproche le plus du manuscrit ur, comme le confirmeront les apparats.

Avant d'ajouter quelques mots sur les manuscrits indépendants, il nous faut indiquer comment se rapportent les deux traditions universitaires. Comme le nombre des leçons communes ne dépasse pas les six, nous n'avons pas estimé utile de disposer ces données dans un tableau. Les chiffres varient, en fait, entre un et six, avec une moyenne de trois. Nous pouvons en conclure que les deux traditions s'écartent l'une de l'autre, en s'éloignant du texte original.

Rappelons cependant que nous avons choisi les leçons chiffrées dans le but de délimiter les diverses familles manuscrites.

les manuscrits indépendants, représentés dans le tableau 3, se répartissent en trois groupes et quelques manuscrits isolés. Cette subdivision n'est pas très évidente, quand on prend pour seule base les chiffres du tableau ; il faut considérer le texte entier. Nous aurons l'occasion de démontrer que lesdits groupes se dessinent effectivement, en commentant le passage 1207b20-1209b2 et en discutant la qualité des manuscrits. A présent, nous constatons seulement que les manuscrits cr no et les manuscrits cm pp, ayant 22 leçons communes, sont très pareils. On pourrait se demander, une fois de plus, s'il s'agit d'ascendants ou de cousins. La ressemblance des manuscrits la cl ca ur se manifeste également. En ce qui concerne les manuscrits isolés, nous pouvons réaffirmer que le manuscrit cn occupe une position intermédiaire entre les manuscrits mentionnés et l'exemplar px. Le manuscrit ox ne se range pas du côté d'une des traditions universitaires, le nombre des leçons communes avec la tradition pl et la tradition px étant respectivement 11 et 12. Pour d'autres passages, cependant, ce manuscrit fait partie de la tradition pl, comme il a été dit plus haut. Est-ce peut-être un manuscrit fait de pièces et de morceaux ? Le manuscrit cb, finalement, est très semblable au manuscrit ox, du moins pour ce passage. Il vaudrait la peine de vouer un examen détaillé à ce manuscrit et précisément à ses corrections, qui sont extrêmement importantes.

LE PASSAGE 1207b20-1209b2

Texte et apparats

L'apparat latin, en principe, prend en considération tous les manuscrits examinés et qui, de ce fait, sont inclus dans les tableaux ci-dessous. La liste des manuscrits a été établie sur base de la filiation. Nous distinguons -comme nous l'avons annoncé en commentant les tableaux- trois groupes de manuscrits indépendants, désignés par les majuscules A B C, quelques manuscrits isolés et les deux traditions universitaires, que nous représenterons par les majuscules D et E. Les sous-groupes de ces traditions ont été indiqués par la majuscule correspondante suivie d'un coefficient. Cela donne :

$\underline{A} = \underline{la} \ \underline{ci} \ \underline{ca} \ \underline{ur} \qquad \underline{B} = \underline{cr} \ \underline{no} \qquad \underline{C} = \underline{cm} \ \underline{pp} \qquad \underline{cn} \ \underline{ox} \ \underline{cb}$

$\underline{D} = \underline{D}^1 \ (\underline{px} \ \underline{py} \ \underline{fo} \ \underline{lo} \ \underline{sm} \ \underline{mt} \ \underline{mn}) \quad \underline{D}^2 \ (\underline{pq} \ \underline{fz}) \quad \underline{D}^3 \ (\underline{pz} \ \underline{ef}) \quad \underline{D}^4 \ (\underline{li} \ \underline{lp})$

$\qquad \underline{D}^5 \ (\underline{fn} \ \underline{va} \ \underline{bu}) \quad \underline{D}^6 \ (\underline{fl})$

$\underline{E} = \underline{E}^1 \ (\underline{pl} \ \underline{pa} \ \underline{vc} \ \underline{vn} \ \underline{mo} \ \underline{ma} \ \underline{ba} \ \underline{up} \ \underline{bs} \ \underline{ad} \ \underline{md} \ \underline{vt} \ \underline{be} \ \underline{cy} \ \underline{fd} \ \underline{oo})$

$\qquad \underline{E}^2 \ (\underline{aq}) \quad \underline{E}^3 \ (\underline{am} \ \underline{wo} \ \underline{er})$

Les leçons ont été mentionnées selon les critères suivants. Nous mentionnons toutes les leçons des manuscrits la cl ca ur, composant le groupe A, sauf ces leçons individuelles qui ont été immédiatement corrigées par le copiste lui-même et qui ne peuvent avoir aucune importance pour la tradition manuscrite. En outre, nous donnons toutes les variantes qui sont suivies par au moins deux manuscrits, ainsi que les variantes individuelles qui ont, apparemment, une origine commune et qui peuvent, dès lors, indiquer la parenté entre les manuscrits concernés. Nous signalons exceptionnellement des leçons individuelles des manuscrits autres que ceux du groupe A, à savoir, quand ces leçons concordent avec la leçon du manuscrit grec K^b, tandis que la plupart des manuscrits adoptent une leçon différente, ou bien quand ces leçons correspondent à la leçon d'un autre manuscrit grec, pour autant que nous les connaissions, et même quand ces leçons représentent un élément de rédaction important.

Nous avons, pour le moment, pris cette option pour les raisons suivantes. Nous sommes d'avis qu'il est, généralement, très intéressant de représenter dans une certaine mesure l'ensemble de la tradition manuscrite et d'expliquer ainsi l'histoire du texte. Il nous semble que cette méthode est d'autant plus intéressante que, la tradition manuscrite étant assez compliquée, tous les manuscrits peuvent, en principe, avoir conservé la leçon authentique.

Ajoutons qu'en règle générale, nous donnons les variantes du texte. Au cas cependant où la leçon du texte n'est suivie que par un nombre très limité de manuscrits, nous avons préféré donner un apparat positif. En outre, considérant le problème des corrections et de l'identification des correcteurs, nous avons, pour le moment, décidé d'indiquer les leçons primitives comme leçons "ante correctionem" et les leçons définitives comme leçons "post correctionem".

L'apparat comparatif est basé sur la comparaison du texte avec le manuscrit grec K^b (15). De plus, chaque fois que la leçon du texte ne correspond pas à la leçon de K^b, nous essayons de déterminer s'il y a concordance avec le manuscrit M^b (16), avec l'édition Aldina ou avec les leçons proposées par d'autres éditeurs ou savants.

1   Quoniam autem de singula virtutum particulariter diximus,   1207b20
reliquum utique erit et universaliter composita et singula ca-
pitulantes dicere. Est quidem igitur non male dictum nomen in
perfecte studioso, bonitas. Bonus enim et optimus, aiunt, quan-
5 do utique perfecte studiosus. In virtute enim bonum et optimun   1207b25
dicunt, puta iustum et bonum et optimum aiunt, fortem, tempera-
tum, universaliter in virtutibus. Quoniam igitur in duo dividi-
mus, et hec quidem dicimus esse bona hec autem et optima, et
optimorum quedam simpliciter optima alia vero non, et bona qui-
10 dem puta virtutes et a virtute operationes, optima autem prin-   1207b30
cipatum divitias gloriam honorem talia ; est igitur bonus et optimus cui simpliciter optima sunt optima et simpliciter bona

---

K̲[b]   (M̲[b])

2. composita (συντεθέντα, cf. Ald.)]συνθέντας   (et[2]]om.)
4. aiunt (φασιν , cf. Casaub.)]φησιν   6. (et[1]]* om.)   aiunt
(φασιν K̲[b,pc] M̲[b])]φησιν

A̲ B̲ C̲ cn̲ ox̲ cb̲ D̲[1,2,3,4,5,6]   E̲[1,2,3]

1. autem A̲ : om. cett.   singulis ur D[5]   virtute no   particulariter]
patienter C̲ : particularis D[4,6]   2. reliquum]eloquium D[5]   utique
om. ca̲   compositi E[1,2]   capitulantes]copulantes C cb[pc]   3. est
quidem bis scr. la[ac]   non om. D[5] in perfecte]imperfecte la px lo sm
mt D[2] li bu bs ad be : imperfectum C : in perfecto er   4. studiosa
E[1,2]   quando]quandoque C D[5]   5. in om. cy oo   enim + per la
6. dicunt - optimum om. D[2]   iustum et bonum et]bonum iustum et
D[5] : *iustum bonum et D[6]   et[2] om. ca   aiunt + et pz md[pc]   fortem + et ad md[pc]   7. dividamus D[3,4]   8. hec[1]]hoc la px py mt mn
ef wo   quidem]quod fn(dub.) bu   hec[2]]hoc px py mn ef wo   et
optima bis scr. B cn D[1,2,3,6]   et[3] -optima(9) om. vt er   et[3] om.
D[2] pz   9. optimori ca   simpliciter + sunt C̲   optima + autem
principatum (cf. 10) ca[ac]   10. optimam ur : optimum fz : oportuna
dub. fd er   principatus ur ma   11. gloriam + et ur C̲ cn ox py fo
be oo am   honorem la cl ca : + et cett.   talia]alia px[ac] (dub.) mn
D[3,4]   et om. D[4]   12. sunt optima bis scr. ca   bona bona sunt]
bona sunt bona B̲ vn E[2] : bona sunt D[1,4,6]   pq[pc] fz pz fd : sunt
bona ef : bona pq[ac] D[5]

bona sunt. Talis enim bonus et optimus. Cui autem simpliciter
optima non sunt optima, non est bonus et optimus, quemadmodum 1207b35
15 neque sanus esse utique videbitur cui simpliciter sana non sana
sunt. Si enim divitie et principatus advenientia quendam ledent, non utique eligibilia erunt, sed talia quecum\<que\> ipsum
non ledent, volet eidem inesse. Talis autem existens qualis 1208a1
abstinens a bonis ipsis ad non esse, non videbitur bonus et op-
20 timus esse. Sed cui bona omnia existentia bona sunt et ab hiis
non corrumpitur, puta a divitiis et principatu, talis bonus et
optimus.

De operari autem recte secundum virtutes dictum est quidem, 1208a5
non sufficienter autem. Diximus enim secundum rectam rationem
25 operari. Sed fortassis utique quis ipsum hoc ignorans interro-
gabit, secundum rectam rationem quid est, et ubi est recta ra-

---

K^b (M^b)

18. (eidem (ταὐτῷ, ? an τῷ αὐτῷ)] αὐτῷ)   19. bonis ipsis ad non
esse (τῶν ἀγαθῶν αὐτῶν πρὸς τὸ μὴ εἶναι)] τῶν ἀγαθῶν πρὸς
τὸ μὴ εἶναι αὐτῷ non^2]+ ἄν   26. (quid] + ποτ')

A B C cn ox cb D^{1,2,3,4,5,6} E^{1,2,3}

13. cui - optimus (14) om. C   14. non sunt optima bis scr. ca
15. sanus esse (est la) utique videbitur A : sanus utique (om. D^6) esse
videbitur B C cn D^{1,3,4,6} pq : sanus utique videbitur D^5 : sanus
videbitur utique esse E^2 : sanus utique videbitur (videtur pl) esse
cett.   16. advenientis C   quedam cl C D^{5,6} : quemadmodum mo be
ledent]dub. cr : libent no : ledant C D^{3,4} ad er   17. quecumque
scr. : que cum codd.   ipsam ca^{ac} 18. ledunt pp^{ac} D^6 E^2 :
ledentur D^5 volent B pz^{ac} : nolet dub. fz va bu   eidem]enim
ur^{ac} autem A : autem enim px^{ac} D^{3,4} : enim cett.   19. ad]dub.
cr : aliud no   20. bona omnia existentia]omnia la   hiis]illis D^3
21. a A C : om. cett. et^1 A C E^2 : non ma : om. cett.   22.
optimis D^4 23. autem] om. cm : post recte pp   secundum]sed vt
oo   virtutem B quidem]quid cm : quod cn   24. sufficit px^{ac} py
D^{3,4} : sufficiter lo : sufficiunt mt   enim + non ox bs   rectam]
roàm D^5 rationem]operationem ur   25. hoc om. ur   26. rectam om.
pz pa   rationem + operari (cf. 25, 27) ad E^2 quid]quod px^{ac}
(dub.) py fo lo sm D^5 : om. mn vt   est^2 om. D^5

tio. Est igitur secundum rectam rationem operari, quando utique
irrationalis pars anime non prohibet rationalem agere suam ac-   1208a10
tionem. Tunc operatio erit secundum rectam rationem. Quoniam
30 enim aliquid anime hoc quidem peius habemus hoc autem melius,
semper autem peius melioris habemus causa, est quemadmodum in
corpore et anima corpus anime causa, et tunc dicimus habere   1208a15
corpus, quando ita utique habet quod non prohibeat, sed et conferre et commoveri ad perficiendum animam suum opus ; peius enim
35 melioris causa, cooperari meliori. Quando igitur passiones non
prohibent intellectum suum opus agere, tunc erit quod fit se-   1208a20
cundum rectam rationem. Ita, sed fortassis dicat quis utique,
quando qualiter habent passiones, non prohibent, et quando ita

---

K̲ᵇ (M̲ᵇ)

28. (suam (αὐτοῦ ? M̲ᵇ)] αὐτοῦ)   31. habemus causa, est (cf.
ἕνεκέν ἐστιν M̲ᵇ)]ἔχομεν ἕνεκεν   32. (dicimus (λέγομεν)]
ἐροῦμεν)   33. (ita utique]tr.)   34. (suum (αὐτῆς ? M̲ᵇ)]αὐτῆς)
36. (suum (αὐτοῦ ? M̲ᵇ)] αὐτοῦ)   38. (qualiter (πῶς ? M̲ᵇ)]πως)

A̲ B̲ C̲ c̲n̲ o̲x̲ c̲b̲ D̲^{1,2,3,4,5,6}   E̲^{1,2,3}

27. igitur]ergo l̲p̲ e̲r̲   28. rationalis c̲l̲ C̲ b̲a̲ : irrationabilis b̲u̲
rationale D³,⁴ : rationem m̲a̲   29. tunc - rationem om. c̲a̲
tunc + enim c̲b̲ᵖᶜ   quoniam]quando D⁴   30. enim]igitur (ergo l̲p̲)
u̲r̲ D : autem b̲e̲   peius habemus]in peius E^{1,2} : peius w̲o̲ e̲r̲   hoc²
- habemus (31) om. C   melius]in melius v̲c̲ E²   31. semper]dub.
p̲q̲ : similiter f̲z̲   melioris]melius c̲a̲ᵃᶜ   causam u̲r̲ᵃᶜ ad   32.
et¹]om. m̲t̲ u̲p̲ : + in D⁵   anima + quoniam D⁵   corpus]bis scr.
C : + enim p̲a̲ᵃᶜ : + autem b̲e̲ cause c̲a̲ᵃᶜ   habere + bene D⁵
33. quando om. u̲r̲   ita utique]itaque utique (om. l̲a̲ᵃᶜ) l̲a̲ : utique
c̲m̲ l̲o̲ b̲a̲ᵃᶜ : utique (itaque e̲r̲) ita e̲f̲ e̲r̲   prohibet D⁵ : prohibent
E^{1,2}   34. moveri l̲a̲ᵃᶜ : causa moveri v̲n̲ b̲a̲ m̲d̲ b̲e̲ c̲y̲   enim om.
D⁶   35. melioris]peioris D⁵   causa]dub. p̲x̲ : non D^{1,5} (preter
p̲x̲ m̲n̲) : autem D⁶ : + est D³   operari p̲a̲ b̲e̲   36. suum om. u̲r̲
fit A̲ B̲ C̲ : om. cett.   37. dicat scr. cum C̲ D⁵ v̲c̲ m̲d̲ᵖᶜ b̲e̲ E²
e̲r̲ : dictas c̲a̲ : dicet dub. p̲q̲ᵖᶜ : dicas cett.   quis]quid p̲q̲ᵃᶜ f̲z̲ D³ :
quidem D⁴   38. quando¹]quandoque u̲r̲ : quomodo m̲t̲ : om. e̲f̲ :
non D⁴   quando²]quomodo c̲n̲ᵃᶜ (dub.) m̲t̲ : quandoque C̲ : autem
p̲l̲ v̲n̲ m̲o̲ u̲p̲ c̲y̲ f̲d̲ e̲r̲ : ante p̲a̲ m̲a̲ b̲a̲ b̲s̲ m̲d̲ v̲t̲ a̲m̲ : communi dub.
w̲o̲

habent. Non enim scivi. Tale utique non adhuc dicere facile.
40 Neque enim medicus ; sed quando dicit febricitanti ptisanam offerri ; febricitare enim quodammodo sentimus. Quando utique,   1208a25
ait, vides pallidum existentem. Pallidum autem quomodo scivero ?
Hic consciat medicus. Si enim non habes a te ipso, dicet, talium sensum, non adhuc. Similiter de aliis commune est tali ra-
45 tio. Similiter autem habet et in passionibus cognoscere ; oportet enim ipsum conferre ad sensum quid.   1208a30
    Queret autem utique fortassis et tale. Utrum autem opus sci-

---

K[b] (M[b])

39. non adhuc (οὐκ ἔτι, ? an οὐκέτι)] οὐκ ἔστιν   41. enim]δὲ
sentimus (αἰσθανόμεθα)] αἰσθάνομαι   43. hic]+δὴ (consciat
(συνίστω)]συνιέτω)(a te ipso (παρὰ σαυτοῦ)]παρὰ σαυτῷ)
44. commune (κοινόν)]κοινός   47. utique]+ *τις (autem²
(δὲ)]γε)   (opus (ἔργον)]ἔργῳ)

A B C cn ox cb D[1,2,3,4,5,6]   E[1,2,3]

39. enim om. ca   talis (tal' fn bu) D[5]   utique]autem mo fd
non[2]]om. cm ef : bis scr. px mt mn   adhuc]ad hoc pz (dub.) ef
D[6] E[2]   dicere om. la[ac]   facil' D[5]   40. neque]nec dub. mt :
non mo   sed]si D[5]   quando + enim D[5]   frebricitanti ca :
febricañ febricitanti (febricitantem D[4]) px[ac]   D[4]   ptisanam
(ptisanam ur) A B C cn D[1,2]   er : prisanam D[3,4] : tisanam fn bu :
spat. D[6] cy : tysanam cett.   offerri + febricitanti ur[ac]   41.
febricitari be fd   quomodo va   42. vides]videns lo cy : iudex D[5]
existentem pallidum autem]aut C   quomodo]quodammodo ur D[4,6] :
quando up oo E[2]   43. hic]hec cn pz lp vt fd : hoc cb[pc] ef er :
huic dub. oo   consciat]concinat C : cum sciat ox D[5]   habes]
habens C cy : + a se px[ac] sm D[4]   44. sensuum ca   adhuc] ad
hunc ur(dub.) ma : ad hoc D[6]   talis E[2,pc]   ratione C D[2] : rationi
D[3]   45. habet om. la[ac]   passionibus + habet la[ac] D[5]   46.
enim]om. ca am : eum E[2]   ipsi D[1,2,3,4,5]   conferre A C sm[ac] :
conferri cett.   quid]quidem B mt : om. cm lp fd   47. querat
dub. D[5]   utique]om. C : + *aliquis (dub. bu) D[5]   fortasse ur pp :
+ quid C   talis (tal' fn bu) D[5]   autem[2] om. pl pa vc md be cy
fd E[3]

ens hec et iam felix ero ? Putant enim. Hoc autem est tale. Neque una enim aliarum scientiarum tradit discenti usum et actum,
50 sed habitum solum. Ita neque hic tradit scire hec usum (felici-   1208a35
tas enim est actus, ut diximus) sed habitum, in sciendo ex quibus est felicitas, sed ex hiis uti. Usum autem et actum horum
non est huius negotii tradere. Neque enim alia scientia neque   1208b1
una usum tradit, sed habitum.
55   In omnibus autem hiis de amicitia necessarium est dicere,
quid est in quibus et circa quid. Quoniam utique videmus ad om- 1208b5
nem vitam extendentem et in omni tempore, et existentem bonum,

---

K͟ᵇ (M͟ᵇ)

48. hec (ταῦτα M͟ᵇ)]ταύτας   (iam (ἤδη)]δὴ)   49. enim]+ οὐδὲ
51. diximus (ἔφαμεν , c͟f. Ald.)]φαμεν habitum]+ οὐδ᾽ 56. est]+
* καὶ

A͟ B͟ C͟ c͟n͟ o͟x͟ c͟b͟ D¹,²,³,⁴,⁵,⁶   E͟¹,²,³

48. hec]hoc u͟r͟ C c͟b͟ᵖᶜ px(dub.) p͟y͟ m͟t͟ D²,³ l͟p͟ f͟n͟ v͟a͟ m͟d͟ o͟o͟ E² w͟o͟ et
iam]etiam C͟͞   p͞h͞elix D²͞ : felis f͟n͟͞ v͟a͟   ero]eto f͟o͟ m͟t͟ hoc]hec
f͟n͟ u͟p͟ fd(dub.) a͟m͟   autem]aut c͟m͟ o͟x͟ : om. D⁴   talis (tal' f͟n͟ b͟u͟)
D̅⁵   49. unam c͟l͟ v͟a͟   enim]ante una C͟ : neque D⁶   tradidit u͟r͟
c͟n͟ l͟o͟   discenti]dicenti n͟o͟ D⁴,⁶ v͟n͟ b͟e͟ : scienti͞ discenti f͟z͟ᵃᶜ ͞:
scienti D⁵ p͟a͟   actum...usum tr. D⁵ usum s͟p͟a͟t͟. v͟t͟ c͟y͟ 50. neque]
nec o͟x͟ : non m͟o͟ : ut e͟r͟ hic]hec c͟n͟ v͟t͟ e͟r͟ : hoc D̅³ : hiis D̅⁵ :
om. u͟p͟ w͟o͟   tradidit u͟r͟ D³ : tradet D̅⁴ : dub. f͟n͟ : intendi͞t bu
hec]hoc l͟a͟͞ C c͟b͟ᵖᶜ p͟x͟ p͟y͟ D̅²,³ b͟a͟ m͟d͟ E² (dub.) w͟o͟ e͟r͟ : bis scr. c͟a͟ :
huius v͟a͟͞ bu(dub.) u͟s͟u͟ u͟r͟   51. actis c͟a͟ᵃᶜ   sciendo]secundo c͟a͟ :
sciend' D⁵   52. sed + et C͟   uti]utique v͟n͟ m͟o͟   horum]eorum
D⁴   53. est om. o͟x͟ c͟b͟ E͞   huiusmodi o͟x͟ c͟b͟͞ p͟y͟ D² p͟z͟ l͟i͟ b͟u͟ D⁶ p͟l͟
p͟a͟ v͟c͟ v͟n͟ m͟o͟ᵃᶜ͞ b͟a͟ b͟s͟ a͟d͟ m͟d͟ v͟t͟ E² a͟m͟ w͟o͟   neque¹]non c͟m͟ : nec
m͟t͟   54. tradit usum tr. B͟͞   tradidit u͟r͟ e͟r͟ habitum]credidit u͟r͟ : +
d͟e͟ amicitia in rubr. l͟a͟ c͟b͟ p͟x͟ p͟y͟ f͟o͟ m͟t͟ D⁶(i.m.) p͟l͟ a͟d͟ w͟o͟ : + quid est
amicitia et i͟n͟ quibus i͟n͟ rubr. (i.m. f͟n͟) D⁵   55. de amicitia om. C͟
necessarium]post est u͟r͟ : post dicere c͟r͟ᵃᶜ n͟o͟ est]om. c͟a͟ᵃᶜ f͟d͟ : post
dicere D⁴   56. est]+ * et u͟r͟ c͟b͟ᵖᶜ : et p͟y͟ omnem]essem dub. u͟r͟
57. extendentem]existentem u͟r͟ : excedentem c͟m͟ : extendere e͟f͟
et¹ om. c͟l͟ D⁶   et² om. l͟a͟ᵃᶜ s͟m͟ m͟t͟ᵃᶜ E   existentem]extendentem
D͞ (sed [lo])

coaccipiendum utique erit ad felicitatem.

Primum quidem igitur fortassis que dubitantur et queretur
60 melius pertransire. Utrum enim est amicitia in similibus, quemadmodum videtur et dicitur ? Et enim "colios" aiunt "iuxta coli-
on heret", et "semper similem agit deus ut similem". Aiunt au- 1208b10
tem et cane quandoque semper dormiente super eodem latere, in-
terrogatum Empedoclem, propter quid quandoque canis super eodem
65 latere dormit, dicere quia habet lateri simile canis, sicut
propter simile canem venientem. Rursus autem amicitia videtur 1208b15
aliis quibusdam in contrariis magis fieri. "Desiderat quidem"

K^b (M^b)

59. (queretur]ζητεῖται)   66. amicitia]post ἐγγίνεσθαι (67)

A B C cn ox cb D^{1,2,3,4,5,6} E^{1,2,3}

58. coaccipiendum]accipiendum ur^{ac} : capiendum C : non accipiendum
(accipiendo mn) D   erit utique tr. ad E^2 erit om. C   59.
primum]premium sm(dub.) D^2 dubitatur cl : dubitatione dub. ca :
dubitanter B(dub.) vt   et A cm^{pc} pp cb^{pc} : in cm^{ac} : que D^5 :
om. cett.   queretur la cl ur : queratur ca : queruntur (querunt
mn : querimur oo : que utuntur ba) cett.   60. melius A C : et
melius cett.   utrum + amicitia ur   est]om. ca : post amicitia ur
61. videtur om. ur   et^2 om. py oo colios]calios dub. ur : coyos
dub. cm : coios dub. pp : collos ba cy : colyos er   iuxta]iusta bs
be : + alios ur^{ac} colion]coliom la : calion ur : colios D^5 : solion
be cy oo : colyon er   62. heret]habet C : haberet D^{4,5} cy : erit
D^6 : habere vt oo et om. vt be cy fd   semper]similiter pq(dub.)
fz   similem ^{1}]simile D^6 bs   agit]ait D^5 fd   autem]enim D
63. quandoque]quando C   semper]supra C : om. mn ef   64.
Empedoclem]expedodem D^5 quid om. ox bs   super]semper C
up   65. quia]quod ox cb E   simili ca : similem ur   sicuti D^5
66. similem ur D oo : similo vt be cy   canem]canon vt fd autem
om. ef D^6 67. in om. cb^{pc} fd   contrarium C : + necessariis E

enim, aiunt, "imbrem terra, quando utique sicca planities".
Contrarium utique, aiunt, contrario vult amicum esse. In simi-
70 libus quidem enim neque contingit fieri. Simile enim, aiunt,
simili indiget, et talia utique. Adhuc utrum opus difficile est ami-   1208b20
cum fieri aut facile fieri ? Puta adulatores velociter preoperantes amici quidem non sunt, videntur autem amici esse. Ampli-
us autem et talia dubitantur, utrum est studiosus pravo amicus
75 aut non. Amicitia quidem enim in fide et certitudine, pravus   1208b25

K[b] (M[b])

68. aiunt (φασιν, cf. Bonitz.)]φησιν   69. aiunt (φασί, cf. Bonitz.)]
φησί   contrario (τῷ ἐναντίῳ   K[b,pc] M[b])]τὸ ἐναντίον vult
(βούλεται)]βούλεσθαι   70. neque (οὐδ' M[b])]οὐδὲν aiunt (φασι,
cf. Bonitz.)] φησιν   71. simili]+ *οὐδὲν   72. (preoperantes (?
προδράσαντες)]προσεδρεύσαντες) 74. est (ἐστιν)]ἔσται

A B C cn ox cb D[1,2,3,4,5,6]   E[1,2,3]

68. enim]om. ur : esse C   ymbrem la ur C fz D[4] pa vn mo ad md
wo : inbrem ca fn va   terra quando utique om. D[3]   terram ur :
certa lo mt pq(dub.)   quando]quare ur : aut fo(dub.) mt : autem
D[5] : quandoque cb[ac] (dub.) vn ba be oo   sicca A : -ca (facit ca-
planities) C : om. cett.   69. contrarium + enim D[5]   contrario]
spat. mn : necessario ef D[4]   vult]velut dub. la   in similibus]
insil'ibus px : dub. py lo sm : mulieribus dub. D[5] : spat. D[6]   70.
fieri + desiderat ca[ac]   simili la[ac] : similem D[3,4] md(dub.) :
similis (simil' fn bu) D[5]   enim]autem ox cb E   71. simili la cl
ca vn : +*nichil (? an recte) cett.   talia]alia D[5]   adhuc utrum
difficile A : ad opus hoc utrum (utrum hoc tr. bu) difficilis (difficil'
fn bu) D[5] : ad (om. cy) hoc (hec D[6] (dub.) pa fd am wo) opus utrum
(om. mo) difficile cett.   est om. ca   72. aut - fieri[2] om. ur
facilis (facil' fn bu) D[5]   fieri[2] la cl ca B mo : [ur] : + est cett.
putas C   adulatores]adulationes (dub. fn) D[5]   73. autem]aut la
sm   74. autem om. E (preter fd[ac])   dubitatur ur   studiosus]
dub. fn : studiosum bu   pravo amicus A : amicus (amico fo) pravo
tr. cett.   75. aut]autem pz D[4] (dub.)   non + non sunt ca[ac]
fide]fid' cn mo bs : fine up cy   pravis D[6] mo up

autem minime talis.

    Primum quidem igitur determinandum utique erit de amicitia
quali intendimus. Est enim, ut putant, amicitia et ad deum et
inanimata, non recte. Amicitiam enim hic dicimus esse ubi est
80 redamare, amicitia autem ad deum neque redamari recipit neque   1208b30
omnino amare ; absurdum enim utique erit si quis dicit amicum
iovem. Neque utique ab inanimatis contingit redamari. Amicitia
quidem et ad inanimata est, puta vinum aut aliud utique talium.
Propter quod utique neque que ad deum amicitiam querimus neque
85 que ad inanimata, sed que ad animata et hec in quibus est reda-   1208b35

$\underline{K}^b$ ($\underline{M}^b$)

76. talis]+καὶ ὁ φαῦλος τῷ φαύλῳ, ἢ οὐδὲ τοῦτο;80. (redamare
(ἀντιφιλεῖν)]ἀντιφιλεῖσθαι)   81. amicum (φίλον)]φιλεῖν
85. et]+*πρὸς

$\underline{A}$ $\underline{B}$ $\underline{C}$ $\underline{cn}$ $\underline{ox}$ $\underline{cb}$ $\underline{D}^{1,2,3,4,5,6}$ $\underline{E}^{1,2,3}$

76. minime]minimum minime px^{ac} D^4 77. igitur]ergo lp er   78.
putant + et fz be   ad deum et]ad' D^5 et^2 + ad ca^{pc} C   79.
amicitia la ur D^5 $E^{1,3}$ (preter md)   hic]hoc mn $D^{3,5}$ vt : + recte
D^5 est om. fo^{ac} D^4 80. redamare]redamdare ur : reamare
C : redemare py mo   amicitia - redamari bis scr. ca^{ac} amicitia A
cr cn $D^{5,6}$ $E^{2,pc}$: [no] : om. C : amicitiam cett.   autem]om.
ca^a vt : aut sm mt(dub.)   ad deum]ad'm D^5 : deum D^6 vt neque^1]
om. D^4 cy : utique E^2 recipit redamare (-r- dub.) tr. ur recipit]
precipit ox : recepit vt E^2 81. amari D^4 enim om. C oo
erit - utique(82) om. ur   erit om. D   quid pp D^6 dicat E^2
amicum + esse C   82. iovem]ratione sm D^4 animatis mo vt
contingere D^5 reamari C : redimari py ef ma   83. et]enim C :
om. ox mt mn D^5 ad om. ur px^{ac} vt   inanimatum C : inanima-
tam D^5 : animata mo cy   est]non est C   puta + aut D^6 vinum]
unum C lo mn $D^{3,4,6}$ ba   aut]autem ur   aliud utique]aliquid D^5
84. utique]itaque D^5 neque que^1]que cl : om. D^5 : + est ur
deum - ad^1(85) om. C   deum + ad vc ba ad fd   amicitia ur
85. que^1 + est ur   sed - animata]bis scr. ca^{ac} : om. fo mt mn D^5
sed]secundum ur fd : neque E^2 que^2 - hec om. C   animata]
inanimata ca^{ac} px^{ac} (dub.) sm vt : manifesta D^4 et la cl wo :
et (bis scr. ur) *ad cett.   hoc cn px py mt mn ef lp fn va ba md
E^2 wo   redamate ur : reamare C

mare.

Si autem quis post hoc speculabitur quid est amabile, est
igitur non aliud quid quam bonum. Alterum quidem igitur est
amabile et amandum, quemadmodum voluntabile et volendum. Volun-
90 tabile quidem enim simpliciter bonum, volendum autem unicuique 1209a1
bonum. Ita et amabile quidem simpliciter bonum, amandum autem
sibi bonum, est autem amandum quidem et amabile, amabile autem
non est amandum. Hic igitur est et propter huiusmodi dubitatio,
utrum est studiosus pravo amicus aut non. Copulatur enim quo- 1209a5
95 dammodo bono sibi ipsi bonum et amandum amabili, habetur autem
et sequitur bonum et delectabile esse et conferenti. Studiosorum quidem igitur amicitia est, quando redamant se ad invicem ;

K^b (M^b)

87. (autem (δέ   M^b)]δή)   92. (sibi (αὐτῷ ? M^b)] αὐτῷ) est (ἔστι,
cf. Ald.)]ἔτι   ⁻95. (sibi ipsi (αὐτῷ ? M^b)] αὐτῷ)

A B C cn ox cb D^{1,2,3,4,5,6} E^{1,2,3}

87. hec C cb(dub.) fz pa up vt am   speculariter ur   est^2 -
amabile (89) om. ca ur C   88. aliud]aliquid D^5 quid quam]
quicquam lp pa md^{ac} quidem om. D^5 89. quemadmodum + et
D^6(dub.) ad   et^2 - voluntabile^2 om. mt va vt fd   voluntabile^2
om. ca   90. enim]est ur   autem]aut ca cn D^{1,6} pq^{ac} lp (dub.)
pl ma ba up bs ad cy fd(dub.) oo am   91. ita - bonum om. C mn
simpliciter]similiter D^4 autem]aut fo sm mt   92. autem⁻ om.
mt mn   amandum]om. mt : ama..um mn   amabile^2 om. lo mn
va pa be fd   93. hic]hec ur cn fo lp D^{5,6} bs cy fd er : hoc C D^3
et om. mo fd   propter + tale ur   huius ur py lo mt lp D^5 ma
vt be cy fd oo er   dubito C : dubitationem oo   94. pravus fd oo
er   amicis pz^{ac} ef   aut]autem ur pz^{ac} ef D^6 95. bono]bona
la^{ac} : om. fo D^5 : bonum bs   ipsu la^{ac} amabilem D^6 : amabile
pa vc up ad md^{ac} vt be fd E^3 autem]aut D^4 96. et^1 A B C
E^2 : ut cett.   bono D^5 .   et^2 om. B C   delectabili D^5
conferrenti px py fo : conferens dub. md^{pc} studiorum la :
studiosiorum ca : studioso C   97. quidem]quid no er est]enim
fn(dub.) bu : om. E   reamant C   ad om. D^4

amant se ad invicem amabiles ; amabiles autem boni. Non igitur   1209a10
studiosus, ait, pravo non erit amicus. Erit quidem igitur. Quo-
100 niam enim bono sequebatur conferens et delectabile, si est pravus existens delectabilis, sic amicus. Iterum inconferens erat
conferens, sic amicus. Sed non erit secundum amabile talis amicitia. Amabile enim erat bonum, pravus autem non amabilis ; non   1209a15
enim sed secundum amandum. Sunt enim ab omnimoda amicitia, que
105 in studiosis, et tales amicitie, que secundum delectabile et
que secundum conferens. Amans igitur secundum delectabile non
amat secundum amicitiam que secundum bonum, neque secundum conferens. Sunt autem et amicitie hee, que secundum bonum et que   1209a20
secundum delectabile et que secundum conferens, non eedem qui-

---

K^b (M^b)

98. amant]+*δὲ   amabiles¹ (οἱ φιλητοί)]ἢ φιλητοί   boni
(οἱ ἀγαθοί)] ἢ ἀγαθοί   101. inconferens (? ἀσυμφέρων, an
οὐ συμφέρων)]αὖ συμφέρων   erat (ἦν)] ἢ   105. tales
(τοιαῦται)] αὗται

A B C cn ox cb D^{1,2,3,4,5,6}   E^{1,2,3}

98. amant - invicem]bis scr. ca ur : om. cn ox mn   amant -
amabiles¹ om. C   amant + *autem cb^{pc}   se + in ur^{b,ac} ad om.
D⁴   amabiles² om. ox vc vn vt be   autem]bis scr. ca : enim
cm mn : aut sm mt : igitur D⁵   igitur]ergo lp D⁶   99. ait]aut
C cb^{pc} pa fd oo   pravo non erit]erit pravo cl : pravo erit C
erit²]non E   igitur om. E²   100. bono enim tr. la   bono]homo
pz^{ac} D⁴ : bo D⁵   est]enim vc vt pravus]pus px py sm va   101.
sic]fit C : sit D³(dub.) ba^{ac} vt oo(dub.) er(dub.)   iterum - amicus
(102) om. cm vc vn mo up bs ad md E²   conferens pp vt fd oo
102. amicus]amicitia D⁵   erat fo er   amabiles ur   amicitia +
nam E²   103. enim om. fd E²   104. sed om. vt fd   ab]om.
ca : ad fd oo   106. delectabile + et que secundum conferens (cf.
105) la^{ac}   107. amans ur : amant fd er   neque - bonum(108) om.
cn D^{5,6}   neque + que pp   conferens ante neque ca   108.
sunt]similiter ba ad et¹ om. C mn ef cy   hee + autem E   que¹
om. E (preter be)   109. secundum¹ om. ox cb^{ac} E que om. cl
eedem (eodem la vt : ēed' va) la cl ur C cn cb^{pc} fo mn D^{2,5,6} lp
pa vc mo ba vt oo E² er : heedem cett.

110 dem, non omnino autem neque aliene ad invicem, sed ab eodem
quodammodo dependentes sunt. Puta dicimus medicinalem cultellum, medicinalem hominem et medicinalem scientiam. Hec non similiter dicuntur, sed cultellus quidem in eo quod utilis est ad   1209a25
medicinam medicinalis dicitur, homo autem in eo quod factivum
115 est sanitatis, scientia autem in eo quod causa est et principium. Similiter autem et amicitie non similiter, que studiosorum
que propter bonum et que secundum delectabile et que secundum
conferens. Neque equivoce dicuntur, sed non sunt quidem eedem,   1209a30
circa eadem autem quodammodo et ex eisdem sunt. Si autem quis
120 dicat "qui secundum delectabile amat non est amicus huic ; non
enim secundum bonum amicus est", ambulat talis in studiosorum
amicitiam, ex omnibus hiis existentem, et ex bono et ex delec-   1209a35

K^b (M^b)

114. factivum (ποιητικὸν)]*ποιητικὸς   118. neque]+δὴ   119.
(eadem (ταὐτὰ   ? M^b)] ταῦτα)   (autem^2 (δέ)] δὴ)

A B C cn ox cb D^{1,2,3,4,5,6} E^{1,2,3}

111. deprehendentes ur   medicinale la : mediālem C   cultellum -
medicinalem^2 (112) om. D^5 cultellum medicinalēm]om. C mn :
medicinalem D^6 er   cultullum pq fz^{ac} : cutellum mt fz^{pc} mo
112. hominem - medicinalem^2 om. cy oo   medicinalem^2]mediālem C
hoc py ef ma md wo   113. dicitur ur   cutellus mt fz ef fn va
pa mo   est om. D^4 114. medicinam]mediām C   medicinalis]
mediālis C   autem]om. C : aut sm mt D^6 quod]quidem(dub.)
utilis q ca^{ac} factivum - quod(115) om. cn vt   *factivus ca$^{pc?}$
115. est^1 bis scr. ur   sanitas fo^{ac} mo oo   quod om. C   et
om. ca^{ec} D^5 116. que om. C   studiosus D^{3,4} : studiorum E
(preter md^{pc} cy)   117. et^1]esse C   118. neque om. la^{ac}
equivoc D^5 dicitur ur   eedem (ēed' cm va) A B C cn cb^{pc}
D^{2,5} ba vt oo E^2 wo er : heedem (ēe heedem px^{ac}) cett.   119.
ex]om. ur pp D^5 vt : in cm   si autem bis scr. ca^{ac} quis autem
tr. D^2 120. dicatur D^5 qui]quid cr^{ac} (dub.) no   est om. C
be amicus + quis C ox cb E   huic]h^c cl mn   122. amicitiam]+
amicus ca : amicitia D^5 ex^2 om. ur   ex^3 om. D^4 E^2 delectabile ur vt^{ac}

tabili et ex conferente, quare vere non est secundum illam amicitiam amicus, sed secundum eam que secundum delectabile aut
125 que secundum conferens.

　　Utrum igitur studiosus erit [studiosus] studioso amicus aut
non? Non enim indiget, ait, similis simili. Talis autem ratio
querit amicitiam que secundum conferens. In quantum enim indi-　1209b1
get alter altero, sic existentes amici in amicitia que est se-
130 cundum conferens sunt.

K̲ᵇ (M̲ᵇ)

125. (que (τὴν)]*om.)　　126. studiosus erit studiosus]ἔσται ὁ
σπουδαῖος 127. n̄on² (οὐ)] οὐδὲν)　　(autem (δὲ , cf. S̲u̲s̲e̲m̲.)]
δὴ)

A̲ B̲ C̲ cn̲ ox̲ cb̲ D¹,²,³,⁴,⁵,⁶　　E̲¹,²,³

123. vero C D⁶　　est]enim ur　　illam]aliam D⁵ : om. E　　124.
que]quod cn̄ D̄¹,⁴,⁶　　pq pz Ē¹,³　　(preter mo ad̄ fd w̄o) :⁻[E²]
delectabilem n̄o D⁶　　125. que *om. D⁵ad̄　　conferens]+ spat. la :
+ de studioso amico aut non in rubr. D̄⁵　　126. erit studiosus (+
eri paᵃᶜ : + studiosus E²,ᵃᶜ) l̄a cl̄ ur̄ B̄ cn ox̄ᵃᶜ cbᵃᶜ D⁶ E (preter
maᵃᶜ cyᵖᶜ oo) : om. c̄a maᵃᶜ : erit cett.　　studioso]studiosa B̄ :
om. D⁶ vt　　127. non² om. no mn D⁵ cyᵖᶜ　　indiget ait A : ait
(aut cn̄ᵃᶜ ba) indiget (indigens D̄⁵) tr. cett. similis]simul similis l̄aᵃᶜ
simili]similis px fo mt mn : om. p̄y lo sm D²,³,⁶　　: simul D⁴
autem]enim D̄⁵　　128. amicitia D̄⁵　　que]quod D⁴　　enim]
igitur C̲　　alter indiget tr. D⁴　　129. sic om. laᵃᶜ　　existentes]
existens existentes paᵃᶜ : existens mo vt cy w̄o　　est om. ur̄ fzᵃᶜ
130. sunt om̲. fz mo̲

Commentaire

Regardons de près quelques-unes des leçons de ce passage et leurs variantes. Cela nous permettra de mieux reconnaître non seulement les rapports entre les manuscrits mais aussi la qualité de chaque manuscrit individuel. Ainsi, ce petit examen pourra rendre plus clairs les critères d'édition, que nous expliquerons après.

Le groupe A, composé des manuscrits la cl ca ur et figurant en tête sur la liste des manuscrits, mérite d'être étudié en détail. Rappelons d'abord que ce sont les manuscrits la et cl qui attribuent la traduction à Bartholomée de Messine. Les autres manuscrits ne nous fournissent aucun renseignement sur ce point. D'après le catalogue de l'Aristoteles Latinus, le manuscrit la date de la fin du XIIIe siècle, les manuscrits cl et ca de la fin du XIIIe ou début XIVe, le manuscrit ur du début du XIVe (17). Ces quatre manuscrits sont, dans plusieurs cas, les seuls à avoir la bonne leçon. Parfois, soit le groupe B soit le groupe C ou les deux partagent la leçon correcte du groupe A. Quelquefois la leçon du groupe A est suivie par quelque autre manuscrit. Nous donnons ci-après la liste de ces leçons ; nous mentionnons entre parenthèses la leçon correcte. Les fautes de la tradition générale peuvent être divisées en quatre catégories, à savoir, les omissions, les transpositions, les additions et les modifications. Cinq fois, la plupart des manuscrits présentent une omission (l. 1 : autem A ; l. 21 : a A C ; l. 21 : et[1] A C E[2] ; l. 36 : fit A B C ; l. 68 : sicca A(C)). Quatre fois, très peu de manuscrits seulement ont respecté l'ordre exact, tandis que les autres ont transposé deux ou plusieurs termes (l. 15 : sanus esse utique videbitur A ; l. 59-60 : et queretur melius A C ; l. 74 : pravo amicus A ; l. 127 : indiget ait A). Deux fois, presque tous les manuscrits ont une addition, qui n'est très probablement pas authentique (l. 11 : honorem la cl ca ; l. 72 : fieri[2] la cl ca B mo : [ur]). Deux fois, finalement, la tradition générale a remplacé une leçon par une autre, qui peut être considérée comme une corruption paléographique ou comme un élément de rédaction (l. 18 : autem A ; l. 96 : et[1] A B C E[2]). Il reste maintenant cinq cas où ces meilleurs manuscrits se retrouvent seuls, mais où il est beaucoup plus difficile de juger de l'authenticité de leur leçon. Nous y reviendrons plus loin.

Il convient de noter d'abord les endroits où les deux traditions universitaires se séparent manifestement de la tradition meilleure, indépendante. Nous indiquons tous les cas où l'une des deux traditions, dans son ensemble, adopte telle ou telle variante. Nous incluons dans cette liste les leçons qui sont partagées par un ou plusieurs manuscrits indépendants, et qui remontent donc très probablement à un stade antérieur du texte. Les leçons représentées dans les tableaux ci-dessous sont marquées d'un astérisque. Commençons par la tradition pl. Neuf fois, la leçon primitive a été corrompue ou révisée (l. 2 : composita]compositi E[1,2] ; l. 4 : *studioso]studiosa E[1,2] ; l. 30 : *peius habemus]in peius E[1,2] ; l. 33 : prohibeat]prohibent E[1,2] ; l. 65 : quia]quod ox cb E ; l. 70 : enim]autem ox cb E ; l. 79 :

*amicitiam]amicitia la ur D^5 E^{1,3} (preter md) ; l. 99 : *erit^2] non E ; l. 116 : *studiosorum]studiorum E (preter md^{pc} cy). Sept fois, un mot a été omis (l. 53 : est om. ox cb E ; l. 57 : *et^2 om. la^{ac} sm mt^{ac} E ; l. 74 : autem om. E (preter fd^{ac}); l. 97 : est om. E ; l. 108 : *que^1 om. E (preter be) ; l. 109 : *secundum^1 om. ox cb^{ac} E ; l. 123 : *illam om. E). Trois fois, un terme a été erronément ajouté (l. 67 : *contrariis + necessariis E ; l. 108 : *hee + autem E : l. 120 : *amicus + quis C ox cb E). Et une fois, plusieurs mots ont été intervertis (l. 15 : sanus esse utique videbitur]sanus utique videbitur (videtur pl) esse ox cb E^{1,3} fz). Le nombre des leçons propres de la tradition pl s'élève donc à 20, tandis que la tradition px se distingue essentiellement par les 9 variantes suivantes (l. 30 : enim]igitur (ergo lp) ur D ; l. 46 : *ipsum]ipsi D^{1,2,3,4,5} ; l. 57 : *existentem] extendentem D (sed [lo]) ; l. 58 : *coaccipiendum]non accipiendum (-do mn) D ; l. 62 : autem]enim D ; l. 66 : *simile]similem ur D oo - l. 81 : *erit om. D - l. 8 : *et optima bis scr. B cn D^{1,2,3,6} - l. 15 : sanus esse utique videbitur]sanus utique (om. D^6) esse videbitur B C cn D^{1,3,4,6} pq). En outre, les sous-groupes de la tradition px, que nous avons signalés plus haut, se dessinent très clairement. Qui plus est, certaines combinaisons de deux ou de plusieurs subdivisions se retrouvent assez fréquemment. La combinaison des groupes D^3 (pz ef) et D^4 (li lp), par exemple, se rencontre souvent. Il arrive également qu'un sous-groupe de la tradition px partage la leçon d'un ou de plusieurs manuscrits indépendants. Ainsi, la subdivision D^5 (fn va bu) emprunte des éléments au manuscrit ur ainsi qu'aux manuscrits cm et pp. Ces regroupements qui se produisent tout au long du fragment étudié prouvent suffisamment que les divers types textuels se sont entrelacés, en d'autres mots, que nous nous trouvons en face d'une tradition manuscrite partiellement contaminée. Revenons finalement à ce que nous avons dit au sujet des corrections de l'exemplar px. Les manuscrits descendant de l'exemplar, suivent, en général, les leçons définitives, parfois pourtant ils reproduisent la leçon originale, bien que celle-ci ait été corrigée. Nous donnons quelques exemples : l. 18 : autem A : autem enim px^{ac} D^{3,4} : enim cett. ; l. 24 : sufficienter]sufficit px^{ac} py D^{3,4} : sufficiter lo : sufficiunt mt ; l. 26 : quid]quod px^{ac} (dub.) py fo lo sm D^5 : om. mn vt ; l. 40 : febricitanti]febricañ febricitanti (febricitantem D^4) px^{ac} D^4 ; l. 85 : animata]inanimata ca^{ac} px^{ac} (dub.) sm vt : manifesta D^4. Il est manifestement impossible d'isoler les manuscrits qui adoptent cette méthode de travail assez étrange ; le groupe se compose toujours différemment. Nous pouvons seulement conclure que nous nous voyons confrontés ici avec un phénomène très remarquable. De plus, on pourrait se demander si un examen approfondi de ces leçons et suivi pour tout le texte, nous permettrait de distinguer les copies au premier degré des copies au second degré.

Somme toute, l'examen précis de l'apparat latin nous permet de confirmer ou de préciser les thèses annoncées plus haut et de porter un jugement fondé sur la qualité des manuscrits. Il est manifeste que la tradition px s'affilie assez souvent au manuscrit ur, comme l'ont indiqué les chiffres des tableaux. Quoique d'après ces chiffres les manuscrits ox et cb ne s'associent de près ni à la tradition pl ni à la tradition px, nous pouvons constater, en considérant le passage entier, que la tradition pl a tout de même emprunté un assez grand nombre de variantes à ces manuscrits. Pour ce qui est de la qualité des manuscrits, il est clair que les manuscrits la cl ca ur sont les meilleurs et qu'ils nous offrent le texte le plus authentique. Nous croyons qu'il n'est pas très opportun d'exposer en détail les rapports entre ces quatre manuscrits et de définir avec précision la qualité de chacun, puisqu'il est impossible d'arriver à un bon résultat sans que l'on considère le texte entier des Magna Moralia, plus précisément toutes les leçons qui caractérisent le groupe A ou une subdivision quelconque de ce groupe. Nous pouvons annoncer, certes, que les manuscrits la et cl sont de loin les meilleurs. Rappelons que ce sont eux qui portent une note indiquant le traducteur. Et effectivement, à plusieurs endroits du texte nous avons pu reconstituer la leçon exacte, authentique, grâce à la leçon du petit sous-groupe la cl. Nous y reviendrons amplement dans la préface de l'édition. Les traditions pl et px sont assurément inférieures. Les petits groupes indépendants ainsi que les manuscrits isolés sont d'une qualité moyenne ; le groupe cr no n'a pas conservé un nombre de leçons originales, mais du reste, il a eu l'intention de transmettre très fidèlement le texte, tandis que le groupe cm pp a inséré un assez grand nombre d'éléments de rédaction.

Essayons maintenant, tout en tenant compte de ce que nous venons de dire, de juger objectivement et avec précision les quelques leçons du groupe A que nous n'avons pas encore discutées. Qu'en est-il de leur authenticité ?

La leçon "queretur" (la cl ur) à la ligne 59 mérite, en tant que "lectio difficilior", d'être considérée comme la leçon authentique. Bien que la leçon soit assez curieuse, elle peut être comprise de diverses manières. D'abord, nous pouvons noter des passages analogues où un des meilleurs manuscrits met le singulier au lieu du pluriel (l.59 : dubitatur cl ; l. 74 : dubitatur ur). Puis, il n'y a que deux manuscrits, à savoir les manuscrits cm et pp, qui ont la leçon "queruntur" - leçon qui s'intègre mieux dans la phrase, mais qui, d'autre part, peut facilement être expliquée comme un élément de rédaction - et qui respectent l'ordre. La plupart des manuscrits ont bien "queruntur" mais ils intervertissent l'ordre des mots. Et bien que les manuscrits cm et pp peuvent être classés parmi les meilleurs manuscrits, ils ne peuvent pas servir de base à la reconstitution du texte, puisqu'ils n'ont pas eu l'intention de reproduire fidèlement tous les éléments de ce texte. La leçon "queruntur" peut donc, dans une certaine mesure, être considérée comme suspecte. Finalement, nous pouvons ajouter que la traduction des verbes a posé beaucoup de problèmes au traducteur. La confusion des voix et des temps constitue, pour ainsi dire, une caractéristique négative de la présente traduction. Il en résulte qu'il convient d'opter pour la leçon "queretur", d'autant plus que les manuscrits la cl ur ont conservé l'ordre exact.

A la ligne 71 nous observons la double leçon "difficile"-"opus". La tradition manuscrite se subdivise très manifestement en deux groupes. Les manuscrits la cl ca ur n'ont que la leçon "difficile", et à l'endroit exact. Les autres manuscrits ont, à part la leçon "difficile", le leçon "opus", insérée erronément et, de ce fait, changeant le sens de la phrase. Bien qu'il y ait beaucoup de chances que la leçon "opus" soit plus originale, étant la traduction la plus littérale, la leçon "difficile" produit aussi bien sinon mieux le sens de la phrase. Nous estimons qu'elle peut avoir été ajoutée par le traducteur lui-même ou qu'elle a été superposée immédiatement après par un correcteur quelconque. Ou est-ce qu'il faut, à l'inverse, présumer que le mot "difficile" soit le plus original et que la leçon "opus" ait été écrite dans l'interligne par le traducteur même, puisque c'est la leçon "opus" qui a été inscrite à un endroit inexact ? Les deux leçons, étant pour ainsi dire équivalentes, nous avons décidé de les introduire tous les deux dans le texte.

La leçon "conferre" à la ligne 46 et sa variante "conferri" peuvent, à notre avis, être considérées comme un excellent exemple de ce que nous venons de dire au sujet de la traduction des verbes. Bartholomée de Messine a-t-il traduit l'infinitif συμβάλλεσθαι, à la voix médiale mais au sens actif, par une forme verbale active ou passive ? Il n'est pas inconcevable qu'il ait lu la phrase avec peu d'attention et qu'il ait mal rendu le sens, en mettant un verbe passif ; on pourrait citer d'autres passages où il a commis cette erreur. Pourtant, il doit avoir connu le verbe grec, puisqu'on trouve des passages analogues où il a correctement rendu la forme médiale par une forme active (1203a25, 1208a16). Ce sont les meilleurs manuscrits, à savoir le groupe A accompagné du groupe C, qui présentent "conferre", la leçon qui transmet le sens de la phrase. Pourquoi donc douter de l'authenticité de cette leçon ? Il est vrai que "conferre" est la leçon la plus exacte, mais elle est, en même temps, la plus facile. Un copiste attentif, qui trouve "conferri", peut aisément restituer le sens et écrire "conferre", mais pourquoi, en revanche, les manuscrits reproduiraient-ils si nombreux la leçon corrompue "conferri", si la leçon "conferre" était authentique ? Somme toute, il est impossible de prouver laquelle des deux leçons est la plus originale, quoique nous soyons tentés de croire que "conferri" est authentique. Par conséquent, nous avons opté pour la leçon des meilleurs manuscrits, d'autant plus qu'elle constitue la leçon exacte, la leçon qui s'intègre dans la phrase.

La leçon "simili indiget" à la ligne 71 est partagée seulement par les manuscrits la cl ca et vn, la leçon "et hec" à la ligne 85, à son tour, n'est suivie que par les manuscrits la cl et wo. Tous les autres manuscrits présentent respectivement "simili nichil indiget" et "et ad hec", leçons qui correspondent parfaitement aux leçons grecques. Est-ce que l'omission de "nichil" et de "ad" est authentique, ou est-ce que les meilleurs manuscrits ont commis des fautes ? Il est assez probable, disons, que "nichil" est authentique, quoique cela ne soit pas absolument certain. D'une part, on peut alléguer que la restitution de "nichil" n'est pas du tout facile, d'autre part, on peut avancer l'argument qu'il est question de deux genres d'amitié - l'amitié basée sur la ressemblance entre deux éléments et l'amitié fondée sur la différence -, qu'il se peut que le traducteur ait mal suivi l'enchaînement des idées et que, de ce fait, il n'ait pas traduit la leçon οὐδὲν. De même, on peut invoquer des arguments à l'appui de différentes thèses, quand il s'agit de la leçon "ad". D'une part, l'omission de "ad" ne rend pas la phrase incompréhensible, bien qu'on puisse apercevoir un certain manque de symétrie dans la structure ; l'omission peut donc être le fait du traducteur même. D'autre part, il serait assez étrange de supposer que tous les manuscrits, à l'exception de trois, ont correctement rétabli la leçon "ad". Une fois de plus, nous avons jugé bon de choisir les leçons des meilleurs manuscrits, puisqu'aucun des arguments, que nous venons d'apporter, nous semble concluant et irréfutable.

Trois cas assez particuliers, que nous n'avons pas encore traités, méritent également d'être considérés de plus près. Il s'agit des leçons "quecumque" à la ligne 17, "dicat" à la ligne 37 et "studiosus erit studiosus" à la ligne 126. Nous expliquons brièvement la solution que nous avons adoptée. Quant à la leçon "quecumque", la tradition manuscrite est parfaitement uniforme ; tous les manuscrits présentent la leçon "que cum, quecum". Comme cette leçon peut facilement être expliquée comme une corruption paléographique de la leçon "quecumque" et que le terme grec " ὅσοι " est ordinairement traduit par "quicumque", nous n'avons pas hésité à suppléer le suffixe -que. La leçon "dicat" est partagée par un nombre limité de manuscrits, à savoir les manuscrits C D⁵ vc md^{pc} be E² er. La plupart, les meilleurs manuscrits inclus, reproduisent la leçon "dicas", qui ne s'accorde absolument pas avec le sujet "quis". Comme la terminaison -s peut s'altérer facilement, nous avons estimé bon de restituer la leçon "dicat". Nous avons cependant décidé d'écrire scr. cum et de ne pas nous en rapporter simplement aux manuscrits qui présentent la bonne leçon, pour la raison suivante. Quoique les manuscrits cm et pp, composant le petit groupe C, se rangent parmi les meilleurs manuscrits, ils nous offrent très souvent un texte façonné. Le sous-groupe D⁵ produit également un texte très travaillé, et les manuscrits restants sont d'une qualité inférieure. Il s'ensuit que la leçon "dicat" nous semble un peu suspecte et que nous préférons ne pas présenter cette leçon comme certainement authentique. La leçon "studiosus erit studiosus", finalement, comporte sans aucun doute un redoublement du terme "studiosus". Il est un peu surprenant de voir que les manuscrits qui ne reproduisent le terme qu'une seule fois, omettent le deuxième "studiosus", puisque le texte grec présente "ἔσται ὁ σπουδαῖος ". Cette interversion indique cependant que le redoublement du terme remonte très probablement à la traduction. On peut supposer aisément que le traducteur a d'abord fait précéder "erit" de "studiosus", qu'il a ensuite exponctué presque invisiblement ce "studiosus" et qu'il l'a répété après "erit". Comme la plupart des manuscrits, les meilleurs manuscrits inclus, présentent ce redoublement, nous ne doutons pas de l'authenticité de cette leçon. C'est pourquoi nous n'avons pas supprimé le deuxième "studiosus" mais que nous l'avons mis entre crochets, d'autant plus qu'à la limite la phrase peut être comprise quand on en modifie légèrement le sens.

Concluons cette partie de notre étude en définissant très précisément les critères de l'édition. La plupart des principes ont déjà été annoncés. La rédaction du texte est basée sur le texte des manuscrits la cl ca ur, qui constituent très manifestement les meilleurs manuscrits. Nous pouvons même préciser que les manuscrits la et cl sont de beaucoup les meilleurs. Nous avons toujours suivi ces manuscrits, pourvu qu'ils ne présentent pas une corruption manifeste ou un élément de rédaction, qui ne peut certainement pas remonter à la version originale. Avons-nous pu reproduire ainsi le texte de l'autographe ? Pouvons-nous parler d'une véritable reconstitution de la traduction authentique ? Il faut une réponse très nuancée à cette question. Il est indubitable que le groupe A a le mieux conservé la traduction et qu'il nous offre un texte qui est presque identique à la version originale. Il faut toutefois ajouter que nous avons quelquefois suivi la leçon de ce groupe et que nous l'avons conservée dans le texte rédigé, bien qu'elle semble être une corruption ou un élément de rédaction et que nous doutions sérieusement de son authenticité. Pourquoi donc n'avons-nous pas essayé de restituer le texte original dans ces quelques cas ? Nous sommes convaincus qu'il est absolument impossible de trouver une solution identique, cohérente et valable dans tous ces cas. Précisons. Nous avons affaire à une traduction d'une qualité très moyenne. La traduction a été faite mot à mot. Qui plus est, le traducteur a commis des fautes manifestes, il a mal rendu certaines tournures grecques, il a mal interprété, en lisant ou en écoutant le texte, des mots ou des groupes de mots. A cause de cette littéralité de la traduction et du manque de perfection, il est impossible de baser la reconstitution sur le critère de la compréhensibilité et de la clarté du texte. En outre, pour autant que nous connaissions la tradition grecque, nous avons pu constater que la traduction ne se rapproche pas dans la même mesure de tous les manuscrits grecs. Elle ne constitue cependant pas l'équivalent parfait d'un manuscrit grec déterminé. Il est donc impossible de rétablir toutes les leçons et de calquer la traduction sur le texte de tel ou tel manuscrit grec. Une démarche pareille est, d'ailleurs, injustifiable, si l'on veut garantir la possibilité de considérer la traduction comme un véritable témoin de la version grecque. De plus, est-il acceptable de suivre la leçon des manuscrits la et cl quand celle-ci rend bien le sens de la phrase et qu'elle correspond à la leçon grecque, mais de la remplacer par une autre leçon quand elle présente une expression moins coulante et qu'elle ne concorde pas avec la leçon du manuscrit K^b ? Remarquons qu'il faut nécessairement juger de ce problème en tenant compte des données précédentes. Tout en considérant ces trois éléments, nous croyons pouvoir réaffirmer qu'on ne peut pas trouver un critère fixe, bien déterminé, qui nous permet de restituer avec une certitude absolue la leçon authentique dans tous les cas. Il faut, dès lors, adopter la méthode indiquée et suivre la tradition la plus authentique.

Ajoutons finalement quelques mots sur l'apparat comparatif. Pour la rédaction de cet apparat, nous avons, en premier lieu, consulté les éditions de Bekker et de Susemihl. Comme la traduction latine se rapproche apparemment du manuscrit K^b et que les deux éditions reproduisent les leçons de K^b, nous avons estimé utile de prendre ce manuscrit pour base de comparaison. Nous avons cependant pu constater que les données des deux éditions sont assez souvent contradictoires ou pas suffisamment complètes. De ce fait, nous avons été obligés de collationner nous-même le manuscrit K^b. Pour les autres manuscrits grecs, nous nous confions, en ce moment, aux éditions, quoiqu'une étude approfondie de la tradition grecque pourrait être d'une très grande importance. En effet, ayant très peu de données à notre disposition, il nous est rarement possible de faire remonter une leçon qui ne correspond pas à la leçon du manuscrit K^b, à un autre manuscrit grec. Il s'ensuit que nous ne sommes pas à même d'indiquer très précisément la distinction entre les leçons manifestement inexactes et les leçons qui sont la traduction d'une leçon grecque différente. Une connaissance approfondie de la tradition grecque pourrait résoudre ce problème, bien que très partiellement. En effet, on peut isoler toute une catégorie de fautes qui sont assez remarquables. Il s'agit des leçons qui traduisent des leçons grecques, qui constituent elles-mêmes des homonymes, précis ou approximatifs, des leçons que présentent les manuscrits. Il est presque inconcevable qu'on pourra retrouver ces homonymes dans un manuscrit grec quelconque. Faut-il donc conclure que Bartholomée de Messine a traduit le texte des Magna Moralia pendant que lecture lui était faite par une deuxième personne ? Quoi qu'il en soit, nous reviendrons amplement sur ce problème et sur d'autres problèmes de la tradition grecque dans la préface de l'édition. Nous voulons seulement donner ci-après une petite liste des leçons du manuscrit K^b, qui ont trait au passage étudié et qui ont été erronément indiquées ou simplement omises dans les éditions de Bekker ou de Susemihl. En règle générale, les variantes d'orthographe, qui ne constituent pas des éléments signifiants, ne sont pas incluses dans cette liste.

1207b21 καὶ καθόλου   1207b25 τὸν καλὸν καὶ ἀγαθὸν καλὸν καὶ ἀγαθὸν   1207b26 φασιν $K^{b,pc}$: φησιν $K^{b,ac}$
1207b38 βλαψηι αὐτῷ   1208a1 τι om.   1208a5 ὑπὲρ δὲ τοῦ
1208a11 αὐτοῦ γὰρ om.   1208a13 ἔχομεν ἕνεκεν ὥσπερ
1208a17 αὐτῆς   1208a19 αὐτοῦ   1208a21 πως   1208a24 πως
1208a27 φήσει   1208a28 τῷ τοιούτῳ   1208a31 ταύτας
1208a32 οὐ om. 1208a39 τὸ παραδοῦναι   1208b6 συμπαραληπτέα
$K^{b,pc}$: συμπαραληπτέον $K^{b,ac}$ 1208b10 ἀεί

τοι Κ^{b,pc} : τι dub. Κ^{b,ac} 1208b13   τι τῆ]τῆ
1208b17 τῷ ἐναντίῳ Κ^{b,pc} :τὸ ἐναντίον Κ^{b,ac}
1208b18 οὐδὲν   1208b29τὸν θεον 1208b36 τί]τι dub.
1208b38 καὶ^{2} om.   1209a2 αὐτῷ 1209a4 μὲν om.
1209a6 αὐτῷ   1209a7 τὸ^{1}]τωι Κ^{b,ac} τὸ^{2}]τωι Κ^{b,ac}
1209a10 οὐκ οὖν 1209a28 αἱ om.   1209a31 ταῦτα
1209a36 ἡ]ἤ   dub. Κ^{b,ac}

CONCLUSION

Essayons de faire le point et de considérer ce petit compte rendu dans son ensemble. La traduction des Magna Moralia, faite par Bartholomée de Messine, a été conservée dans 56 manuscrits. La tradition manuscrite est assez compliquée et en partie contaminée. Nous avons pu distinguer deux traditions universitaires, trois groupes de manuscrits indépendants et quelques manuscrits isolés. La rédaction du texte est basée sur les quatre meilleurs manuscrits, qui produisent à peu près le texte authentique.

Quoique nous ayons envisagé plusieurs problèmes et que nous ayons pu présenter diverses solutions et options, nous sommes convaincus que nous avons passé sous silence d'autres points et que nous n'avons pas suffisamment examiné un certain nombre d'aspects. De même, il serait intéressant de pouvoir apporter à l'appui de certaines thèses des exemples empruntés à d'autres passages et de démontrer que les explications, que nous venons de proposer, sont valables pour tout le texte. Nous aurons certainement l'occasion de discuter plus amplement et avec plus de précision les principaux problèmes dans la préface de l'édition.

NOTES

(1) Aristoteles Latinus. Codices descripsit G. Lacombe. Pars Prior, Rome, 1939. Pars Posterior. Supplementis indicibusque instruxit L. Minio-Paluello, Cambridge, 1955. Codices. Supplementa altera edidit L. Minio-Paluello, Bruges-Paris, 1961.

(2) Aristoteles Latinus. Codices descripsit G. Lacombe. Pars Prior, Rome, 1939, pp. 271-272. S. Thomae de Aquino. Opera omnia XLVIII, Rome, 1971, p. B 9.

(3) H. Denifle, Chartularium Universitatis Parisiensis. Tomus II, sectio prior. Ab anno MCCLXXXVI usque ad annum MCCCL, Paris, 1891. Impression anastati-

que, Bruxelles, 1964, p. 107 : "Item, in Magnis Moralibus, VIII pecias VI den."

(4) Aristoteles Latinus. Codices descripsit G. Lacombe. Pars Prior, Rome, 1939, p. 575.

(5) Pour ce qui concerne les Ethiques, le Père Gauthier a décrit avec précision l'importance des manuscrits pl et px (R.A. Gauthier, Ethica Nicomachea. Praefatio. Aristoteles Latinus XXVI 1-3, Leiden-Bruxelles, 1974, pp. CCXI-CCXV). Le manuscrit pl (Sh) dépend directement de l'exemplar le plus ancien (Rp1,2,4) de la translatio Lincolniensis, recensio recognita ; il porte des indications de pièces. Le manuscrit px constitue lui-même l'exemplar le plus récent (Rp3). Les manuscrits lo et sm (Jo) constituent deux copies directes, qui portent des indications de pièces. Le Père Gauthier a pu déterminer, sur la base des corrections et des annotations, trois stades précis du texte de cet exemplar.

(6) Nous n'avons pas encore pu identifier Johannes Cornubyensis. Denifle mentionne, dans le Chartularium Universitatis Parisiensis, diverses personnes au nom de Cornubyensis. Il cite entre autres le libraire Henricus de Cornubia, en parlant des statuts de 1316 et de 1342 de l'Université de Paris et en donnant la liste des libraires et des stationnaires qui ont prêté serment (H. Denifle, Chartularium Universitatis Parisiensis. Tomus II, p. 189*, p. 532). Comme le nom Cornubyensis, en fait, est dérivé d'un toponyme, à savoir Cornubia, l'actuelle région de Cornouailles en Angleterre, il est assez probable que Johannes Cornubyensis, comme d'ailleurs Henricus, a appartenu à la communauté anglaise à Paris et que lui aussi a été libraire ou stationnaire.

(7) J. Destrez, La Pecia dans les Manuscrits Universitaires du XIIIe et du XIVe siècle, Paris, 1935, p. 28, p. 52.

(8) Par exemple, 68vb : in (intellectivo), 76va : super(habundantiam).

(9) Par exemple, 70rb : quod querimus (quod est), 73rb : per(mutantur), 79va : natura (existentia), 81ra : non iudicavit, iniustum quidem facit in quantum (idem videbatur esse iustum).

(10) Par exemple, 69va : (quidem) enim, 71vb : (delectationes) denomina- tiones, 72ra : (vero) igitur, 74rb : (ratione) coactione, 84rb : (circa) tria, 87ra : (deus) dicimus.

(11) Par exemple, 73vb : (appetitivum) appetitus.

(12) Corrections interlinéaires, par exemple, 72 ra : (superdolore) superdolere, 81 ra : (non) et.
Corrections marginales, par exemple, 70va : (hec) hoc.

(13) Corrections interlinéaires, par exemple, 68va : (adire) audire, 81ra : (aliorum) alios, 85ra : (prohibebat) prohibebit.
Corrections marginales, par exemple, 70rb : (modo) alio, 78vb : (testor) textor, 82rb : (dominus) dicens.

(14) Pour ce qui est du manuscrit pz, il a conservé la leçon "cives" et il a remplacé le groupe "nature modo autem" par "quomodo autem (? an asic an asit) alterum". Comme nous avons pu conclure, grâce à l'examen approfondi du texte de ce manuscrit, qu'il est issu de l'exemplar en question, nous supposons que le copiste, constatant que le passage à copier était incompréhensible, a essayé de restituer ce passage et qu'il a, de ce fait, consulté d'autres manuscrits ou qu'il a conjecturé la leçon "cives". Ou faut-il admettre que le manuscrit pz constitue une copie immédiate de l'exemplar, qu'au moment de la transcription il restait encore plusieurs traits à l'endroit de la tache, et que le copiste a essayé de les déchiffrer ?

(15) K$_b$ désigne le manuscrit Laurentianus LXXXI, 11 de Florence.

(16) M^b désigne le manuscrit Marcianus 213 de Venise.

(17) Les manuscrits <u>la</u> <u>cl</u> <u>ca</u> <u>ur</u> sont décrits respectivement aux endroits suivants : <u>Aristoteles Latinus. Codices descripsit</u> G. Lacombe. <u>Pars Posterior</u>, Cambridge, 1955, p. 948, <u>Pars Prior</u>, Rome, 1939, p. 259, pp. 243-244, p. 245.

	pl	pa	vc	vn	mo	ma	ba	up	bs	ad	md	vt	be	cy	fd	oo	aq	am	wo	er
cb	9	9	9	9	10	8	9	9	8	10	10	8	9	9	10	6	8	12	11	10
ox	11	11	11	11	12	10	10	10	10	12	12	10	11	11	11	8	10	14	13	12
cn	8	8	8	8	7	7	7	7	7	7	9	7	8	8	6	5	8	11	8	9
pp	7	7	7	7	8	7	6	6	6	8	8	6	7	7	7	6	8	9	9	7
cm	7	7	7	7	8	7	6	6	6	8	8	6	7	7	7	6	8	10	9	8
no	8	8	8	8	9	7	7	7	7	9	9	7	8	8	8	5	7	11	10	9
cr	7	7	7	7	8	6	6	6	6	8	8	6	7	7	7	4	8	10	9	8
ur	7	7	7	7	8	6	6	6	6	8	6	7	8	8	7	6	6	10	9	8
ca	7	7	7	7	8	7	6	6	6	8	8	6	7	7	7	5	9	10	9	8
cl	8	8	8	8	9	7	7	7	7	9	9	7	8	8	8	5	9	11	10	9
la	10	10	10	10	11	9	9	9	9	11	9	9	10	10	10	7	9	13	12	11
er	20	20	20	20	19	19	19	19	20	19	19	19	18	18	18	18	16	21	20	
wo	20	20	20	20	21	19	19	19	19	21	19	19	18	18	20	17	17	20		20
am	20	20	20	20	19	19	19	19	19	19	19	19	18	18	18	17	16		20	21
aq	19	19	19	19	19	19	18	18	18	19	20	18	17	17	18	17		16	17	16
oo	20	20	20	20	19	20	19	19	20	19	19	20	19	19	18		17	17	17	18
fd	21	21	21	21	22	20	21	21	20	22	20	20	19	19		18	18	18	20	18
cy	21	21	21	21	20	20	20	20	20	20	20	22	21		19	19	17	18	18	18
be	21	21	21	21	20	20	20	20	20	20	20	22		21	19	19	17	18	18	18
vt	22	22	22	22	21	22	21	21	21	21	21		22	22	20	20	18	19	19	19
md	22	22	22	22	21	21	21	21	21	21		21	20	20	20	19	20	19	19	19
ad	22	22	22	22	23	21	21	21	21		21	21	20	20	22	19	19	19	21	19
bs	22	22	22	21	21	21	21	21		21	21	21	20	20	20	20	18	19	19	20
up	22	22	22	22	21	21	22		21	21	21	21	20	20	21	19	18	19	19	19
ba	22	22	22	22	21	21		22	21	21	21	21	20	20	21	19	18	19	19	19
ma	22	22	22	22	21		21	21	21	21	21	22	20	20	20	20	19	19	19	19
mo	22	22	22	22		21	21	21	21	23	21	21	20	20	22	19	19	19	21	19
vn	23	23	23		22	22	22	22	22	22	22	22	21	21	21	20	19	20	20	20
vc	23	23		23	22	22	22	22	22	22	22	22	21	21	21	20	19	20	20	20
pa	23		23	23	22	22	22	22	22	22	22	22	21	21	21	20	19	20	20	20
pl		23	23	23	22	22	22	22	22	22	22	22	21	21	21	20	19	20	20	20

TABLEAU 1

	px	py	fo	lo	sm	mt	mn	pq	fz	pz	ef	li	lp	fn	va	bu	fl
cb	10	10	10	10	10	10	10	10	11	9	9	10	10	10	10	10	11
ox	12	12	12	11	11	11	12	12	13	11	12	12	12	11	11	11	12
pp	11	11	11	10	10	10	11	11	12	10	12	11	11	11	11	11	10
cm	12	12	12	11	11	11	12	12	13	11	13	12	12	12	12	12	11
no	15	15	15	14	14	14	15	15	16	14	15	13	13	12	12	12	15
cr	14	14	14	13	13	13	14	14	15	13	14	12	12	13	13	13	16
ur	13	13	13	12	12	12	13	13	14	12	13	13	13	16	16	16	15
ca	13	13	13	12	12	12	13	13	14	12	13	13	13	14	14	14	14
cl	13	13	13	12	12	12	13	13	14	12	13	13	13	14	14	14	15
la	11	11	11	11	12	12	11	11	12	10	11	11	11	14	14	14	13
cn	15	15	15	14	14	14	15	15	14	14	13	13	13	12	12	12	17
fl	19	19	19	17	18	18	18	19	18	18	15	17	17	17	17	17	
bu	18	18	18	16	17	17	17	18	19	17	16	18	18	23	23		17
va	18	18	18	16	17	17	17	18	19	17	16	18	18	23		23	17
fn	18	18	18	16	17	17	17	18	19	17	16	18	18		23	23	17
lp	21	21	21	19	20	20	20	21	20	22	19	23		18	18	18	17
li	21	21	21	19	20	20	20	21	20	22	19		23	18	18	18	17
ef	19	19	19	17	18	18	18	19	20	20		19	19	16	16	16	15
pz	22	22	22	20	21	21	21	22	21		20	22	22	17	17	17	18
fz	22	22	22	20	21	21	21	22		21	20	20	20	19	19	19	18
pq	23	23	23	21	22	22	22		22	22	19	21	21	18	18	18	19
mn	22	22	22	20	21	21		22	21	21	18	20	20	17	17	17	18
mt	22	22	22	21	23		21	22	21	21	18	20	20	17	17	17	18
sm	22	22	22	21		23	21	22	21	21	18	20	20	17	17	17	18
lo	21	21	21		21	21	20	21	20	20	17	19	19	16	16	16	17
fo	23	23		21	22	22	22	23	22	22	19	21	21	18	18	18	19
py	23		23	21	22	22	22	23	22	22	19	21	21	18	18	18	19
px		23	23	21	22	22	22	23	22	22	19	21	21	18	18	18	19

px py fo lo sm mt mn pq fz pz ef li lp fn va bu fl

TABLEAU 2

	la	cl	ca	ur	cr	no	cm	pp	cn	ox	cb
cb	16	17	16	14	16	17	15	14	15	19	
ox	18	20	19	17	19	20	18	17	18		19
cn	19	21	20	18	22	21	16	15		18	15
pp	15	17	17	15	16	16	22		15	17	14
cm	16	18	18	16	17	17		22	16	18	15
no	19	21	20	18	22		17	16	21	20	17
cr	20	22	21	19		22	17	16	22	19	16
ur	20	20	19		19	18	16	15	18	17	14
ca	20	22		19	21	20	18	17	20	19	16
cl	21		22	20	22	21	18	17	21	20	17
la		21	20	20	20	19	16	15	19	18	16

TABLEAU 3

PECIA ET CRITIQUE D'AUTHENTICITE
Le problème du Super Sapientiam attribué à Bonaventure

Jacques-Guy Bougerol

Etat de la question

Les éditeurs de Quaracchi ont publié dans le tome VI des Opera omnia de saint Bonaventure, un Super Sapientiam (Quaracchi 1893.-VI, 107-233). Leur conviction s'appuyait uniquement sur le fait qu'à partir de la première édition des Opera omnia, Venise 1574 (Tom. V, 801-933), il s'est établi un consensus unanime sur l'authenticité bonaventurienne de ces Postilles. De fait l'édition Vaticane (Romae 1588.- tom. I, 358-427), et les éditions successives, Lyon 1668 (Tom. I, 341-407) jusqu'à celle de Vivès (Paris 1867, tom. X, 1-137), ont repris sans examen, le texte et les motivations de l'édition de Venise 1574. Les Editeurs de Quaracchi avouent cependant leur perplexité :

Ingenue fatemur, deesse nobis codices, quorum auctoritate hanc Postillam S. Bonaventurae vindicare possimus.

De fait, le premier témoignage d'authenticité est apporté indirectement par Ptolomée de Lucques qui, en 1312-1317, écrivait :
Fecit scripta super Sententias. Et postillavit aliquos libros Bibliae, sicut libros Salomonis, Iob et epistolas Pauli. (Eccles. Hist. novae, 23,2. - Muratori, XI, Script. rer. ital., 1165).

. Les éditeurs de Venise 1574 n'avaient apporté aucune preuve positive de leur choix, sinon une édition faite par fr. Jean Baleini en cette même année 1574. On peut, en effet, lire dans la Diatriba de l'édition vénitienne (Tom. I, 871) :
In librum Sapientiae. Inc. : Diligite lumen etc. Quoniam eodem habet res formari etc. - Meminit Ptolomaeus Luccensis (suit le texte ci-dessus). Atque etiam ex orationis ordine, stylo, et charactere, licet propemodum colligere, Bonaventurae hoc esse genuinum opus. Vidit lucem Venetiis in aedibus Francisci Salviani, in-4 industria fr. Joannis Baleini, Minoritae, anno 1574.

Bonelli, dans son Prodromus ne fera que reprendre ces arguments pour conclure, mais sans grande conviction, à l'authenticité bonaventurienne (Prodromus ad Opera omnia, Bassano 1767, 633).

Devant le manque de conviction et surtout de preuves des Editeurs de Quaracchi, il est nécessaire de reprendre le problème à la base et de vérifier si l'étude des pecia dans les différents manuscrits peut nous conduire à une solution critiquement valable.

La liste de taxation

Le Chartularium Universitatis Parisiensis (I, 647), fournit une liste de taxation des oeuvres de Bonaventure. Je donne ici le texte établi sur les trois manuscrits existants : London, Brit. Libr., Add. 17304, f. 102r-104v (= L) ; Vatic., Reg. lat. 406, f. 66-68 (= R) ; Wien, Natbibl. 7219, f. 397-403 (= W).

Hec sunt scripta fratris Bonefortune de ordine fratrum minorum, scilicet :

Postille super Lucam, continent pecias 73,	3 sol.
Item, eiusdem super Ecclesiasten, 12 pecias,	6 den.
Item, Postille super Cant. Cant., 18 pec.,	8 den[1].
Item, Postille super lib. Proverb., continent pec. 37,	20 den[2].
Item, super Cant. Cant., 15 pecias,	8 den[3].
Item, super lib. Sapientie, 10 pec.,	6 den.
Postille super Apoc., 23 pec.,	15 den.
Postille super Epist. canonicas, 15 pec.,	8 den.
Item, super Sententias, pro primo	2 sol.
pro secundo,	4 sol.
pro tercio,	2 sol[4].
pro quarto,	2 sol[5].

(Variantes : 1 R = 13 pec. ; 2 R = 27 pec., L = 25 den. ; 3 L = 25 pec. ; 4 W = 6 sol. ; 5 W = 6 sol.)

Cette liste de taxation nous laisse très perplexes. D'une part, les trois premiers et les quatre derniers titres sont sans aucun doute authentiques, et bien que le Super Cantica ne soit pas encore identifié, son incipit étant inconnu, la tradition est unanime pour attribuer à Bonaventure un commentaire sur le Cantique.

D'autre part, les cinq titres médians semblent une interpolation, car le deuxième titre du Cantique forme un doublet plus que suspect. En l'absence de preuves, il est nécessaire d'étudier les manuscrits à pecia du Super Sapientiam.

L'étude de la pecia

On ne connaît actuellement qu'un seul manuscrit à pecia contenant le Super Sententiam, le ms. Troyes 667. Ce manuscrit est un exemplar ; il contient :

- Un Super Prov., 19 pièces en cahiers de 8 folios. La confrontation avec les extraits fournis par B. Smalley, du ms. Cambridge, Trinity College 98, qui date d'avant 1270 ('Some Thirteenth-Century Commentaries on the Sapiential Books'. VII. John of Varzy, in Dom. Stud. 3 (1950) 236-250), permet d'identifier l'auteur : Jean de Varzy (Stegmüller, Repert. Biblicum, manque).
- Le Super Cant. qui suit, contient 7 pièces en 6 cahiers de 8 folios et un de 4 folios. Le même texte se retrouve dans trois manuscrits où il est attribué à Jean de Varzy 'bachalarius parisius' : Basel B III 20, Basel B IV 21, Paris, B.N. lat. 14259 (Stegmüller, n. 5029).
- Le Super Sapientiam contient 5 pièces en cahiers de 8 folios. Il aurait normalement 10 pièces en cahiers de 4 folios. Il a été attribué à Bonaventure, sans preuves critiques d'identification.

L'un des prétendants les plus en vue serait Jean de Varzy, O.P.

Le nombre moyen des folios est en rapport avec le nombre de pièces, si l'on compare l'exemplar avec les autres manuscrits. C'est ainsi que le texte du Super Ecclesiasten de Bonaventure, est délivré dans les manuscrits en 41 folios en moyenne. L'édition de Quaracchi compte 96 pages.

Or le Super Sapientiam devrait d'après la liste de taxation, comporter un nombre de pages inférieur à celui du Super Ecclesiasten. Ce dernier compte 12 peciae, alors que le premier n'en comporte que 10. On devrait donc trouver le texte dans l'édition de Quaracchi en 80 pages. En réalité, le Commentaire du tome VI comporte 126 pages.

L'étude comparée de la pecia ne peut donc résoudre le problème de l'authenticité du Super Sapientiam.

Retour à la liste de taxation

Il serait donc possible de voir dans le ms. Troyes 667 un ensemble de textes appartenant à un seul et même maître. S'il en était ainsi, la liste de taxation porterait les trois postilles de Jean de Varzy parmi celles de Bonaventure. La diversité du nombre des pièces ne serait-elle pas l'indice d'une interpolation ?

Les manuscrits du Super Sapientiam

Il nous faut donc en revenir à l'étude comparée des différents manuscrits qui nous livrent le texte du Super Sapientiam.

Les Editeurs de Quaracchi ont étudié deux manuscrits et en mentionnent six autres. Les deux manuscrits étudiés sont :
- Paris, B.N. lat. 15573
- Padova, Anton. 333

Les manuscrits signalés, mais non étudiés par Quaracchi, sont les suivants :

- Basel B III 20
- Bordeaux 38
- Paris B.N. 14429
- Saint-Omer 260
- Toledo Cab. 5, n.5
- Troyes 667

Reprenons un à un ces différents manuscrits :
- Basel B III 20, f. 114ra-144vb. Le Super Sapientiam comporte le prologue : Diligite lumen ect. Au f. 114r, marg. sup. : postille super librum sapientie secundum fratrem iohannem de verdiaco ordinis fratrum predicatorum bachilarium in theologia (parisius). L'explicit, f. 144vb, indique : hic liber scriptus est anno ab origine mundi 6465, anno domini 1267.
- Bordeaux 38, f. 58ra-92vb. Le même texte comporte un prologue différent : Fons sapientiae etc.
- Padova, Anton 333, f. 131r-169v. Le prologue est : Diligite lumen etc.
- Paris, B.N. lat. 14429, f. 50ra-93rb. marg. sup. : Secundum doctorem innominatum. Diligite lumen etc. Explicit : "Hic liber scriptus est anno ab origine mundi 6465, anno domini 1267". Une main très tardive a ajouté : "explicit lectura super librum sapientie per fratrem nicholaum de gorran de ordine fratrum predicatorum". Aux ff. 155ra-206vb, nous trouvons un autre Super Sapientiam avec le prologue Fons sapientie, et un texte à peu près identique au précédent.
- Paris, B.N. lat. 15573, f. 156ra-189ra. Le Super Sapientiam livre les deux prologues : Fons sapientie (f. 156ra-va), et Diligite lumen (f. 156va-157ra).
- Saint-Omer 260, a le prologue Fons sapientie.
- Toledo, Cab. 5, n.5, f. 75-118, avec le prologue Diligite lumen.
- Troyes 667. Nous avons déjà étudié ce manuscrit.
Ainsi le prologue Diligite lumen nous est livré par six manuscrits : Bâle, Padova, Paris 14429, Paris 15573, Toledo et Troyes. Le prologue Fons sapientie, est représenté par 4 manuscrits : Bordeaux, Paris 14429[2], Paris 15573, Saint-Omer.

Donnons une conclusion provisoire :
1) Aucun des manuscrits ne donne le nom de Bonaventure. Tous sauf Bâle, sont anonymes.
2) Bâle donne un nom : Jean de Varzy et une date : 1267.
3) Paris 14429 donne une date : 1267, mais sans nom.

Pouvons-nous aller plus loin. Je ne le sais pas encore, bien que Jean de Varzy ait pris une option probablement valable.

THE NUMBERING SYSTEMS OF THE PECIA MANUSCRIPTS
OF AQUINAS'S COMMENTARY ON THE METAPHYSICS

James P. Reilly

Among the exemplars on the taxation list for the Stationer in 1304 is the following : Summa thome super metaphysicam, liii pecie, iii solidos (1). Neither this exemplar nor any other of this commentary is known to exist. There are, however, thirty-one extant manuscripts of this commentary which have some physical evidence of pecia origin (2).

This evidence is of two types. The first is intrinsic to the text itself. It consists of those material peculiarities characteristic of a text copied from the pecias of an exemplar, for example, a point, a hesitation in the writing, a false start, a resumption of writing, a change of ink and the like. The presence of these peculiarities in a text very often indicates the places where pecia changes occur (3). Thirty of the thirty-one manuscripts have a number of such intrinsic indications (4).

The second type of evidence is extrinsic to the text. It may include marginal signs of different sorts which identify the beginnings or ends of the pecias. Of the thirty manuscripts, three have such signs. Thus, Pi has in its margins a series of dots, generally three in number and triangular in form, to identify the pecia beginnings. Thirty-eight of these are still discernible (5). Another manuscript, V^6, at a number of pecia beginnings, has the following symbol :O- (6). Lastly, in several places in the margins, W^2 has the sketch of a human hand at or near the pecia beginning (7). However, the principal extrinsic sign of pecia origin is the numbering system found in the margins of the manuscripts.

Of the twenty-nine manuscripts with some intrinsic evidence of pecia origin, eighteen have also numerical designations of the pecias in their margins (8). Some have fewer than others ; several have only one (9). No doubt, some numbers were removed at the time of binding when the exterior margins were trimmed ; others on the interior margins are now obscured by the binding itself (10). There is also evidence that some numbers were erased or written over and are now illegible (11).

These eighteen manuscripts witness to three different ways of numbering the pecias. Thirteen, in accord with the witness of the list for the Stationer, number the pecias according to the division of the text in fifty-three pecias (12). Four number the text according to a division of the text in twenty-seven pecias (13). One manuscript, $\underline{P}^2$, has a numbering system proper to itself (14). The numbering system of $\underline{P}^2$ will be examined first.

The Numbering System of P^2

$\underline{P}^2$ is a composite of fascicles written by a number of different scribes (15). Though there are numerous indications of pecia derivation, $\underline{P}^2$ is not exclusively a witness to β, the textual tradition derived from the pecias of the two exemplars (16). $\underline{P}^2$ is also in two parts of the text a witness to γ, the textual tradition independent of the pecias of the exemplars (17). Textually, then, $\underline{P}^2$ divides as follows :

Folios	Location in Text	Tradition
1ra-10rb29	I,1-15	γ
10rb29-57vb5 (18)	I,15-VII,12	β
57vb5-72va (19)	VII,12 ad fin. X	γ
73va-86ra (20)	XI,1 ad fin. XII	β

In the two parts of the text where P^2 is a witness to β, there is intrinsic evidence that $\underline{P}^2$ was derived from an origin that witnessed to the division of the text in fifty-three pecias. Thus, in sixteen places, in accord with this division, P^2 has clear resumptions of writing (21). Nevertheless, $\underline{P}^2$ has no corresponding marginal enumeration of the pecias of this sort. Instead P^2 has two distinct but parallel numberings of the pecias, one in each of the two parts where $\underline{P}^2$ is a witness to β.

The first set of numbers, however, do not identify all the pecias in the first part where $\underline{P}^2$ is a witness to β.

Pecia (1-53)	P^2 (Margin)	Folio (in P^2)
7		10rb29 (22)
8		10vb45
9		12va
10		14rb
11		16ra
12		17vb
13		20ra

Pecia (1-53)	P^2 (Margin)	Folio (in P^2)
14	.ii? 1. iiii. meth.	22rb
15	.iii?	24ra
16	.iiii?	25va
17	.v?	27ra
18	.vi?	28va
19	.vii?	30ra
20	.viii?	31va
21	.ix?	33ra
22	.x?	34vb
23	.xi?	36rb
24	.xii?	37vb
25	.xiii?	39rb
26	.xiiii?	40vb
27	.xv?	42ra
28		44vb
29		47rb
30		49vb
31		52ra
32		54rb
33		56vb (23)

As the table illustrates, this first set of numbers is not intended as an enumeration of every pecia in this part of P^2. It is rather a particular kind of enumeration of the pecias, as the marginal entry on f. 22rb indicates : secunda. libri quarti methaphysice. This is indeed the second pecia of Book IV, since the beginning of the previous pecia, pecia thirteen, coincides with the beginning of Book IV (24). However, this enumeration is misleading, as there are not fifteen pecias in Book IV. In fact, this enumeration includes the pecias in Books V and VI (25).

The second set of pecia numbers is found in the second part of the text where P^2 is a witness to β.

Pecia (1-53)	P^2 (Margin)	Folio (in P^2)
44	.i? pe? xi. libri.	73va
45	.ii?	74ra
46	.iii?	75rb
47	.iiii?	76vb
48	.v?	78ra
49	.vi?	79va
50	.vii?	80vb
51	.viii?	82rb
52	.ix?	83va
53	.x.	85ra

As the table illustrates, unlike the first set of numbers, this second set numbers every pecia in this part of P^2. However, like the first set, this second set is a particular enumeration of the pecias, as the marginal entry on f. 73va indicates : prima pecia. XI libri. This second set, too, is misleading. First of all the marginal entry does not coincide with the beginning of pecia forty-four within which Book XI commences. It is located instead at the beginning of Book XI itself (26). Secondly, this enumeration includes not only the pecias of Book XI, but also those of Book XII, since Book XII commences within pecia forty-nine (27).

It is difficult to be certain of the precise reason for these two particular numberings of the pecias in P^2. In both instances, however, the numbers seem to have been written by the same hand, probably different from the scribal hands. Perhaps, then, these two sets of numbers are the product of a corrector who wished to compare these two parts of P^2, which are β in origin, with some other manuscript copied from the pecias of the exemplar. But whatever the reason for these two enumerations, neither is the usual way of numbering the pecias. Nevertheless, at least indirectly, these two numberings of the pecias witness to a division of the text in fifty-three pecias.

The Fifty-Three Pecia Numbering System

Of the thirteen manuscripts which number the pecias in accord with the division of the text in fifty-three pecias, five have only minimal evidence of such enumeration (28). The other eight, however, have numerous indications of this division of the text (29). Illustrative of the latter is the numbering of the pecias in P^7 (30).

Pecia (1-53)	P^7 (Margin)	Folio (in P^7)
1		1ra
2	ii pe^a	4va
3	iii pe^a	8va
4	iiii	12rb
5	v pe^a	15vb
6	vi	19va
7	vii pe^a	23ra
8	viii pe^a	26ra
9	ix pe^a	29vb
10	x pe^a	33rb
11	xi pe^a	37rb
12	xii pe^a	41ra
13	xiii pe^a	46ra
14	xiiii	49va
15	xv pe^a	53rb
16		57ra (31)

Pecia (1-53)	P^7 (Margin)	Folio (in P^7)
17		60va
18	$\overset{a}{p}$	64rb
19	$\overset{a}{p}$	68rb
20	$\overset{a}{p}$	72ra
21	$\overset{a}{p}$	75vb
22		79ra (32)
23	$\overset{a}{p}$ (?)	82rb
24	$\overset{a}{p}$	86ra
25	$\overset{a}{p}$	89rb
26		92vb
27	$p\overset{a}{e}$	96ra
28	$\overset{a}{p}$	99rb
29	$\overset{a}{p}$	102vb
30	$xx\overset{a}{x}$ $p\overset{a}{e}$	106ra
31	xxx	109rb (33)
32	xxxii $p\overset{a}{e}$	112va
33	xxxiii p	115vb
34	xxxiiii	119rb
35	xxxv$_a$ $p\overset{a}{e}$	122va
36	xxxvi$_a$ p	125vb
37	xxxvii $p\overset{a}{e}$	128vb
38	xxxviii $\overset{a}{p}$	132ra
39	$xx\overset{a}{x}$ix $p\overset{a}{e}$	135va
40	xl $p\overset{a}{e}$	138vb
41	xli$_a$	142ra
42	xlii$_a$ $p\overset{a}{e}$	145ra
43	xliii	148rb
44	xl	151rb (34)
45	xlv$_a$ $p\overset{a}{e}$	154va
46	xlvi p	157vb
47	xlvii$_a$ $p\overset{a}{e}$	161rb
48	xlviii $p\overset{a}{e}$	164va
49	xlix	167va
50	l a $p\overset{a}{e}$	170vb
51	li$_a$ $p\overset{a}{e}$	174ra
52	lii$_a$ $p\overset{a}{e}$	177va
53	liii $p\overset{a}{e}$	180vb

Although the numbering of the pecias in P^7 is somewhat typical, there is, however, no unanimity in this regard. Thus a few manuscripts number the preceding pecia rather than the ensuing one (35). Some, on the other hand, have simply the appropriate number at or near the beginning of the pecia (36), while others on occasion preface the appropriate number and the abbreviation, $\overset{a}{p}$, with the words : hic incipit (37). Lastly, in one manuscript, Pd^1, at thirty-eight of the fifty-three pecias there are still legible or partly legible in the margins the indications of their beginnings, numbers and opening words. For example, in the margin of f. 10ra $\underline{Pd}^1$ reads : <u>hic incipit quarta pecia. Set cuius gratia</u> (38).

There are, then, thirteen manuscripts which number the pecias in accord with the division of the text in fifty-three pecias, eight extensively, five minimally. There is also one other manuscript, $\overline{P}^3$, which has an extrinsic indication of the same division. On the lower margin of f. 70ra, where pecia twenty-eight begins, the scribe of $\overline{P}^3$ has written : <u>debeo habere xxviii pieth</u> (39).

Finally, there are four manuscripts with no intrinsic evidence of pecia origin but which witness, at least indirectly, to the division of the text in fifty-three pecias (40). The most important of these witnesses is F^5. There are nine places where, within the body of the text itself, $\overline{F}^5$ notes the beginning and number of the ensuing pecia (41). There are also four such instances in the margins (42). One example of each will suffice. On f. 39va, in the body of the text F^5 reads : <u>motus. principium.xx. p̆e. illud</u>. Then, in the margin of f. 41v̄b, at the beginning of the next pecia, F^5 reads : <u>principium .xxi. p̆e.</u>

The other manuscripts, $\underline{Ad}$ and F^3 have one such indication each within the beginning words of a pecia. Thus, on f. 4va F^3 reads : <u>relinquitur p quod</u>. This is within the beginning of pecia two. $\underline{Ad}$ has a comparable indication within the beginning of pecia fifty. On f. 75va $\underline{Ad}$ reads : <u>assignatis principiis substantie p̄ assignata sunt.</u>

The fourth manuscript, L^2, has eleven indications of pecia beginnings similar to those in $\overline{Ad}$ and F^3. One example will be sufficient. On f. 168va, within the beginning of pecia twenty-six, $\underline{L}^2$ reads : <u>ad p̆ utrumlibet</u> (43).

It is evident, therefore, that the numbering system in the margins of those thirteen manuscripts, to which these four manuscripts indirectly attest, is based upon a division of the text in fifty-three pecias.

The Twenty-Seven Pecia Numbering System

There are four manuscripts, $\underline{Cs}$, O^1, P^1, V^6, whose numbering system is in accord with a division of the text in twenty-seven pecias. $\underline{Cs}$ and P^1 have fourteen numerical indications of this division in their margins. O^1 and V^6 have only one. Two other manuscripts, $\underline{Ad}$ and $\underline{L}^2$, are indirect witnesses to this numbering system.

$\underline{Cs}$ has two sets of numbers in its margins. The first set numbers the pecias from one to twenty-seven rather than from one to fifty-three. Although there are only fourteen numbers of this set remaining in the margins of Cs, it is possible, as the following table illustrates, to reconstruct the entire set of numbers. The numbers missing in Cs are supplied within angled brackets.

Pecia (1-53)	Cs (1-27)	Folio (in Cs)
9	5	23vb
11	6	29rb
13	\<7\>	
15	\<8\>	
17	\<9\>	
19	\<10\>	
21	11	58rb
23	12	64rb
25	13	70ra
27	14	75va
29	15	81va
31	16	87rb
33	17	92vb
35	18	98va
37	19	103vb
39	\<20\>	
41	21	114vb
43	\<22\>	
45	\<23\>	
47	\<24\>	
49	\<25\>	
51	26	142rb
53	27	147vb

Even though there are only fourteen numbers in the margins of Cs, it is evident from their correspondence with the pecias which are numbered from one to fifty-three that these fourteen numbers are the remains of a set of numbers which witnessed to a division of the text in twenty-seven pecias (44). It is also evident that such a division of the text requires a pecia exactly twice the lengh of a pecia in the division of the text in fifty-three pecias. Thus, if the numbering in Cs witnesses to a pecia eight folios in length, the numbering in $\overline{P7}$ witnesses to a pecia four folios in length (44a).

The marginal evidence for the second set of numbers in Cs is much less than for the first set. There are only five numbers of the second set remaining in the margins. Nevertheless, it is possible to reconstruct this latter set by employing the method used to reconstruct the first set. Again the numbers missing in Cs are supplied in angled brackets.

Pecia (1-53)	Cs (1-27)	Folio (in Cs)
13	<1>	
15	<2>	
17	3	46vb
19	4	52va
21	<5>	
23	6	64rb
25	7	70ra
27	<8>	
29	<9>	
31	<10>	
33	11	92vb

From this reconstruction it is clear that, like the first set, this set of numbers corresponds to the numbers of every other pecia in the one to fifty-three numbering system. However, unlike the first set, this second set is not a direct witness to the division of the text in twenty-seven pecias. It is rather, in accord with this division, a consistent numbering of eleven pecias, extending from Book IV into Book VII.

The purpose of this second set of numbers in Cs is similar in some respects to that of the first set of numbers in P^2, namely, to number the pecias consecutively, beginning with the first pecia in Book IV. However, P^2 ceases this numbering of the pecias in Book VI, while Cs continues the numbering into Book VII. Moreover, the principle of division differs : P^2 numbers the pecias in accord with the division of the text in fifty-three pecias, Cs does so in accord with the division of the text in twenty-seven pecias. Nevertheless, the reason for these sets of numbers in Cs and P^2 may be the same : to provide a guide for the correction of parts of the text by means of another manuscript derived from the pecias of the exemplar. And again, whatever the reason, this is not the customary way of numbering the pecias.

A second manuscript, P^1, has in its margins a numbering system the same as the first numbering system in Cs. Although there are only fourteen evident numbers, the same method used in the case of Cs can be employed to reconstruct the entire set of numbers of P^1. The numbers missing or not evident in P^1 are supplied within angled brackets.

Pecia (1-53)	P^1	Folio (in P^1)
3	<2> (45)	6ra
5	3	11ra
7	4	15vb
9	<5>	
11	6	25vb
13	<7>	
15	<8>	
17	9	41ra
19	10	46ra
21	<11>	
23	12	56ra
25	13	61ra
27	<14>	
29	<15>	
31	16	75ra
33	<17>	
35	18	83vb
37	19	87vb
39	<20>	
41	<21>	
43	22	100vb
45	23	104vb
47	24	109ra
49	<25>	
51	26	117vb
53	<27>	

As with Cs, it is evident from the correspondence of these fourteen numbers with the pecias which are numbered from one to fifty-three that these numbers in P^1 are the remains of a set of numbers which witnessed to a division of the text in twenty-seven pecias.

P^1, however, is also a witness to the division of the text in fifty-three pecias. Thus, in all but five of the pecia beginnings, in accord with the division of the text in fifty three pecias, P^1 identifies the beginning of the pecia within the text (46). It does so by the following sign : ⁊, placed over one of the opening words of the pecia. For example, on f. 6ra, within the body of the text, P^1 reads : ad aptando scilicet. This is the beginning of pecia six in the system which numbers the pecias from one to fifty-three. Moreover, in accord with this same system of numbering, P^1 identifies the pecia beginning at ten places in the margin with the abbreviation : p̄ᵃ (47).

P^1, then, is a witness to both divisions of the text. It is difficult to determine precisely the reason for the presence of the two numbering systems in the same text. It is clear, however, that both divisions of the text must have existed simultaneously (48).

Two other manuscripts, O^1 and V^6, have each a single indication of the division of the text in twenty-seven pecias. On f. 140ra O^1 has the following entry in the margin : hic incipit pecia xiii. This corresponds exactly to the beginning of pecia twenty-five in the one to fifty-three pecia system. V^6 has a comparable indication. In the margin of f. 76ra V^6 has the number : xii. The location of this number corresponds exactly to the beginning of pecia twenty-three in the same system.

As noted previously, two manuscripts, Ad and L^2, are indirect witnesses to a division of the text in twenty-seven pecias. Ad has one such indication. This occurs on f. 27va where, within the body of the text, Ad reads : sit aliquid ix. p. scilicet inquantum. This indication corresponds to the beginning of pecia seventeen. L^2 has fourteen comparable indications within the body of the text. One example will suffice. On f. 170vb L^2 reads : probat per xiiii. p̃ modum cuiusdam. This indication corresponds to the beginning of pecia twenty-seven (49).

It is evident, therefore, that there were two systems for numbering the pecias and that the two systems corresponded exactly to the same matter. Thus, in the system which numbers the pecias according to the division of the text in fifty-three pecias, the beginning of pecia three corresponds exactly to the beginning of pecia two in the system which numbers the pecias according to the division of the text in twenty seven pecias, and so on for each succeeding pecia (50).

Conclusion

Was there, then, besides the two exemplars in fifty-three pecias, another exemplar of twenty-seven pecias in circulation, and are Cs, O^1, P^1 and V^6 direct witnesses to such an exemplar ? It is not inconceivable that an exemplar in twenty-seven pecias could have existed and circulated (51). There is, however, no certain evidence for such an exemplar of the Summa thome super metaphysicam. The only evidence for the possible existence of such an exemplar is the numerical indications in the margins of Cs, O^1, P^1 and V^6, and the indirect witness of Ad and L^2. It is clear, however, for three reasons that the marginal numbers in these manuscripts do not provide sufficient evidence for the existence of such an exemplar.

First, this is manifest from an examination of the intrinsic evidence of pecia origin in these four manuscripts. Resumptions of writing, among other such incidents indicative of pecia origin, are not confined to those places where there are marginal indications of the division of the text in twenty-seven pecias. Comparable evidence is also found at those pecia beginnings which witness to the division of the text in fifty-three pecias.

Secondly, and more importantly, it is clear from a systematic study of the variant readings of these four manuscripts that they have no common variants of their own, either as a group or as any given pair. Thus there is no textual evidence that the origin of Cs, O^1, P^1 and V^6 is different from the origin of the other manuscripts which certainly derive from the pecias of the two exemplars.

Third, each of these four manuscripts is, in a number of different pecias, a witness to the pecias of one or the other of the two exemplars, that is β^1 or β^2 (52). And even in those pecias where they are not -- this is more true of Cs and P^1 than of O^1 and V^6 -- there is always some trace of the variant readings proper to the pecias of one or the other exemplar (53).

Although there is no evidence for the existence of an exemplar of twenty-seven pecias, there is evidence that the apograph comprised twenty-seven fascicles or pecias (54). This evidence is an accident of copying which occurs in two manuscripts of the independent tradition. These manuscripts are M and V^4 (55). Between the end of Book III, which coincides with the end of pecia twelve, and the beginning of Book IV, which coincides with the beginning of pecia thirteen, three sentences are added in these two manuscripts. Except for two slight variations in V^4, these three sentences are exactly the same as the first three sentences of pecia fifteen (56).

Now it is evident that the apograph was the source of both β, the university tradition, and γ, the independent tradition. Thus the only way to account for this mistake in copying is the following. When the copyist responsible for the independent tradition in this place finished copying fascicle six of the apograph, he began immediately copying fascicle eight, which he had taken by mistake, and so transcribed the first three sentences of this fascicle. When he realized his mistake, he set aside fascicle eight and took up instead fascicle seven and started copying correctly. Somehow or other this mistake was not detected by a part of the independent tradition and thus has survived in M and V^4 (57). It is this fortuitous mistake which provides the evidence for the existence of an apograph comprised of twenty-seven fascicles or pecias.

Since there is no evidence for the existence of an exemplar in twenty-seven pecias, it is a plausible conjecture that an apograph comprising twenty-seven fascicles or pecias was the source of the numbering system present in the margins of Cs, O^1, P^1 and V^6, to which also Ad and L^2 indirectly witness. Thus, when the Stationer's scribe copied the apograph in fifty-three pecias of four folios each, he recorded the numbers of the corresponding fascicles or pecias of the apograph of eight folios in order to control and correct his copy. In turn, when the pecias of β^1 and β^2 were produced, these correspondences were recorded again and thus were transmitted eventually to a part of the university tradition. And so, the numbering system in the margins of Cs, O^1, P^1 and V^6, to which Ad and L^2 indirectly attest, is not a witness to an exemplar in twenty-seven pecias, but is instead a witness to the control and correction of the fifty-three pecias of the original β text by the twenty-seven fascicles or pecias of the apograph.

It is evident, therefore, that despite the several numbering systems described above, there is only one genuine numbering system for the two exemplars of the Sententia thome super metaphysicam. It is the one which numbers the pecias of these two exemplars according to the division of the text in fifty-three pecias.

NOTES

(1) V. Denifle - Chatelain, Chartularium Universitatis Parisiensis, t. II (Paris 1891) 107-112.

(2) In this article the manuscripts are cited in the same way as they will be cited in the critical edition. The manuscripts are : Bb (Bamberg, Staatliche Bibl. Class. 60 (HJ. IV. 18). Bo^1 (Bologna, Bibl. Univ. 1655^4). Bo^2 (Bologna, Bibl. Univ. 1655^6). Bg (Brugge, Stadsbibl. 516). C (Cambridge, Peterhouse 137). Cs (Cesena, Bibl. Com. Malatesta Plut. VIII. S. 3.). Ef^2 (Erfurt, Amplona 323). Ef^3 (Erfurt, Amplona 324). F^1 (Firenze, Bibl. Med. Laur. S. Croce Plut. xxix. d. 9). F^2 (Firenze, Bibl. Med. Laur. S. Croce Plut. xxix. d. 11). F^4 (Firenze, Fiesole CVII). F^6 (Firenze, Bibl. Naz. Conv. Soppr. B. V. 256). Kr^2 (Krakow, Jagell. 769). L^1 (Leipzig, Universitätsbibl. 1383). Lo^2 (London, Lambeth Pal. 97). O^1 (Oxford, Balliol 241). P^1 (Paris, Arsenal 337). P^2 (Paris, Arsenal 745). P^3 (Paris, Mazarine 3481). P^4 (Paris, Mazarine 3484). P^6 (Paris, B. N. lat. 13960). P^7 (Paris, B. N. lat. 14760). P^8 (Paris, B. N. lat. 16102). P^9 (Paris, B. N. lat. 16103). Pd^1 (Padova, Bibl. Anton. 387). Pi (Pisa, Bibl. Cat. 17). Pr^1 (Praha, Metr. Kap. L. 40). Tr (Troyes, Bibl. Munic. 1063). V^6 (Vat. lat. 767). W^1 (Wien, Dom. 240). W^2 (Wien, Nat. Bibl. 1434).

(3) V. James P. Reilly, "A preliminary study of a pecia", Revue d'histoire des textes 2 (1972) 239-250 ; v. also A. Brounts, "Nouvelles précisions sur la 'pecia'. A propos de l'édition léonine du commentaire de Thomas d'Aquin sur l'Éthique d'Aristote", Scriptorium 24 (1970) 343-359 ; v. also the prefaces to volumes XXIII, XLVII and XLVIII of the Leonine Edition.

(4) Bo^1 has one probable numerical indication of a pecia, f. 138rb.

However, it has no certain intrinsic evidence of pecia origin. Therefore, $\underline{Bo}^1$ will not be considered further.

(5) $\underline{V}$. ff. 5va, 11vb, 13vb, 15vb, 17vb, 19vb, 21vb, 24ra, 43vb, 53ra, 55rb, 57va, 59vb, 62ra, 64rb, 66va, 68va, 70va, 73ra, 75ra, 77rb, 79rb, 81vb, 84ra, 86rb, 88va, 90vb, 93ra, 95rb, 97va, 99vb, 102ra, 103rb, 105vb, 108rb, 110va, 113ra, 115rb. Although more are not discernible, their distribution is consistent with a division into fifty-three pecias.

(6) $\underline{V}$. ff. 4rb, 14va, 18ra, 21rb, 24vb, 28ra, 31va, 34vb, 43ra, 46rb. This symbol may be a corrector's mark. Also on f. 113ra, at the beginning of pecia thirty-four, $\underline{V}^6$ has h' in the margin. $\underline{Hic}$ or the abbreviation h' in the margin frequently indicates for the scribe the place where he is to begin the next pecia.

(7) $\underline{V}$. ff. 27rb, 46rb, 62va, 84ra, 89rb, 106vb, 112rb, 118ra. This sign, too, may be a corrector's mark.

(8) These manuscripts are : $\underline{Bg}$, $\underline{Bo}^2$, $\underline{Cs}$, $\underline{Ef}^3$, $\underline{F}^1$, $\underline{F}^2$, $\underline{L}^1$, $\underline{Lo}^2$, $\underline{O}^1$, $\underline{P}^1$, $\underline{P}^2$, $\underline{P}^7$, $\underline{P}^8$, $\underline{Pd}^1$, $\underline{Tr}$, $\underline{V}^6$, $\underline{W}^1$, $\underline{W}^2$.

(9) These are : $\underline{Lo}^2$, $\underline{O}^1$, $\underline{P}^8$, $\underline{V}^6$.

(10) $\underline{P}^1$ has a number of pecia indications in the interior margins. Perhaps other manuscripts have such indications, but these are now obscured by the binding.

(11) For example : $\underline{v}$. $\underline{P}^7$ f. 57ra and $\underline{Pd}^1$ ff. 4ra and 13ra.

(12) The thirteen are : $\underline{Bg}$, $\underline{Bo}^2$, $\underline{Ef}^3$, $\underline{F}^1$, $\underline{F}^2$, $\underline{L}^1$, $\underline{Lo}^2$, $\underline{P}^7$, $\underline{P}^8$, $\underline{Pd}^1$, $\underline{Tr}$, $\underline{W}^1$, $\underline{W}^2$.

(13) The four are : $\underline{Cs}$, $\underline{O}^1$, $\underline{P}^1$, $\underline{V}^6$.

(14) $\underline{Cs}$ has two numbering systems. The second is similar in some respects to that of $\underline{P}^2$: $\underline{v}$. $\underline{infra}$ p. 215.

(15) For a description of $\underline{P}^2$: $\underline{v}$. $\underline{Codices}$ $\underline{Manuscripti}$ $\underline{Operum}$ $\underline{Thomae}$ $\underline{de}$ $\underline{Aquino}$, ed. H. V. Shooner, t. 3 (Montréal-Paris, 1985) n. 2499.

(16) There were in circulation simultaneously two exemplars of fifty-three pecias, namely β^1 and β^2. Each was derived from a common origin, β, not from one another : $\underline{v}$. Introduction, $\underline{Sententia}$ $\underline{Libri}$ $\underline{Metaphysicae}$ (forthcoming).

(17) $\underline{V}$. Introduction, $\underline{Sententia}$ $\underline{Libri}$ $\underline{Metaphysicae}$ (forthcoming).

(18) At f. 10rb29, with the words $\underline{inconuenienter}$ $\underline{rerum}$, there is a change of scribe. $\underline{P}^2$ becomes a witness to β^1.

(19) At f. 57vb5, with a change of scribe, $\underline{P}^2$ becomes again a witness to γ ; ff. 72vb and 73ra-b are blank.

(20) At f. 73va, with a change of scribe, $\underline{P}^2$ becomes a witness to β^1 .

(21) $\underline{V}$. ff. 10vb, 12va, 14rb, 16ra, 17vb, 24ra, 34vb, 37vb, 39rb, 42ra, 74ra, 75rb, 76vb, 78ra, 79va, 82rb.

(22) $\underline{P}^2$ becomes a witness to β^1 near the end of pecia seven.

(23) $\underline{P}^2$ is a witness to β for only a part of pecia thirty-three.

(24) $\underline{V}$. $\underline{Ef}^3$ f. 31va, $\underline{P}^7$ f. 46ra, $\underline{Tr}$ f. 40rb, $\underline{V}^6$ f. 46ra.

(25) Book V commences within pecia seventeen, and Book VI within pecia twenty-five.

(26) In $\underline{P}^2$ the opening words of pecia forty-four are on f. 72ra. However, $\underline{P}^2$ is still a witness to γ at this place. Thus $\underline{P}^2$ becomes a witness again to β within pecia forty-four.

(27) $\underline{V}$. $\underline{P}^2$ f. 79vb.

(28) $\underline{Lo}^2$ and $\underline{P}^8$ have one marginal number, $\underline{Bg}$ and $\underline{W}^2$ two, and $\underline{L}^1$ has seven.

(29) $\underline{Bo}^2$ has fifty, $\underline{Ef}^3$ thirty-one, $\underline{F}^1$ fourteen, $\underline{F}^2$ twenty-two, $\underline{P}^7$ forty-seven, $\underline{Pd}^1$ thirty - eight, $\underline{Tr}$ thirty - one and $\underline{W}^1$ thirty - nine.

(30) Many of the numbers and abbreviations have points before and after. However, for the sake of consistency, they have been eliminated in this table.

(31) The margin has been erased ; a note has been written over the erasure.

(32) There was probably an erasure here.

(33) The margin has been trimmed ; the original indication was probably $\underline{xxxi}^a \underline{pe}^a$, or the equivalent.

(34) The margin has been trimmed ; the original indication was probably $\underline{xliiii}^a \underline{pe}^a$, or the equivalent.

(35) These are $\underline{Ef}^3$ and $\underline{L}^1$, sometimes others, especially $\underline{Tr}$. For example, on f. 31va $\underline{Ef}^3$ reads : <e>xplicit $\underline{L}$. .$\underline{3}$. et p. $\underline{12}$.

(36) For example : $\underline{v}$. $\underline{Bo}^2$ ff. 3ra, 5va, 7vb etc. The pecia numbers in $\underline{Bo}^2$ are probably by a hand other than the scribal hand.

(37) For some examples : $\underline{v}$. $\underline{F}^2$ ff. 8rb, 12ra, 27va.

(38) $\underline{V}$. $\underline{Pd}^1$ ff. 10ra, 18va, 24ra, 30ra, 33ra, 45vb, 52ra, 58rb, 61va, 67va, 70va, 73va, 76rb, 79ra, 87va, 90va, 93ra, 96rb, 99rb, 102rb, 105ra, 107vb, 110va, 113rb, 116ra, 118vb, 121va, 124va, 127rb, 130ra, 132vb, 135rb, 138rb, 141rb, 143vb, 146rb, 149ra, 151vb.

(39) $\underline{P}^3$, however, has a number of intrinsic indications of pecia origin.

(40) These are : $\underline{Ad}$ (Admont, Stiftsbibl. 85), $\underline{F}^3$ (Firenze, Bibl. Med. Laur. Conv. Soppr. 40), $\underline{F}^5$ (Firenze, Bibl. Naz. Cen. $\underline{I}$, I, 117), $\underline{L}^2$: (Leipzig, Universitätsbibl. 1405).

(41) $\underline{V}$. $\underline{F}^5$ ff. 12rb, 15vb, 17vb, 19vb, 22rb, 27ra, 37va, 39va, 43vb.

(42) $\underline{V}$. $\underline{F}^5$ ff. 41vb, 46ra, 48rb, 50rb.

(43) $\underline{V}$. $\underline{L}^2$ ff. 126ra, 157rb, 168va, 173rb, 177vb, 187ra, 191vb, 196rb, 201ra, 215rb, 217rb.

(44) $\underline{Cs}$ is a witness to γ for the entire first book. It becomes a witness to β with the beginning of Book II. In the university tradition this occurs near the end of pecia seven. Thus, since $\underline{Cs}$ numbers the pecias of the β text in accord with the division of the text in twenty-seven pecias, the first number recorded is $\underline{5}$ which corresponds to pecia $\underline{9}$ in the division of the text in fifty-three pecias.

(44a) The Parisian pecias were generally four folios in length : $\underline{v}$. H. D. Saffrey, $\underline{Sancti}$ $\underline{Thomae}$ $\underline{de}$ $\underline{Aquino}$ $\underline{Super}$ $\underline{librum}$ $\underline{de}$ $\underline{causis}$ $\underline{expositio}$ (Fribourg, Louvain, 1954) liv.

(45) There is the following marginal entry here : $\mathcal{J}^{a}$ $\overset{a}{\underline{p}}$. Whether only the $\overset{a}{\underline{p}}$ is original and thus indicated originally the second pecia of the twenty-seven pecia division is difficult to know. However, the $\mathcal{J}^{a}$ appears to be added later. If, however the $\mathcal{J}^{a}$ is original, it would seem to indicate the third pecia of the one to fifty-three division of the pecias. I have, therefore, left this indication doubtful : $\underline{v}$. infra $\underline{n}$. 47.

(46) These are pecias two (f. 3va), four (f. 8va), thirteen (f. 31va), twenty-four (f. 58ra) and fifty (f. 115vb).

(47) These are pecias fourteen (f. 34ra), sixteen (f. 38vb), twenty-two (f. 53vb), twenty-eight (f. 68ra), thirty-two (f. 77ra), thirty-six (f. 87vb), forty-two (f. 98vb), forty-four (f. 102vb), forty-six (f. 107ra) and fifty-two (f. 120ra). For pecia three (f. 6ra) : $\underline{v}$. supra $\underline{n}$. 45. It should be noted, too, that the sign : $\div$, sometimes occurs in the margin.

(48) With few exceptions, the marginal indications appear to be in the hand of the copyist of P^1.

(49) $\underline{V}$. $\underline{L}^2$ ff. 128ra, 132va, 141rb, 145va, 159rb, 163va, 170vb, 175va, 180ra, 184vb, 189va, 193vb, 198va, 203rb.

(50) For the correspondences of the two numbering systems : $\underline{v}$. supra p. 217, the reconstruction of $\underline{P}^1$.

(51) Pecias of eight folios, and even twelve, were sometimes in circulation : $\underline{v}$. J. Destrez, La Pecia dans les manuscrits universitaires du XIIIe et du XIVe siècles. Paris (1935), p. 27 ; $\underline{v}$. also R. and M. Rouse, Preachers, Florilegia and Sermons, Toronto (1979), p. 173.

(52) $\underline{V}$. Introduction, Sententia Libri Metaphysicae (forthcoming).

(53) These are designated neutral pecia manuscripts, since they have the variant readings common to β, but only a trace of the variant readings of β^1 or β^2. For a discussion of the neutral pecia manuscripts : $\underline{v}$. Introduction, Sententia Libri Metaphysicae (forthcoming).

(54) Since in the vocabulary of the medieval scribe a pecia meant a fascicle to be copied, it is not inaccurate to call the fascicles of the apograph pecias : $\underline{v}$. S. Thomas Aquinas, Opera omnia... XIII, Summa contra Gentiles (Rome, 1919), xxviiia.

(55) $\underline{M}$ (Munich, Bayer. Staatsbibl. Clm 15836), f. 30ra, $\underline{V}^4$(Urb lat. 216), f. 44v.

(56) These three sentences are : utrumque ostensum est enim quod hoc nomen homo significat esse hominem et non significat non esse hominem. igitur patet quod esse hominem et non esse hominem non sunt unum secundum rationem. et sic patet propositum quod homo et non homo diuersum significat. $\underline{V}^4$ reads manifestum instead of utrumque and ergo in place of igitur.

(57) It survives also in $\underline{Bo}^2$ and $\underline{Ed}^1$ (Editio princeps, Hain 1508). In the margin of f. 29vb in $\underline{Bo}^2$, a later hand has added these three sentences, which correspond exactly to the addition in $\underline{M}$. The same three sentences, except with the $\underline{V}^4$ variations, are found in $\underline{Ed}^1$ at f. 38va.

RESUME

La tradition des manuscrits universitaires de Commentaire sur la Metaphysique de Thomas d'Aquin présente plusieurs singularités. Si la plupart des témoins dépendent de deux jeux de pièces copiées indépendamment sur un même modèle, certains manuscrits présentent des pièces doubles et un autre commence une nouvelle numérotation avec le livre IV.

THE THREE PECIA SYSTEMS OF St. THOMAS AQUINAS'S COMMENTARY IN I SENTENTIARUM

Edward Booth O.P.

This essay goes beyond the communication given at the Grottaferrata symposium, and brings up-to-date the provisional conclusions from research into the pecia systems of St. Thomas's in I Sent. Research on the text is far from complete (1), and on the references and sources it has not begun.

The written commentary on the whole work was elaborated as Thomas was lecturing on it in Paris over the period 1252-6. A computer calculation of the length of the four books of commentary gives a figure near to $1\frac{1}{2}$ million words, of which the first book has over a quarter of a million (2). The autograph of book III is in the Vatican Library (3). This MS has some relevance to our theme, as the early part was transcribed from the littera inintelligibilis of Thomas by two secretaries, of whom the second (4) was evidently the scribe of the pecia MS of in I Sent, Wien Nationalbibliothek 1479 (5). His capacity to grasp a text tempestuously written and probably much reworked (6), and to reproduce it in a small, perfectly clear hand (not technically cursive, but sensitive to the flow of thought and the need not to delay in a large undertaking) was repeated, or anticipated, in our text from an amended model, almost certainly deriving from an apograph. The autograph of in IV Sent was probably burnt in the destruction of the Barcelona convent of Santa Catalina in 1835, though two folios (detached beforehand) have survived (7).

But no autograph of in I Sent survives. It exists in 78 MSS, 14 fragments (that of Gdańsk was lost during the war ; Vat. lat. 784 has Dist. 2 q. 1 art. 3 in its original independent form), 2 abbreviations (one partial) and 2 excerpta (8). Of these MSS, 22 have been found to derive from pecia exemplars (11 having formal notes), as do two fragments (9). The works occurs in the earlier of the two preserved Paris taxation lists, datable to near 1275 (10), with 37 pecias (hirable at 'ij sol') ; and two related series of 37 pecias have come to light. No trace has been found of a series of 38 pecias mentioned in the 1304 list (hirable at 'xxix den') (11).

The Pecia Manuscripts

The MSS based on stationers' exemplars are as follows. They are arranged alphabetically according to the initials by which they will be referred to in the Leonine edition. The provisional dating was made from palaeographic factors only (12).

Bg^2 Brugge Stadsbibliotheek 203. C14^1 in. (13)

Bl Barcelona Biblioteca del Cabildo 45. C14 in.

Bx^2 Bruxelles Bibliothèque Royale 669(1601) (fragm.) C13 fine, or 13^4.

Bx^3 Bruxelles Bibliothèque Royale 873-885(1561). C14^1 in. : even 13^4.

Bx^4 Bruxelles Bibliothèque Royale 20018(1566). C14 in.

C^4 Cambridge St. John's College C.2(52). C14^1 in.

Kr^1 Kraków Biblioteka Jagiellońska 1713. C13^4.

M^2 München Bayerische Staatsbibliothek Clm 8014. C14^1.

Md Madrid Biblioteca Nacional 516. C13.

N^3 Napoli Biblioteca Nazionale VII.B.33. C13.

O^4 Oxford New College 116 (held at Bodleian). C14 in.

P^1 Paris Bibliothèque Nationale Latin 15337. C13.

P^2 Paris Bibliothèque Nationale Latin 15338. C13-14.

P^3 Paris Bibliothèque Nationale Latin 15761. C13.

P^4 Paris Bibliothèque Nationale Latin 15762. C13.

P^5 Paris Bibliothèque Nationale Latin 15763. C13.

P^6 Paris Bibliothèque Nationale Latin 15776, ff. 254-6. C13.

P^7 Paris Bibliothèque Mazarine 835. C13.

Tr^2 Troyes Bibliothèque Municipale 776bis. C13.

V^2 Vatican Borghese 362. C13.

V^4 Vatican Rossianus 160. C13^4.

V^6 Vatican Vaticanus Latinus 753. C14.

W^1 Wien Nationalbibliothek 1437. C13^4.

W^2 Wien Nationalbibliothek 1479. C14 in.

The Pecia Notes of the Manuscripts

The pecia changes are formally noted in different ways ; the erasures and evanescent marks of Bl are given for completeness.

(B| erasures in margin at change to pecia 8 (24ra), 14 (42rb), 18 (55rb), 19 (58va), 24 (74rb-va) ;
trace of (ink-less) writing with pointed object at change to pecia 11 (with erasure 32vb), 13 (with erasure 39ra), 15 (45rb-va), 16 (48va), 17 (52ra), 22 (with erasure ? 68ra), 30 (93vb), 32 (99rb-va).)

Bx³ three indications of ends of pecias, small and deep in margins : vij.p. (18ra), xvij (46ra), xviij (48vb). Noted in table, infra, as beginnings of following pecias.

C⁴ of two forms, both numbering preceding and new pecias.

a) by scribe himself. Of the from : (hic) finit .xïi. incipit .xiïi.p̈. : 13 (37rb), 14 (40va), 15 (43vb), 16 (47ra).

b) shorter form, by variety of hands. Of the form : $\frac{xi\ddot{x}.\bar{p}}{xx}$: 17 (50rb), 19 (56vb), 20 (59vb), 22 (almost sliced off, 66rb), 23 (besides erasure, 69vb), 24 (in red, 73rb), 25 (76vb), 26 (80rb), 27 (83vb), 29 (in red, 91ra), 30 (94rb), 31 (98ra), 32 (101va), 33 (105rb), 34 (108vb), 35 (112rb), 36 (115vb), 37 (119rb). Exception : 21 (63vb) : xxi p̈.

M² has a complete series of notes. A number, with or without p, in the margin at the pecia beginnings, within a lightly drawn circle of curly lines ; arabic or roman numbers, or mixture of both : e.g. (xx3). Probably made by scribe with back of pen, who also encircled the catchword to the next quire on 24vb (et ex in-). The displacement downwards by one line of (8p), due to the marginal insertion of Dũ (Dubitatio), shows that it was written after the marginal guides to the text ; the rubrication of the p at pecia 2 (2p), of the 3 at (3p) and the circle at (6p) shows that they were made before the rubrication. The series is located as follows : 2(4va), 3 (7vb), 4 (11ra), 5 (14rb), 6 (17va), 7 (20vb), 8 (22rb), 9 (27vb), 10 (31va), 11 (35rb), 12 (38vb), 13 (42va), 14 (46rb), 15 (50rb), 16 (54ra), 17 (57vb), 18 (61va), 19 (65rb), 20 (68va), 21 (72rb), 22 (75vb), 23 (79rb), 24 (83ra), 25 (86va), 26 (90rb), 27 (93vb), 28 (97rb), 29 (101ra), 30 (104va), 31 (108rb), 32 (111vb), 33 (115rb), 34 (119ra), 35 (122ra), 36 (125rb), 37 (128va).

Md one formal note at beginning of pecia 3 (6ra) : .iii. pë. (Marginal erasure at beginning of pecia 11 (22va) ; pencil-scratched marginal mark at 18 (35vb) ; incised marks at 21 (41vb) and 22 (43vb) ; erasure in margin above col. beginning 23 (45vb).)

0⁴ changes to 'English' text at 53rb line 41. In the second half of the MS is the only known series of notes for this text, listed below in an Appendix. Written in the form : .p̈.22̈. Numbering in scribe's hand ; p more lightly written (by another ?).

P¹ one note, probably not in scribe's hand, at beginning of 18 : xviii.pe. (52ra).

Tr² two notes in scribe's hand, at the end of pecia 2 (.ïi.pë (11rb)) and 3 (.3̈.pe. (14rb)). Tabulated infra under 3 and 4.

V² has scribe's notes at the beginning of pecia 11 : xï .p. (29ra),

18 : xviii .p. (47vb), 25 : xxv.p (65vb), 32 : xxxij̈. (82va), 33 : xxxiïi (84vb), 35 (we shall use a square bracket to indicate a sliced margin) :]xv (89va). A marginal note (12ra) : p'in° f^{e i i i i^e} petie ('secundae' corrected to 'quartae') assures us that we are within the fourth pecia of the original/amended series, which (on other evidence) began 26 lines previously in 11vb.

v^4 notes at beginnings of pecias in roman numerals, some with the scribe's paragraph sign (which he used for Dist. numbers, and the divisions of the work in the Prol.). Of the form (pecia 3) : ¶ iii^{ca} (13rb). Also at : 4 (17ra), 6 (24va), 7 (28va), 8 (32va), 10 (40va), 12 (48va), 13 (52va), 15 (60vb), 16 (64va), (68va : erasure), 18 : ¶ xviï (72va), (21 : erasure, 84rb), 36 :]xxxvi (143va).

v^6 notes at the pecia beginnings in roman numerals, of the form : .iii. pë (7ra) (except 27, q.v.). Also at : 4 (10ra), 5 (12va), 6 (15rb), 7 (18ra), 8 (20vb), 9 (23vb), 10 (26va), 11 (29rb), 12 (32ra), 13 (34vb), 14 (37vb), 15 (39vb), 16 (42va), 17 (45va), 18 (48vb), 19 (51vb), 20 (53va), 21 (56vb), 22 (59va), (62va, erasure), 25 (68va), 26 (71vb), 27 (74vb : xxvii), (77vb, erasure ?), 29 (80vb), 31 (86va), 32 (89va), 33 (92va).

w^1 tiny roman numerals at the pecia beginnings, deep in inner margins : 12 (29ra), 16 (40ra), 17 (42vb), 20 (50vb). Some on outer margins are complete : 15 (37rb), 21 (53va) ; but three are partly sliced off : 18 :]viij (45va), 24 :]iiij (61va), 34 :]iii (88va). At the head of 86ra (well in margin, above text) : xxxiii ; the pecia would have begun in 85vb.

w^2 has tiny p's (without numbers) deep in margin, at beginnings of pecia 6 (11vb), 8 (16ra), 12 (24vb), 13 (26vb), 16 (34ra), 18 (38vb), 19 (40^ara), 21 (44vb), 22 (46vb), 25 (54ra), 28 (60vb), 29 (63ra), 30 (65ra), 36 (78ra). These are all in ra or vb margins. The punctiliousness of the scribe probably entailed that the other points were noted, but were sliced off with the outer margins. This has been one factor in searching for changing points for which there are no formal notes.

To give locations in the text (by means of which MS references could then be derived), we shall refer, by page and line, to the edition of Père Mandonnet :· e.g. M 107[18] = Mandonnet edn., page 107, line 18 (14).

The Series of Pecia-Models

The pecia notes, which we have described, belong to three different series.

Those in the later half of 0^4 belong to a text which, while it drew from the other two, had been restyled and re-edited. Because of the number of English MSS which contain it, it can be called the 'English' text as a matter of convenience, but this does not imply that it has an English origin. To its series of 41 pecias, 0^4 is the

only witness ; it will be described at the end of the essay.
The other two series stem from the same source, the later being a revision of the earlier, and both had 37 pecias. The central block of pecias 11 to 29 in the revised version were tailored to correspond with the divisions of the other. In its first ten pecias, marginal additions to the earlier version (and perhaps an additional folio) were incorporated into the text - probably through a corrected apograph from which new models were made, or just conceivably through a new apograph containing the revisions. The changing points gradually fell back to those of the other. No reason is apparent for the ending of this correspondence at the changing point from pecia 29 to 30, and the slight recession of its divisions in the later pecias. For the most part the MSS are faithful to one series, but borrowing from the other series does occur, and not only in the central section where the changing points were the same. Content has to be seen together with changing points, for sometimes the contents of pecias with formally marked changing points belong to the other series. A table at the end of this essay puts together the content of the pecias of each MS of these two series, with an indication of whether the evidence for the changing points is formal or indirect.

The later text is a revision, meant to supplement rather than replace a version available from soon after the completion of the work, which had become much amended by corrections and additions originating from the autograph and apograph. But so many of these corrections had already been incorporated into the existing models that, particularly in the trouble-free later pecias, the text is virtually the same - though a decreasing number of significant variants indicates whether the text was taken from the earlier or later model. For the most part, the table is based on samplings of these variants. We shall call the earlier version the 'original/amended' text, and the later one the 'revision'.

The 'Original/Amended' Text and its Pecias

The pecias MSS Bx^3 and Md show the earliest known and certain state of the text. A comparison between their readings and those of later MSS of the same series shows that there had been a major reworking of the original text, as well as other minor ones. In this major reworking these were some large additions and re-writings, as well as a considerable number of smaller, explanatory additions (15) and corrections to the original published text. Amongst these corrections were those to mistakes which could have been made by scribes in copying a model from an apograph, or by secretaries in making an apograph from the autograph (16). Sometimes, when there was no saut, the want of symmetry in an exposition in the earlier version suggests that an omission was due to the difficulty of the autograph (17).

The addition of emendations to the margins of the models is attested to by innumerable accidents. Particularly in Tr^2 P^1 P^5 and W^1, passages are omitted which are found in other MSS, or there are passages which are added in the margin or inter-linearly (sometimes out of order). Sometimes spaces have been left by the first scribe for the filling in of a passage, difficult to read. This is particularly noticeable in P^5, to which some blank spaces in P^2 correspond. The large number of additions and alterations to P^5 by another hand might be more accurately described as 'bringing the MS up-to-date', rather than 'correcting' it.

This large number of additions and corrections brings a big group of MSS into relationship with Bx^3 and Md, and with each other ; and whilst Bx^3 is little corrected, Md has a considerable number of these corrections in later hands. Excluding the MSS with the later revised text, which include the first part of 0^4, and excluding its second part which is the sole formal witness to the 'English' series, all of the other pecia MSS can be brought together into this original/ amended group : i.e. Bg^2 Bl (Bx^2 : fragm.) Bx^3 Bx^4 Kr^1 Md N^3 P^1 P^2 P^4 P^5 (P^6 : fragm.) Tr^2 V^2 W^1 W^2.

The Pecia Divisions of the 'Original/Amended' Text

Unlike in the revised text, not all of the pecia notes for the original/amended series have been found. Sometimes the only formal evidence is an unnumbered p in W^2. For the central block of pecias (11 - 29), there is sufficient evidence to show the correspondence with the known and complete series of the revised text ; where a formal indication is not found, indirect evidence (ink and writing changes, change of pecia at line beginnings, etc.) confirm the identity of points of change. For the first ten pecias, only four of the changing places are known from notes, and the other five have had to be estimated from indirect evidence found at the places where, on the presumption of equal pecia length, one would expect them. In the last section, where the revision departs from the earlier version, the first six changes can be found from formal evidence, but the last (from pecia 36 to 37) has had to be estimated ; and this is the least certain of all the hypothetical points. The evidence is characterised and tabulated at the end of the essay ; slight, or questionable, evidence has been excluded. The use of a duplicate model, with a slightly different changing point, could account for the absence of evidence where it might have been expected.

The main evidence for the divisions of the complete original/ amended series is as follows ; the formal indications are corroborated by an amount of indirect evidence which is too great to give here in detail, but which is taken account of in the table. The places of change are given in the joint list of original/amended and revised series changing points, also to be found at the end of this essay.

PECIA 2 : hypothetical - based principally on writing change at 'Perficit' in Bx^3 (3va), P^1 (at change of column, 5ra), P^2 (5ra), P^4 (4vb), Tr^2 (6va), W^2 (3ra). PECIA 3 : Md margin (6ra) : .iii. pë ; Tr^2 margin (11rb) : .ii. pe (end). PECIA 4 : Tr^2 margin (14rb) : .3.pe (end) ; V^2 margin (12ra) : p'in^o ...iiii^e petie. PECIA 5 : hypothetical - based on various factors, including dot after 'juxta' in Md (9vb), P^4 (13va). PECIA 6 : W^2 margin (11vb) : p. PECIA 7 : hypothetical - based on writing change at 'Immoderata' (N^3 (13ra), P^1 (20rb), P^2 (20vb), P^4 (18va), Tr^2 (23rb), V^2 (19rb)), dot after 'enim' (W^1 (16ra)), column change (Bl (20vb)). PECIA 8 : Bx^3 margin (18ra) : vij.p. (end) ; W^2 margin (16ra) : p. PECIA 9 : hypothetical - based principally on writing change and new line at 'a Patre' : Bx^4 (29va), Md (17vb), N^3 (18ra), P^2 (26va). PECIA 10 : hypothetical - but most likely from writing changes at 'secundum' or 'agens' : all evidence given among examples, infra. PECIA 11 : V^2 margin (29ra) : xī.p. PECIA 12 : W^1 margin (29ra) : xii ; W^2 margin (24vb) : p. PECIA 13 : W^2 margin (26vb) : p. PECIA 14 : indirect evidence concurs with revised text. PECIA 15 : W^1 margin (37rb) : xv. PECIA 16 : W^1 margin (40ra) : xvi ; W^2 margin (34ra) : p. PECIA 17 : V^2 margin (45ra) : xvii.p. ; W^1 margin (42vb) : xvii. PECIA 18 : Bx^3 margin (46ra) : xvij (end) ; P^1 margin (52ra) : xvij.pe. ; V^2 margin (47vb) : xviii.p. ; W^1 margin (45va) :]viij ; W^2 margin (38vb) : p. PECIA 19 : Bx^3 margin (48vb) : xviij (end) ; W^2 margin (40^ara) : p. PECIA 20 : W^1 margin (50vb) : xx. PECIA 21 : W^1 margin (of corrupt text) (53va) : xxi ; W^2 margin (of original text) (44vb) : p. PECIA 22 : W^2 margin (46vb) : p. PECIA 23 : omission of pecia by P^4 (63ra) ; indirect evidence concurs with revised text. PECIA 24 : W^1 margin (61va) :]iiii. PECIA 25 : V^2 margin (65vb) : xxv.p ; W^2 margin (54ra) : p. PECIAS 26 and 27 : indirect evidence concurs with revised text. PECIA 28 : W^2 margin (60vb) : p. PECIA 29 : W^2 margin (63ra) : p. PECIA 30 : W^2 margin (65ra) : p ; Bl (93vb), Bx^3 (78rb), W^1 (78ra) had left space for pecia 29 ; P^1 (115ra) switches to Peter of Tarantaise's commentary. PECIA 31 : V^2 margin (80rb) : xx[. PECIA 32 : V^2 margin (82va) : xxxij. PECIA 33 : V^2 margin (84vb) : xxxïii ; W^1 margin (86ra - above text) : xxxiij. PECIA 34 : W^1 margin (88va) :]iii. PECIA 35 : V^2 margin (89ra) :]xv. PECIA 36 : W^2 margin (78ra) : p. PECIA 37 : hypothetical (among 13 places investigated), based on writing changes, especially P^4 (102va).

The Emendations of the Models

It seems a reasonable hypothesis that, whilst the stationer's models, and probably the apograph, remained in Paris, St. Thomas brought the autograph to Italy in 1259/60, and that many of the emendations were made as he worked over the text in connection with his Rome lectures on in I Sent. And when he returned to Paris with the autograph in 1268, the emendations were incorporated, through a corrected apograph, into the models. This would account for the number of changes - of which many were explanatory additions to the text - which were made at the same time, and which distinguish the state of Bx^3 and Md from that of later MSS which derive from the same source. Many of these readings would naturally be found in the revised version, for, though we cannot completely exclude the possibility that its models depended on a new apograph, the cost and time which would be needed to produce it was probably prohibitive ; it is therefore likely that the revised version was made from models based on the same revised apograph. Conversely, there are readings in some of the amended MSS which are identical with those of the revision, and these need not be contaminations from its models, but anticipations of it through a common apograph, amended in different stages, from which the models of the two series derive.

The appearance of some of the MSS suggests that there were considerable problems in grasping and copying the models, particularly in the incorporation of additions. This is particularly true of Bg^2 P^5 and Tr^2, and, to a lesser extent, of Bx^4, P^1 and P^2. Other MSS seem relatively trouble-free, and their final appearance is more satisfactory : Bl Kr^1 N^3 P^4 V^2 W^1 W^2. Yet this latter group includes the later productions ; it was the earlier which encountered the illegibilities. It is possible that the latter group was written by relatively more competent scribes from a model every bit as difficult as the other. But the overall impression is that the scribes of the former, at least sometimes, had an inferior model, whilst those of the latter had, at least sometimes, and easier model to work from. There is, then, the likelihood that duplicate copies of the original amended text were being used. This makes it particularly necessary to consider each MS pecia by pecia, for not only is it possible for a scribe to use a model from the other series, but also to pass from one line of models to the other in the same series. Research on the text of in I Sent has only just begun to consider the possibility of duplicate models, and it is not yet possible to do more than to indicate the evidence at a number of precise points. In particular, the explanation of the variation in the incorporation of three relatively long passages ın the first two pecias of the original/amended text would be helped by the existence of duplicate copies.

These passages are :

A   most of the corpus of sol. 2 in Prol., art. 3 $q^a.3$ ('vel dicendum ... principia sua' : M 13^{11} -14^2, on the subordination of sciences as an analogy of the dependence of theology on divine knowledge).

Also, two passages on the attributes and rationes of God :

B   the second part of the corpus of Dist. 2, q.1. art. 2 ('non tantum ... synonima' : M 62^{37}-63^{15}) ;

C   the whole of the present Dist. 2, q.1 art. 3 (M 63^{29}-72^{39}) : the 'determination' which St. Thomas had made at Rome (18).

About half of the MSS lack A, amongst which are 9 pecia MSS (Bg^2 Bl Bx^3 Md N^3 P^4 V^2 W^1 W^2) ; about a quarter lack B, amongst which are 5 pecia MSS (Bg^2 Bl P^4 V^2 W^1), whilst the other 4 lack C (Bx^3 Md N^3 W^2). That is to say, of all the pecia MSS that lack A, they lack, in addition, either B or C. Another group of non-pecia MSS lack only A. On the other hand, all the MSS with the revised text are complete, as are 6 pecia MSS which had the original/amended text (Bx^4 Kr^1 P^1 P^2 P^5 Tr^2).

The search for an explanation of these omissions has brought to light some evidence of duplicate copies of the original/amended text. To explain this, it is more convenient to begin with pecia 2 - whose text had not included C, and had ended at the beginning of the 3rd objection in Dist. q, q.1 art. 4 (now the article following C). The evidence from N^3 and W^2 is enlightening. Both scribes had originally headed the present article 4 as 'Ad tertium...', and both subsequently corrected it to 'Ad quartum' ; but both headed the following article as 'Ad quintum'. As the beginning of the present article 4 was within pecia 2, but article 5 within pecia 3, they must have learnt of the omission of C when they collected the model of pecia 3. It is possible that C was added later at the end of N^3 : the MS contains also in II Sent. (with little space between them) ; but the folios from 187 (from before the end of in II Sent.) have been torn out, and it is therefore impossible to know. C was added to the end of the MS by the same scribe of W^2, at 82ra - 83ra. The omission of C from N^3 and W^2 is, then, an accident ; it had not yet been incorporated into pecia 2, probably by being sown on to it. An earlier version of the text, by a different scribe, beginning simply 'Quaeruntur utrum pluralitas rationum ...' (without question and article references), is bound into Md (5r-v) ; and the same version is added (by a different, English, hand) to the front of Oxford Oriel College 8, whose text goes back to the state of Bx^3 and Md.

N^3 and W^2 also provide evidence about the omission of B, also from Pecia 2. The passage was in both Bx^3 and Md, and also in the first version of N^3 and W^2, from which it has been significantly expunged by the original scribes with a 'vacat'. A plausible interpretation is that it was suppressed because it was surpassed by St. Thomas's treatment in C, the new art. 3. But rather than suppose that B was cancelled with C available for the copying of Bg^2 Bl P^4 V^2 W^1, and that the cancellation was subsequently revoked for the copying of the 'complete' copies Bx^4 Kr^1 P^1 P^2 P^5 Tr^2, and noting that the former group (setting aside Bg^2) (19) has less relative omissions than the latter and gives the impression of trouble-free copying, we suppose that the two groups depend on different duplicate models. Of the 42 variants throughout the whole pecia which break up the unity of the readings of the MSS depending on an original/amended pecia-model, 10 are proper to Bx^3 and Md alone (i.e. they were later corrected in the model(s)), 9 belong to the group Bx^3 Kr^1, etc., of which 8 belong also to Bx^3 Md alone (i.e. they had not been corrected on one model), and 9 belong to N^3 and W^2 (i.e.

from the complementary group) together with Bx^3 and Md, though two of these occur in W^1 (also from the complementary group). This suggests that an old model (showing itself also in the omission by W^1 of 'tertio ... ratiocinantes' (M 59^{4-6}), and its having the older reading 'ista unitas' for 'unitas divinae essentiae' (M 59^{6-7})) had been more successfully and clearly amended than the old model used by Bx^4 Kr^1, etc, and that N^3 and W^2 had used the better model before most of the amendments and the cancellation had been made on it. But the most significant evidence for the existence of two models of pecia 2, one being a better amended duplicate of the other, is the absence, apparently through cancellation, of passage B itself.

The passage A belongs to the first pecia, to which we now turn. A complicated accident in P^5, in which the scribe mistook both the order of insertion of corrections and their place (20), shows that it was a marginal addition to the model he was using. We can then suppose that it had not been added to a duplicate, and so at this point N^3 and W^2, together with Bg^2 Bl P^4 V^2 and W^1, reproduce the same text as Bx^3 and Md. To the presence, or omission, of A as the principle evidence for duplicate models of pecia 1 in the same grouping as in pecia 2, there is further evidence from the other variants themselves. We have classified 34 uncomplicated variants from the whole pecia, and have found that revised readings (i.e. those taken from the autograph, or apograph, before the issue of a revised text) compete with older readings, predominating in the group without A, but for the most part in a minority in the other group with A : i.e. the MSS reflect models with two different degrees of amendment ; from which we infer, again, the existence of two models. We set them out in the following table, in the order old/ revised readings :

Group with A : Bx^4 18/15 ; Kr^1 16/17 ; P^1 19/12 ; P^2 16/13 ; P^5 25/8 ; Tr^2 23/10.

Group without A (again ignoring Bg^2) : Bl 15/16 ; N^3 10/21 ; P^4 15/19 ; V^2 15/16 ; W^1 22/10 ; W^2 13/20.

More frequently than the rest of the latter group, W^1 lets the bed-rock of old readings appear. The close association of N^3 with W^2, which we found in pecia 2, is not present : they coincide in only 16 variants. Like the group without A, Kr^1 is a well-written MS, and the tendency of its readings opens up the possibility that it really belonged to the other group, but was written after the passage A had been added to its model.

More interesting still in pecia 1 is the lack of coincidence, in some readings, between Bx^3 and Md, which suggests that, for this pecia at least, they depend on different models. A few of the omissions in Bx^3 relative to Md are also to be found in the 'English' text, which shows the early date of its bed-rock text. Particularly noteworthy is the absence from Bx^3 of what could have been an explanatory addition (within a longer omission from Md) : 'unde per exempla particularia, ea quae ad mores pertinent, melius manifest-antur' (M 13 $^{10-11}$). This is also absent from the fifteenth century

Modena Biblioteca Estense α.W.1.8 (Lat. 432), and the Venice printing of 1486 (21), which also have a common base in the most primitive version of the text. (This carries the reminder that late MSS, and even early printed versions, can witness to the oldest tradition of a text ; for in I Sent one can also add Bologna Collegio di Spagna 23 (fifteenth century), and the Venice printing of 1498 (22)). In the later pecias we have noted passages in Md which seem to be explanatory additions, and which are omitted from Bx^3 and the 'English' group. For example, in Dist. 45, q.1 art. 1 arg 3 (M 1032^{19-23}) they have three relative omissions close together : 'movetur enim a volito' ; 'Deus (movet sicut)' ; 'Desideratum autem non motum movet desiderium'. Perhaps we can see here the traces of a very early revision, made before the models took on the great number of improvements which St. Thomas could have made during his stay in Italy.

In the later pecias, there is more evidence of the likelihood of a double copy of the model. At the beginning of pecia 24, the place where P^4 takes up the text after the omission of pecia 23 is shortly after the place which is indicated by all the other evidence for the pecia changing point (23). This could indicate the availability of duplicate copies of the model, whose bounderies here did not quite coincide. As can be seen from the evidence given in an appendix, there are variations in the position of 'quia' at the catchword for pecia 35 ; and these might show a dependence on two different models. Bx^3 P^4 W^1 had it immediately after the catchword. It was omitted by Md, together with another group : from Bl P^2 Tr^2 and V^2 it remained omitted ; but in Bx^2 Bx^4 Kr^1 Md N^3 P^5 W^2 it is inserted, either marginally or inter-linearly, within the catchword (where it is found in the revised text). Again we note a divergence between Bx^3 and Md.

In pecia 36, the two different ways of suppressing the original 'nullius sapientis voluntas est impossibilium' (M 1058^{16-17}), leaving the readings 'Praeterea impossibile' (Bx^4 Tr^2 W^2 V^2) and 'Sed impossibile' (N^3 P^5 , together with the revised text, except in V^6), could also derive from duplicate models. It is probable that the use of duplicate models, with slightly divergent changing points, have prevented the detection of pecia changes where we would expect them.

The Revised Text

Normally little contaminated, this text is found complete in 6 MSS among those listed at the head of this essay : C^4 M^2 P^3 P^7 V^4 V^6. It is also found in the first half of 0^4 (24). The style of pecia notes has also been given above. A complete series is in the margins of M^2, an almost complete series in V^6, more than half in C^4, thirteen in V^4 (including an erasure and an error) make the comprehension of the pecia series of this text relatively easy. The

MSS reveal a number of infidelities, when the scribe has used a pecia model with the original/amended text. This can be seen from the table at the end of the essay, and its accompanying notes. Most of these are from the central block, where the divisions are the same ; those from the early section in P^7 V^4 and V^6 necessitated very easy adjustments to the rest of the text. The text is of great importance, as it represented the final version of in I Sent, confirming amendations already made, and adding some new ones ; it was made available probably by a further revision of the apograph (or just conceivably, as we have already said, by the writing of a new apograph), and the making of a new series of models from it.

Inversions, which raise the standard of the Latinity, are the characteristic variants of the revised text : the noun is placed before the adjective (e.g. 'opere aliquo') ; in the laying out of the article, the verb is placed before its subject (e.g. 'quaeruntur tria') ; the genitive is placed before its related subject (e.g. 'infidelium mentes') ; the infinitive 'esse' is placed after its subject, or its qualification (e.g. 'aliquid esse' ; 'in loco esse'). Yet this is done with discretion ; in the 'English' text it is done far more freely, and not always under necessity. Such changes are more likely to have been made by St. Thomas's secretaries than by himself. As the number of changes in the final distinctions dwindles to almost nothing, and the variant readings are very much reduced, one still sees that whoever was responsible was carrying out a modest toilette du texte right to the end ; and it is just possible to tell from which series the almost identical texts of the final pecias was derived.

Probably the revised text was made available in response to a demand rather than to replace the by now much amended, existing models. As the common use by MSS normally loyal to both traditions of the models for pecias 21 and 29 shows, the two series circulated together for at least some of the time. Its intentions were also to absorb the new material of the first part - the multitude of corrections and additions, small and long - in an ordered form, and to tailor the middle pecias (11 - end of 28) to the dimensions of the older series, which would allow them to be used interchangeably. No reason is evident for the change from this intention at the end of pecia 29.

It is possible that there were duplicate models of the revised text. This is suggested by the divergence in changing point at the beginning of pecia 25, separating V^6 and C^4 from M^2 and V^4, and is explained in the list of pecia changing points infra (25).

Infidelities in the MSS to their Normal Series

For the most part the MSS are faithful to one or other series, as can be seen from the table of pecia beginnings and contents at the end of the essay. The infidelities are mainly in the middle section

(11 - 29), and these we consider first. The most evident in this section are the aberrant use of models for pecias 21 and 29. The intrusion of the aberrant models sometimes affects the same MSS, but their qualities are quite different.

That the preparation of the distinctive model used by the MSS following the revised text, and most of those which normally followed the original/amended text, for pecia 21 must date from after the compilation of the version used by Bx^3 and Md (and later by N^3 V^2 W^2) can be seen from its composite reading 'pluraliter vel personaliter' in the place of their incorrect 'personaliter' (at M 614 [13-14]) (26). Also evident are a number of corrections made to the Bx^3 Md text. Sometimes it corrects a mistaken reading : e.g. the incorrect 'videtur' in a citation of Peter Lombard by the correct 'nunc' (M 598[34] : evidently deriving from an ambiguous abbreviation). Sometimes it makes good an omission from their model : e.g. 'sed una quidditas et unum esse' (M 611[12]). The coincidence of some of its readings with those of the later MSS of the Bx^3 Md group could be interpreted as a dependence of its model on them (N^3 V^2 W^2), rather than the reverse ; but this coincidence is more likely to be caused by their both taking the same emendations, through their models, from the apograph which was effectively their same source. This is suggested by the spaces, left for the filling in of an illegible completion, which corrected 'ex' to 'exprimendo' : the trouble-free reading of all the Bx^3 Md group (M 623[10]). But, probably due to the existing defects of a text into which these improvements were incorporated, the final appearance of the pecia is still corrupt. A far greater number of mistakes remained uncorrected. About 50 relative omissions have been noted, a great many of which could have been additions to an original model, made before Bx^3 was copied from it (e.g. 'et ideo non est commune per modum universalis sed secundum rationem tantum' (M 610 n.1) ; and it has a large number of strikingly different, though inexplicable, readings (e.g. 'ratione' for 'nomen', M 601 [36-7]). It seems to be the working over of an early but poor copy, its limited authentic corrections probably made from the apograph, with the consequent improvements on the other text giving it an unwarranted reputation as being more authentic. Yet it was regarded as a part of the series, and its beginning marked by formal notes in the MSS, not only in those which normally used the revised series, but in W^1 which used the original/amended series for all the other pecias.

The use in pecia 29 of the same basic text by scribes who normally took the revised series, as by those of Bl Bx^4 Kr^1 P^1 P^2 P^5 Tr^2, is reminiscent of the use of the corrupt pecia 21. Its text has been 'sounded' rather than collated in all of the MSS, and the conclusions given here are consequently more tentative. Its 150 simple variants - substitutions, omissions, and, notably, displacements and inversions - seem to be both deliberate and innocuous. Besides some small relative omissions, there are some longer relative omissions in the new text, which all have the appearance of being explicatory additions to the other. But there are also four relative omissions in the new text, which all seem to be <u>sauts</u> in the new model. So at first sight the omissions have the appearance of being complementary, with the two groups of MSS and the two texts not coinciding. But, in fact, the two groups are linked with each other by the fact that Bx^3 (but not Md) has four of these apparently later additions ('sicut ... dictum est', M 858 $^{29-30}$; 'quamvis ... effectos', M 859 $^{12-13}$; 'quo ... creaturis', M 861 $^{31-32}$; 'et ad auctoritatem Anselmi', M 863 $^{29-30}$). This could be explained by Bx^3 and Md being derived from two different models, or from two different states of the same model. But Bx^3 and Md together have two lengtly relative omissions, also absent from the first writing of N^3 and W^2 : 'Dico ... patientis', M 870 ^{43} -871 ^{2} ; 'vel presidendo ... ad praesens', followed by the older reading 'Hoc autem contingit (multipliciter)', M 871 $^{11-15}$. The first of these was added to the margin of N^3 by another hand, and both were added to the margin of W^2 by the original scribe ; both are in the text of V^2, which shows its lateness relative to them. The reduction to 'ergo, etc.', in the other text, of the conclusion of a syllogism given fully in the Bx^3 Md group : 'ergo Deus non est in omnibus rebus' (M 857 $^{1-2}$) entails no conflict between them. Of the four probable <u>sauts</u> in the new model, two come closely together : 'constat ... operationem' ; 'et quod ... suam', M 859 $^{1-2}$. However, it is noticable that, having included the first passage, Bx^3 at first passes right over the second ('per virtutem suam <u>hoc</u>'), and then, having expunctuated 'hoc', inserts the passage. This <u>saut</u>, at least, might have been older than the writing of the new <u>model</u>, and may already have been a marginal addition to the model of Bx^3 . The other two <u>sauts</u> in the new model are 'divinam ... creaturis', M 860 n.3, and 'sed angelus ... supernaturales', M 877 $^{13-14}$. Of much less significance are three tiny omissions in the newer text, and two references omitted in the original/amended one.

We propose the following interpretation of the data. The new text for pecia 29 was probably taken from a revision made on the apograph, which gave some emendations to the older text from the autograph, and some characteristic stylistic modifications by St. Thomas's secretaries. The readings are often better, and the inversions and displacements are like those of the other pecias of the revised text. Omissions in Md relative to the text even as in Bx^3 show that the Md text comes from a very early period ; and their incorporation into Bx^3 probably means that they date from before St. Thomas left for Italy ; the subsequent incorporation of two of them into W^2 was from a tardily corrected model after his return. Although the MSS which normally have the revised text follow the same basic text for pecia 29 as those which departed from the original/amended text, we have found so far that some of them had a version of it which had about 30 readings proper to themselves (e.g. 'vel in loco vel (in) nullo', for 'vel in nullo loco', M 872 ^{19}), which seem like a continuation of the same <u>toilette</u> which the other had received, probably on the apograph. Finally, the wider use of this in fact revised pecia might be explained by the difficulty in obtaining a model of the original/amended series. Three scribes left a space for it to be filled in later : Bl up to 93ra ; Bx[3] up to 78ra ; W[1] up to 77vb. If there had been duplicate models of the older series, perhaps one of them had been lost, and a copy had been made from the revised apograph, but before the final touches had been made to it by the secretaries.

With regard to the other infidelities of the central block of pecia, there are no evident special circumstances in the use of amended models by M^2-11 (i.e. pecia 11 of M^2), V^4-20 22 27, or Bg^2-24. C^4-22 has some unparallelled inversions at the beginning. P^2-28 is written by a different scribe. P^5-28 has a clearer model than usual, and is less corrected than in its other pecias.

In the early section, one cannot be sure whether V^4-2 began at the changing point of the revised or amended text (9ra[37] and 43-44, respectively). At the end of V^6-6, the scribe began 7 at the beginning of a line, just before the catchword ; hence the change of writing is at 'essentialibus' (20vb[13]).

In the last section, N^3-31 has an unusual model, with many revised readings. Of 60 places where revised variant readings occur throughout the pecia, N^3 has 31 which follow the amended text, and 19 which follow the revised (the others are outside this division). It is, therefore, more likely that its model was an amended text incorporating revised readings. At the junction of P^1 29-30, the scribe passed unconsciously to pecias of Peter of Tarantaise's commentary ; later, another scribe wrote the continuation of St. Thomas's commentary as an insertion - but only to the place in the text where Peter's began.

The Pecia System of the 'English' group of MSS

The text in a clearly defined group of MSS, the majority of which are in English script or in English possession, is in part derived from the text of both of the other two series. We have already said that the second half of this text is found, with pecia markings (27), in Oxford New College 116, designated as O^4. The first part of O^4 has the revised text which ends, a column after the beginning of pecia 20, with a deterioration of the writing. At 53rb, line 41, with a change of scribe, the new text begins ; and three lines later, the introduction to art. 4 (of Dist. 23, q.1 : M 566[3]) has an arabic number which, as a characteristic of the group, must have been found in the original. To establish the real origin of this MS will also establish the origin of the text. Destrez's authority pronounced it to be 'English' (28), and this conjured up a conception of Oxford stationers issuing their own text (29). This conviction was reinforced by the existence of English MSS which used the text (30).

There is no doubt that the illuminations of O^4 are English (31). Because of its squarish regularity, the hand of the first part is thought by some experts to be Italian (the hand of the later part is freer and French) ; but the evidence of pecia joins in the first part, with the revised text - not formal notes, but indubitable indirect indications - shows that, irrespective of the origin of the scribe, the MS came from Paris ; and that, together with the French handwriting of the second part, entails that the 'English' model with its 41 pecias was located there. Some additional evidence for the presence of the two models at the same place is provided by the inclusion of sections from the other versions, divided sometimes, so it seems, at the 'English' text joins, in two admittedly English-written non-pecia MSS, from a text which is primarily that of the 41-pecia series (32).

The use of a single model, and probably the clarity of the original, conserved the characteristic features of the group. Among these is the consistent use of arabic numerals, and a consistent punctuation, which degenerates slowly through time (and no doubt according to the lineal distance from the original) (33). The presence of a clear and complete Paris MSS in England, used as a model, could explain any native productions of the text. A less clear piste italienne leads not only to N^2, but also to the 'English' contaminations of Firenze Biblioteca Laurenziana, Fiesolano 90, and Dubrovnik Dominikanska Biblioteca 5 (36-V-1). The iter Germanicus is obscurer still, though a very large German counterpart to N.R. Ker's Mediaeval Libraries of Great Britain, now being prepared for publication by Dr. Sigrid Kramer, will no doubt ultimately lead to many clarifications.

To turn to the literary characteristics of the 'English' text, we find some readings which go back to the level of Bx^3 and Md (and even to their divergences), whilst it has some in common with the revised text, whose characteristic inversions and displacements it develops to the degree of wilfullness. In pecia 23, which has been fully collated, we have tabulated 1,983 places where variants occur ; and of these 387 (20,4 %) belong to the 'English' group. Of these latter, 85 (22 %) are inversions. Coincidences in this pecia between the 'English' text and Bx^3 and Md are few, so that the impression given by other pecias is not so strong. However, we note on omission relative to the fuller texts which it has in common with Bx^3 and Md, i.e. an explanatory addition which was made later : 'Exemplar enim prius est imagine' (M 679^{22}), which is a revelation of the bed-rock text. But that the 'English' text had in view the editing of the revised text is clear from the inclusion of 'quod objicitur in contrarium' which that text inserted in the ad 5 of Dist. 27, q.2 art.3 (M 665^9). In pecias 21 and 29, the wilfullness takes the form of an arbitrary choice between the original/amended and the revised readings. The primary purpose of the idiosyncratic variants appears to be to improve on St. Thomas's style.

Some fortunate accidents have shed light on the origin of the text. Two marginalia, incorporated into the model, would never have been found in a stationer's text ; both were mistaken for corrections.

a)   At the end of Dist.4, q.1 art.3 : 'Huius contrarium videtur dicere in Summa parte prima quaestio 33 art. 4 ad 3'. It is added either as a whole after 'suppositum', or with a first part after 'posset supponere' (M 134 $^{28-31}$).

b)   A parallel text from the Summa (I q.5 art.2, corp.) is incorporated into an exposition (M 200$\overline{4}$) : 'ab intellectu ; [quia secundum hoc unumquodque cognoscibilis est secundum quod est actu, ut dicitur in Com. Met(aphysicae). Unde ens est proprium objectum intellectus ; et sic est primum intelligibile sicut sonus est primum audibile,] sicut primum...'

Significant also is the insertion of 'et unumquodque eorum' in the corpus of Dist.11, q.1 art.4, after 'quam participium vel verbum', for this latter is an addition to the text of Bx^3 and Md, and 'unumquodque eorum' is the next addition to that text. (M 284 $^{21-25}$) Evidently two insertions had been taken together at the place of the first.

Such notes as a) and b) are the typical marginalia of a scholar. They show that the 'English' text was basically a scholar's working copy. The insertion of the two additions together shows that, though corrected, it belonged to the oldest level. This explains why the text which could incorporate readings which belong to the later amended and revised texts, could also have omissions in common with Bx^3 and Md, as also with the Modena MS and the early Venice printings (34) which transmit a partially corrected ancient text. Most likely this scholar editor worked with a revised text alongside his original/ amended text, weighing one reading against the other, but ready to alter both, or even passages on which they were agreed, deciding finally on aesthetic rather than on textual grounds, yet always with intelligence. Frequently he inserted a correct reference. And all of these modifications were added to the margins of the older MS, which must have become loaded with alterations. The text was, however, professionally produced already ; it would not have needed an apograph. It would have been within the competence of a professional scribe to produce the ultimate model, in 41 pecias, from it directly - and the signs are that this model was clearly and fastidously copied.

The originator did not conform to the modern stereotype of a mediaeval textual scholar, interested only in self-effacingly passing on an inherited text ; for he restyled the whole. Whatever may be correctly said about other texts being corrected wilfully by their English owners (35), this text - even if found mainly in English MSS - originates as much as the original/amended text and the revision, from Paris. Not, indeed, from the autograph or its authentic apograph, but from two circulating versions ; and despite all its innovations in readings and in style, it was offered and accepted in a text which could be their complement.

NOTES

(1) Full acknowledgement must be made to Père Hyacinthe Dondaine, O.P., for his collation of MSS of the whole text ; also for the basic work of Père Jean-Pierre Torrell, O.P., and for some collations by Father Bartholomew de la Torre, O.P.

(2) V. the conspectus of all of St. Thomas's works at the beginning of each of the 49 vols. of R. Busa, S.J., ed., Index Thomisticus, (Stuttgart-Bad Cannstatt, 1974-80).

(3) Vat. lat. 9851. V. A. Dondaine, O.P., Secrétaires de saint Thomas, (Rome, 1956), pp. 41-53.

(4) Designated as 'C' by Dondaine, op. cit. ; he transcribed over 42 cols. from 5v.

(5) V. infra. It will be designated as W^2.

(6) Cf. Dondaine, op. cit., p. 49.

(7) To the fragment at Almagro (v. H.F. Dondaine and H.V. Shooner, Codices Manuscripti Operum Thomae de Aquino, (Rome, 1967- (in progress : from vol. 3 (1985) published at Montréal - Paris ; from vol. 2 (1973), edited by Shooner alone), vol. 1, p. 7), add a fragment at Salamanca : A. Robles Sierra, O.P., 'Fragmento autografo del IV de las Sentencias di Santo Tomàs', Escritos del Vedat, 14 (1980), pp. 564-581.

(8) Described in Codices (cf. previous note). This essay uses as yet unpublished material. The Gdańsk MS is numbered 1010. The MSS have many emendations, but there was no second edn. - confirming F. von Gunten, O.P., 'Gibt es eine zweite Redaktion der Sentenzen Kommentare des hl. Thomas von Aquin ?', Freiburger Z. fur Phil. und Theol., 3 (1956), pp. 137-68 (collected in Thomas von Aquin, I, ed. K. Bernath, (Wege der Forschung, 188), (Darmstadt, 1978), pp. 313-348). But the possibility remains that the marginal notes in Oxford Lincoln College 95 contain a reportatio of Thomas's Rome course on I Sent. of 1265-6 : v. Leonard E. Boyle, O.P., 'Alia Lectura Fratris Thomae', in Mediaeval Studies, 45 (1983), pp. 418-29. On this period, v. also, eiusd. auct., The Setting of the 'Summa Theologiae' of Saint Thomas Aquinas, Etienne Gilson Series, 5 (Toronto, 1982).

(9) All of the pecia MSS have been seen by the writer, except Bg^2 and Kr^1. Valencia, Bibliotheca del Cabildo 128 seemed to be a pecia MS, but from the examination of the MS itself the evidence was slight.

(10) V. refs. in P.M. Gils, O.P., Sancti Thomas de Aquino Quaestiones Disputatae de Malo, Opera Omnia, 23, (Rome and Paris, 1982), p. 3*.

(11) Earlier list, v. ed. H. Denifle, O.P., Chartularium Universitatis Parisiensis, vol. 1, (Paris, 1889), p. 646 ; later list, v. ib., vol. 2, (Paris, 1891), p. 108.

(12) $C13^4$: last quarter of thirteenth century ; $C14^1$: first quarter of fourteenth century. Father Leonard Boyle, O.P., now Prefect of the Vatican Library, has kindly provided these datings. Independently, Professor Shooner has given an earlier dating to W^2 'en raison de la décoration où le bleu a cette

belle teinte ciel qu'on trouve à Paris vers 1260-70' (letter to Père Guyot, 16 Nov, 1984).

(13) The cumulative evidence from pecia-join accidents finally overcame scepticism which arose from its many corrections and poor readings.

(14) S. Thomae Aquinatis Scriptum super Libros Sententiarum Magistri Petri Lombardi Episcopi Parisiensis, Editio nova curâ R.P. Mandonnet, O.P., Tomus I (Paris, 1929).

(15) e.g. typical addition at M 61^{10-11} : 'semper enim in causa est aliquid nobilius quam in causato'.

(16) e.g. reinsertion of a passage omitted by saut at M 75^{2-3} : 'Res enim non est ad aliquid'.

(17) e.g. the restoration before 'similiter' at M 152^{40}-153^{1} of 'non essentia ... et huismodi'.

(18) To the evidence from Vat. lat. 784 (248vb-249ra), given by A. Dondaine, O.P., 'Saint Thomas et la dispute des attributs divins', Archivum Fratrum Praedicatorum, 8 (1938), pp. 253-62, add that from the margin of Durham Cathedral B I 5 (7va) : 'Ista quaestio non est descripta sed fuit disputata ab autore in curia'. In 'Perfection de Dieu et multiplicité des attributs divins', B.-M. Lemaigre widened the context of the dispute : Rev. des Sc. Phil. et Théol., 50 (1966), pp. 198-227.

(19) Cf. supra, n. 13. We suspect that a difficulty arose from the age and wear of its model.

(20) V. P^5 3r. The accident is complex and hardly describable without seeing text and MS together. In essence, A and a previous phrase (also an addition) were inserted prematurely after an earlier amendment.

(21) Hain, 1474.

(22) Hain, 1475.

(23) V. infra, among the examples of evidence for pecia changes.

(24) Up to $53rb^{41}$ (a column after the beginning of pecia 20), preceded by a deterioration in writing, and followed by a change of scribe and text (the 'English' version).

(25) Passages in 0^4 by a different hand before the beginning of pecia 17 ('homines eiusdem ... particularia', M 479^{30-37}), and after the catchword of pecia 19 ('non tamen ... perfectioni absolute', M 536^{11-14}), could be the filling in of gaps between adjacent, but not corresponding models.

(26) Omitting 'personaliter', as in M 614 n.2.

(27) Listed infra in an appendix.

(28) V. petit cahier, 2200 : 'origine anglaise' ; and La Pecia, (Paris, 1935), p. 100a : 'le présent manuscrit relève d'un exemplar d'Oxford'. The appearance of 'the Paris custom' of writing in pecia notes of the model on an English MS would have disproved the judgement of 'very doubtful', by A.G. Little and F. Pelster, S.J. : Oxford Theology and Theologians c. A.D. 1282-1302, (Oxford, 1934), p. 60.

(29) That stationers operated at Oxford cannot be denied, but there is a need to repeat even the modest work in G. Pollard, 'The university and the book trade in mediaeval Oxford', Miscellanea Mediaevalia, 3 : Beiträge zum Berufs-bewusstsein des mittelalterlichen Menschen, (1964), pp. 336-44. He had depended on Père M.-D. Chenu's compilation of a list of exemplars from out of Destrez's voluminous notebooks ('Exemplaria universitaires des XIIIe et XIVe siècles',

scriptorium, 7 (1953), pp. 68-80). But he writes as if he has not understood Père Chenu's appreciation of Destrez's magnificent conception : 'About a hundred exemplaria or (sic !) manuscripts with pecia notes ...' (p. 341). Père Chenu wanted to present the locations of only the exemplars which Destrez had discovered and noted among the 15,000 and more MSS which he saw before he died, and thus to up-date the tally given in La Pecia (p. 19) of 30 exemplars (and 1,000 pecia MSS). Père Chenu wrote : '(Destrez) se proposait ... de faire connaître ultérieurement non seulement le mécanisme de l'exemplar et les pièces, mais tout le réseau de diffusion de plus de 300 oeuvres, ... fondés sur ce mécanisme de l'exemplar' (art. cit., p. 69). Without access to Destrez's notes, Pollard could not have known his note on 'Worcester Cathedral F.103 exemplar de la II II^a. de S. Thom. d'Aquin' : 'origine universitaire parisienne' ; and on folio A, on which is written only 'I pecia quarti scripti', 'je ne vois pas à quoi celle correspondit' ! (petit cahier 9101). Destrez has no more notes on pecias in this MS.

(30) The following are the non-pecia MSS with the 'English' text known to us. One remains cautious about the origin of the writing ; * = English illuminations and corrections. C^1 : Cambridge Pembroke College 33 (held at Univ. Lib.)* ; C^2 : id. 125* ('una manu anglica exaratus', Codices I, p. 194 (cf. n. 7 above)). Kr^2 : Kraków Biblioteka Jagiellońska 1717 : modest Paris 'hair-pin' illuminations ? ('modo gallico', Codices II, p. 143) ; French hand evident 95a ff (elsewhere often debased) ; English corrections. M^3 : München Bayerische Staatsbibliothek Clm 18065 ('librario germanico exaratus', Codices II, p. 400). N^2 : Napoli Biblioteca Nazionale VII.B.17 : Italian illuminations. O^3 Oxford Merton College 97(I.3.2.)*. Pr : Praha Metropolitni Kapitoly A XVII.2 (29)* ('manu anglica nisi fallor scriptum', report for Codices). Tz : Tarazona Biblioteca del Cabildo 48* ('initiales litterae modo anglico ornatae', report for Codices). V^3 : Vatican Ottoboni lat. 622 : English script and illuminations ('a pluribus librariis anglicis exaratus', report for Codices). Wo : Worcester Chapter Library F 107*.

(31) Information from Mrs. Temple and Dr. Alexander, passed on by Miss de la Mare of the Bodleian Library. The flourishes are exactly the 'loose loops' of English illumination, as characterised by Sonia Patterson, Paris and Oxford University Manuscripts in the Thirteenth Century (Oxford B. Litt. thesis, 1969).

(32) Designation as given in n. 30. Pr has sections with the text from the original state : a) from near the join of pecias 22-3 (probably at the change to pecia 25 of the 'English' series) to just after the beginning of pecia 24, with a short reversion to the 'English' text in the middle ; b) from before the end of pecia 30 (possibly from the unknown beginning of 'English' pecia 35) to a point in pecia 31 (probably at the end of 'English' pecia 36). V^3 turns from the 'English' text shortly before the end of pecia 21 of the other series, whose inferior model it then uses. From the beginning of pecia 22 to the middle of pecia 23 it continues with the revised text, and reverts to the 'English' text, probably at the beginning of 'English' pecia 26. The whole section is corrected according to the English text.

(33) Using the designations given in n. 30, the order of degeneration seems to be : O^4 Pr Tz C^1 C^2 Wo Kr^1 Du. N^2 and M^3 are also contaminated.

(34) Referred to supra.

(35) Cf. Gils, op. cit., pp. 26*-27*.

PECIA CHANGING POINTS IN ORIGINAL/AMENDED VERSION AND REVISION

PECIA 2) Revision. Dist. 1, q.1 art.1 ad 1 (M 34$^{12-13}$) : concupiscibilem,/ita suprema pars / habet intellectum. Original/Amended (hypothetical). Dist. 1, q.1 art.1 ad 1 (M 34^{20}) : perfecta / per ea quae sequuntur./ Perficit. PECIA 3) Revision. Dist. 2, q.1 art.3 sed contra 2 (M 65^4) : creaturae / dicuntur Deo similes / inquantum. (Introduction of art. 3 brings the point forward relatively). Original/Amended. Dist. 2, q.1 art.4 arg.3 (M 73^{16}) : Item natura speciei / ad hoc multiplicatur. PECIA 4) Revision. Dist. 3, q.1 art.2 ad 3 (M 95^4) : ratiocinando / ex objectis / in actus. Original/Amended. Dist. 3, q.2 art.2 corp. (M 102$^{15-16}$) : limitatio principiorum / sub forma principiati. PECIA 5) Revision. Dist. 3, q.4 art.2 ad 1 (M 117^4) : et perfectam virtutem,/ et ideo proprie. Original/Amended (hypothetical). Dist. 3, q.5 (art. un.) corp. (M 123^{35}) : metiris ? / et juxta / hoc. PECIA 6) Revision. Dist. 5, div. text. (M 150^5) : Pater esse habet (P^3 : se habet) / per divinam essentiam. Original/Amended. Dist. 5, q.2 art.1 arg.3 (M 155$^{13-14}$) : causalitas./ Ergo videtur / quod nullo modo. PECIA 7) Revision. Dist. 7, q.1 art.2 ad 3 (M 180^6) : essentiam / cum qua est idem re / sed secundum. Original/Amended (hypothetical). Dist. 7, exp. text. (M 185$^{24-26}$) : ut dictum est./ Immoderata enim / esset. PECIA 8) Revision. Dist 8, exp. pr. p. textus (M 209^{40}) : nihil sit / essentialius rei quam / suum esse. Original/Amended. Dist. 8, q.3 art.2 ad 4 (M 215$^{11-12}$) : Augustini./ Ad quartum dicendum similiter quod materia prima / et universale. (Destrez (petit cahier, 1245) gives point in Bx^3 as : et / universale. Most MSS show writing change at 'Ad quartum' : long catchword to avoid confusions ?) PECIA 9) Revision. Dist. 8, q.5 art.3 corp. (M 233$^{12-13}$) : II de Anima,/ partes animae se habent / ad partes corporis. Original/Amended (hypothetical). Dist.9, div. textus (M 243$^{19-20}$) : filii / per quam distinguitur / a Patre. PECIA 10) Revison. Dist. 10, q.1 art.4 corp. (M 268^2) : multum de materia ?/ vocamus grossa / sicut terram. Original/Amended (hypothetical). Dist. 10, q.1 art.5 corp. (M 270$^{16-17}$) : modus (originis : om. Bx^3 Md)/ secundum quod omne / agens dividitur. (V. infra : all evidence given among examples). - From pecia 11 to pecia 29 the changing points of both versions are the same. PECIA 11) Dist. 13, q.1 art.1 sed contra 2 (M 302$^{7-8}$) : ab utroque./ Ergo videtur (+etiam : Bx^3 Md) quod sit / processio. PECIA 12) Dist. 14, q.3 (art. un.) M 328^{32}) : dicendum / quod ministri ecclesiae / non remittunt. PECIA 13) Dist. 15, q.5 art.1 q^a.3 (M 357^6) : Spiritus Sanctus. ?/ Ulterius, ?/ quaeritur / utrum ad angelos / et ad alios. (The catchword could begin before or after 'Ulterius'.) PECIA 14) Dist. 17, q.1 art.1 arg.8 (M 392$^{31-32}$) : Ergo non est creatura./ Praeterea omne creatum. PECIA 15) Dist. 17, q.2 art.2 corp. (M 415$^{39-40}$) : Qualitates ?/ autem primae ?/

246

et simplices / intenduntur. (The catchword could begin after 'qualitates' or 'primae').

PECIA 16) Dist. 18, q.1 art.5 corp. (M 445^{19-20}) : dicimus / creator ,´ noster ,´ et bo ,´ num nostrum./ Ea autem. (Complete lines show widest limits of the catchword ; dotted lines are changing points on MSS).

PECIA 17) Dist. 19, div. sec. p. textus (M 479^{38}) : particularia. $^?$/ Secundo ponit / solutionem ibi :/ 'Haec autem ...'$_4$(Catchword may start before Secundo).

PECIA 18) Dist. 20, q.1 art.1 ad 3 (M 506^4) : quod / ad aliud refertur ; / sic enim.

PECIA 19) Dist. 22, q.1 art.2 ad 2 (M 536^{11}) : Deum / nisi ex creaturis,/ non tamen.

PECIA 20) Dist. 23, q.1 art.3 corp. (M 564^{21}) : relationem / per modum substantiae / non quae est.

PECIA 21) Dist. 25, div. textus (M 598^{25-26}) : dicimus / tres personas sign(ific)amus / id (corrupt text : ad).

PECIA 22) Dist. 26, q.1 art.2 ad 3 (M 627^{42}-628^1) : dignitatem / et ideo $^?$/ remota relatione / neque hypostasis. $_{33}$(Catchword may be after 'ideo').

PECIA 23) Dist. 27, q.2 art.2 arg.3 (M 656^{33}) : persona est $^?$/ verbum / et ita / essentialiter. (Catchword may begin at 'verbum').

PECIA 24) Dist. 29, q.1 art.2 arg.1 (M 690^{36-38}) : evidence at two nearby points. V. infra among examples.

PECIA 25) Dist. 31, q.2 art.1 ad 2 (M 725^{18-20}). Original/Amended : Ad secundum dicendum / quod in equivocis$_?$/ quae sunt$_{(A)}$Revision falls into two groups : quae sunt per fortunam et casum $^?$/ ut canis / non$_{(B)}$ attenditur similitudo aliqua, sed in equivocis quae dicuntur $^?$/ per respectum / ad unum principium. (A) : $V^6 C^4$; (B) : $M^2 V^4$; ambiguous : $P^3 P^3$. This suggests that there was a double model of the revision ; the beginnings of their catchwords are not evident.

PECIA 26) Dist. 32, exp. Textus (M 756^{21}) : una sapientia./ Sed propter distinctionem / (hypostasum : om. all revised MSS except y^6) subsistentium.

PECIA 27) Dist. 34, q.1 art.2 ad 1 (M 792^{23}) : grammaticum,/ qui modos sign(ific)andi / per nomen.

PECIA 28) Dist. 35, q.1 art.4 contra 3 (M 819^{31}) : accidens / in Deo autem substantia./ Ergo.

PECIA 29) Dist. 37, q.1 art.1 arg.1 (M 856^{5-6}) : et forma,/ non autem agens et finis./ Sed Deus.

PECIA 30) Original/Amended. Dist. 37, q.4 art.1 arg.2 (M 878^{13}) : contrarietas ut/ per se corrumpatur / quia nihil. Revision. Dist. 37, q.4 art.1 arg.4 (M 879^4) : ad motum eius./ Sed sicut illud / in quo est angelus.

PECIA 31) Original/Amended. Dist. 38, q.1 art.3 sed contra 2 (M 903^{6-7}) : Deus scit./ Sed multa enuntiabilia / per prophetas praedixit. Revision. Dist. 38, q.1 art.4 arg.3 (M 905^{13}) : quae non sunt / non commensurantur.

PECIA 32) Original/Amended. Dist. 39, q.2 art.1 corp. (M 928^{20-21}) : in finem / et de his quae / impedire possunt. Revision. Dist. 39, q.2 art.2 corp. (M 931^{17}) : equaliter / est singularium / et universalium.

PECIA 33) Original/Amended. Dist 40, q.4 art.1 ad 1 (M 954^{19}) : habet etiam horum scientiam / approbationis. Revision. Dist. 41, q.1 introdn. (M 964^{14}) : electio Deo ab eterno / conveniat.

PECIA 34) Original/Amended. Dist. 42, q.1 art.2 ad 4 (M 987^{12}) : impositionis / ut attributum / et huiusmodi. Revision. Dist. 42, q.2 art.2 corp. (M 991^{41}) :

est / in posteriori. Sed quicquid / in se.

PECIA 35) Original/Amended. Dist. 44, q.1 art.1 corp. (M 1017^4)$_{33}$: v. infra among examples. Revision. Dist. 44, q.1 art.2 sed contra 1 (M 1018^{33}) : Sed contra, secundum philosophum / albius est.

PECIA 36). Original/Amended. Dist. 46, q.1 art.1 sed contra 1 (M 1050^{32}) : salventur / aliquis esset praedestinatus / qui non. Revision. Dist. 46, q.1 art. 1 ad 2 (M 1052^1) : conditionata,/ nec tamen est imperfectio / ex parte.

PECIA 37) Original/Amended (hypothetical). Dist. 47, q.1 art.4 ad 2 (M 1074$^{10-11}$) : innocentis / prout substat / deordinationi (Md P^2 : deordina-tionem). Revision. Dist. 48, q.1 art.1 ad 1 (M 1081^{10}) : qui/ per terram signantur / qui in actu.

EXAMPLES OF EVIDENCE FOR CHANGE OF PECIA

PECIA 10) Original/Amended (hypothetical). The beginnings of pecias 8 and 11 were known. To find the beginning of 10, the text was searched at a position according to the pecia lengths of some MSS between these two points (P^4 10½ cols. ; V^2 9½ cols. ; W^2 8 3/4 cols.). A striking writing change in Tr^2 was corroborated by other evidence. Dist. 10, q.1 art.5 corp.(M 270$^{16-17}$) : modus (originis : om. Bx$_4$ Md)/ secundum quod omne / agens.

Bx$_1^3$ (32vb) : dots after 'originis' and 'omne' ; writing change 'agens'. Kr^1 (60b) : dot after 'originis' ; writing rises 'secundum quod'. Md (19va) : new line 'secundum quod' ; writing change 'agens'. P$^1_2$ (29vb) : writing change '(originis ?) secundum quod' ; new line 'agens'. P^2 (29vb) : new line with writing change 'secundum quod'. P^4 (24vb) : dot after 'originis' ; new line with writing change 'agens'. Tr^2 (32va) : dot after 'originis' ; writing change 'agens'. V^2 (26va) : writing change 'agens'. W^2 (20va) : dot after 'originis'.

PECIA 24) The original/amended text MSS have evidence at two nearby points, perhaps revealing duplicate models ; the revision MSS concur with the first point.

Dist. 29, q.1 art.2 arg.1 (M 690.$^{36-38}$) : personae. /$^{(A)}$ Ad secundum sic proceditur. Videtur / quod / principium univoce dicatur secundum quod Deus dicitur princi-pium personae divinae et creaturae. Sicut /$^{(B)}$ enim dicit Basilius, accipere.

MSS with original/amended text

a) change at (A). There are writing changes at 'videtur' and 'quod' : 'principium' seems the limit. As with the catchword to pecia 8$_1$ the length could be to avoid confusions (v. supra). Formal evidence only in W^1]iiij : the last four strokes of xxiiij, sliced through in the margin of 61va ; writing change 'Ad secundum'. In Bl, 'Ad secundum sic proceditur' is at 74rb^{imo}, and 74va begins 'videtur quod'. (In Bl, changing points are at column heads for pecias 8, 15, 17,

22, 24, 25, 30, 32, and frequently near them.) In Kr^1, 'Ad secundum' begins (column) 141b, with smaller writing ; that of the last 4 lines of 141a is widely spaced. In P^2, at 75vb, '⟨ Ad secundum', at a line-end, is expunctuated by dots beneath it, and some words are erased at the beginning of the next line. 'Ad secundum ...' is then repeated, with an illumination, over the erasure. A paragraph sign was evidently in the catchword. In V^2, at $63rb^{1mo}$, '⟨ ad secundum sic proceditur' is followed by a wavy line space-filler ; it is repeated at $63va^1$ with an illumination. Writing change at 'Ad secundum' : Bx^4 (78ra) and Md (47va) (both after passages of well-spaced writing), P^5 (88vb), W^2 (51va). Writing change at 'quod principium' : N^3 (60ra), P^1 (73rb, with dot after 'videtur'). b) change at (B). P^4 had omitted pecia 23, and takes up from pecia 22 (ending 'et ita') with smaller writting : 'enim dicit Basilius' (63ra). In Bg^2 (73ra), the writing drops at 'enim dicit'. P^5 (88vb) begins a new line at 'sicut enim', after a crowded line-end (but cf. under 'change at (A)').

MSS with revised text

In C^4, in the margin of 73rb : XXIII̵I / XXIV (not in the scribe's hand), opposite line beginning 'ideo Filius' (displaced upwards from 'Ad secundum' by .q-o.) ; writing change '(videtur ?) quod principium'. In M^2 ㉔ in the margin of 83ra, opposite line beginning 'Ad secundum' ; writing change at 'videtur' (after passage of widely spaced writing). In V^6_3 (65va), large dot (dark new ink) after 'quod' ; ink change at 'principium'. In P^3 (99ra), writing change at 'principium'.

PECIA 35) Original/Amended. Dist. 44, q.1 art.1 corp. (M 1017^4) : eadem res,/ sed alia (quia) secundum Philosophum / (quia) in VIII Metaph. 'Quia' is omitted
$^{(A)}$ .... $^{(B)}$
by Bl P^2 Tr^2 V^2, and inserted later at (A) by Bx^2 Bx^4 Kr^1 Md N^3 P^5 W^2 – which is its position in the revision. Hence, they all followed a model without 'quia', and the second group was corrected according to the revised reading. 'Quia' is at (B) in Bx^3 P^4 W^1. The divergence of Md from Bx^3 suggests duplicate models, and the persistance of the omission suggests that they were long in use.

MSS with 'quia' omitted, or later inserted at (A)

Formal evidence only in V^2]xv : the end of xxxv, sliced through in the margin of 89va, opposite the line beginning 'eadem'. Also in V^2 : dot after 'philosophum', writing change at 'in VIII'. The same two indications are also found in Bl (108va, new line at 'in VIII'), Bx^2 (fragm.), Md (64va), N^3 (91rb), P^2 (110vb), Tr^2 (122rb). New line at 'secundum philosophum' ; Bx^4 (112rb, with dot after 'philosophum', and writing change at 'in VIII') ; W^2 (75vb, with dot after 'sed alia', and writing change at 'in VIII'). Writing change at 'in VIII' : Kr^1 (201b) ; P^3 (131vb).

MSS with 'quia' at (B)

After space left for pecia 34 (finished by sBx^3 on small sheet inserted opposite 85v), pBx^3 begins at head of 88rb 'sed alia secundum philosophum quia'. P4 (96va) : 'philosophum' crammed at line-end ; new line begins 'quia' ; writing change '(quia ?) in VIII'. W^1 (91ra) : writing change at 'quia in VIII'.

THE PECIA NOTES OF THE 'ENGLISH' TEXT PRESERVED IN O^4

They were listed by Destrez (<u>petit cahier</u>, 2200), but have been examined again. With a pecia length of 11 columns, there would have been no changing point between the beginning of the 'English' text (53ra^{41}), and the first noted change.

PECIA 22) Dist. 23, exp. text. Opposite 53vb^7 (distinctione ... ⌐ Cum) (M 568$^{40-42}$) : .p̈.22.

PECIA 23) Dist. 25, div. text. Opposite 56ra^{49} (/tatem ... con/(cludit)) (M 599$^{41-43}$) :]3̈ (tight in binding).

PECIA 24) Dist. 26, q.2 art.1 corp. Opposite 59rb^{14} (inter ... secundum) (M 631$^{7-8}$) : .p̈. 2̈4.

PECIA 25) Dist. 27, q.2 art.2 arg.2 Opposite 61vb^{23} (essentiale ... potest) (M 656$^{24-25}$) : .p̈. 2̈5.

PECIA 26) Dist. 28, q.1 art.2 ad 2. Opposite 63va^{49} (affirmatione ... innascibilitas) (M 676$^{24-25}$) :]p̈. 2̈6.

PECIA 27) Dist. 30, (q. un.) art.3 ad 3. Opposite 66vb^8 (scibile ... relatio) (M 708$^{28-29}$) : .p̈. 2̈7.

PECIA 28) Dist. 32, q.1 art.1 corp. Opposite 69ra^{37} (/tens ... actum) (M 743$^{2-3}$) : .p̈. 2̈8.

PECIA 29) Dist. 33, div. text. Opposite 70vb^{41} (solvit ... primo) (M 762$^{24-26}$) : .p̈. 2̈9.

PECIA 30) would have been sliced off with the outside margin of 72r-v.

PECIA 31) Dist. 34, q.3 art.2 arg.4. Opposite 74rb^{57} (leonis ... transumi) (M 799$^{30-31}$) : .p̈. [.

PECIA 32) would have been sliced off with the outside margin of 76r-v.

PECIA 33) Dist. 36, q.2 art.3 ad 4. Opposite 79-80ra^{20} (Ad .4. ... defi(ciunt)) (M 845$^{17-18}$) : .p̈. 3̈3.

PECIA 34) Dist. 37, q.3 art.3 ad 2. Opposite 82vb^{15} (est in ... nulla) (M 877$^{14-15}$) : .p̈. 3̈4.

PECIA 35) would have been sliced off with the outside margin of 85r-v.

PECIA 36) Dist. 39, q.2 art.1 corp. Opposite 88ra^6 (et de ... dicitur in) (M 928$^{20-21}$) : .p̈. 3̈6.

PECIA 37) would have been sliced off with the outside margin of 90r-v.

PECIA 38) Dist. 42, q.1 art.2 arg.2. Opposite 93ra^{13} (/dam ... animales) (M 985$^{4-5}$) : .p̈. 3̈8.

PECIA 39) Dist. 43, q.2 art.2 ad 6 - exp. text. Opposite 95vb^4 (aliquid ... ma(gistri)) (M 1012$^{23-27}$) : .p̈. 3̈9.

PECIA 40) Dist. 46, div. text. Opposite 98rb^{49} (/nis ... igitur) (M 1049$^{33-34}$) : .p̈. [. (The edge of the '4' of '40' remains).

PECIA 41) Probably there would have been one further pecia division between the beginning of 40 and the end of the text at 102va.

Notes on Table of Pecia Contents and Notes :

Bx^2-34 35 : fragment. Bx^3-8 18 19 : notes of previous pecia ends. Md-18 : pecia note scratched in margin ? N^3-31 : unusual model - older version with many revised readings. O^4-20 to 37 : 'English' text, from a column after beginning of 20. P^1-30 : pP^1 copies Peter of Tarantaise's commentary ; later scribe inserts Thomas's commentary up to the point where Peter's begins. P^2-28 : new scribe. P^4-23 : pecia missed ; taking up (later) at 24 suggests duplicate model. $P6$-25 26 : fragment. Tr^2-3 4 : notes of previous pecia ends. V^2-4 : marginal note 26 lines later. V^4-2 : unclear whether original/amended or revised starting point. V^4-17 : pecia note erased. V^4-18 : pecia numbered 17. V^4-21 : erased pecia mark at head of column (84rb). $V6$-7 : revised text begins on new line, before catchword. W^1-33 : pecia mark at column head (86ra).

Detailed evidence is given in the text for three starting points : 10 (orignal/ amended, hypothetical) ; 24 (original/amended = revised ; duplicate model in original/amended ?) ; 35 (original/amended : duplicate model ?).

Evidence for duplicate models for 25-M^2 P^7 V^4 is given in the list of starting points.

We are very grateful to Sr. Massimo Baleani for preparing the table, photographically, for printing.

PECIA CONTENTS AND NOTES OF ORIGINAL/AMENDED AND REVISED SERIES

MSS of original/amended series 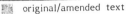 Revision

Original
state

Bx^3 Md Bg^2 Bl $Bx^2Bx^4Kr^1 N^3 P^1 P^2 P^4 P^5 P^6 Tr^2 v^2 w^1 w^2$ $c^4 M^2 o^4 P^3 P^7 v^4 v^6$

Content of pecia :

- original/amended text
- revised text

a) pecia 21 : corrupt text in revised and some amended series MSS.

b) pecia 29 : a revised text, in some of amended series ; about 30 proper readings in revised series.

Change of pecia :

Original places Places at beginning and end of revised text

- + pecia note
- • indirect evidence
- h evidence for hypothetical point

- × pecia note
- o indirect evidence

252

RESUME

Le commentaire de Thomas d'Aquin sur le premier livre des
Sentences de Pierre Lombard a été diffusé dès le début par voie
d'exemplar et de pecie. Des corrections apportées par la suite
ont amené la constitution d'un nouvel exemplar dont les pecie ne
coïncident que partiellement avec celles du premier exemplar.
Une autre série de pecie correspond à une correction du texte
effectuée à Paris et diffusée en Angleterre.

IL CODICE VAT. LAT. 836*

Concetta Luna

Il codice Vat. lat. 836 contiene il commento di Egidio Romano al libro I delle Sentenze. E' stato descritto da Pelzer nei Codices Vaticani Latini (Tomus II, Pars Prior, p. 204). La descrizione di Pelzer va, credo, corretta solo per quanto riguarda lo scioglimento dell'abbreviazione della sigla di correzione che appare alla fine di ogni fascicolo : 'co2̸ p.h.', la quale dovrebbe significare 'correctus per h.', anziché 'corrèxi partem hanc', come si legge in Pelzer.

Per il resto, gli elementi che ci interessano della descrizione di Pelzer sono due :
1) la composizione del manoscritto : 15 binioni + 25 quaternioni ;
2) le rasure sul margine superiore del recto del primo foglio di ogni binione.

Il problema che esamineremo è il seguente : il manoscritto Vat. lat. 836 deve essere considerato, e fino a che punto, un exemplar del commento di Egidio In librum primum Sententiarum ?

Poiché non mi sembra che si possa per ora dare una risposta definitiva in proposito, esporrò qui tutti gli elementi raccolti nello studio sulla tradizione manoscritta del commento egidiano, in riferimento alla natura codicologica di Vat. lat. 836 (al quale nelle mie collazioni ho assegnato la sigla W).

Dividerò la mia communicazione in due parti, secondo la struttura stessa di W : nella prima analizzerò i fascicoli 1-15 ; nella seconda i fascicoli 16-40.

------

*Ringrazio i PP. L.-J. Bataillon e B. Guyot per il constante aiuto e gli indispensabili suggerimenti, il prof. D. D'Avray per avermi consentito di leggere il proprio dattiloscritto intorno al MS. Troyes, Bibliothèque Municipale, 1215, e il P. J.G. Bougerol per avermi prestato il microfilm di questo manoscritto. Mi è grato, inoltre, ricordare il mio debito verso la Direzione della Scuola Normale Superiore di Pisa per aver autorizzato l'acquisto dei microfilms dei manoscritti del commento di Egidio Romano In librum primum Sententiarum, consentendomi lo studio della tradizione di quest'opera.

I

Il commento di Egidio In librum primum Sententiarum ebbe un exemplar diviso in 66 pecie, come è attestato dai 14 manoscritti di tradizione universitaria (su 33 testimoni dell'opera) e dalla lista di tassazione dello stazionario   Andrea di Sens (febbraio 1304). In essa (Chart. Univer. Paris., ed. Denifle-Chatelain, t. II, n. 642, p. 108) si legge : "Item, de primo Sententiarum Egidii, LXVI pecias, III sol. et VI den.". L'esame delle indicazioni di pecie implicite ed esplicite dei manoscritti di tradizione universitaria consente di affermare con certezza che i primi 15 fascicoli (binioni) di W corrispondono alle prime 15 pecie del commento egidiano.

Ciò è provato in primo luogo dal fatto che l'incipit dei primi 16 fascicoli di W è rispecchiato fedelmente dalle indicazioni di pecia implicite ed esplicite dei manoscritti di tradizione universitaria. Ma è soprattutto il confronto fra i richiami di W e gli incidenti di copia presentati da alcuni manoscritti universitari che lo prova in modo decisivo. Possiamo ricordare i casi seguenti :

1) fine pecia 4 / inizio pecia 5 = fine fascicolo 4 (binione)/ inizio fascicolo 5 (binione) (W ff. 16v-17r)

[d'ora in poi : pecie 4/5 = binioni 4/5 (16/17)]

W f. 16v richiamo : 'dus sp addis'

On (Oxford, New College MS. 111) f. 16ra :   'modus spadditus sup addicendi'

Il richiamo di W non era molto comprensibile : 'dus' è la fine della parola 'modus' e 'addis' è l'inizio della parola seguente 'addiscendi'. Lo scriba di On ha parzialmente ripetuto il richiamo, che forse non aveva compreso.

2) Pecie 8/9 = binioni 8/9 (32/33) :

W f. 32v richiamo :'XIIII de trinitate'

W f. 33r   'contra : XIIII de trinitate'.

Il richiamo ha omesso la parola 'contra'. Questa omissione è riflessa in alcuni manoscritti che o omettono 'contra' oppure presentano questa parola in interlinea o nel margine. L'omissione si nota nei seguenti manoscritti :

    - Krakow, B.J., MS. 1177 (K) f. 30rb ;

    - Oxford, Magdalen College MS. 186 (Om) f. 35ra ;

    - Cambridge, Pembroke College MS. 121 (C) f. 30vb ;

       La parola 'contra' è in interlinea in :

    - Paris, B.N., Lat. 15860 (Pb) f. 34rb ;

    - Paris, B.N., Lat. 15861 (Pc) f. 31vb ;

    - Laon, B.V., MS. 325 (La) f. 30ra ;

       è in margine in :

    - Siena, B.C., MS. G.IV.8 (S) f. 32vb.

Gli scribi di tutti questi manoscritti (K, Om, C, Pb, Pc, La, S) avevano, evidentemente, copiato il richiamo errato alla fine della pecia 8 ; i primi tre (cioè K, Om, C) non avevano corretto l'errore una volta venuti in possesso della pecia 9, cosa che gli scribi degli altri manoscritti hanno invece fatto.

3) Pecie 10/11 = binioni 10/11 (40/41) :
W f. 40v richiamo :   'Secundo quaeritur'
V (Vat. lat. 835) f. 28rb : 'quam patrem filii. ⌐ Secundo queritur

⌐Secundo queritur utrum Filius'
Evidentemente, lo scriba di V, finendo di copiare la pecia 10, non si è reso conto che con il richiamo 'Secundo queritur' iniziava una nuova quaestio e l'ha copiato di seguito alla questione precedente, come se si trattasse di una continuazione. Avuta la pecia 11 e resosi conto dell'errore, ha espunto quanto aveva scritto e ha copiato correttamente l'inizio della nuova questione, andando a capo e lasciando lo spazio per la maiuscola iniziale.
4) Pecie 12/13 = binioni 12/13 (48/49) :
W f. 48v richiamo :   'Nunc de veritate'
V f. 34va : 'non possunt esse plures filii. ⌐ Nunc de

Nunc de veritate'
Anche questa volta lo scriba di V deve aver pensato che il richiamo della pecia 12 rappresentasse una prosecuzione del testo della quaestio che stava copiando e per questo lo ha scritto di seguito. Questa volta, però, si è probabilmente accorto dell'errore prima di avere la pecia 13 e per questo motivo la ripetizione del richiamo è solo parziale.
5) Pecie 13/14 = binioni 13/14 (52/53) :
W f. 52v richiamo :   'enter neque mobiliter'
W f. 53r :   'enter sed mobiliter'
Pb f. 55va :   'enter neque (corr. in : sed) mobiliter'
S f. 52rb :   'enter neque mobiliter'.
Il richiamo è, dunque, leggermente errato (d'altra parte, la confusione paleografica fra ß e nȝ non è difficile). Si può vedere che questa incongruenza è riflessa nei manoscritti Pb e S.
6) Pecie 14/15 = binioni 14/15 (56/57) :
W f. 56v richiamo :   'tum et habent'
K f. 52vb (ultima linea) : '......quid terminatum et haben ∼∼ t'
K f. 53ra (linea 1) : 'tum et habent.....'
Lo scriba di K ha copiato la pecia 15 prima della 14 : ha iniziato il f. 53r con le parole del richiamo ; poi ha copiato la pecia 14 e poiché lo spazio che aveva lasciato era un pò troppo, è stato costretto ad allargare la scrittura e ha ripetuto le parole del richiamo che aveva già scritto all'inizio del foglio seguente.

Questi sei casi che abbiamo menzionato sembrano testimoniare che, sebbene nessuno dei manoscritti universitari da noi posseduti sia stato copiato da W (vedremo in seguito questo aspetto del problema), l'exemplar da cui vennero copiati i manoscritti universitari aveva, almeno per le prime 15 pecie, dei richiami che lo scriba di W ha rigorosamente conservato.
D'altra parte, questra cura di conservare l'originaria lunghezza delle pecie si nota, sempre per quanto riguarda i fascicoli 1-15, cioè le pecie 1-15, dai fogli finali dei fascicoli 2 (f. 8v : la col. b è più

lunga della col. a di metà linea), 3 (f. 12v : la col. b è più lunga della col. a di 3 linee e 1/2), 5 (f. 20v : la col. b è più lunga della col. a di 3 linee), 6 (f. 24v : la col. b è più lunga della col. a di 1 linea). La fine degli altri binioni non presenta alcuna particolarità. Da ciò si potrebbe inferire che lo scriba cho ha copiato il Vat. lat. 836 è stato piuttosto abile nel calcolare lo spazio.

Questa cura di mantenere, nella copia di un exemplar da un altro exemplar, la stessa lunghezza delle singole pecie è stata notata dal prof. Zamponi a proposito del MS. C 126 dell'Archivio Capitolare di Pistoia, exemplar in 22 pecie della Glossa in Clementinas di Giovanni d'Andrea (cfr. S. Zamponi, Manoscritti con indicazioni di pecia nell'Archivio Capitolare di Pistoia, estr. dal volume 'Università e società nei secoli XII-XVI, Atti del nono Convegno Internazionale di studio tenuto a Pistoia nei giorni 20-25 settembre 1979).

Un ultimo elemento che bisogna tenere presente per quanto riguarda questa prima parte del MS. Vat. lat. 836 sono le rasure sul margine superiore del primo foglio recto di ogni binione. Benché neppure la lettura ai raggi ultravioletti riesca a rivelare che cosa sia stato cancellato dalle rasure, non mi sembra inverosimile pensare che tali rasure nascondano il numero progressivo delle pecie ed eventualmente il titolo dell'opera (per esempio : IV primi egidi).

Dall'esame di questa prima parte di W ricaviamo le seguenti conclusioni :
1) W fu copiato da un exemplar preesistente ;
2) i suoi primi 15 fascicoli riproducono esattamente le prime 15 pecie del commento egidiano In librum primum Sententiarum ;
3) questi primi 15 fascicoli avevano probabilmente una numerazione continua sul margine superiore del recto del primo foglio. Tale numerazione fu in seguito erasa per motivi a noi sconosciuti.

II

Per quello che riguarda la seconda parte di W (cioè i fascicoli 16-40), sono debitrice della mia ipotesi al Padre Bataillon, il quale ha richiamato la mia attenzione sul fatto che dal fascicolo 16 in poi W presenta delle indicazioni esplicite di pecia, che appaiono sempre, nel margine, alla metà dei quaternioni.

Questa seconda parte di W, costituita di 25 quaderni di 8 fogli, presenta le seguenti due caratteristiche :
1) ogni quaternione contiene esattamente due pecie : fascicolo 16 = pecie 16-17 ; fascicolo 17 = pecie 18-19 ; fascicolo 18 = pecie 20-21 e così via.
2) Si notano i seguenti segni espliciti marginali di pecia :
    f. 64va (cioè alla metà del fascicolo 16) : XVII^a p^a
    f. 73ra (cioè alla metà del fascicolo 17) : XIX^a p^a
    f. 88vb (cioè alla metà del fascicolo 19) : XXIII^a p^a

f. 96vb (cioè alla metà del fascicolo 20) :   XXV^a p^a
f. 152vb (cioè alla metà del fascicolo 27) :   XXXIX^a p^a
f. 160vb (cioè alla metà del fascicolo 28) :   XLI^a p^a
f. 168vb (cioè alla metà del fascicolo 29) :   XLIII^a p^a
f. 176vb (cioè alla metà del fascicolo 30) :   XLV^a p^a
f. 232vb (cioè alla metà del fascicolo 37) :   LIX^a p^a

Esaminiamo ora un pò più da vicino la seconda caratteristica, cioè il problema delle pecie doppie. La struttura di W, come si è detto, è la seguente :
fascicoli 1-15 (binioni) = pecie 1-15 ;
fascicolo 16 (quaternione) = pecie 16-17 ;
fascicolo 17 (quaternione) = pecie 18-19 e così via.

A partire cioè dal fascicolo 16 il binione è stato sostituito dal quaternione e ogni quaternione contiene una parte di testo corrispondente esattamente a due pecie. Ciò è dimostrato dal fatto che l'incipit delle pecie pari (cioè delle pecie con cui inizia ogni quaternione) è confermato, come avviene per le prime 15 pecie, dalla testimonianza concorde dei manoscritti di tradizione universitaria. La prova più significativa, però, è fornita dagli incidenti di copia che alcuni manoscritti presentano al passaggio da una pecia dispari ad una pecia pari. In altre parole : alcuni dei richiami dei quaternioni di W sono facilmente rintracciabili negli incidenti di copia di alcuni manoscritti universitari. Possiamo ricordare i casi seguenti :
1) pecie 19/20 = quaternioni 17/18 (76/77) :
W f. 76v richiamo :   'procedere magis'
T (Troyes, B.V., MS. 294) f. 85vb :

> 'ypostasim.Et sicut diximus de verbo di
> vino ad verbum nostrum.Sic intelligen
> dum est de spiritu sancto per comparacio
> nem ad amorem nostrum ex quo apparet
> apparet ad amorem nostrum ex quo apparet
> /Procedere magis..../ netta ripresa

Lo scriba di T deve aver copiato prima la pecia 20 e poi la 19 : lo spazio necessario per la pecia 19 è stato calcolato con una buona approssimazione, ma è rimasto dello spazio bianco e lo scriba è stato costretto a colmarlo con ripetizioni poi cancellate, fino a dove iniziava, con le parole del richiamo di W, la prima linea della pecia 20.
2) Pecie 25/26 = quaternioni 20/21 (100/101) :
W f. 100v richiamo :   'sit bonum'
On ff. 92v-93r ripete il richiamo, avendo copiato la pecia 26 prima della pecia 25. Questo è provato anche dal fatto che l'ultima parte della pecia 25 è stata copiata nel margine inferiore dei ff. 92v-93r di On.
3) Fine della pecia 27 = fine del fascicolo 21 (quaternione) :
W f. 108v richiamo :   'dicatur donum'
Vp (Ottob. lat. 468) f. 119vb : 'eo quod proprie dicatur donum partim esset in aere et partim in aqua.....'

Con le parole 'partim esset in aere et partim in aqua' inizia
la pecia 29 ; lo scriba di Vp, dunque, ha omesso l'intera pecia 28 e
ha terminato di copiare la pecia 27 con le parole del richiamo di W.
4) Pecie 47/48 = quaternioni 31/32 (188/189) :
W f. 188v richiamo :   'primum dicendum quod'
T f. 212vb : dopo quattro linee scritte senza abbreviazioni ed una
linea ripetuta ed espunta, il testo prosegue :

'ergo deus proprie et p se sciens Si re3
significatam scienciam non modum sig
nificandi attendimus attendimus ⌐Ad
/primum dicendum quod........' /netta ripresa

Analogamente a quanto è avvenuto nel caso (1), anche qui lo
scriba di T ha copiato la pecia 48 prima della 47 e ha calcolato
troppo spazio che ha poi dovuto riempire con ripetizioni ed allar-
gamento di scrittura. Con le parole 'primum dicendum quod' cioè
con il richiamo di W, si nota una netta ripresa della scrittura.

Come per la prima parte, questi esempi dimostrano che lo scriba
di W è stato attento a mantenere anche per le pecie doppie gli
stessi richiami che presentava il suo modello. Naturalmente possiamo
affermare ciò solo per i richiami con cui terminavano le pecie
dispari. Infatti, la fine delle pecie pari, dalla pecia 16 in poi, cade
sempre alla metà del quaternione.

Questa cura di far coincidere la fine di pecia con la fine di
fascicolo si nota, ancora una volta come per la prima parte del
manoscritto, esaminando la fine dei fascicoli 16 (= fine pecia 17),
f. 68v : la col. b presenta due frasi ripetute e cancellate per 'va...
cat' ; 18 (= fine pecia 21), f. 84v : le linee 1-16 della col. b ripetono
le ultime 17 linee della col. a e sono state poi cancellate con
'va...cat' e con un tratto; 24 (= fine pecia 33), f. 132v: la col. b è
più lunga della col. a di una linea ; 32 (= fine pecia 49), f. 196v :
la col. b è più lunga della col. a di una linea.

Ricordiamo infine che, diversamente dai binioni, i quaternioni
di W non presentano alcuna rasura che possa far sospettare una
numerazione di pecie.

Riassumendo i risultati del nostro esame :
a1) i fascicoli 1-15 corrispondono alle prime 15 pecie del commento
di Egidio ;
a2) i loro richiami riproducono esattamente i richiami dell'exemplar ;
a3) le rasure sul primo foglio recto di ciascun binione sono un forte
indizio a favore del fatto che W sia un exemplar.
b1) I fascicoli 16-40 sono quaternioni e ognuno di essi comprende
esattamente due pecie ;
b2) i richiami delle pecie dispari riproducono esattamente i richiami
dell'exemplar ;
b3) non c'è traccia di numerazione progressiva all'inizio dei quaternioni ;
b4) si notano nei margini, sempre alla metà dei quaternioni, nove

segni espliciti di pecia, che segnano l'inizio delle pecie dispari.

Non si può, tuttavia, affermare che W oppure un manoscritto della stessa struttura e composizione di W sia stato il modello di qualcuno dei manoscritti universitari da noi conosciuti. Ciò è dimostrato da due considerazioni :

I) W non presenta nessuna delle caratteristiche di un exemplar usato da più scribi : la sua pergamena è in buono stato ; i fogli non presentano piegature ; i margini sono privi di segni apposti dagli scribi durante la copia. In particolare, l'esame comparativo fra la fine dei fascicoli dei manoscritti universitari e i corrispondenti luoghi di W ha dato risultati negativi, nel senso che nessuno scriba ha lasciato la propria traccia sui margini di W. E' noto, invece, che quasi sempre, ogni volta che uno scriba aveva terminato di copiare un fascicolo, per ricordare a se stesso in quale punto dell'exemplar doveva riprendere la copia, lasciava sul margine della pecia un piccolo segno, che in genere varia da scriba a scriba e consente, nei casi in cui possediamo l'exemplar dell'opera, di seguire il lavoro degli scribi attraverso i segni da loro apposti sulle pecie dell'exemplar stesso.

II) Alcuni incidenti di copia all'inizio delle pecie dispari rintracciabili nei manoscritti di tradizione universitaria possono essere spiegati solo presupponendo l'esistenza di un exemplar suddiviso unicamente ed interamente in binioni. Ricordiamo infatti che l'inizio delle pecie dispari è continuo a quello delle pecie pari. Gli incidenti di copia più significativi sono i seguenti :

1) inizio pecia 21 : K (ff. 73rb-73va) ripete il richiamo 'nam procedere' ;

2) Vp omette l'intera pecia 28 : questo non sarebbe stato possibile, nel caso che Vp fosse stato copiato da W o da un exemplar della stessa composizione di W, perché lo scriba di Vp non sarebbe potuto passare direttamente dalla fine della pecia 27 (che corrisponde alla fine del 21 fascicolo in W) all'inizio della pecia 29, in quanto quest'ultima non è segnata in W in modo visibile ed inequivocabile. Infatti, il testo della pecia 29 segue direttamente e continuatamente al testo della pecia 28.

3) inizio pecia 35 : K (f. 124r/v) ripete il richiamo 'multitudo est' ;

4) inizio pecia 53 : K (f. 191vb-192ra) ripete il richiamo 'quanto aer est' ;

5) inizio pecia 61 : On (ff. 217vb-218ra) ripete il richiamo 'meliorem facere' ;

6) inizio pecia 63 : On (ff. 223v-224r) ripete il richiamo 'ex eo quod sunt'.

Gli incidenti di copia che abbiamo appena menzionato non solo provano che W non fu l'exemplar dei manoscritti universitari, ma anche che il loro exemplar non ebbe la struttura di W, ma fu un exemplar regolarmente diviso in pecie di quattro fogli.

Il problema che si pone a proposito di W è il seguente : si tratta nella sua totalità di un secondo exemplar vero e proprio, cioè di un manoscritto che avrebbe potuto funzionare come exemplar, ma di fatto non lo fu (in questo caso, il non essere stato mai oggetto di copia fu solo un'accidentalità storica), oppure si tratta di un manoscritto che all'inizio fu inteso come exemplar e di conseguenza fu copiato in binioni, e poi, per un motivo a noi ignoto, dal fascicolo 16 in poi smise di essere copiato come exemplar e finì come un manoscritto qualunque ?

in definitiva, le alternative sono le seguenti :

1) si tratta del fallimento commerciale di un vero e proprio exemplar ? In questo caso, i motivi del fallimento potrebbero essere : (a) esterni, per esempio scarsa richiesta dell'opera o qualsiasi altro motivo storico contingente ; (b) interni, cioè appunto la sua composizione non omogenea gli impedì di svolgere il ruolo di exemplar.

A favore dell'ipotesi (1) è il fatto che lo scriba di W ha avuto cura di far coincidere fini di pecie e fini di fascicoli. In particolare, a proposito dell'ipotesi (1b) ci si potrebbe chiedere se un exemplar composto come W avrebbe potuto essere regolarmente tassato (sebbene ciò non mi sembri del tutto impossibile).

2) W non rappresentò il fallimento di un exemplar vero e proprio, ma fu piuttosto una specie di exemplar 'abortito'. Esso cioè fu iniziato come exemplar e poi, per qualche motivo, il progetto fu intenzionalmente abbandonato. In questo caso, però, il costante andare di pari passo dei quaternioni e delle coppie di pecie rimane senza spiegazione. A favore di questa seconda ipotesi si potrebbe, però, notare che i quaternioni non mostrano alcuna traccia di numerazione progressiva.

Casi analoghi al Vat. lat. 836

Da un certo punto di vista W può essere considerato un exemplar rifatto con doppia suddivisione in pecie : (1) una suddivisione fisica, scandita dai binioni e dai quaternioni ; (2) una suddivisione marginale, che testimonia l'antica suddivisione.

Si conoscono casi del genere :

- Durham, Cathedral Library, MS. A III 13, 396 ff., perg., 313 x 207 mm., fine del XIII secolo, contenente il commento ai Salmi di Nicola di Gorran (citato in : G. Fink-Errera, Une institution du monde médiéval : la 'pecia', Revue philosophique de Louvain, LX, 1962, pp. 187-210, 216-243). Si tratta di un exemplar di 48 fascicoli di 8 fogli ciascuno, il quale presenta nei margini 79 indicazioni di pecia. Questo manoscritto, tuttavia, differisce da W perché, evidentemente, nessuna delle nuove pecie in quaternioni termina laddove terminava una delle antiche pecie. Le due suddivisioni sono cioè parallele e non coincidono mai. In W c'è invece una regolarità molto maggiore e, come si è visto, la fine dei quaternioni costituisce, per così dire, l'intersezione fra le due suddivisioni.

- La lista di tassazione di opere giuridiche contenuta nel manoscritto Autun, Bibliothèque Municipale S 101 (cfr. Th. Kaeppeli et H.-V. Shooner, Les manuscrits médiévaux de Saint-Dominique de Dubrovnik, Catalogue sommaire - Institutum Historicum Fratrum Praedicatorum - Dissertationes Historicae - Fasc. XVII) presenta spesso il caso di opere il cui exemplar era stato rifatto. In tal caso, la lista cita prima la composizione reale del nuovo exemplar in deposito presso lo stazionario, poi il numero di quaterni o di pecie della prima suddivisione preceduto dalla parola 'taxatur'. In questi casi il nuovo exemplar doveva, come spiegano Kaeppeli e Shooner, essere 'adeguato' all'antico exemplar notando nei margini l'antica suddivisione in pecie, secondo la quale l'opera veniva tassata.

*
*   *

Da un altro punto di vista, uno dei problemi più interessanti posti da W è il rapporto fra quaternus e pecia. Su di esso hanno scritto Shooner e Kaeppeli nello studio che abbiamo già citato. Il caso di W può forse offrire un dato ulteriore che si aggiunge a quelli già esaminati dai due studiosi per chiarire il rapporto fra quaternus e pecia.

Fra i manoscritti esaminati da Shooner e Kaeppeli mi è sembrato particolarmente interessante Olomouc, Statní Archiv, MS. C.O. 201 (XIII/XIV secolo) contenente la glossa di Accursio sul Digestum Vetus. Questo manoscritto contiene 74 indicazioni marginali di pecia. La glossa di Accursio sul Digestum Vetus è registrata nella lista di tassazione contenuta in Venezia, Biblioteca Marciana, MS. Lat. IV.37 come composta di 35 quaterni; nella lista di Autun, nelle due liste bolognesi e nell'inventario dello stazionario bolognese Solimano Martino come composta di 37 quaterni. Se con il termine 'pecia' si intende la metà di un quaternus, le 74 indicazioni del manoscritto Olomouc, Statní Archiv, C.O. 201 corrispondono perfettamente ai 37 quaterni dell'exemplar registrato nelle liste di tassazione.

Anche questo caso, però, non è in tutto paragonabile a W. Infatti, sebbene ritroviamo l'equazione '1 quaternus = 2 peciae', tuttavia l'exemplar della glossa di Accursio non ha una composizione 'mista' come W.

In ogni caso, un manoscritto che sembra essere molto simile a W è Troyes, Bibliothèque de la Ville, MS. 1215.

Questo manoscritto, che non ho potuto vedere personalmente, contiene una raccolta di sermoni che va sotto il nome di Collectiones o Collationes fratrum minorum, detta anche Sermones Legifer dall'argomento del primo sermone. Quanto dirò su tale manoscritto è frutto unicamente dello studio del prof. D'Avray, il quale ha confrontato il manoscritto di Troyes (che chiamo T) con una copia di tradizione universitaria dei Sermones Legifer, recante segni marginali di pecia, cioè Zürich, Zentralbibliothek, MS. Rh. 181 (che chiamo Z).

La struttura di T è le seguente :

I-XIX^4 (1-76) ; XX^8 (77-84) ; XXI-XXIII^4 (85-97) ; XXIV^8 (98-105) ; XXV^6 (106-111) ; XXVI^{13} (112-124) ; XXVII^4 (125-128) ; XXVIII-XXIX^8 (129-144).

Al f. 144v terminano i Sermones Legifer, i ff. 145r-199v contengono i Sermones di Iohannes de Rupella. Questa seconda parte del manoscritto, però, non presenta alcuna particolarità e alcun segno di pecia e per questo motivo anche Destrez non le ha dedicato attenzione nelle proprie note sul manoscritto.

Sappiamo che i Sermones Legifer ebbero un exemplar diviso in 35 pecie. Passiamo ora ad esaminare la struttura di T in rapporto a Z :

- fascicoli 1-9 (binioni) : l'indicazione incipitaria di T coincide con l'indicazione marginale di Z (chiamo incipitaria quella indicazione che si trova sul primo foglio recto di una pecia fisica). Si può dunque scrivere : T (I-IX) inc. = Zmg. (cioè le indicazioni incipitarie di pecie che appaiono in T dal primo al nono binione corrispondono alle prime nove indicazioni di pecia nei margini di Z) ;
- fascicolo 10 (binione) : f. 37r T (X)inc. ≠ f. 282v Zmg.
- fascicoli 11-18 (binioni) : T (XI-XVIII)inc. = Zmg.
- fascicolo 19 (binione) : f. 73r T (XIX)inc. ≠ f. 306v Zmg.
- fascicolo 20 (quaternione) : f. 77r T (XX)inc. ≠ f. 309v Zmg.
- fascicolo 21 (binione) : f. 85r T (XXI)inc. nota : pecia ventunesima ≠ f. 312r Zmg.
- fascicolo 22 (binione) : f. 90r T (XXIII)inc. nota : pecia ventitreesima = f. 319r Zmg.
- fascicolo 23 (binione) : f. 94r T (XXIV)inc. = f. 322r Zmg.
- fascicolo 24 (quaternione) : f. 98r T (XXV)inc. = f. 324v Zmg. f. 102v T (XXVI)mg. = f. 327v Zmg.
- fascicolo 25 (ternione) : f. 107r T (XXVII)mg. ≠ f. 330v Zmg. f. 111v T (XXVIII)mg. = f. 333v Zmg.
- fascicolo 26 (13 fogli) : f. 120v T (XXX)mg. = f. 339r Zmg.
- fascicolo 27 (binione) : f. 125r T (XXXI)inc. = f. 342r Zmg.
- fascicolo 28 (quaternione) : f. 134r T (XXXII)mg. ≠ f. 346r Zmg.
- fascicolo 29 (quaternione) : nessuna indicazione di pecia né incipitaria né marginale.

Il manoscritto di Troyes presenta, dunque, (i) alcune pecie fisiche il cui incipit coincide con le indicazioni marginali del manoscritto Z (pecie 1-9 ; 11-18 ; 23-25 ; 31) ; (ii) alcune indicazioni marginali che coincidono con le indicazioni marginali di Z (pecie 26, 28 e 30) ; (iii) alcune indicazioni incipitarie che non coincidono con le indicazioni marginali di Z (pecie 10, 19-21) ; (iv) alcune indicazioni marginali che non coincidono con le indicazioni marginali di Z. Abbiamo, dunque, le quattro possibili combinazioni.

La situazione, come si può vedere, è alquanto complessa per

quel che riguarda le pecie 20-23. Infatti, dopo i primi 19 binioni, che dovrebbero corrispondere alle prime 19 pecie, T ha un quaternione (fascicolo 20), il quale presenta come indicazione di pecia il numero 'XX'. Ci aspetteremmo, dato l'esempio di W, che questo fascicolo di 8 fogli contenga due pecie, cioè la 20 e la 21. Ma il fascicolo seguente, che è un binione, presenta come indicazione incipitaria il numero 'XXI', anziché 'XXII'.

Questo può essere spiegato facilmente, se si pensa alla necessità di numerare progressivamente i fascicoli fisici. E' curioso, però, che il binione seguente (cioè il fascicolo 22) presenti come indicazione incipitaria non 'XXII', bensì 'XXIII', come se lo scriba di T non avesse segnato il numero del nuovo fascicolo, ma quello dell'antica pecia. D'altra parte, l'indicazione marginale della pecia 22 in Z (f. 314v) non corrisponde né all'indicazione incipitaria della pecia 21 in T, come ci si potrebbe aspettare, né ad alcun'altra suddivisione in T.

Riassumendo :
il MS. Troyes, B.V., 1215 ha indicazioni incipitarie fino alla pecia 25 ; poi, le pecie 26, 27, 28 e 30 sono marginali ; la pecia 31 è incipitaria ; la pecia 29 non è segnata e così pure le pecie 33, 34 e 35.

Il caso di T è il più simile a W fra quelli che abbiamo esaminato ; esso presenta delle forti analogie con W :
1) composizione mista quanto al tipo dei fascicoli ;
2) una prima parte molto unitaria di pecie fisiche rappresentate dai binioni ;
3) particolarità di copia alla fine di alcuni fascicoli (in T : 3, 4, 5, 6, 8, 12, 15 e 23) le quali sembrano attestare la cura che lo scriba ebbe, e le difficoltà che incontrò, nel far rientrare una determinata quantità di testo in un fascicolo. Alla fine dei fascicoli 4, 5, 6, 8 e 12 (corrispondenti alle pecie di egual numero) lo scriba aveva lasciato un pò troppo spazio e ha cercato di adeguare le due colonne ripetendo e cancellando una o più parole. D'altra parte, alla fine dei fascicoli 3, 15 e 23 (corrispondenti alle pecie di egual numero) la col. b è un pò più lunga della col. a, perché, evidentemente, lo scriba si è sentito obbligato a far rientrare nel binione una determinata quantità di testo, maggiore di quella che avrebbe consentito l'ordinaria lunghezza delle colonne. Insomma, lo scriba di T, come quello di W, sembra avere avuto delle divisioni di testo da rispettare.

Tuttavia, T presenta delle divergenze rispetto a W :
1) la sua composizione è molto meno regolare (dopo i primi 19 binioni abbiamo quaternioni, un ternione, un fascicolo di 13 fogli, ancora 4 binioni) ;
2) le indicazioni marginali di pecia non sono, di conseguenza, in una relazione così fissa con la fascicolazione e il rapporto quaternus/

pecia non è quello di 2:1 così rigorosamente come in W.

*

*   *

Dopo quanto si è detto, si può porre a proposito del MS. Troyes 1215 la stessa domanda che si era posta a proposito di W : si tratta nella sua totalità di un exemplar anomalo oppure di un manoscritto che cominciò ad essere copiato come nuovo exemplar e poi, per qualche motivo, non mantenne il proprio carattere di exemplar fino alla fine ?

Contro l'ipotesi di un exemplar vero e proprio è, ancora più che nel caso di W, la composizione non omogenea del manoscritto : come sarebbe stato tassato e dato in locazione un exemplar che ad un certo punto presenta solo pecie marginali ?

Contro l'ipotesi di un exemplar 'abortito' è forse il fatto che dopo una sezione solo con indicazioni marginali, il fascicolo 27 sia ancora una pecia fisica con indicazione incipitaria.

Io non so dare una risposta a queste domande ; nel complesso ho solo l'impressione che, nonostante le loro forti affinità, i casi dei due manoscritti, Vat. lat. 836 e Troyes 1215, siano forse troppo differenti per poter essere spiegati da un'unica ipotesi.

Nel caso, tuttavia, che li si riconosca come exemplaria a tutti gli effetti, essi dovrebbero forse costituire una categoria a sè stante di exemplaria misti, cioè di exemplaria a composizione non omogenea.

RESUME

Parmi les manuscrits qui contiennent le commentaire de Gilles de Rome sur le premier livre des Sentences de Pierre Lombard, l'un d'eux (Vat. lat. 836) présente extérieurement les caractéristiques d'un exemplar divisé au début en pecie simples, ensuite en doubles pecie, mais il ne porte aucune trace d'utilisation et aucun témoin connu ne dépend de lui. Un manuscrit (Troyes 1215) des sermons franciscains appelés Collationes fratrum ou Sermones Legifer se présente dans des conditions identiques.

COMPTES DE PIERRE DE LIMOGES
POUR LA COPIE DE LIVRES

Louis Jacques Bataillon

L'intérêt de Pierre de Limoges (1) pour les livres n'est pas à démontrer ; la quantité de manuscrits laissés par lui à la Sorbonne le prouve assez. Lecteur et chercheur plus que collectionneur, s'intéressant aux textes eux-mêmes plus qu'à la beauté ou à la richesse de leur présentation, il a copié de sa main plusieurs de ses volumes et en a folioté, indexé, annoté bien davantage. Il en achetait aussi et en faisait copier. La chance a permis de découvrir récemment une feuille de comptes écrite par lui dans laquelle les dépenses semblent être en majorité des salaires de copistes et des paiements de libraires (2).

En marge de l'établissement du très beau catalogue des manuscrits vaticans de classiques latins dont elle est le maître d'oeuvre (3), E. Pellegrin a publié un fort intéressant article sur les possesseurs d'un certains nombre de manuscrits du fonds de la Reine. A propos du Reginensis lat. 1554, elle a signalé que le dernier élément de ce recueil factice porte une mention P. de lemouicis qui n'est pas de la main de Pierre, ce qui l'a amenée à hésiter prudemment à attribuer ce codex tant à celui-ci qu'à la bibliothèque de la Sorbonne ; elle faisait par ailleurs remarquer que le titre donné dans ce manuscrit à l'Architrenius de Jean de Hauville est très semblable à la mention qu'en fait Richard de Fournival dans sa Biblionomia (4). Ce manuscrit pourrait bien en effet avoir appartenu au célèbre chanoine-poète d'Amiens. Si ses dimensions, vingt centimètres et demi sur douze un quart, sont un peu supérieures à celles des autres manuscrits de poèmes de cette collection, elles demeurent faibles ; aucune des deux mains n'est identique à celle du scribe étudié par R. H. Rouse, mais elles lui sont cependant très analogues ; une objection plus sérieuse serait l'absence d'initiales décorées (5).

Si l'appartenance ancienne du manuscrit de l'Architrenius à la bibliothèque de Richard de Fournival n'est que vraisemblable, il est par contre certain qu'il a appartenu à Pierre de Limoges. La mention de son nom au f. 109r n'a guère pu être inscrite, comme dans les cas parallèles (6), que lors de l'entrée de ses livres dans la bibliothèque de Sorbonne. Pierre a indiqué dans les marges du poème sa division en livres et chapitres avec leurs titres (7). Plus important est le verso du dernier folio, 166v, qui avait été laissé libre par le

------

Cf. page 273.

copiste du poème. Cette page est en effet couverte d'inscriptions de la main bien reconnaissable de Pierre de Limoges et c'est d'elle qu'il sera désormais question.

Avant de donner la transcription de cette feuille, il faut d'abord noter que certaines lignes ont été amputées de quelques lettres à leur début lors d'une reliure. Par ailleurs la première ligne est certainement d'une autre écriture que celle de Pierre ainsi que, probablement, les deux dernières. Beaucoup d'inscriptions ont été barrées, au fur et à mesure semble-t-il ; elles seront ici soulignées.

1) odo.iii.sol.s.iesuxpisto.
2) debeo magistro Ger. 60.lib.tur. Item magistro petro.40.lib.turon. Item engerando.4.lib. et x.sol.paris.
3) <de>beo de nouo.magistro Ger. 6 et x lib.paris. magistro .p. 30 sol. turon. <et.8.d.t. (au-dessus de la ligne)> magistro engera. 6 lib.paris. 6. et 16.sol. 6 lib. et 4 sol.
4) gregorius habuit.sol. 2.4.6.9.xi.   et 9.d.
5)   p.5.d.
6) gregorius habuit. sol. 7. 9. xi. 13. 15. 17. 19. 19. 20. 21. 23. 24 26. 28 29 31
7) 33. 35. 36. 38. 4.sol. 5. 6.sol.
8) sol. 7. 9. xi. 13. 14. 16. 20. 23 24. 25. 28   habuit. 3. quater
9) sol. 7. 9. xi. 13 et 8.d. 3. 4. 5. 8. 10. 12. 14
10) sol. 7. xii. 13. 14. 15. 16. 18. 19. 23. 24. 26. 28. 30. et dimid. 31. 33.
11) sol. 3. 8. 9. xii. 13. 14. 15. et.2.d.
12) Willelmus astrolabifer debens habere.x.lib.turon. Habuit sol. paris. 34. 44. 75. 4.lib.et 5 sol.
13) p.x.d.
14) Robertus picardus habuit in principio.5.sol.
15) Gervasius ga claudus habuit.sol.2. et.6.d.
16) < >g...ius anglicus habet 12 d. pro pecia contra gentiles   tradidi sibi.4.quater
17)   ꝝ   pro quaterno habens 2 sol. habuit sol. 2. 7. 1. 7. 25. 7. et s. xi. 15. 16. 17.   .12.d.6.d.
18) 18.d. 3. sol. et 2. d. 2. sol. et 2. d. 14. d. 8.d.
19) <io>hannes debens habere pro sexterno exemplaris super sentenciis. 5. sol. R/ .6. q. habuit sol.
20) pro s. quaterno habens.30.d. R.6.q.
21) <..>o Willelmus anglicus habuit sol.3.et.4.d.7.et 4.d.9.x.et 6.d.
22) solui Wło sen. pro proprietatibus et sua 2parte summe thome. et contra gentiles.
23) de exemplari.10.
34) laurencius pro suo octerno habens.5.sol. R.4.q. ix.x.tractatus 12.d. habuit in principio operis 25.sol.paris.
35) 44
36) Galterus pro notacione breuiarii solui sol.paris.? x.
37) engernus(?) 12.d.
38) ꝝ   habuit sol.3 et 4. ?

39) solutis petiis scriptis de codice. habuit ultra.4.d.
40) in magistri Nicholai de castello theodorico
41) pro secundo sententiarum pro toto .ii.sol pro primo.pro toto.

La première ligne, nous l'avons vu, n'est pas de la main de Pierre de Limoges mais probablement d'un précédent possesseur et elle est difficile à interpréter.

La seconde ligne est en revanche claire : Pierre y a noté des dettes assez lourdes envers d'autres maîtres. Gérard et Pierre sont des noms trop répandus pour permettre de deviner qui a pu avancer ces grosses sommes. Par contre il se pourrait qu'Enguerrand, dont le nom était peu répandu, soit à identifier avec un maître Angerondus ou Aniorandus qui prêchait à Paris vers 1273 (8).

La ligne 3 concerne de nouvelles dettes envers les mêmes personnages.

La ligne 4 mentionne un certain Grégoire que nous retrouvons à la ligne 6 et auquel se réfèrent aussi très probablement les lignes 7 à 11. Dans chacune de ces lignes, les nombres vont toujours en croissant, le plus souvent de deux unités, et ont été rayés, généralement au fur et à mesure autant que l'on puisse bien distinguer les traits. Il s'agit vraisemblablement de paiements échelonnés, de deux sols, parfois d'un seul, et dont le total cumulé est noté. La mention à la fin de la ligne 8 : habuit 3 quater<nos> fait penser qu'il s'agit d'un copiste ou d'un correcteur qui aurait reçu en cours de travail un groupe de cahiers à remplir ou à corriger (9). Quant à la mention de la ligne 5 qui semble bien se rapporter à la ligne suivante, je ne sais trop comment l'interpréter ; il pourrait s'agir d'un prix pour une certaine unité de travail ; en ce cas .p. pourrait signifier precium ou pecia. Il en va de même pour la ligne 13 qui se rapporte au salaire de Robert le Picard à la ligne suivante.

La ligne 12 est d'un plus grand intérêt. La curieuse mention de Guillelmus Astrolabifer nous rappelle d'abord que Pierre de Limoges était astronome et astrologue ; nous lui devons un traité sur une comète et un commentaire de la "nativité" de Richard de Fournival et il a dessiné des horoscopes dans ses manuscrits (10). Il serait tentant de voir dans ce Guillaume porteur d'astrolabe l'illustre Guillaume de Saint-Cloud, contemporain de Pierre qui possédait un de ses traités dans sa bibliothèque (11), mais on ne saurait évidemment l'affirmer. La somme assez élevée due à Guillaume pourrait faire penser à l'acquisition de quelque instrument scientifique coûteux. Cette mention nous montre aussi que la dette de dix livres tournois a été acquittée par versement successifs en monnaie parisis : 34 sols puis 10, puis 21, notés en marquant le total de la somme remboursée ; en effet la somme non rayée, qui marque sans doute ce qui restait à payer, quatre livres et cinq sols, additionnée au dernier total, 75 sols, donne bien 8 livres parisis qui correspondent exactement aux 10 livres tournois de la dette primitive.

Les lignes 14 et 15 sont trop succinctes pour savoir si Robert le Picard et Gervais le Boiteux étaient des copistes ou exerçaient quelque autre métier.

La ligne 16 est plus précise. Malheureusement le nom du copiste, mutilé au début, un peu effacé et rayé lourdement, est très difficile à lire : seuls le g en bord de feuille et le us final sont clairs. De toute façon il s'agit d'un copiste anglais qui a reçu douze derniers pour une pecia du Contra Gentiles et à qui ont été remis quatre quaternions. Nous aurons à revenir sur le Contra Gentiles de Pierre de Limoges à l'occasion de la ligne 22.

La ligne 17, continuée par la ligne 18, est une des plus énigmatiques du fait que le nom du copiste est donné en lettres hébraïques. Si la lettre de gauche, la seconde par conséquent, est certainement un lamed, celle de droite est plus difficile à interpréter. On pourrait y voir un beth dont le trait inférieur aurait été séparé légèrement du trait vertical, mais on peut aussi lire un resh ou un daleth avec un patah ; le dessin de la lettre serait plus proche du resh mais la présence d'un dagesh invite à préférer un daleth, ou mieux un beth. Mais comme le même nom semble bien se retrouver, bien que peu lisible, au début de la ligne 38 et que la lettre de droite n'y comporte pas de trait horizontal souscrit, elle ne saurait donc être un beth et nous sommes amenés à interpréter l'ensemble comme dal. Que veut dire ici ce mot, il est difficile de le dire. Il s'agit en tout cas d'un copiste ou correcteur qui devait recevoir deux sols par cahier.

Ce n'est pas le seul exemple d'emploi par Pierre de Limoges de lettres hébraïques. On trouve en effet, à la fin du manuscrit Paris B.N. lat. 15971 au f. 233r, un dessin astrologique avec la mention en hébreu : horoscope du fils ainé du roi de France (12) ; au f. 227va de Paris B.N. lat. 16407, on lit en marge d'une question : "Quod idem numero postquam corruptum est naturaliter possit generari et redire idem numero" une inscription en lettres hébraïques qui semble bien devoir se lire sigerus (13). On peut dans ces deux cas se demander si l'hébreu n'est pas une précaution pour n'être pas trop aisément lu. Ailleurs dans le manuscrit Paris B.N. lat. 16503 qui contient plusieurs collections de sermons, dans un espace laissé blanc, au f. 149ra, Pierre de Limoges a écrit une note, probablement en vue d'une utilisation lors d'une prédiaction, sur le thème Deus lux est, dans laquelle on lit : "Tres sunt littere in hoc nomine lux. et similiter in hebreo. in hoc nomine אור quod est lux. et unus est sonus". Enfin deux renvois presque semblables dans les marges du manuscrit Paris B.N. lat. 16536, aux f. 70vb et 72va, se lisent : "Hec eadem prothemata (themata, f. 72va) que ponuntur hic require in libro quodam in quo sunt themata sermonum et prothemata (prothemata et themata sermonum, f. 72va) et est cum libris ebraicis". Ceci semble indiquer que Pierre avait quelques livres en hébreu dans sa bibliothèque et surtout qu'il avait une connaissance au moins élémentaire de la langue.

A la ligne 19 nous apprenons que le copiste Jean doit recevoir cinq sols par sénion de l'exemplar d'un commentaire sur les Sentences ; il s'agit probablement d'un de ces exemplaria divisé en pecie de 12 folios dont plusieurs autres cas sont connus (14). La mention R/.6.q. pourrait s'interpréter : recepit sex quaternos, et de même pour la mention similiaire de la ligne 20. Le dernier mot habuit devrait être suivi de l'indication d'une somme versée comme ailleurs ; l'absence de chiffre peut faire penser que le contrat n'a pas été exécuté.

La ligne 20 est certainement un supplément de la suivante. Dans celle-ci Pierre avait d'abord écrit Willelmus anglicus, puis il a rayé le prénom et en a écrit un autre à gauche du premier, mais le début a été entamé lors de la reliure et in ne reste qu'un o final surmonté d'une abréviation dont la seconde lettre est un s mais dont la première a été amputée à la reliure. Comme ailleurs dans la page us suscrit est indiqué par l'abréviation 9, il s'agit probablement d'un a, ce qui permet de conjecturer Thomas avec une bonne vraisemblance.

La ligne 22 est une des plus intéressantes de la page. Nous y trouvons selon toute probabilité mention d'un personnage dont il a été souvent question durant le colloque, Wło señ ne pouvant guère être que le stationnaire Guillaume de Sens (15). Nous voyons Pierre de Limoges payer Guillaume pour trois ouvrages qui figurent dans la plus ancienne des listes de taxation, celle qui, comme il a été montré dans les exposés du colloque, correspond au stock de Guillaume de Sens : le De proprietatibus rerum de Barthélemy l'Anglais, une secunda pars summe thome et le Contra Gentiles. Nous pouvons encore consulter le Barthélemy l'Anglais de Pierre de Limoges, le manuscrit Paris B.N. lat. 16099 qui porte des indications de pecie (16). En ce qui concerne les deux ouvrages de Thomas d'Aquin, il faut noter que secunda pars summe thome laisse hésiter entre Prima Secunde, Secunda Secunde ou l'ensemble des deux ; notons toutefois que la liste ancienne de taxation parle de prima (ou secunda) parte secundi libri, ce qui ferait pencher pour une Secunda Secunde. Nous ne pouvons dans ce cas nous baser sur les manuscrits laissés par Pierre : ni dans ce qui en subsiste aujourd'hui, ni dans ce qui en figure dans l'ancien catalogue de Sorbonne, ni dans les renvois de Pierre, ne se trouve trace de la Summa theologie. La situation serait la même pour la Somme contre les Gentils si Pierre de Limoges n'avait mis une note marginale dans sa reportation de questions sur les Sentences (Paris, B.N. lat. 16407, f. 28ra) : Contra quod hic dicitur require contra gent .1.1.12.parag.secundo., ce qui nous indique qu'il avait un manuscrit folioté dont chaque folio était divisé en paragraphes numérotés comme plusieurs autres livres de sa bibliothèque (17).

La ligne 23 est évidemment une précision apportée à la ligne 24 dans laquelle nous voyons un certain Laurent payé pour un octernus provenant d'un exemplar qualifié par deux signes qu'on peut lire, soit .10. soit .io. (Iohannis ?). Aucun exemplar en cahiers de 8 doubles folios, soit quatre pecie, n'a été jusqu'ici signalé. Ce serait donc une particularité, rare d'ailleurs, de la copie.

La ligne 35 est évidemment un supplément de la suivante. Dans celle-ci le mot qui semble se lire actuellement notacione est la correction par surcharge d'un autre mot ayant la même terminaison.

Les lignes 37 et 38 sont difficiles de lecture et d'interprétation. Comme il a été dit, le nom écrit en hébreu à la ligne 17 reparait probablement au début de la ligne 38.

La ligne 39 semble s'appliquer à une copie du Code de Justinien dont un exemplaire se trouvait chez Guillaume de Sens selon la plus ancienne des listes de taxation.

Les deux dernières lignes 40 et 41 ne semblent pas être de la main de Pierre de Limoges. Je serais assez tenté de comprendre l'abréviation du début m̃ comme signifiant memoriale ; la notice pourrait alors indiquer une reconnaissance d'emprunt par Nicolas de Château-Thierry, soit qu'il s'agisse de commentaires sur les Sentences prêtés par Pierre de Limoges, soit d'une somme d'argent pour laquelle Nicolas aurait déposé en gage des ouvrages de ce type (18).

Cette feuille de comptes nous confirme donc l'intérêt de Pierre de Limoges pour l'astronomie et pour les livres hébreux et nous donne une nouvelle attestation du contenu du fonds du stationnaire Guillaume de Sens. Elle nous montre aussi que les copistes ou correcteurs pouvaient être payés au fur et à mesure de leur travail. Elle nous pose aussi bien des problèmes auxquels il m'est impossible de commencer à proposer une solution mais dont j'espère que d'autres trouveront un jour la clé.

NOTES

(1) M. Mabille, "Pierre de Limoges, copiste de manuscrits", Scriptorium, 24 (1970), p. 45-48. - Id., "Pierre de Limoges et ses méthodes de travail", dans Hommages à André Boutemy, Bruxelles, 1976, p. 244-251.

(2) Vaticano, Regin. lat. 1554, f. 166v. Un autre compte de Pierre de Limoges pour la copie d'un manuscrit se trouve dans Paris, B.N. franç. 24402 (L. Delisle, Le cabinet des manuscrits de la bibliothèque nationale, Paris, 1868-1881, t. II, p. 168). D'autres comptes se trouvent dans un manuscrit de Jean de Gonesse et un de Robert de Sorbon (ibid., p. 158, 173). Voir dans ce volume la contribution d'Hugues Shooner.

(3) E. Pellegrin, etc., Les manuscrits classiques latins de la Bibliothèque Nationale, t. II, Paris, 1968, p. 266.

(4) E. Pellegrin, "Possesseurs français et italiens de manuscrits latins du fonds de la Reine à la Bibliothèque Vaticane", p. 236 de Revue d'Histoire des Textes, 3 (1973), p. 271-297.

(5) R.H. Rouse, "The A Text of Seneca's Tragedies in the Thirteenth Century", p. 95-97 de Revue d'Histoire des Textes, 1 (1971), p. 93-121. - Id., "Manuscripts belonging to Richard of Fournival", ibid., p. 253-269.

(6) Ce sont les manuscrits Paris, B.N. lat. 15362, 16390 et 16482, qui portent tous des signes certains d'appartenance à Pierre de Limoges. Cf. Mabille (1970), p. 47.

(7) D'autres notes au long du texte sont d'une autre main, plus ancienne semble-t-il. Pierre de Limoges cite l'Architrenius dans son De oculo morali (cf. Paris, B.N. lat. 15942, f. 240rb, 251ra, rb).

(8) Le manuscrit Paris, B.N. lat. 16481 contient au f. 222ra un sermon de Maître Angerondus et au f. 312va un de maître Aniorrandus (N. Bériou, "La prédication au béguinage de Paris pendant l'année liturgique 1272-1273", p. 143 et 165 dans Recherches Augustiniennes 13, 1978, p. 105-229). J.-B. Schneyer, Repertorium der lateinischen Sermones des Mittelalters für die Zeit 1250-1350, Münster Westfalen 1969-1979, t. I, p. 288, cite ces deux sermons sous les numéros 1 et 2 ; il ajoute sous les numéros 3 et 4 un sermon et sa collation qui, dans Vaticano, Vat. lat. 1265, f. 51rb, correspondent à un appel de rubrique : in festo sancti clementis a ffratre ancorandi ; l'appellation de frater, si elle n'est pas une erreur du copiste, semble exclure l'identité avec le ou les maîtres de ce nom. Par ailleurs l'obituaire de Sorbonne mentionne au 5 juillet l'anniversaire de magistri Engerandi penitenciarii et canonici Rothomagensis qui avait légué argent et livres au collège (P. Glorieux, Aux origines de la Sorbonne, Paris, 1966, t. I, p. 169, au 5 juillet). De fait le catalogue de la petite librairie mentionne deux ouvrages ex legato magistri Inioranni penitentiarii Rothomagensis, condam socii domus (L. Delisle, Le cabinet des manuscrits de la Bibliothèque Nationale, Paris, 1868-1881, t. III, p. 70, n° 22 ; l'autre notice, un peu plus courte, ibid., n° 9, écrit Ingerandi). Un autre livre du catalogue est ex legato magistri ingerrandi de Cantiers (ibid., p. 24, n° 36 : le manuscrit correspondant, Paris B.N. lat. 15726 porte Stephani au lieu d'Ingerrandi). Enguerrand de Cantiers figure au 24 mars dans un obituaire de Rouen (Delisle, t. II, p. 175). La place de ces diverses mentions montre que les manuscrits sont entrés à la Sorbonne avant 1290 (R.H. Rouse, p. 65, dans "The Early Library of the Sorbonne", Scriptorium 21 (1967) p. 42-71, 227-251). Il est permis de penser, avec Glorieux et Rouse, qu'il n'y a eu qu'un seul chanoine de Rouen du nom d'Enguerrand au temps de Pierre de Limoges. Le fait qu'il ait été, comme Pierre, socius de Sorbonne expliquerait bien qu'il ait pu prêter de l'argent à ce dernier.

(9) La première partie d'un manuscrit légué par Pierre de Limoges, Paris, B.N. lat. 15362, f. 1-69) (Quodlibeta de Jacques de Viterbe) porte à la fin des cahiers : Correctus per gregorium.

(10) Pierre est qualifié de magnus astrologus par l'obituaire de Sorbonne (Glorieux, t. I, p. 176). Le traité sur la comète de 1299 a été publié par L. Thorndyke, Latin Treatises on Comets, Chicago, 1950, p. 199-201. Sur le commentaire de l'horoscope de Richard de Fournival, voir A. Birkenmaier, "Pierre de Limoges commentateur de Richard de Fournival", Isis 40 (1948) p. 18-31, repris dans Etudes d'histoire des sciences et de la philosophie du moyen âge, Wrocław-Warszawa-Kraków, 1970, p. 222-236. A la fin du manuscrit Paris, B.N. lat. 15971, f. 233r, sont dessinés trois horoscopes dont un porte un titre en hébreu (cf. note 12). Dans une note de Vaticano, Regin. lat. 1191 qui lui a appartenu, Pierre fait état au f. 139r d'observations faites par lui en 1281, 1283 et 1290 pour mesurer la hauteur du soleil à l'équinoxe et au solstice : ces observations ont été faites cum magno quadrante cuius latera erant de ligno et limbos de latone diuisos usque ad 5 minuta.

(11) Manuscrit <u>Paris, B.N. lat.</u> 16112, f. 131ra-134ra. Sur Guillaume de Saint-Cloud, voir E. Poulle, "William of Saint-Cloud", dans <u>Dictionary of Scientific Biography</u>, New York, 1970-1976, t. XIV, p. 389-391.

(12) Cet horoscope sera publié par Emmanuel Poulle.

(13) <u>Sin</u> (sans signe diacritique, avec ḥireq), <u>iod</u>, <u>ghimel</u> avec ṣere, <u>resh</u>, <u>waw</u> (avec šureq), <u>sin</u>.

(14) Exemples dans J. Destrez, <u>La Pecia dans les manuscrits universitaires du XIIIe et du XIVe siècle</u>, Paris, 1935, p. 30-31, 78, 93, 94. R.H. Rouse and M.A. Rouse, <u>Preachers, FLorilegia and Sermons : Studies on the Manipulus florum of Thomas of Ireland</u>, Toronto, 1979, p. 170-175.

(15) Voir les contributions de Richard H. Rouse et d'Hugues Shooner.

(16) Ce manuscrit offre un système assez compliqué de numérotation des <u>pecie</u>, mais le nombre total doit correspondre à celui des listes de taxation (102 pièces en 1275, 100 en 1304).

(17) Mabille (1976), p. 246.

(18) Le P. L. Boyle suggère de lire <u>membrane</u> au lieu de <u>memoriale</u>. Je le remercie de cette suggestion et de plusieurs autres. Je remercie aussi Madame Colette Sirat et Richard et Mary Rouse pour leur aide précieuse dans l'interprétation de ce texte.

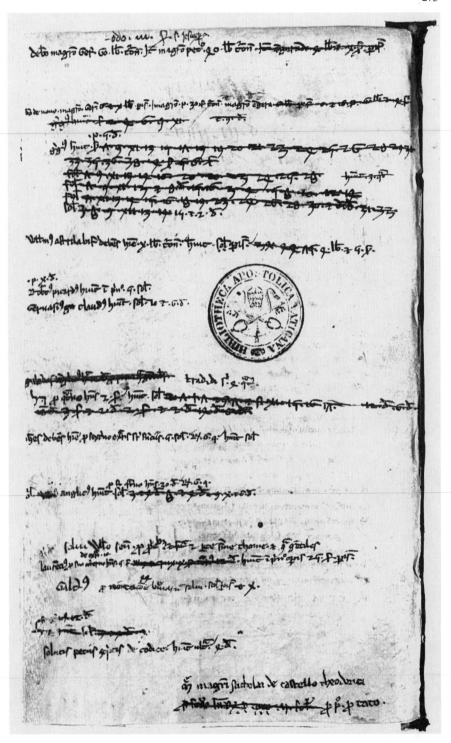

Vaticano, Regin. lat. 1554, f. 166v. Foto Biblioteca Vaticana.

LES INDICATIONS EXPLICITES ET IMPLICITES DE PIECES DANS LES MANUSCRITS MEDIEVAUX

Jos Decorte

Tout d'abord circonscrivons notre sujet de façon négative. Nous nous limitons ici aux indications se rapportant directement à une transition de pièces. Nous ne nous occuperons pas en détail des notes médiévales, parfois apposées dans la marge à l'endroit où une pièce se termine, concernant le paiement ou la correction de la copie (1) (cf. Pl. IX,1). Nous ne traiterons pas non plus les indications de pièces explicites, écrites dans l'angle supérieur de gauche de la première page d'un cahier. On retrouve des indications de ce type surtout dans des manuscrits qui ont servi d'exemplar (2) (cf. Pl. IX,2). Sans doute une description détaillée des caractéristiques d'un exemplar fera l'objet d'autres contributions, de sorte que nous pouvons nous en dégager ici.

Le titre de cette communication présuppose qu'on soit autorisé à faire une distinction entre les différentes façons dont les copistes médiévaux indiquent les transitions de pièces. J. Destrez, dans son ouvrage bien connu (3), les énumère, en les mettant toutes sur un pied d'égalité ; c'est-à-dire Destrez n'introduit pas de distinction formelle entre ces divers genres d'indications du point de vue du copiste. Plus récemment, ni G. Fink-Errera (4) ni G. Pollard (5) ne s'occupent, dans leurs études sur la "pecia", de la forme des indications de pièces ; A. Brounts (6) suit, dans son élaboration, la voie de Destrez.

Une telle distinction semble pourtant se justifier par l'intention du copiste. Parfois le copiste a clairement l'intention d'indiquer les transitions, et il les a indiquées clairement ; parfois il les a indiquées, mais il semble qu'il a voulu les cacher le plus possible. Dans ces deux cas, nous proposerions de parler d' "indications explicites de transitions de pièces". Mais il se peut aussi qu'un accident se soit produit dans le texte exactement à l'endroit où il y a une transition de pièces. Quand on a l'impression qu'il s'agit d'un accident involontaire, causé par une faute ou distraction du copiste lors d'une transition de pièces, ou provenant de l'intervalle de temps qui sépare la copie de deux pièces subséquentes, nous proposerions d'appeler cet accident "indication implicite d'une transition de pièces", quoiqu'il s'agisse, dans ce cas, plutôt d'un signe ou d'une trace, provoqués par une transition de pièces, que d'une véritable "indication".

Cf. Planches IX-XII.

1. Les indications explicites de pièces

Pourquoi les copistes indiquaient-ils explicitement les transitions des pièces ? Ces indications ont surtout, à ce qu'il semble, une double signification pratique. En indiquant le début ou la fin de chaque pièce, le copiste professionnel garantissait, vis-à-vis de son client, non seulement que le texte était copié de l'exemplar officiel (que c'était donc le texte officiel, caractérisé dans les listes d'exemplaria par le nombre de ses pièces), mais, comme il était payé par pièce, c'était aussi le moyen de justifier le prix demandé pour son travail. Celui qui avait commandé la copie, pouvait toujours contrôler le nombre et la division exacte des pièces dans l'exemplar. Dans ces conditions, on retrouve ces indications explicites surtout dans les manuscrits copiés sur commande par un copiste professionnel.

Ne nous attardons pas trop aux formes assez connues sous lesquelles se présentent ces indications explicites, mais résumons-les brièvement ; elles ont été décrites suffisamment et à plusieurs reprises (7). Quoique les exemples donnés ici relèvent tous de l'expérience pratique acquise lors des éditions critiques des Quodlibets XII et XIII d'Henri de Gand, nous croyons que leur domaine d'application déborde de loin le cadre des éditions critiques de l'oeuvre du maître gantois.

Le copiste indique le début ou la fin d'une pièce par :
- un chiffre arabe ou romain, apposé dans la marge, p. ex. 4ª (cf. Pl. IX,3), viª (cf. Pl. IX,4)
- le mot pecia, l'abréviation peª ou pª, ou un simble p, écrit dans la marge en caractères ordinaires (p. ex. PARIS, Arsenal 454, f. 193va et 196rb : cf. Pl. IX,5), ou bien à la plume retournée ou au crayon, parfois même écrit dans la réglure (p. ex. PARIS, Arsenal 456, f. 137rb, 147vb, 157rb : cf. Pl. IX,6)
- une formule plus étendue, telle que "fi. viiª pª iii li". (finitur septima pecia tertii libri) ou "finitᶻ pe 3̄ isti q̄lib " (finitur pecia tertia istius Quolibet) etc. ; p. ex. VAT., Borghese 300, f. 221va (cf. Pl. X,7).
- Assez exceptionnellement, le copiste nous fournit une récapitulation de surcroît à la fin de chaque partie de l'ouvrage. Tel est, par exemple, le cas dans le ms. VAT., Borgh. 299/300, qui contient les Quodlibets d'Henri de Gand. A la fin de chaque Quodlibet, le copiste a indiqué le nombre de pièces que le Quodlibet comporte ; ainsi on lit au f. 173va (cf. Pl. X,8) "finitur quolibet undecimum et continet pecias xvii", et au f. 241vb "finitur pecia istius quolibet ultima et continet pecias x". Comme le copiste n'a pas indiqué la fin de toutes les pièces, que certaines transitions restent donc à localiser, il est superflu d'insister sur la valeur extraordinaire des informations de ce genre (8).

Parfois les indications explicites sont fort bien cachées. Par exemple dans le Quodl. XIII, le copiste du ms. VAT., lat. 853, f. 318ra, a indiqué le début de la quatrième pièce (du 2e exemplar) au milieu du texte même, en apposant, le plus discrètement possible et à la plume retournée, le chiffre 4 au-dessus du premier mot de la pièce ("eliceret. /// $\overset{4}{\text{T}}$alem" : cf. Pl. X,9). De même peut-on considérer certains petits traits de plume, tels que, +, ⊣ , *, le triple point ∴. ou la lettre h (hic), qui se trouvent dans la marge à l'endroit d'une transition de pièces, comme indications explicites (car intentionnelles) du copiste (9).

Il est évident que les manuscrits portant de telles indications explicites sont d'une extrême importance pour l'édition critique, car ils en forment le point de départ sûr. La première phase dans la reconstitution critique d'un texte divulgué par l'intermédiaire d'un exemplar universitaire, est précisément la reconstitution (indispensable) du texte de cet exemplar (10). Comme ce texte ne nous est généralement pas conservé, il faut le reconstituer à partir de ses témoins directs, qui se caractérisent entre autre par des indications de pièces explicites. Dans la plupart des cas, il s'agit de manuscrits copiés sur commande par un copiste professionnel. Ce copiste, qui probablement ne comprend pas toujours ce qu'il copie, se borne à transcrire littéralement le texte de son modèle. Lorsqu'il rencontre un mot ou une abréviation devenue mal lisible, il préfère généralement, plutôt que de risquer une leçon fautive, laisser un espace blanc ou imiter soigneusement l'abréviation, en remettant l'interprétation au lecteur. Les manuscrits exécutés par des copistes professionnels sont ainsi en général des témoins fidèles du texte de l'exemplar - et de ses fautes.

2. Les indications implicites de pièces

a) l'intérêt des indications implicites de pièces

Mais la plupart des manuscrits copiés directement d'un exemplar ne portent pas d'indications numérotées (11), et il est rare qu'on découvre un manuscrit qui nous fournit une numérotation intégrale et complète. Il faut se rendre compte que les ouvrages publiés par les stationnaires avec l'autorisation de l'Université, étaient diffusés "plus qu'on ne serait tenté de le croire" (12). Comme les manuscrits aux indications explicites ne constituent qu'une minorité parmi les manuscrits copiés directement de l'exemplar, il importe d'identifier le plus possible de manuscrits dépendant directement de l'exemplar, afin de pouvoir faire un choix fondé parmi les témoins manuscrits en vue de la reconstitution du texte de l'exemplar.

Il s'en suit que l'éditeur moderne ne peut se baser uniquement, pour la reconstitution du texte de l'exemplar, sur les manuscrits ayant des indications explicites. Car il arrive, à l'époque, que des étudiants ou des enseignants copient un ouvrage à leur usage personnel. Dans ce cas, les indications explicites perdent leur double signification pratique, et souvent ces copistes ne les apposent plus. Ces manuscrits se caractérisent généralement par un certain nombre de "variantes conscientes". Plus que le copiste professionnel, le savant est intéressé à produire un texte parfaitement compréhensible, car il veut l'utiliser pour ses propres études. Là où son modèle présente une abréviation mal lisible ou un évident non-sens, il change le texte (p. ex. par une addition, une omission ou une variante conscientes), en s'efforçant de lui donner une signification. Ainsi, il lui arrive parfois de faire une conjecture lucide. Mais il change parfois aussi le texte quand le sens en est clair : il remplace un mot par un synonyme qui lui semble plus indiqué ou auquel il est plus habitué (p. ex. "nec" par "neque", "quisque" par "quicumque", etc), il interpole d'autres formules d'introduction, d'autres tournures stéréotypiques, etc. Malgré ces petites variantes conscientes (qu'il ne faut évidemment pas reprendre dans le texte de l'édition), ces manuscrits peuvent nous aider à améliorer la qualité du texte édité : le savant, puisqu'il comprend ou veut comprendre le texte, est capable de restituer des abréviations interprétées fautivement, de corriger des fautes manifestes. A. Brounts (13) décrit quelques exemples de fautes manifestes d'auteur (saint Thomas) qui ont été corrigées dans un des modèles de la tradition manuscrite. Le même procédé peut se répéter à un stade plus avancé de la tradition manuscrite, notamment quand un savant corrige une faute manifeste de l'exemplar. L'éditeur moderne judicieux, voulant restituer le texte d'un exemplar, ne tiendra donc pas seulement compte des manuscrits aux indications explicites, mais de tous les manuscrits copiés directement de cet exemplar ; sinon, il risquera d'écarter de très bons témoins.

D'où surgit la question cruciale : comment peut-on affirmer à coup sûr qu'un manuscrit a été copié directement de l'exemplar, si ce n'est que parce qu'il contient des indications explicites ? La réponse se laisse deviner : en tâchant de dépister des "signes" ou des "traces" d'une transition de pièces, toutes sortes d'accidents qui se sont produits aux endroits des transitions de pièces. En un mot, en tâchant de dépister des indications implicites de pièces, on peut se prononcer sur la dépendance directe d'un certain manuscrit vis-à-vis de l'exemplar. Ces traces fournissent d'ailleurs une évidence matérielle "plus sûre d'une copie faite sur pecia, que la notation numérotée, car celle-ci peut avoir été copiée avec le reste dans une copie plus tardive", comme le fait remarquer A. Brounts (14).

On s'attendrait peut-être à ce que ces indications implicites soient rares, plutôt exceptionnelles ; pourtant la réalité contredit cette attente. Car la transition de pièces est un endroit privilégié de toutes sortes d'accidents typiques. Le copiste doit interrompre son travail à la fin d'une pièce ; il la rapporte au stationnaire et emprunte la pièce suivante. Avant de se remettre à sa copie, il se peut qu'il affile un peu sa plume, qu'il mette dans son encrier de l'eau ou de l'encre nouvelle ; il est possible qu'on aperçoive un changement brusque dans l'écriture, que celle-ci devienne plus petite ou plus grasse. D'autres accidents encore, se rapportant à la réclame, peuvent se produire (n'anticipons pas sur la suite) de sorte qu'on découvre assez aisément ces indications - à condition que l'on sache localiser avec précision les endroits où ils peuvent se manifester.

En effet, la recherche de ces indications présuppose toutes les transitions de pièces connues ; elle présuppose la structure de pièces tout à fait décelée. Car tous les changements d'écriture ne témoignent pas d'une transition de pièces, tandis qu'une transition de pièces n'entraîne pas forcément de changement dans l'écriture. Si l'on n'a pas précisé exactement les endroits de transition, il est impossible d'identifier ces indications implicites : car on ne sait pas où il faut les chercher, ou, si par hasard on en a trouvé une, on ne sait déterminer si l'accident en question provient d'une transition de pièces. On ne peut dépister les indications implicites de pièces que grâce aux indications explicites, qui nous fournissent la base sûre et indispensable aux recherches ultérieures.

b) la forme des indications implicites de pièces

Sous quelles formes les indications implicites se présentent-elles ?

Nous avons déjà signalé les changements brusques de la grandeur de l'écriture, de la composition de l'encre, des caractères devenant soudainement beaucoup moins gros. Ils s'expliquent quand on songe à l'espace de temps qui s'est écoulé entre la fin de la copie d'une pièce et le début de la copie de la pièce suivante. Durant cet intervalle, il se peut que l'encre ait séché un peu ; le copiste y ajoute un peu d'eau, ou il met de l'encre nouvelle dans son encrier. On peut le constater p. ex. dans le ms. OXFORD, Oriel College 31, f. 168ra (entre le Quodl. XII et XIII), et dans le ms. PARIS, Ars. 456, f. 143vb (cf. Pl. X,10). Ce manuscrit a indiqué toutes les transitions de pièces de façon explicite (par le petit p en caractères très minces, écrit à la plume retournée ou au crayon : cf. supra, p. 276), sauf à cet endroit, où le petit p manque, et où il y a ce changement d'encre frappant, qui apparemment remplace l'indication explicite.

Au début de la copie de la nouvelle pièce, le copiste a la main un peu reposée, moins fatiguée, et il reprend son écriture normale. Tout à coup, l'écriture devient sensiblement plus petite, si le scribe s'était laissé aller auparavant à écrire trop gros, ou le copiste va écrire d'un coup plus gros, si son écriture était devenue trop petite. Dans beaucoup de manuscrits on peut observer ces changements soudains, aussi bien dans des manuscrits portant des indications explicites que dans les autres manuscrits. En ce qui concerne les Quodl. XII et XIII d'Henri de Gand, ces changements d'écriture se manifestent en total 83 fois dans dix manuscrits divers, dont aucun ne nous fournit d'indications explicites aux endroits en question. On voit donc aisément l'importance de la recherche des indications implicites : elle nous autorise, pour les Quodl. XII et XIII d'Henri de Gand, à rattacher directement aux exemplars ces manuscrits, même quand ils ne présentent aucune indications explicite.

Il arrive aussi que le scribe, avant d'aborder la copie de la nouvelle pièce, taille sa plume d'oie. Alors les traits des caractères deviennent tout à coup plus minces, plus nets, moins pâteux ; les lettres sont plus petites et les mots plus rapprochés. Souvent un changement d'écriture est provoqué par une plume affilée ; voir p. ex. le changement prononcé dans le ms. BRUGGE, Groot-Seminarie 36/148, f. 98va et 100rb (cf. Pl. XI,11).

De temps en temps, il se fait que la pièce suivante n'est pas disponible, que le stationnaire l'a prêtée à un autre scribe. Le copiste (professionnel), ne voulant pas gaspiller son temps, emprunte une autre pièce qu'il commence à copier, après avoir laissé l'espace blanc qu'il présume nécessaire et suffisant pour copier la pièce sautée. Mais il est très difficile de calculer l'espace nécessaire à cette copie. Aussi, il en résulte que le copiste, en copiant la pièce omise, doit écrire la dernière partie du texte dans la marge latérale ou inférieure, s'il a sous-estimé l'espace nécessaire à la copie. Voir p. ex. le ms. BOLOGNA, Bibl. Univ. lat. 2236, f. 238bisvb, et ERLANGEN, Universitätsbibliothek 269/2, f. 221va (où l'on constate aussi clairement un changement d'encre et d'écriture : cf. Pl. X,12). S'il l'a surestimé, il va tâcher de remplir l'espace restant en écrivant plus gros et plus large. Il se pourrait bien que ceci soit le cas dans le ms. BOLOGNA, Bibl. Univ. lat. 2236, f. 241ra (cf. Pl. XI,13) et dans le ms. LONDON, Brit. Libr. Royal 11.C.X., f. 218vb, où les copistes se sont apparemment forcés à terminer la pièce à la fin de la colonne, afin de pouvoir aborder la nouvelle pièce à la colonne suivante (f. 241rb, 219ra).

D'autres accidents sont provoqués par la réclame, c'est-à-dire les deux ou trois mots écrits au-dessous de la dernière ligne du verso du dernier folio de la pièce, qui indiquent la suite entre les pièces, puisque ce sont les mots par lesquels commence la pièce suivante. Comme l'a remarqué déjà J. Destrez, c'est là un moyen de contrôle presque infaillible, à condition que le copiste ait transcrit la réclame en terminant une pièce : en revenant avec la pièce suivante, il n'a qu'à s'assurer que les premiers mots de la nouvelle pièce sont bien ceux de la réclame déjà copiée (15). Que les copistes eussent la coutume de copier la réclame avant d'aller chercher la pièce subséquente, est attesté dans quelques cas où l'exemplar nous est conservé : on peut observer que dans les manuscrits copiés de l'exemplar, les changements d'encre ou d'écriture ne se localisent en général que deux ou trois mots après le début de la nouvelle pièce. Ce qui prouve que la réclame est régulièrement copiée immédiatement après la fin de la pièce précédente. Ce qui cependant n'est pas nécessaire : lorsque le copiste rapporte la pièce terminée au stationnaire, il a l'occasion de contrôler s'il emmène la bonne pièce, en comparant la réclame de la pièce déjà copiée au début de la nouvelle pièce.

Dans ces conditions, l'on ne s'étonne pas que le copiste, dans un moment de distraction, ne s'aperçoive pas qu'il a déjà écrit la réclame (surtout quand la fin de la réclame coïncide avec la fin d'une ligne ou d'une colonne), et commence la copie de la nouvelle pièce par le début ; de sorte qu'il répète la réclame. C'est p. ex. le cas dans le ms. PADOVA, Bibl. Capit. C. 43, f. 347ra/rb, où le copiste, en abordant la cinquième pièce, répète la réclame "ille recuperare" (cf. Pl. XI,14). Dans le ms. LONDON, Brit. Libr. Royal 11.C.X., f. 229rb, le copiste a fini la septième pièce à la fin de la colonne, et il écrit les derniers mots dans la marge inférieure ; au f. 229va, il reprend sa copie par les mots de la réclame. Il arrive aussi que le copiste se rend soudainement compte qu'il a écrit deux fois la réclame, et qu'il corrige cette faute en exponctuant le(s) mot(s) répété(s). Le phénomène se produit dans le ms. BRUGGE, Groot-Seminarie 36/148, f. 109ra (cf. Pl. XII,15), où le copiste a répété le mot "committendum", qui constitue (une partie de) la réclame, mais l'a exponctué la première fois, et peut-être aussi dans le ms. PARIS, Ars. 454, f. 166rb (cf. Pl. XII,16), où on lit : "ad habendum aliquid determinate tertio. Tertio modo privative...", et où il y a un changement d'écriture entre "tertio" et "Tertio".

Cependant, ce même exemple peut s'expliquer autrement. Le copiste, n'ayant pas sous les yeux la suite du texte, a copié la réclame a et a écrit : "... ad habendum aliquid determinate tertio". Ce n'est qu'en abordant la copie de la pièce suivante qu'il s'est aperçu qu'une nouvelle phrase commençait par le mot "tertio". C'est pourquoi il a exponctué le mot déjà écrit (t' c̄o), pour reprendre sa copie par la nouvelle phrase : "T'c̄o m̄o". Quand la suite du texte lui manque, le copiste n'est pas toujours capable d'interpréter correctement les mots de la réclame. Déjà J. Destrez a attiré l'attention sur ce phénomène (16).

Il se peut aussi que la réclame provoque une omission par homoioteleuton. Tel est p. ex. le cas dans le ms. PARIS, Bibl. Nat. lat. 15358, f. 320rb : du texte complet "... status tres principales comprehendentes /// omnes qui sunt, /// fuerunt et futuri sunt ...", le copiste du manuscrit en question a omis les mots "fuerunt et futuri sunt" (cf. Pl. XII,17). Il est probable que le copiste a copié la réclame avant d'aller chercher la pièce suivante ; en retournant, il constate que la nouvelle pièce commence par "omnes qui sunt, fuerunt et futuri sunt", et qu'il a déjà copié le début jusqu'au mot "sunt". De cette constatation découle une omission par homoioteleuton. Mais plus tard, on a remarqué l'omission et on a voulu la suppléer, en corrigeant "sunt[1]" en "fuerunt", et en écrivant "et futuri sunt[2]" dans la marge. Un cas analogue semble s'être produit au début de la sixième pièce du premier exemplar, commençant par les mots "... eo modo quo licet /// emere redditus ad /// vitam secundum iam dictum modum, etiam licet emere redditus perpetuos. Et sicut...". Trois manuscrits ont omis les mots "(ad) vitam ... redditus[2]", notamment le ms. ERLANGEN, Universitätsbibliothek 269/2, f. 180va (cf. Pl. IX,4), le ms. PARIS, Ars. 456, f. 143vb (cf. Pl. X,10), et le ms. PARIS, Bibl. Nat. lat. 15358, f. 312 vb.

Une omission de pareille nature, mais à la fin de la pièce, se produit dans le ms. BOLOGNA, Bibl. Univ. lat. 2236, f. 237va (cf. Pl. XII,18). Le copiste a omis les derniers mots de la pièce et a écrit la réclame ; puis, il s'est aperçu de l'omission, et il l'a suppléée ;

finalement, il a écrit deux fois le dernier mot de la réclame. Le texte original est : "... procedat in infinitum, quia scribitur in Psalmo : /// "Superbia eorum /// qui Te oderunt ..." ; dans le ms. de Bologne, on lit : "... procedat in infinitum qui scribitur in Psalmo : /// (changement d'écriture prononcé) "Superbia eorum /// eorum qui Te oderunt ...".

Finalement, on doit considérer les notes telles que corr. (correcta est pecia : cf. Pl. IX,1) ou corrigatur, se trouvant dans la marge à l'endroit où une pièce se termine, comme des indications implicites d'une transition de pièces, puisque le copiste ou le correcteur n'avait pas l'intention de marquer une transition de pièces. Mais comme il a été dit au début, nous ne nous en sommes pas occupé dans cette contribution.

Il importe de noter que tous ces exemples relèvent de manuscrits ne contenant aucune indication explicite, du moins à l'endroit en question. Il paraît donc que les indications implicites nous permettent d'élargir la base sur laquelle doit s'appuyer la reconstitution critique du texte de l'exemplar (ou de plusieurs exemplars). En effet, pour les Quodl. XII et XIII - où il faut reconstituer le texte de deux exemplars -, il y a respectivement 5 et 9 manuscrits qui présentent des indications explicites ; mais il y en a 9 et 4 en plus qui sont caractérisés par des indications implicites. En prenant en considération non seulement les indications explicites, mais aussi les indications implicites, on dispose de 14 au lieu de 5 (pour le Quodl. XII) et de 13 au lieu de 9 (pour le Quodl. XIII) témoins dépendant directement de l'exemplar. De ces chiffres, il résulte que les indications implicites ne peuvent être négligées dans une édition véritablement critique.

Résumons cet exposé.

1) Les indications explicites forment la base et le point de départ sûr de chaque édition critique.

2) Les indications implicites jouent un rôle complémentaire, qui cependant ne peut être sous-estimé. Elles présentent un triple intérêt :

a) elles nous permettent de localiser avec précision la réclame, ce que les indications explicites ne permettent nullement ;

b) comme la plupart des manuscrits aux indications explicites n'offrent la structure intégrale et numérotée que rarement, les indications implicites peuvent rendre service à compléter le schème là où il est lacuneux (à condition qu'on connaisse l'endroit exact de la transition par une indication explicite dans un autre manuscrit). Parfois le dépistage des indications implicites peut mener à la découverte d'indications explicites bien cachées ;

c) les indications implicites nous aident à déterminer que certains manuscrits, qui ne présentent pas d'indications explicites, dépendent directement de l'exemplar (17). Ainsi elles rendent possible une extension considérable du nombre de témoins directs qui peuvent contribuer à la reconstitution critique du texte du modèle. C'est pourquoi il est absolument nécessaire d'étudier attentivement ces indications implicites, si l'on veut se procurer une base sûre pour la reconstitution du texte d'un exemplar.

3) De ce rôle complémentaire, il résulte qu'on ne peut jamais se baser uniquement sur les indications implicites pour rattacher un témoin directement à un exemplar. D'autres éléments doivent confirmer la dépendance directe : des indications explicites, l'analyse des fautes communes, le nombre peu élevé d'accidents isolés. Les manuscrits aux indications implicites dans le Quodl. XII et XIII se classent tous en haut dans le tableau général des accidents isolés. A côté des indications explicites et surtout de la qualité du texte, les indications implicites sont un argument secondaire, dont la valeur augmente considérablement, quand on découvre plusieurs accidents ou plusieurs formes d'indications implicites dans un même manuscrit pour un même texte.

4) Pour les éditions de grande envergure, comme celle des oeuvres de saint Thomas, d'Albert le Grand, de Duns Scot, où l'on se voit posé devant une surabondance de témoins manuscrits, où l'on dispose parfois d'un exemplar ou même d'un autographe, ces remarques n'ont peut-être qu'un intérêt limité. Cependant, en dehors de ces trois auteurs, beaucoup d'autres penseurs médiévaux valent la peine d'être édités. Leurs textes philosophiques, qui souvent ont été divulgués uniquement par moyen d'un exemplar universitaire (perdu), sont conservés dans un nombre moins grand, mais encore considérable, de manuscrits (18). Nous espérons que surtout, mais pas uniquement, les éditeurs de ces textes puissent bénéficier de nos observations.

5) Finalement, il va de soi que nous n'avons nullement la prétention d'avoir donné une classification exhaustive. La liste, surtout celle des indications implicites, reste ouverte. Nous saurions gré à quiconque peut nous signaler d'autres formes d'indications de pièces explicites ou implicites.

NOTES

(1) Cf. R. A. B. Mynors, Catalogue of the Manuscripts of Balliol College Oxford, Oxford, Clarendon Press, 1963, p. 208 ; R. Macken, Quelques Marginalia de manuscrits médiévaux, dans Scriptorium, 28, 1974, p. 289 ; G. Battelli, L'"exemplar" della Summa di Enrico di Gand, dans Clio et son regard. Mélanges d'histoire de l'art et d'archéologie offerts à Jacques Stiennon, Liège, 1982, p. 30.

284

(2) Cf. R. Macken, Bibliotheca manuscripta Henrici de Gandavo (Ancient and Medieval Philosophy, De Wulf - Mansion Centre, Series 2 : HENRICI DE GANDAVO Opera Omnia, I-II), Leuven - Leiden, 1979, II, p. 733 ; G. Battelli, L'"exemplar" ..., p. 23-30.

(3) Cf. J. Destrez, La pecia dans les manuscrits universitaires du XIIIe et XIVe siècle, Paris, 1935, p. 11-17.

(4) Cf. G. Fink-Errera, Une institution du monde médiéval : la "pecia", dans Revue philosophique de Louvain, 60, 1962, p. 184-243.

(5) Cf. G. Pollard, The "pecia" System in the Medieval Universities, dans Medieval Scribes, Manuscripts and Libraries. Essays presented to Neil Ripley KER, London, 1978, p. 145-161.

(6) Cf. A. Brounts, Nouvelles précisions sur la "pecia". A propos de l'édition léonine du commentaire de Thomas d'Aquin sur l'Ethique d'Aristote, dans Scriptorium, 24, 1970, p. 350-351.

(7) Cf. J. Destrez, La pecia..., p. 11-15 ; A. Brounts, Nouvelles précisions ..., p. 350 ; R. Macken, Les Quodlibets d'Henri de Gand et leur "exemplar" parisien, dans Recherches de Théologie ancienne et médiévale, 37, 1970, p. 77.

(8) Cf. R. Macken, Bibliotheca manuscripta..., II, p. 732-734.

(9) Cf. A. Brounts, Nouvelles précisions..., p. 350 ; S. Zamponi, Manoscritti con indicazioni di pecia nell'archivio capitolare di Pistoia, dans Università e società nei secoli XII-XVI. Atti del nono Convegno Internazionale di studio (tenuto a Pistoia nei giorni 20-25 settembre 1979), Pistoia, 1983, tavola 1-2 (après la p. 478).

(10) Cf. A. Dondaine, Apparat critique de l'édition d'un texte universitaire, dans L'homme et son destin d'après les penseurs du moyen âge. Actes du premier Congrès International de Philosophie Médiévale (Louvain - Bruxelles, 28 août - 4 septembre 1958), Louvain - Paris, 1960, p. 217-218.

(11) Cf. A. Brounts, Nouvelles précisions..., p. 350, où l'auteur cite l'exemple du commentaire de saint Thomas sur l'Ethique à Nicomaque.

(12) Cf. G. Fink-Errera, De l'édition universitaire, dans L'homme et son destin d'après les penseurs du moyen âge. Actes du premier Congrès International de Philosophie Médiévale (Louvain - Bruxelles, 28 août - 4 septembre 1958), Louvain - Paris, 1960, p. 228.

(13) Cf. A. Brounts, Nouvelles précisions..., p. 352-353.

(14) Cf. ID., art. cit., p. 351.

(15) Cf. J. Destrez, La pecia ..., p. 17.

(16) Cf. ID., op. cit., p. 16 : le copiste a lu (et écrit) "species ///" au lieu de "spiritus ///", mais il a corrigé sa faute dès le moment où il a vu que le texte continuait par "(spiritus ///) sanctus".

(17) R. Macken, Les Quodlibets ..., p. 78, signale, à bon droit qu'il n'y a aucun manuscrit anglais à des indications (explicites) de pièces. Cependant il y en a deux qui contiennent des indications implicites (notamment le ms. LONDON, Brit. Libr. Royal 11.C.X., et le ms. OXFORD, Oriel Coll. 31), de sorte qu'on se sent moins enclin à envisager la possibilité d'une édition d'Oxford. Ces manuscrits, ont-ils été copiés à Paris par des copistes anglais ?

(18) Par exemple quand on ne repère qu'une vingtaine ou une trentaine de témoins manuscrits du texte à éditer, comme c'est le cas pour les Quodlibets et les Quaestiones ordinariae (Summa) d'Henri de Gand.

L'EDITION CRITIQUE DES OUVRAGES DIVULGUES
AU MOYEN AGE AU MOYEN D'UN EXEMPLAR UNIVERSITAIRE

Raymond Macken

L'auteur de cet exposé tient à remercier les organisateurs de ce Colloque de lui avoir donné leur confiance en l'invitant à parler à ce Colloque de la technique de l'édition des ouvrages divulgués au moyen âge par l'intermédiaire d'un ou plusieurs exemplars universitaires. Il se réjouit spécialement de pouvoir le faire dans un Centre internationalement réputé de l'"Edition Léonine", le grand pionnier de l'édition critique des ouvrages édités selon ce système. En ce domaine de l'édition critique, et en d'autres, nous sommes et nous restons tous des disciples de l'Edition Léonine.

But de cet exposé

Ci et là dans cet exposé les perspectives sont un peu élargies, et on trouvera quelques comparaisons entre l'édition universitaire et l'édition monastique. La possibilité de trouver ces parallélismes nous a été offerte par une demande de la "Koninklijke Academie voor Wetenschappen, Letteren on Schone Kunsten van België". Elle nous a demandé d'achever une édition assez étendue de textes du 12e siècle, qu'un membre décédé de cette "Académie" n'avait pu achever, la mort l'en ayant empêché. Le titre de cet ouvrage est The Latin Sermons of Odo of Canterbury (1). Cela nous a permis d'avoir une base d'expérience personnelle concernant l'édition monastique et de la comparer avec l'édition universitaire. Si nous en parlons ci et là dans cet exposé, c'est parce que ces parallélismes peuvent éclaircir certaines perspectives. Nous y avons trouvé des choses qui nous rappellent l'édition universitaire : un apographe conservé dans une copie, un premier exemplar monastique, copié de l'apographe ; un deuxième exemplar monastique, copié du premier ; une diffusion internationale, non par des étudiants des universités, qui emportaient après leurs études les manuscrits chez eux, mais par des moines qui les emportaient dans leurs voyages à des monastères de leur ordre situés dans d'autres pays ; dans la suite une diffusion locale, où l'on prêtait les manuscrits aussi à des couvents d'autres ordres religieux pour les laisser copier, tout comme cela se passait aussi pour les manuscrits à pièces universitaires. Dans cette tradition monastique aussi nous avons

------

Cf. Planches XIII-XIX.

pu constater cet éloignement progressif de la teneur originale du texte.

Une deuxième note achève la délimitation précise du but de cet exposé. Nous parlons ici de l'édition d'un seul ouvrage originalement édité au moyen âge par le système d'un exemplar universitaire. Nous ne parlons pas ici, sauf en passant, de la mise sur pied d'une entreprise d'édition critique des Opera Omnia d'un auteur médiéval. Il en existe déjà une série, et chacune de ces entreprises de collaboration internationale à haut niveau a sa propre méthode, appropriée au cas. Pour ceux qui s'intéressent à celle des Opera Omnia d'Henri de Gand, deux exposés existent, qui se complètent mutuellement. Le premier traite la méthode scientifique, suivie dans cette entreprise d'Opera Omnia, sous le titre Die Editionstechnik der "Opera Omnia" des Heinrich von Gent (2). L'autre donne l'histoire de cette entreprise jusqu'à présent, et la manière dont le travail scientifique y est coordonné, sous le titre : Der Aufbau eines wissenschaftlichen Unternehmens : die "Opera Omnia" des Heinrich von Gent (3). Ajoutons que les entreprises récentes sont très reconnaissantes pour tout ce qu'elles doivent aux vénérables entreprises qui les ont précédées et existent depuis des années.

Les observations que nous soumettons aux érudits présents avec l'espoir d'un échange fructueux d'idées, sont disposées en deux parties. Dans la première, plus longue, nous tâcherons de suivre historiquement l'édition d'un ouvrage médiéval à l'aide d'un exemplar universitaire, puis sa diffusion, sa "digestion" si on veut, en partant de l'original de l'auteur, et en parcourant ensuite tous les échelons de la divulgation de l'ouvrage. Le cas-type que nous traitons ici, n'est pas un cas tout à fait exceptionnel comme celui des oeuvres de S. Thomas d'Aquin, dont il y a un très grand nombre de copies manuscrites, où les exemplars universitaires avaient parfois moins d'importance, et où il y a souvent aussi une tradition manuscrite dans son propre ordre. Nous parlons dans cet exposé plutôt de ce dont nous avons une expérience personnelle, des ouvrages comme ceux d'Henri de Gand, dont les Quodlibets ont en général une trentaine de manuscrits contenant le texte intégral, et dont les deux principaux ouvrages ont été édités seulement par la voie de l'édition universitaire. Dans une deuxième partie, brève, nous suivrons exactement le chemin inverse, en tâchant de voir comment par la technique de l'édition critique on tâche de remonter le courant, pour reconstituer dans la mesure du possible, de nouveau l'ouvrage original de l'auteur.

I. L'EDITION ET LA DIFFUSION D'UN OUVRAGE MEDIEVAL A L'AIDE D'UN EXEMPLAR UNIVERSITAIRE

L'"autographe" de l'ouvrage

Si nous mettons ici le mot "autographe" entre guillemets, c'est parce qu'il est équivoque en plusieurs sens, comme on va le voir. Et d'abord, si on a conservé certaines notes autographes de l'auteur, ou même un autographe complet de cet ouvrage, il n'épuise pas les notes autographes de l'auteur se rapportant à cet ouvrage. De fait les notes autographes de l'auteur s'étendent sur plusieurs manuscrits consécutifs, dont certains sont conservés et d'autres sont perdus. L'édition critique peut nous aider à reconstruire ces notes autographes de l'auteur perdues. En ne parlant que de ce que nous avons expérimentés nous-mêmes, citons comme exemple le Quodlibet X d'Henri de Gand, ouvrage édité au moyen d'un exemplar universitaire. Nous pensons avoir pu prouver que nous disposons pour ce Quodlibet X d'un manuscrit qui en est probablement l'original (mais nous n'excluons pas d'autres hypothèses), que de cet original un apographe a été copié (dont une copie manuscrite est conservée), que de cet apographe le premier exemplar a été copié, qu'après une série d'années le deuxième exemplar universitaire a été copié du premier, bien que par un chemin probablement indirect. Ce qui importe ici, c'est que nous pensons avoir prouvé que certaines additions ultérieures ont été apportées par l'auteur non dans l'original, mais dans l'apographe, que nous connaissons seulement par l'édition critique, mais qui ont été reprises de là dans le premier exemplar, et de là dans toute la tradition. Nous les avons insérées dans le texte critique du Quodlibet X.

Dans le cadre de nos éditions d'Henri de Gand, l'hypothèse que l'auteur aurait aussi apposé des notes autographes et des corrections autographes sur l'exemplar universitaire même semble s'indiquer, et nous avons pu l'établir avec une grande probabilité pour l'exemplar monastique des sermons latins d'Odon de Canterbury. L'auteur y a apposé certaines améliorations ultérieures, non dans l'apographe de ces sermons qui constitue encore le texte privé de l'auteur, mais dans le premier exemplar monastique, à partir duquel elles sont passées dans le deuxième exemplar monastique ; ces améliorations ont passé de ces deux exemplars consécutifs dans tous les autres manuscrits connus à présent, sauf dans la copie conservée de l'apographe.

Ce qui nous a frappé plusieurs fois déjà quand nous étions confronté avec l'autographe d'un ouvrage médiéval, c'était la présence de feuillets intercalés, et aussi de petits billets intercalés (cf. Pl. XIII) qui contiennent des additions et sont souvent disposés en face d'un passage barré dans le texte. C'est le cas de l'original probable du Quodlibet X d'Henri de Gand, bien que certains de ces petits billets aient été perdus dans la suite, peut-être parce qu'ils ne sont plus retournés chez l'auteur après la copie dans l'atelier ; le texte qu'ils contenaient, a cependant pu être reconstitué à l'aide de l'apographe et de la tradition ultérieure qui dépend de l'apographe (4). A l'occasion de la rédaction de notre ouvrage en préparation Medieval Philosophers of the former Low Countries. Bio-bibliography and Catalogue, nous avons eu l'occasion de décrire un autographe très étendu, un codex de 527 feuillets, contenant toute une série d'ouvrages du pape Hadrien VI, ancien professeur de l'Université de Louvain, écrits de sa propre main ; ce codex est conservé dans la Bibliothèque de la Faculteit der Godgeleerdheid de la Katholieke Universiteit Leuven. Cette description est aussi publiée à part dans un article, qui a paru dans les Ephemerides Theologicae Lovanienses sous le titre : The Hadrian VI Codex. A New Codicological Description (5). La première chose qui sautait aux yeux dans cet autographe, c'étaient les petits billets intercalés, qui avaient été reliés entre les feuillets, chaque fois en face d'un passage barré dans le texte (cf. Pl. XIV et XV). Nous avons pu constater de même la présence de feuillets intercalés et de billets intercalés dans un autre original dont on trouve la description dans la Bibliotheca manuscripta Henrici de Gandavo (6), et qui se trouve à Bologne, dans l'Archiginnasio, où il constitue le ms. A. 706. Bien que ce soit un original du 17e siècle, - il a pour auteur le servite Angelo Maria Ventura et traite des doctrines d'Henri de Gand-, le cas est intéressant pour l'édition critique, parce que dans la même bibliothèque se trouve aussi l'édition imprimée même, qui est copiée de cet original. Malgré la différence de date, la présentation reste pratiquement la même : l'ouvrage offert par l'auteur à l'atelier médiéval ou à l'imprimeur des temps modernes, est complété par des feuillets et billets intercalaires.

Un signe important pour reconnaître l'autographe d'un ouvrage, ce sont les corrections d'auteur, qui se caractérisent par la présence de couches successives de rédaction, dont la dernière correspond au texte qu'on trouve dans tous les autres manuscrits, et aussi dans les éditions subséquentes (cf. Pl. XVI et XVII).

Un autre signe important pour discerner la présence de l'auteur quand il s'agit d'un autographe, ou sa proximité quand il s'agit d'un apographe, nous semble être l'étude de la ponctuation. On peut même arriver à de véritables accidents communs limités rien qu'à la ponctuation, mais qui prouvent clairement la proximité de l'auteur. On trouvera certains exemples de tels accidents communs limités à la ponctuation dans l'édition, achevée par nous, des sermons latins d'Odon de Canterbury.

Le terme "autographe" est encore ambigu dans un autre sens que celui qui a été mentionné plus haut. Ce qu'on veut dire, en effet, c'est d'ordinaire un texte écrit en écriture courante par l'auteur. Or, la plupart de ces auteurs médiévaux savaient aussi écrire en littera formata, et ce qu'ils ont écrit en littera formata, était aussi autographe. Nous y reviendrons plus loin, mais continuons ici à ne parler que des ouvrages autographes écrits en écriture courante. On constate, en les examinant, qu'ils sont parfois difficiles à lire (cf. Pl. XVIII et XIX). C'est sans doute une des raisons pourquoi tout de suite à la première copie certains petits mots se perdent, et d'autres accidents de copie s'introduisent forcément dans le texte. En comparant, rien que pour la description du manuscrit, les incipits et explicits des Quodlibeta d'Hadrien VI tels qu'ils se trouvent dans l'autographe, avec leurs éditions humanistes, nous avons pu constater qu'une série de menus détails de l'autographe ont été perdus. Un érudit qui veut éditer certains passages de ces Quodlibeta, devrait corriger ces passages comme ils se trouvent dans les éditions humanistes, à l'aide de l'autographe. C'est une des raisons, pourquoi les autorités de la Bibliothèque de la Faculteit der Godgeleerdheid ont permis de défaire le manuscrit, et dans l'état défait du manuscrit, d'en confectionner un microfilm complet, bien clair et net, et qui contient jusqu'aux dernières additions autographes qui se trouvent dans le marges intérieures. De cette façon les érudits peuvent dorénavant étudier l'apport de l'autographe aussi sur le microfilm.

La difficulté à déchiffrer l'autographe était sans doute la raison pourquoi dans l'édition et la divulgation de la plupart des ouvrages médiévaux une pièce de toute importance a dû être intercalée entre l'autographe et l'exemplar destiné à être copié : l'apographe.

L'apographe de l'ouvrage

A l'encontre de l'"autographe" de l'ouvrage, dans le sens défini plus haut, écrit par l'auteur dans une écriture courante, souvent hâtive, difficile à déchiffrer, l'apographe de l'ouvrage est écrit dans une littera formata, c'est-à-dire où chaque lettre est séparée des autres. Cette littera formata a montré comment l'humanité a été capable de poursuivre un idéal pendant des siècles, et d'arriver à la fin à la prodigieuse découverte des caractères séparés de l'imprimerie.

En nous limitant aux cas que nous avons examiné nous-mêmes, nous avons l'impression que pour la constitution de l'exemplar universitaire, les chefs d'atelier demandaient des auteurs un apographe en littera formata, mais qu'ils acceptaient d'y trouver encore des corrections et des additions marginales en écriture courante, si ces dernières restaient confinées entre certaines limites. On se demande si certains Quodlibets d'Henri de Gand comme on les trouve dans le "ms. A", n'étaient pas de fait de tels apographes. Si les corrections d'auteur prenaient trop d'ampleur, un nouvel apographe devenait nécessaire. Cette dernière nécessité pourrait s'être présentée pour le Quodlibet X. Mais dans ce dernier cas le cerveau de l'auteur a continué à travailler aussi quand l'original était copié pour en constituer l'apographe, et il a encore apposé certaines corrections et additions nouvelles, sans doute en écriture courante, sur ce nouvel apographe.

Dans les cas que nous avons pu examiner personnellement, encore une autre impression se dégage : c'est que l'apographe appartenait encore à la sphère privée de l'auteur, tandis que l'exemplar au contraire appartient au domaine public : c'était la matrice même du tirage médiéval de l'ouvrage.

Une autre question importante pour l'édition critique, est celle de la main qui a écrit l'apographe. La plupart des auteurs médiévaux savaient écrire en littera formata, comme la plupart des érudits contemporains savent taper à la machine à écrire leurs propres textes. Certains apographes peuvent avoir été transcrits par l'auteur même. Deux détails peuvent être significatifs sous ce rapport. Le premier, c'est la haute qualité du texte du copiste (non de la correction), et cela aussi bien pour le texte que pour la ponctuation, qui est libre de ces bévues qui dénotent un scribe qui ne comprend pas tout ce qu'il écrit. Le deuxième, c'est que la main du correcteur est la même que celle du copiste ; pour le savoir, on peut comparer les caractères en écriture courante à ceux en littera formata, et aussi voir s'il n'y a pas des passages où l'une écriture se transforme dans l'autre.

Une autre observation qui dénote encore la sphère de l'auteur, c'est, au moins dans les apographes probables que nous avons pu examiner personnellement, l'emploi de parchemin de récupération, contenant p. ex. des déchirures recousues, tandis que le copiste de l'apographe écrit à gauche et à droite, et des feuillets manifestement lavés, mais qui laissent des passages imparfaitement lavés et encore visibles en partie. Bien entendu, l'emploi d'un tel matériel est loin d'être limité aux apographes, mais c'est un composant d'un tel ensemble.

Même dans les apographes écrits par l'auteur même, on trouve encore des fautes, dont certaines sont corrigées à l'occasion de la constitution du premier exemplar universitaire, probablement par l'intervention du correcteur ; de fait, dans les copies directes de ce premier exemplar universitaire, telle faute, qui se trouvait encore dans l'apographe, a disparu partout. De fait il y a un double mouvement : un mouvement de correction de certaines fautes restées encore dans l'ouvrage, et d'autre part un mouvement d'éloignement du texte des manuscrits, de celui de l'original, éloignement qui comporte une banalisation, et même souvent un dégradation du texte, qui commence presque aussitôt dès que la divulgation de l'ouvrage commence. Ces fautes restées dans l'apographe, sont parfois des restants de couches de rédactions antérieures, où l'auteur a p. ex. oublié de corriger le cas d'un substantif, ou la terminaison d'un verbe. D'autre part une de ces fautes restées encore dans l'apographe sont les doublets : le faut qu'un de leurs membres n'a pas encore été dépisté et donc supprimé, est souvent un signe de la proximité de l'auteur.

Y a-t-il eu toujours un apographe entre l'autographe conservé d'un auteur en écriture courante, et l'exemplar ? On serait enclin à en douter. De toute façon il faudra l'examiner pour chaque cas séparément. Si dans un cas propice l'autographe d'un ouvrage en écriture courante est conservé, comme c'est le cas pour 11 des 12 Quodlibets d'Hadrien VI et pour ses Quaestiones super IVum librum Sententiarum, ouvrages pour lesquels l'editio princeps humaniste est conservée, et aussi d'autres éditions subséquentes, il faut examiner si la distance entre l'autographe en écriture courante et l'édition est suffisamment grande, pour admettre l'interposition d'un apographe. Le même procédé peut être employé entre un autographe conservé en écriture courante et l'exemplar universitaire copié de cet ouvrage, dont on peut facilement recomposer le texte à l'aide de 4 à 5 manuscrits qui en sont copiés directement. Si la distance est trop grande, c'est-à-dire s'il y a trop d'inversions et d'autres accidents pour admettre qu'ils soient encore causés par une seule copie directe, il faut intercaler un apographe. C'est le cas de l'original probable du Quodlibet X d'Henri de Gand, avec cette nuance, qu'à notre avis ce pourrait être un apographe, mais qui a été retravaillé tellement par l'auteur, qu'un nouvel apographe devenait nécessaire. Si nous n'avions pas découvert un manuscrit copié directement de cet apographe interposé, nous aurions quand même pu savoir qu'entre l'original probable et le premier exemplar universitaire il devait y avoir eu un apographe. En effet, la distance était trop grande pour admettre que le deuxième procédait par copie directe du premier.

Un autre détail intéressant est que les autographes et les apographes étaient complémentaires et que l'auteur les réunissait, c'est-à-dire, selon les habitudes médiévales, les reliait ou les faisait relier, et en constituait des collections d'auteur. Avant de les relier, les médiévaux écrivaient souvent sur les cahiers à relier leur numéro d'ordre, p. ex. sur l'angle supérieur de droite de leur première page. Si ensuite ils voulaient changer l'ordre du manuscrit, ils le défaisaient et le laissaient relier selon un autre ordre. Mais les numéros indiquant l'ancien ordre des cahiers continuent à y subsister, de sorte qu'on peut facilement le reconstituer, comme le P. L.-J. Bataillon nous l'a appris, il y a des années déjà, sur une possible collection d'auteur dans la Bibliothèque Nationale de Paris. Notre ouvrage en préparation La bibliothèque philosophique et théologique de Godefroid de Fontaines nous a confrontés avec plusieurs autres recueils du même genre.

Le caractère relié de ces collections d'auteur était pour eux la manière pratique d'avoir leurs ouvrages sous la main, et de ne pas en laisser se perdre des parties. Mais le même caractère relié fait une des chances de l'édition contemporaine ; il a fait se conserver un bon nombre de ces apographes et autographes. Donnons tout de suite l'exemple d'une de ces collections personnelles d'auteur, que nous avons décrite personnellement dans la Bibliotheca manuscripta Henrici de Gandavo, sous le n° 54 du Catalogue (8). C'était une collection d'auteur constituée par le chartreux Jacques de Jüterbog. Le volume a été incorporé ensuite à la bibliothèque de la Chartreuse d'Erfurt, et se trouve maintenant à la Sächsische Landesbibliothek à Dresden, sous la cote P. 42, où nous avons pu le décrire sur place. Derrière le plat antérieur, on trouve une indication médiévale du contenu, qui est en même temps une définition intéressante d'une telle collection d'auteur médiévale, et un témoignage important pour l'édition critique de ces ouvrages : "Nota : omnia in hoc volumine contenta, licet habeant diversas manus in scribendo, tamen singula excepto ultimo tractatu, collecta, dictata seu comportata sunt per fratrem Iacobum Carthusiensem, sacrae theologiae professorem, cuius manus propria est in Quodlibet Henrici de Gandavo circa medium voluminis" (9).

Selon ce témoignage contemporain, presque tous les ouvrages connus dans ce volume ont Jacques de Jüterbog comme auteur, mais seulement une partie ont été écrits de sa main. Les ouvrages non écrits de sa main ont presque tous été révisés par lui. Notons cependant dans cette collection personnelle la présence d'une troisième sorte encore d'ouvrages constitués par l'auteur, en plus des autographes et des apographes : les ouvrages écrits sous la dictée de l'auteur mais par une autre main. Pour certaines pièces de ces collections personnelles d'auteur il faut en effet tenir compte de cette troisième possibilité. Ainsi on trouve dans l'original probable du Quodlibet X d'Henri de Gand quelques feuillets supplémentaires contenant des additions en littera formata par une autre main que celle qui a écrit le texte de l'apographe. Il se pourrait qu'Henri a d'abord écrit ces suppléments en écriture courante, et puis les a laissé copier en littera formata, mais il se peut aussi qu'il les ait dictés directement à quelqu'un qui les écrivait en littera formata.

Une autre chose encore attire l'attention dans certaines collections d'auteur : c'est la présence dans le même recueil avec leurs propres ouvrages, d'ouvrages d'autres auteurs, qui ont trait à des sujets apparentés. Dans la collection d'auteur mentionnée plus haut, d'une série d'ouvrages de Jacques de Jüterbog, on trouve en même temps des extraits des Quodlibets d'Henri de Gand, écrits de la main de Jacques de Jüterbog, comme le témoigne la note contemporaine écrite dans le volume. Nous avons constaté la même présence d'ouvrages d'autres auteurs dans la collection d'auteur d'Hadrien VI.

Le caractère privé de ces collections d'auteur comportait parfois qu'on y trouve des épanchements tout à fait intimes de l'auteur. Ainsi au début du dernier cahier de la collection d'auteur d'Hadrien VI (au f. 523r), il écrit, probablement au sujet de ce cahier, où il avait rassemblé quelques pièces qui semblent l'avoir ému personnellement : "Huius chartae scripturam nemo vidit alius. Si indigna videatur, igni comburatur et iudicet Deus".

Le premier exemplar universitaire

Passons maintenant de l'apographe au premier exemplar universitaire, qui en est directement copié (à moins peut-être que dans certains cas il ait été copié d'un autographe en écriture courante). Nous passons maintenant de la sphère privée de l'auteur à la sphère publique. L'invention de l'exemplar universitaire divisé en pièces rend la copie directe de beaucoup plus de manuscrits possible, et à un niveau élevé de qualité, puisque chaque copiste avait directement accès à l'exemplar officiel.

Il y a certains cas d'édition d'ouvrages pour lesquels on dispose de l'exemplar universitaire même. C'est le cas de la Summa d'Henri de Gand, dont on conserve un exemplar qui correspond aux divisions de son exemplar universitaire, comme on les retrouve dans les manuscrits à pièces de cet ouvrage. On trouve la description de ce manuscrit, Vat. Borgh., ms. 17, dans la Bibliotheca manuscripta Henrici de Gandavo, sous le n° 188 du Catalogue, et là on trouve aussi la bibliographie concernant ce manuscrit (10). Mlle A. Maier avait proposé l'hypothèse qu'une série de pièces ayant appartenu au premier exemplar de la Summa aurait été achetée en occasion au moment où cet exemplar était mis hors d'usage, par la bibliothèque papale d'Avignon, et complétée sur place sous la forme d'un exemplar universitaire par les copistes qui travaillaient pour cette bibliothèque (11). Dans une étude récente, G. Battelli (12) a réexaminé ce manuscrit, et montré que ces pièces ont des factures diverses, dont il reconstitue les groupes. Il se demande s'il ne s'agit pas plutôt d'un recueil de peciae corruptae de l'exemplar universitaire de la Summa. Nous avons consacré à cette étude intéressante une recension étendue (13). Elle nous a permis d'abord de compléter l'inventaire des manuscrits à pièces de la Summa donnés par Battelli sur la base de la Bibliotheca manuscripta, et d'y ajouter notamment un manuscrit à pièces important qui correspond aux mêmes divisions d'un exemplar universitaire que les autres. Ce manuscrit a été mis en vente par la firme Sotheby à Londres, le 11 décembre 1981 (14), et a été acquis par la Bibliothèque Royale de Bruxelles, où il se trouve maintenant sous le n° IV. 1202. Nous avons rédigé une description de ce manuscrit dans le cadre de notre ouvrage en préparation Bibliotheca manuscripta Henrici de Gandavo. Continuatio, on en trouvera une première publication dans un article récent (15). Les différentes hypothèses déjà proposées concernant cet exemplar, et les observations de cette recension, donnent déjà une idée des problèmes qui peuvent se poser pour l'édition d'un ouvrage pour lequel on dispose d'un exemplar universitaire conservé. Nous serons confrontés pour des années avec ces problèmes, dès que nous entamerons dans un effort commun l'édition critique de la Summa d'Henri de Gand. Pour le moment, il suffisait de les signaler ici brièvement.

Même si l'exemplar universitaire est perdu, nous pouvons cependant le connaître avec une grande certitude par le moyen de l'édition critique. En effet, il a été transcrit directement dans une série de manuscrits conservés. Nous savons qu'il était obligatoirement constitué par une opération en deux couches, comme la plupart des manuscrits: la copie de l'exemplar par le copiste, à partir de l'apographe, puis la correction obligatoire du premier exemplar universitaire par une autre personne : le correcteur. La copie ajoutait une série d'accidents qui entament la dégradation du texte : certains petits mots de l'apographe échappent, certaines inversions s'implantent et ne sont pas dépistées, etc. ; mais le correcteur peut en réduire un certain nombre, de sorte que la détérioration du texte soit limitée, sauf pour les inversions dont la plupart s'implantent dans le texte et y restent. Mais en même temps il faut signaler que le correcteur de l'exemplar réussit à dépister certaines fautes qui dans l'apographe avaient échappé aux contrôles de l'auteur, même si cet apographe était écrit de la propre main de l'auteur, et à les faire disparaître de l'exemplar, comme on l'a signalé plus haut. Avec le mouvement de dépravation du texte, en même temps le deuxième mouvement, celui de la correction de l'original, a commencé.

Les manuscrits copiés directement du premier exemplar universitaire

Remarques générales

Ces manuscrits sont de toute importance pour reconstituer le texte du premier exemplar universitaire. Il y en a de deux sortes : ceux copiés par des copistes professionnels, donc payés, et où les indications de pièces sont en général notées (sauf à Oxford) pour justifier ce paiement ; et ceux copiés tout aussi directement de l'exemplar universitaire, mais par des érudits, éventuellement aussi des étudiants, qui les transcrivaient pour leur propre compte et d'ordinaire n'indiquaient pas les pièces.

Une remarque s'impose d'abord, d'importance primordiale pour tout ce qui regarde l'édition critique de ces textes. Pour bien la comprendre, il faut comparer le système d'édition par le moyen d'un exemplar universitaire, avec ce qui se passait pour la tradition monastique.

En nous limitant ici à ce que nous pensons avoir constaté dans une seule édition critique, mais très étendue et comprenant une série d'éditions de pièces diverses, celle des sermons latins d'Odon de Canterbury (12e siècle), nous pensons avoir pu montrer que l'apographe de l'auteur restait pratiquement à sa disposition (une seule copie directe en est conservée), mais que le manuscrit qui était utilisé comme un premier exemplar monastique, et qui était copié directement de l'apographe, et même le deuxième exemplar monastique, copié de ce premier exemplar, étaient probablement prêtés à d'autres monastères du même ordre pour y être copiés par des copistes locaux de ces monastères, même quand ces autres monastères se trouvaient dans d'autres pays ; puis sans doute ces exemplars retournaient à l'abbaye à laquelle ils appartenaient, pour être de nouveau prêtés à d'autres monastères. Cette première diffusion internationale, par copie directe de l'exemplar monastique, était suivie par une diffusion locale, non directement de l'exemplar monastique, mais à partir des manuscrits qui en avaient déjà été copiés. Cette diffusion semble s'être faite par le prêt des manuscrits à d'autres monastères pour les laisser copier.

Cette copie directe de l'exemplar monastique demandait

beaucoup de temps. L'invention de l'exemplar universitaire permettait de laisser copier un beaucoup plus grand nombre de manuscrits directement sur l'exemplar universitaire, ce qui a de fait permis, croyons-nous, de garder ces copies à un niveau assez élevé de qualité. D'autre part la copie directe à partir de l'exemplar universitaire comportait une limitation : l'exemplar devait rester sur place. Toutes les copies directes devaient forcément être constituées dans la même ville universitaire. Tout ce qui a donc été copié en dehors de cette ville universitaire, et ne porte pas les caractéristiques d'un manuscrit copié dans cette ville, prenons Paris, n'est pas copié directement de l'exemplar universitaire. Nous avons pu constater dans les éditions critiques de notre série que ce critère se vérifie de fait.

Quand donc un manuscrit a évidemment été copié dans un autre endroit que celui où l'exemplar universitaire en était conservé, ce n'est pas un témoin direct, mais il est produit par la diffusion locale comme dans l'édition monastique : on s'empruntait des manuscrits entiers des ouvrages, e.a. d'un couvent à l'autre, pour les laisser transcrire. Cela impliquait que tous les manuscrits qui ne sont pas copiés dans la ville où était conservé l'exemplar universitaire, ne dépendent qu'indirectement de l'exemplar universitaire, et sont dès lors moins intéressants pour l'édition critique. Nous reparlerons de cette diffusion ultérieure locale, mais retournons maintenant aux témoins principaux pour la reconstitution du texte du premier exemplar universitaire : les manuscrits qui en sont copiés directement.

Une autre remarque importante, c'est que l'exemplar changeait au cours de son usage, et que les manuscrits qui en étaient copiés directement, reflètent ces changements de l'exemplar. Ceux qui louaient les pièces de l'exemplar, en effet, se permettaient de les "corriger" à certains endroits. Ce qui est plus grave, certaines pièces ne rentraient pas, et devaient être remplacées. Ces pièces substituées sont parfois de qualité assez douteuse. Parfois la pièce égarée rentrait par après, et deux copies de la même pièce (ou plus) restaient disponibles.

Les manuscrits copiés par des copistes professionnels

Ces copistes indiquaient en général les indications explicites de pièces (sauf à Oxford), au moins d'une façon intermittente.

Comme la plupart des manuscrits, ceux-ci aussi étaient l'oeuvre de plusieurs personnes, e.a. d'un rubricateur et d'un relieur, mais du point de vue de l'édition critique, les deux qui importent vraiment sont d'abord le copiste, puis le correcteur.

Le texte constitué par le copiste

Pour autant que nous avons pu le constater par l'édition criti-que, le texte écrit par les copistes ajoute une nouvelle couche d'accidents, qui contribuent à une dégradation ultérieure du texte, mais qui reste confinée dans ce cas à un seul manuscrit.

C'est aussi le copiste, qui appose les indications explicites de pièces, sauf, comme on l'a dit plus haut, pour les manuscrits copiés des exemplars universitaires de l'université d'Oxford. Mais en plus certains accidents involontaires qui survenaient dans le travail du copiste révèlent les transitions de pièce, et deviennent ainsi pour l'éditeur critique les précieuses indications implicites de pièces.

La correction du texte par le correcteur

Un des signes que le manuscrit est copié par un copiste professionnel, est que la main du correcteur est différente de celle du copiste.

Signalons en passant qu'on trouve dans certains manuscrits des témoignages sur la correction de l'un ou l'autre ouvrage qui s'y trouve. Parfois ces témoignages concernent tout l'ouvrage et sont en général écrits avec soin dans le colophon, avec le nom du ou des correcteurs. Parfois ces témoignages de correction ne regardent que certaines parties de l'ouvrage, et sont alors souvent indiqués en marge à la mine de plomb : on a alors l'impression que ces témoi-gnages de correction appartenaient aux signes que les différents artisans apposaient dans le manuscrit qu'ils constituaient, en vue de celui qui l'avait commandé ou pour l'ouvrage des autres artisans, mais qui étaient destinés à disparaître dès que le volume était constitué, bien que dans la suite on ait parfois oublié de les faire disparaître. On trouve dans la Bibliotheca manuscripta Henrici de Gandavo une série d'exemples de ces deux sortes de témoignages de correction (16).

Les manuscrits copiés par des érudits

Ces manuscrits n'ont en général pas d'indications explicites de pièces, mais ils ont bien des indications implicites de pièces.

La caractéristique majeure de ces manuscrits, c'est que le copiste du texte et sa correction sont exécutées par la même main.

La teneur de leur texte est en général bonne, parce que l'érudit comprenait mieux ce qu'il écrivait, mais d'autre part ces érudits se permettaient d'y introduire des coupures parfois considérables. En plus, même quand ils copiaient le texte intégral, ils prenaient la liberté d'y introduire des variantes délibérées, en changeant certaines expressions. On trouve des exemples de ces variantes délibérées introduites à son gré par un érudit qui copie le texte de l'exemplar

universitaire, dans l'introduction de l'édition critique du Quodlibet   IX
d'Henri de Gand, à propos de la copie de ce Quodlibet dans le ms.
Vat. lat. 853 (17).

Le rôle de l'apographe après la constitution du premier exemplar universitaire

Nous avons parlé du rôle de premier ordre joué par l'apographe
dans la constitution du premier exemplar universitaire de l'ouvrage,
comme dans toutes sortes d'éditions critiques, e.a. aussi dans celle qui
concerne les ouvrages divulgués par l'édition monastique. Examinons
maintenant la question, s'il a pu jouer un rôle aussi après qu'il avait
déjà été copié pour constituer le premier exemplar universitaire de
l'ouvrage. Comme partout dans cet exposé, nous nous limitons ici
strictement à ce que nous avons constaté nous-mêmes.

Il semble y avoir deux cas possibles. Le premier cas est celui
où, après avoir été transcrit pour le premier exemplar universitaire, il
rentre chez son propriétaire, l'auteur. Un deuxième cas consisterait
en ce que certains apographes seraient restés dans l'atelier où
l'exemplar en avait été copié. En ces deux cas, l'influence que
l'apographe peut avoir eu après sa copie pour l'exemplar, n'est pas
tellement différente. Dans les deux cas l'apographe n'est pas détruit,
et peut continuer à servir aux érudits, qui étaient conscients de sa
supériorité sur l'exemplar au point de vue du texte, et peuvent
l'avoir utilisé pour certains buts. Quels pouvaient être ces buts ?

La consultation de l'apographe par son propriétaire

Le premier but semble être la consultation de l'apographe par
son propriétaire.

Ce propriétaire était d'abord l'auteur même. Il le gardait sans
doute à sa disposition, et le consultait pour la rédaction de ses
ouvrages ultérieurs. Sans doute est-ce pour cette raison que ces
apographes semblent avoir été constitués avec les procédés ordinaires
qu'on employait pour les manuscrits, et de sorte à pouvoir les utiliser
au rang d'un manuscrit répondant aux normes habituelles de présentation.

Après la mort de l'auteur, l'apographe de l'ouvrage était à la
disposition du propriétaire subséquent du manuscrit. Si l'hypothèse se
confirme que certains apographes des Quodlibets d'Henri de Gand
auraient été conservés, comportant des corrections et additions de
l'auteur (mais nous gardons la porte ouverte à d'autres hypothèses),
ces apographes auraient passé après la mort d'Henri dans la propriété
de Godefroid de Fontaine, son compatriote et, selon J. Wippel dans
un ouvrage récent, son ancien disciple (18). Godefroid a marqué son
intérêt pour ces apographes, en y ajoutant de sa propre main des
tables de matière, qui en facilitaient la consultation.

L'emprunt éventuel de l'apographe par un autre érudit pour le consulter

Un des manuscrits directement copiés de l'exemplar universitaire de tous les Quodlibets d'Henri de Gand, est le ms. PARIS, Arsenal, 455-456. Ce manuscrit a appartenu au Collège de Navarre à Paris, et a été utilisé d'une façon intense et sans doute prolongée par un érudit médiéval qui a apposé dans ce manuscrit de sa propre main des nombreux schèmes, et une série de leçons conjecturales qui rapprochent le texte de celui de l'apographe. On se demande si cet érudit n'a pas eu pendant un certain temps l'apographe à sa disposition, qu'il a pu emprunter chez son propriétaire, ou éventuellement dans l'atelier s'il s'y trouvait.

L'emprunt éventuel de l'apographe par un érudit pour en faire copier des extraits

Dans la collection des Quodlibets d'Henri de Gand qui appartenait à Godefroid de Fontaines, les apographes probables semblent avoir été complétés par d'autres manuscrits, mais pour les trois derniers Quodlibets d'Henri, Quodlibets XIII à XV, on y trouve des extraits de ces Quodlibets qui semblent avoir été copiés pour le compte de Godefroid de Fontaines. Dans son édition critique du Quodlibet XIII. J. Decorte émet l'hypothèse que ces extraits auraient pu être repris non à l'exemplar universitaire mais bien à l'apographe. Cette édition critique, vient de paraître et on peut donc (19) juger directement de l'argumentation proposée.

La copie éventuelle d'un ouvrage entier à partir de l'apographe, non de l'exemplar universitaire

Le seul cas que nous avons constaté jusqu'ici dans les oeuvres d'Henri de Gand, c'est celui de l'apographe du Quodlibet X, copié dans un manuscrit constitué à Paris, mais qui se trouve depuis le moyen âge dans l'abbaye cistercienne de Pelplin et contient les Quodlibets V à XI d'Henri de Gand. Le fait que ce manuscrit est arrivé à l'abbaye cistercienne de Pelplin est normal. Les étudiants de ces abbayes qui allaient étudier à l'Université de Paris, étaient souvent chargés de faire copier pendant leur séjour à Paris des ouvrages importants pour la bibliothèque de leur abbaye, et de les y rapporter à leur retour après leurs études à Paris. Ce qu'il est intéressant de constater, c'est que pour ce Quodlibet X cet apographe qui a été transcrit pour le manuscrit de Pelplin, est justement celui qui manque dans la collection qui pourrait avoir été celle d'Henri de Gand, et y est remplacé par ce qui semble bien avoir été le modèle de cet apographe. Aurait-il y eu un accord entre l'auteur et le chef de l'atelier, pour que l'atelier pourrait garder l'apographe ? Dans ce cas, l'atelier qui disposait alors de l'apographe, aurait pu le laisser copier pour le Quodlibet X au lieu de l'exemplar. La raison pourrait être tout simplement qu'au moment où on devait commencer la copie de ce Quodlibet X pour l'abbaye de Pelplin, la première pièce de l'exemplar universitaire de ce Quodlibet fit défaut à l'atelier, et qu'on aurait commencé à copier l'apographe, et aurait continué à le copier jusqu'à la fin du Quodlibet X, pour reprendre à partir du début du Quodlibet XI la copie de l'exemplar universitaire. De toute façon, le fait que l'apographe du Quodlibet X a été copié dans ce manuscrit, est indéniable.

Un deuxième exemplar universitaire éventuel du même ouvrage

Pour certains ouvrages, deux exemplars peuvent avoir été constitués en principe dès le début, comme l'a montré H. D. Saffrey dans une édition critique (20). Il s'agirait alors d'ouvrages pour lesquels on pouvait normalement s'attendre à une clientèle nombreuse. Nous nous limitons cependant ici au cas que nous avons pu examiner personnellement, notamment celui où, après un certain nombre d'années, on constitue un deuxième exemplar, à cause de l'usure du premier exemplar, dont la lecture était devenue difficile à certains endroits, etc.

De quel modèle ce deuxième exemplar était-il copié ? On s'attendrait à le voir copié directement du premier exemplar, si celui-ci était encore en bon état, sinon d'un bon manuscrit, qui en était copié, mais avait été corrigé avec soin, mais il faut de fait le vérifier pour chaque cas séparément. De toute façon, dans les éditions que nous avons constitué nous-mêmes, aussi bien pour l'édition universitaire que pour l'édition monastique, c'est cela que nous avons constaté, mais nous ne voulons pas préjuger d'autres possibilités. Nous avons pu étudier ce cas e.a. dans l'édition critique du Quodlibet X d'Henri de Gand. Dans ce cas le premier exemplar avait été constitué vers 1287, le deuxième probablement après 1304. Dans ce cas le deuxième exemplar, malgré tout le soin qu'on y a apporté, constitue une étape ultérieure dans la détérioration du texte, bien que pour certains passages il corrige des fautes qui subsistaient encore dans le premier exemplar dans son état le plus ancien.

Dans le cas où deux exemplars auraient été constitués en même temps, il serait en principe possible qu'ils aient été tous les deux copiés directement de l'apographe. Si un deuxième exemplar a été constitué après un certain nombre d'années, il reste en principe possible que ce deuxième exemplar ait été copié directement de l'apographe. Pour pouvoir le prouver avec certitude, il serait souhaitable d'avoir un point de référence tout à fait sûr, p. ex. un manuscrit copié directement de l'apographe, ou du moins des extraits qui en seraient copiés directement.

La diffusion des ouvrages édités par le moyen d'un exemplar divisé en pièces est loin de s'arrêter ici, mais les étapes et formes de cette diffusion deviennent de plus en plus indirectes, et elles ne nous intéressent plus tellement pour l'édition critique. Nous les passerons en revue brièvement.

Les manuscrits de l'ouvrage intégral, transcrits ailleurs d'un manuscrit copié directement du premier exemplar universitaire

C'est le cas de tous les manuscrits qui ne sont pas copiés dans la ville universitaire où l'exemplar universitaire de cet ouvrage se trouvait. Ces manuscrits sont parfois copiés avec beaucoup de soin, mais comparés pour leur texte avec ceux copiés directement du premier exemplar universitaire, ils se montrent en général inférieurs. Cependant en certains cas le modèle en a été corrigé avec un soin méticuleux, de sorte qu'une copie manuscrite d'un tel modèle pouvait encore être d'une haute qualité. Il faut en plus être prudent dans un autre sens : il est possible en principe qu'un érudit ou un étudiant, qui a appris des habitudes de copie anglaises p. ex., parce qu'il avait d'abord fait des études à Oxford, pouvait se rendre ensuite à l'université de Paris pour y continuer ses études ou y enseigner, et que pendant son séjour à Paris il copiait avec ses habitudes anglaises de copie un exemplar universitaire parisien de cet ouvrage. En d'autres termes, ce manuscrit qui est ensuite rentré avec lui en Angleterre, bien qu'il se présente comme étant d'une main anglaise, aurait pu être copié de fait directement de l'exemplar universitaire à Paris, et puisqu'il s'agit d'un érudit, les indications explicites de pièces n'y auraient pas été apposées. Des indications implicites de pièces qu'on y relèverait éventuellement, pourraient nous aider ici à voir clair, malgré la nationalité du copiste, dans l'endroit de copie exact de ce manuscrit.

Ces manuscrits déjà copiés indirectement, peuvent encore être recopiés ultérieurement. Cela a conduit de toute façon à une dégradation ultérieure du texte.

Les extraits de tels ouvrages

En général il semble utile pour une édition d'Opera Omnia d'un auteur médiéval, de chercher aussi ces extraits, à moins que le nombre des manuscrits de ses ouvrages ne soit pas vraiment trop grand. Cependant, quand il s'agit ensuite de faire l'édition critique de ces ouvrages, ces extraits peuvent en général être négligés, sauf pour un cas spécial, comme celui qu'on a mentionné plus haut, où ils seraient copiés directement de l'apographe, ou bien dans le cas où ils seraient copiés directement de l'exemplar universitaire. Ce deuxième cas n'est pas exclu. Nous avons trouvé en effet dans une collection des questions de morale et de pastorale des 15 Quodlibets d'Henri de Gand, qui a été constituée pour le compte de maître Nicolas de Bar-le-Duc, quelques indications de pièce correspondant au premier exemplar parisien des Quodlibets d'Henri de Gand (21). De toute façon, par prudence, pour des collections semblables d'extraits d'une certaine étendue se rapportant à un Quodlibet d'Henri de Gand, nous les examinons au même pied que les manuscrits contenant son texte intégral.

Il faut cependant distinguer soigneusement des extraits les feuillets des manuscrits de l'ouvrage entier, arrachés à ces manuscrits qui étaient défaits, et employés comme des feuillets de garde. Ces feuillets de garde repris à un manuscrit entier, doivent être étudiés à notre avis, du moins pour un auteur qui n'a pas un nombre vraiment trop grand de manuscrits, avec le même soin que les manuscrits qui contiennent l'ouvrage intégral. Ils peuvent être précieux, p. ex. pour constituer un témoin en plus pour un deuxième exemplar autrement peu attesté.

Les Abbreviationes et Impugnationes médiévales de ces ouvrages

Elles ont contribué à la diffusion et "digestion" médiévale, si l'on veut, de ces ouvrages, et il est utile de les chercher et même de les décrire dans l'heuristique d'une entreprise d'édition critique des Opera Omnia d'un auteur médiéval, mais ils sont à négliger pour l'édition critique. On peut trouver une série de descriptions de tels ouvrages dans la Bibliotheca manuscripta Henrici de Gandavo.

Les anciennes éditions humanistes

En général il semble que pour ces éditions humanistes on copiait pour les premières épreuves d'imprimerie un manuscrit clair et complet, mais qu'ensuite ces épreuves d'imprimerie étaient "corrigées" selon les critères de l'édition humaniste. Il est utile de chercher à savoir de quel manuscrit une telle édition a été copiée d'abord, si ce manuscrit existe encore. Les préfaces de ces éditions peuvent parfois nous donner des renseignements utiles, comme c'est le cas pour l'édition de la Summa d'Henri de Gand par l'imprimeur Badius à Paris en 1520 (22).

Les éditions subséquentes

Il faut les mentionner, et il est utile de donner les références en marge du texte édité aux pages et parties de pages des principales éditions, mais pour la constitution du texte elles peuvent être négligées.

II. LA TECHNIQUE DE L'EDITION CRITIQUE DE CES OUVRAGES, QUI TACHE DE REMONTER CE CHEMIN, ET DE RECONSTITUER LE TEXTE ORIGINAL DE L'AUTEUR

Cette technique est sans doute ce qui importe le plus, mais beaucoup d'éléments ont été donnés dans ce qui précède, et la technique utilisée dans nos éditions, se retrouve dans l'introduction des éditions critiques déjà parues des ouvrages d'Henri de Gand, et dans l'article Die Editionstechnik der "Opera Omnia" des Heinrich von Gent. Pour ce public d'éditeurs expérimentés, qui ont déjà une méthode éprouvées, nous nous contentons ici de retracer brièvement le chemin à parcourir, avec quelques observations qui peuvent peut-être alimenter une discussion.

L'édition Léonine, ce grand pionnier en tout ce qui concerne l'édition critique des ouvrages dont nous traitons ici, en est arrivée à voir l'édition critique de ces ouvrages comme un ensemble, qui comporte autant d'éditions critiques qu'il y a des pièces de l'exemplar universitaire. Ce point de vue nous semble parfaitement exact.

L'heuristique des manuscrits

Cependant, au début de l'édition de tels ouvrages, il faut faire ce qu'on fait pour toute bonne édition critique: une heuristique aussi complète que possible des manuscrits de l'ouvrage, en en commandant les microfilms. S'il n'y a pas un nombre très étendu de manuscrits, il vaut mieux travailler avec des agrandissements. Les inventions récentes en matière d'agrandissements de microfilms ont fait baisser considérablement le prix de ces agrandissements tout en sauvegardant leur qualité, et ces agrandissements permettent un contrôle beaucoup plus facile des manuscrits. Il faut tâcher autant que possible de dépister jusqu'au dernier manuscrit de l'ouvrage qu'on veut éditer. Dans l'entreprise des HENRICI DE GANDAVO Opera Omnia cette heuristique prend la forme de la Bibliotheca manuscripta Henrici de Gandavo, qui comprend aussi des descriptions parfois étendues de manuscrits, et dont nous avons commencé déjà la rédaction d'une Continuatio, mais les autres entreprises d'Opera Omnia ont d'autres méthodes qui sont adaptées au cas de leur série, et qui sont les meilleures méthodes pour leur cas.

L'heuristique des indications de pièces explicites et implicites

Dès le début de l'édition critique d'un tel ouvrage cependant, son caractère propre apparaît, parce qu'une deuxième heuristique doit dès le début accompagner la première : c'est l'heuristique des indications de pièces explicites et implicites. Il faut reconstruire l'exemplar universitaire de l'ouvrage, ou les différents exemplars universitaires.

Cette reconstruction ne peut se faire que progressivement. Nous tâchons de reconstruire chaque exemplar d'un Quodlibet d'Henri de Gand sous la forme d'un tableau, mais chaque éditeur a ses propres méthodes. Malgré le fait que le deuxième exemplar de ces Quodlibets est beaucoup moins attesté, et pour certains Quodlibets ne semble pas avoir existé, nous avons pu cependant donner pour le Quodlibet X une ébauche comprenant une série d'indications de pièces du deuxième exemplar. Dans les éditions critiques du Quodlibet IX et du Quodlibet XIII nous avons réussi à donner des tableaux aussi pour la structure du deuxième exemplar.

Il faut chercher systématiquement toutes les indications de pièces explicites et implicites qu'on peut trouver, et continuer à le faire : plus on en a trouvées, plus l'édition est sûre. Dans ce but il s'imposera pour certains manuscrits à pièces particulièrement importants d'aller sur place, pour chercher directement sur les manuscrits mêmes jusqu'aux dernières indications de pièces, qu'on dépiste parfois moins facilement sur les microfilms. Il faut tâcher d'arriver pour chaque transition de pièce à avoir au moins une indication de pièce explicite dans un manuscrit, ce qui peut nous demander un examen réitéré sur place de certains manuscrits.

L'examen comparatif du texte de tous les manuscrits pour une partie de chaque pièce du premier exemplar universitaire

Une fois les exemplars universitaires recomposés au moins dans la mesure du possible, il s'impose, comme dans toutes les éditions critiques, de faire un examen comparatif de tous les manuscrits sur un pied d'égalité, en les comparant tous de préférence à un manuscrit qui contient un texte de bonne qualité. Dans ce cas-ci d'édition critique il faut exécuter cette comparaison du texte des manuscrits sur une partie égale de chaque pièce du premier exemplar universitaire.

Evidemment on compare le texte de la première main, c'est-à-dire du copiste, car c'est ce texte-là qui reflète la leçon du modèle. Mais en ajoute par après les corrections du correcteur. Dans nos éditions d'Henri de Gand nous les apposons en général entre parenthèses après la leçon du copiste.

La constitution du tableau des accidents isolés et l'étude des accidents communs

Il en résulte une série d'accidents communs des manuscrits et une série d'accidents isolés pour chaque manuscrit.

La constitution d'un tableau global des accidents isolés par manuscrit pour chaque pièce, où les manuscrits sont classés par nombre montant d'accidents isolés, semble utile pour une première classification, mais ce tableau des accidents isolés doit être interprété avec une grande prudence.

Dans l'édition critique du Quodlibet IX d'Henri de Gand (23), nous avons tâché d'étendre cette méthode aussi aux accidents communs. Dans une table à part nous dressons d'abord la liste détaillée des accidents communs trouvés dans chaque pièce, ce qui nous permet de reconstruire les groupes de manuscrits. En plus des exemplars, qui constituent chacun un groupe marqué par leurs accidents communs, il y a en général des petits groupes de manuscrits qui semblent provenir plutôt de la diffusion locale ultérieure de l'ouvrage. Cette table détaillée nous a permis d'arriver ensuite à un tableau global où maintenant ce sont les groupes de manuscrits qui sont classés selon leur nombre croissant d'accidents communs. Cette méthode a aussi été appliquée dans l'édition critique du Quodlibet XIII. Disons que c'est un essai qui a donné de bons résultats dans le cas de ces deux éditions. Il reste à examiner si cette méthode donnerait des résultats satisfaisants pour des cas d'édition critique différents.

La constitution du schéma de la filiation des manuscrits

Dès que le tableau des accidents isolés a été constitué et qu'on a fait une étude systématique des accidents communs, on dispose d'une première base aproximative pour juger de la valeur comparée du texte des groupes et des manuscrits individuels. Mais l'édition critique est surtout une reconstitution historique du texte de l'ouvrage original. Il faut donc arriver à un schéma de la filiation des manuscrits, où chaque manuscrit doit trouver une place. Pour ce schéma il faut se baser avant tout sur l'heuristique des indications de pièces explicites et implicites (aussi les indications implicites ont une grande valeur), qui nous aide à situer avec certitude une grande partie des manuscrits vis-à-vis d'un exemplar universitaire. Il faut donc chercher à rétablir dans l'introduction critique pour l'ouvrage édité la constitution et la diffusion historique que nous avons tracées en général dans la première partie de cet exposé, mais appliquée à ce cas particulier, pour pouvoir remonter par cette voie jusqu'au texte original de l'ouvrage édité. Dans l'édition critique de ces ouvrages, à ce qu'il semble, il y a deux étapes à franchir : la première consiste à reconstituer aussi fidèlement que possible, le texte du premier exemplar universitaire de l'ouvrage ; la seconde, à remonter le plus possible au delà du texte de ce premier exemplar universitaire, pour reconstituer le texte de l'original de l'auteur.

Le choix des manuscrits à collationner en entier pour la reconstitution de l'exemplar (éventuellement des exemplars) universitaires

Ce schéma de la filiation des manuscrits nous aide à nous débarrasser de bien du poids superflu. Toute l'attention se concentre dorénavant sur le sommet du schéma. Nous pouvons maintenant tout de suite choisir 4 à 5 des meilleurs témoins (selon le tableau des accidents isolés) parmi les manuscrits copiés directement du premier exemplar universitaire. S'il y a eu dans la suite un deuxième exemplar, il faut collationner en entier un nombre proportionné de ses manuscrits qui en sont copiés directement, en se basant sur la comparaison générale des manuscrits qui nous donne une idée de la valeur de ce deuxième exemplar quant au texte. L'idéal nous semble être de publier dans le texte critique l'original de l'ouvrage et dans l'apparat critique le texte de l'ouvrage comme il se trouvait dans les deux exemplars consécutifs. Mais cet idéal sera sans doute irréalisable dans beaucoup de cas. Toutes les relations des manuscrits (et des éditions) situés plus bas dans le schéma de la filiation des manuscrits nous semblent être du superflu, mais on peut en traiter brièvement dans l'introduction critique.

Le choix des manuscrits à collationner en entier pour remonter au delà de l'exemplar universitaire et reconstituer l'original de l'ouvrage

Les éditions critiques des érudits contemporains nous montrent que dans bien des cas on arrive de fait à retrouver des manuscrits qui, comme les éditeurs s'expriment souvent, "appartiennent à la sphère de l'auteur". C'est précisément pour cela qu'une heuristique aussi poussée que possible des manuscrits de chaque ouvrage est nécessaire, et qu'une bonne description codicologique est si précieuse parfois.

Il nous semble donc qu'après la constitution de ces tableaux et de ce schéma de la filiation des manuscrits, il faut tâcher de compléter, s'il y a moyen, le sommet du schéma de la filiation des manuscrits pour tout ce qui est au-dessus du premier exemplar universitaire. Pour cela il faut examiner dans une section ultérieure de l'introduction critique tout ce qu'on a pu trouver par la comparaison du texte des manuscrits et par d'autres moyens et qui peut nous aider à dépasser l'exemplar et à nous rapprocher de l'original.

Il y a des signes importants de la présence, ou du moins de la proximité de l'auteur.

D'abord, la codicologie, et en général les recherches historiques, peuvent nous aider. Ainsi la note médiévale apposée dans le manuscrit contenant cette collection d'auteur des ouvrages de Jacques de Jüterbog, et les témoignages historiques concernant les ouvrages d'Hadrien VI écrits de sa propre main, sont d'une importance capitale pour l'édition critique de ces ouvrages.

Un autre signe important est qu'on trouve dans l'un ou l'autre manuscrit des leçons évidemment supérieures à la leçon du premier exemplar universitaire, ou même les seules correctes, tandis que le texte du premier exemplar universitaire est manifesteent fautif.

La découverte dans un certain manuscrit de corrections d'auteur (ou éventuellement des traces de telles corrections) est évidemment un signe très important. Pour prouver qu'il s'agit de vraies corrections d'auteur, il peut être utile de distinguer dans son introduction critique les différentes couches de rédaction successives, qui se trouvent dans le même manuscrit. C'est ce que nous avons tâché de faire dans notre édition critique du Quodlibet X d'Henri de Gand (24).

Quand on a déjà une série d'arguments dans le texte, il semble utile de montrer aussi la supériorité de la ponctuation de ce manuscrit sur celle du reste de la tradition, ou du moins du premier exemplar.

Quand on a trouvé l'un ou l'autre manuscrit qui remonte plus haut que l'exemplar, éventuellement une copie de l'apographe, ou éventuellement l'apographe même, il faut le collationner en entier pour la constitution du texte critique, et en principe il doit devenir le manuscrit de base de cette édition, ce qui comporte cependant qu'il faut le corriger ci et là par le premier exemplar universitaire.

La constitution du texte critique, de l'apparat critique et de l'apparat des citations

La collation en entier de ces manuscrits sélectionnés va de pair avec la constitution de l'apparat critique.

Au cours de cette collation, il est utile d'aller recontrôler tout de suite certains manuscrits déjà collationnés quand une occasion semble se présenter pour compléter certains accidents communs. Pour cela il est recommandé d'avoir du moins les manuscrits à collationner en entier pour la constitution du texte critique, à sa disposition sous la forme d'agrandissements, quand il n'y a pas trop de manuscrits. Quand il y a beaucoup de manuscrits, la manière de travailler de l'Edition Léonine avec des fragments de microfilms et un écran pour reproduire le texte semble être une méthode rapide et efficace.

Tout de suite après avoir collationné en entier tous ces manuscrits, et peut-être déjà plus tôt, il faut identifier les citations. Il est à recommander de faire aller de pair dans ce but la constitution de l'apparat des citations avec la constitution de la table des citations qui doit faire partie des tables qui terminent le volume. La raison en est e.a. que cela nous aide pour uniformiser notre manière de formuler ces citations dans l'apparat des citations.

Après avoir collationné tous ces manuscrits, il est à recommander de collationner encore une dernière fois tout le texte de son édition critique avec le manuscrit de base, dont souvent des détails ont encore échappé à l'attention, et ensuite de relire encore une fois tout le texte critique du point de vue de son sens, e.a. aussi pour en améliorer encore la division en alinéas et la ponctuation. Ce dernier examen à partir du sens peut encore exiger certains retours aux manuscrits pour des contrôles supplémentaires.

Espérons que cet exposé a pu fournir quelques éléments utiles,

qui peuvent susciter entre les spécialistes présents des échanges
d'idée qui peuvent nous enrichir mutuellement.

NOTES

(1) The Latin Sermons of Odo of Canterbury, edited by   Charles de Clercq,
with the assistance of Raymond Macken (Verhandelingen van de Koninklijke Academie
voor Wetenschappen, Letteren en Schone Kunsten van België. Klasse der Letteren,
Jaargang 45, Nr. 105), Paleis der Academieën, Brussel, 1983.

(2) Cet article a été donné d'abord comme conférence dans la Ruhr-
Universität, Bochum, le 7 octobre 1980, puis dans l'Université de Louvain-la-
Neuve, le 8 décembre 1980, puis publié en allemand dans Franziskanische Studien,
83, 1981, (n° 3), p. 227-239.

(3) Cet article a été donné d'abord comme conférence à la 26. Tagung der
Franziskanischen Akademie, sur le "Mattli" près de Morschach (Brunnen, Suisse),
du 19 au 24 juillet 1982 ; il a paru dans Franziskanische Studien, 65 (1983)
Heft 1, p. 82-96.

(4) Cf. Henrici de Gandavo Quodlibet X. Edidit R. Macken (Henrici de Gandavo
Opera Omnia, XIV), Leuven University Press - E.J. Brill, Leiden, 1981, p. LXXIV-
LXXVI).

(5) Ephemerides Theologicae Lovanienses,59 (1983) p. 93-113.

(6) Cf. R. Macken, Bibliotheca manuscripta Henrici de Gandavo (Henrici
de Gandavo Opera Omnia, I-II), Leuven-Leiden, 1979, p. 50-53 (Cat. n° 13).

(7) Henrici de Gandavo Quodlibet X. Ed. R. Macken (Henrici de Gandavo Opera
Omnia, XIV), Leuven-Leiden, 1981, p. XLVII-LXVI et CV-CXI.

(8) Cf. R. Macken, Bibliotheca manuscripta Henrici de Gandavo, p. 205-209
(Cat. n° 54).

(9) Cf. Ibid., p. 207.

(10) Cf. Ibid., p. 732-736 (Cat. n° 188).

(11) Cf. Ibid., p. 733.

(12) G. Battelli, L'"exemplar" della Summa di Enrico di Gand, dans Clio et
son regard. Mélanges d'histoire de l'art et d'archéologie offerts à Jacques
Stiennon, Liège, 1982, p. 23-33.

(13) Dans Scriptorium,38 (1984) p. 5*-6*.

(14) Cf. Catalogue of Western Manuscripts... which will be sold by auction
by Sotheby Parke Bernet & C°... Day of Sale : Tuesday, 11th December 1979..., p.
40-41 (Lot 38).

(15) R. Macken, Une acquisition importante de la Bibliothèque Royale Albert
Ier de Bruxelles : un manuscrit de la 'Summa' d'Henri de Gand portant nombre
d'indications de pièces, dans Bulletin de Philosophie Médiévale, 26 (1984) p.
152-155.

(16) Cf. R. Macken, Bibliotheca manuscripta Henrici de Gandavo, p. 1274 et
les références données à cet endroit : cf. aussi ID., Quelques marginalia de

manuscrits médiévaux, dans Scriptorium, 28, 1974, p. 289.

(17) Cf. Henrici de Gandavo Quodlibet IX. Edidit R. Macken (Henrici de Gandavo Opera Omnia, XIII), Leuven University Press, 1983, p. XVIII.

(18) Cf. J. Wippel, The Metaphysical Thought of Godfrey of Fontaines. A Study in Late Thirteenth-Century Philosophy, Washington, 1981, p. XIX.

(19) Henrici de Gandavo Quodlibet XIII. Edidit J. Decorte (Henrici de Gandavo Opera Omnia, XVIII), Leuven University Press, 1985, LXXXIX + 265 pp. + 4 reproductions hors texte.

(20) H. D. Saffrey, Sancti Thomae de Aquino super librum De Causis Expositio (Textus Philosophici Friburgenses, 4/5), Fribourg-Louvain, 1954.

(21) Cf. R. Macken, Bibliotheca manuscripta Henrici de Gandavo, p. 634-644 (Cat. n° 163) ; Henrici de Gandavo Quodlibet I. Edidit ID., p. XXXIX.

(22) Cf. R. Macken, Les corrections d'Henri de Gand à sa Summa, dans Recherches de Théologie ancienne et médiévale, 44, 1977, p. 61-62.

(23) Henrici de Gandavo Quodlibet IX (Henrici de Gandavo Opera Omnia, XIII), Leuven University Press, 1983, LXXX + 381 pp.

(24) Cf. Henrici de Gandavo Quodlibet X. Ed. R. Macken, p. XLVII-LXVI et CV-CXI.

INDEX

I. Noms de personnes et d'ouvrages anonymes

Les titres d'ouvrages anonymes sont soulignés.

L'ordre alphabétique ne tient compte, ni de la préposition de, ni de la mention dit, dictus (abrégées en d.), ni de variations mineures telles que Jean-Jehan.

Abréviations utilisées

aut. : auteur
cop. : copiste
corr. : correcteur
d. : dictus, dit.
def. : defuncti
enl. : enlumineur
impr. : imprimeur
libr. libraire

m. : maître
parch. : parcheminier
poss. : possesseur
rel. : relieur
stat. : stationnaire
tav. : tavernier
trad. : traducteur

A

Aaliz a (de) Lescurel, libr., 92, 93

Abel, cop., 22

Accursius, aut. stat., 146, 261

Adam, cop., 22

Adam le Corrigeeur, libr., 83, 92, 97

Adenulphus de Anagnia, aut., 120, 159

Agnes rel. def. Guill. Aurelianensis, libr., 63, 92, 94

Alain le Jeune (le Genne), libr., 92

Alanus Brito, seruiens facult. decret., 92, 93, 111

Albertanus (Albertus Galeottus), aut., 137, 146, 152, 153

Albertus Magnus, aut., 25, 36, 58, 60, 156, 159, 283

Alexander J.J.G., 244

Alexander Aphrodisiensis, aut., 156

Alexander Halensis, cf. Summa fr. Alexandri

Alexander Nequam, aut., 155

Alphabetum narrationum, cf. Arnoldus Leodiensis

Ancidei G., 122, 126, 127, 131, 132

Andreas d. de Senonis, stat., 23, 56-60, 63-66, 68-71, 74-77, 88, 91, 92, 95, 99, 102,

155, 253

Andri l'Anglois, libr., 56, 65, 66, 92

Andri de Sens, cf. Andreas de Senonis

Angerandus, Aniorandus, cf. Engerandus

Annibaldo, cf. Hannibaldus

Anselmus S., 72, 87, 157

Antonius fr., poss., 24, 36, 63, 64

Archiepiscopus, cf. Hostiensis

Arditio, bedellus, 152

Aristotiles, 22, 83, 120, 122, 155, 156, 159, 165-204

Arnoldus Leodiensis, aut., 52, 159

Augustinus S., 22, 72, 87, 156, 157

Auicenna, 52, 151

Authentica (textus, apparatus...), 134, 136, 140, 146, 147, 149, 153

Avray (d') D., 160, 253, 261

Avril F., 53, 103, 106, 107

Azo, aut., 136, 146, 152, 153

B

Badius, impr., 301

Baleani M., 250

Baleini J., 205

Bandelli V., 36

Bari (groupe de), enl., 55, 107

Baron F., 90, 113

Bartholomeus Anglicus, aut., 59, 155, 156, 266, 269

Bartholomeus Brixiensis, aut., 117, 136, 140, 146, 153

Bartholomeus de S. Concordio, aut., 158

Bartholomeus Messanensis, trad., 165-204

Bartolomeo della Capella di S. Isaia, stat., 145

Bataillon, L.J., 30, 103, 107-109, 120, 131, 161, 253, 256, 291

Battelli G., 122, 126, 128, 131, 144, 153, 159, 283, 284, 295, 307

Baudet, cop., 22

Beatrix de Neuvirelle, 61

Beer E.J., 108, 109

Benton J., 106

Berger S., 106

Bériou N., 271

Bernardus S., 72, 87, 157

Bernardus Compostellanus Jr., aut., 118, 134, 137, 147

Bernardus Papiensis, aut., 120

Bernardus Parmensis, aut., 134, 146, 147, 153

Bertram of Middleton, poss., 45

Biblia sacra, 25, 52, 57, 61, 62, 151, 156, 157

Birkenmajer A., 36, 271

Boethius, 120

Boháček M., 29, 104, 133, 138, 140, 142, 150-152

Bonauentura S., aut., 156, 160, 205-208

Bonelli B., 205

Bonifacius VIII, 138

Bossuat R., 107

Bougerol J.-G., 107, 160, 253

Boyle L.E., 123, 242, 272

Bozzolo C., 37

Branner R., 42, 55, 85, 103, 107, 113

Brewer J.S., 104

Brounts A., 121, 122, 220, 275, 278, 284

Busa R., 242

C

Cahn W., 103, 106

Cenci C., 37

Cavallo G., 131

Chapotin M.-D., 109

Châtelain E., 86, 87, 95, 97, 103, 152, 160, 220, 254

Chaucer, 44

Chenu M.-D., 30, 75, 111, 116, 122, 160, 243, 244

Christ K., 30
Christophorus de Ravenelo, libr., cop., 92
Clark W.B., 108
Clémence de Hongrie, poss., 53
Codex Iustiniani, 134, 136, 146, 149, 270
Colin de la Chastelet, libr., 92
Colin de la Lande, libr., 92
Colin le Librere, 92
Colinus Tranchemer, libr. stat., 92
Collectiones (collationes) fratrum, 261, 263
Concordancie, 58, 60, 73, 84
Conerardus (Corrardus) Alemanus, libr. stat., 92
Constantinus Vrbeuetanus, aut., 158, 162
Conti A., 134, 150
Correctoria biblica, 61
Corpus iuris ciuilis, 140
Corpus iuris canonici, 141

D

Damasus, aut., 136, 147, 152
Daniel de Loctey, libr., 92
Dante Alighieri, 27
De Clercq Ch., 307
Decorte J., 123, 298
Decretales, 133, 134, 136, 142, 146, 147, 149
Decretum (cf. Grfatianus), 134, 136, 143, 146, 149
De Hamel C., 85, 113
Delalain P., 42, 103
De la Mare A., 242
De la Torre B., 242
Delisle L., 32, 78, 106, 111, 271
De Lucca G., 330
Denifle H., 29, 86, 87, 95, 103, 125, 130, 132, 133, 149, 151, 152, 160, 175, 199, 220, 242, 254
Destrez J., 9-15, 23, 24, 29, 30, 35, 36, 41-46, 71, 74, 75, 104, 106, 107, 110-112, 115-117, 119-122, 125-134, 142, 150, 151, 157, 158, 160, 161, 171, 200, 223, 239, 243-245, 262, 272, 275, 280, 281, 284
Dieta salutis, 159
Digestum nouum (textus, apparatus...), 134, 144, 146, 149, 153
Digestum uetus (textus, apparatus...), 128, 134, 144, 146, 149, 151, 153, 261
Dionysius (ps.), 25, 156
Dondaine A., 36, 112, 242, 243, 284
Dondaine, H.-F., 36, 72, 111, 160, 242
Doucet V., 37
Doyle A.I., 44, 104
Du Cange C., 152
Durandus de Sancto Porciano, 158, 161

E

Egidius, cf. Gile
Egidius Fuscararius, aut., 137, 146, 152
Egidius de Roma, aut., 156, 159, 160, 253-264
Egidius de Viuariis, libr. stat., 93, 99
Engerandus, m. (cf. Ingerandus de Cantiers), 266, 267, 271
Etienne, cf. Stephanus
Estienne le Roy, rel., 102
Euerardus de Valle Scolarium, aut., 159
Evrart de Conty, aut., 27, 37
Euw (von) A., 108

F

Faider P., 35
Feenstra R., 140, 152
Feudorum (Vsus), cf. Vsus feudorum
Fink Errera G., 13-15, 30, 106, 116, 121-123, 131, 157, 260, 275, 284
Fischer H., 151

Fortin de l'Escurel, libr., 92, 93
Fransen G., 120, 122
Frati L., 131, 150

G

G. de Mortuo Mari, cop., 111
Galenus, 118, 151
Galterus, cop., 265
Galterus de Brugis, aut., 158
Gaufridus, cf. Gefroi
Gaufridus Brito, notarius, 93, 110
Gaufridus Burgundus, libr. stat., 93
Gaufridus de Euillare, libr., 93
Gaufridus le Cauchois, libr. stat., 93
Gaufridus d. le Normant, 51, 93, 97, 102
Gaufridus Lotharingus, libr. stat., 51, 93
Gaufridus de Sancto Leodegario, libr., 43, 48, 53-56, 93, 98, 104, 106
Gaufridus de Vico Nouo, cf. Gaufr. de S. Leodegario
Gauthier R.-A., 29, 30, 35, 37, 79, 112, 126, 131, 150, 170, 200
Gefroi (Giefroi) de Biauvez, libr., 93
Gefroi l'Escrivain, 56, 57
Genest J.-Fr., 128, 129, 132, 150, 160
Geoffroy, cf. Gaufridus, Gefroi
Gerardus, m., 266, 267
Gerardus de Abbastisvilla, aut., 60, 74, 75, 158, 162
Gerardus de Fracheto, aut., 108
Gerardus Odonis, aut., 158, 161
Géraud H., 103, 107
Gervasius Claudus, 266, 267
Gilbertus de Hollandia, libr., 94
Gile, cf. Egidius
Gile de Soissons (Sessons) libr., 92
Gils P.-M., 30, 60, 107, 108, 112, 242, 244
Glénisson J., 12

Glorieux P., 271
Glosa ordinaria, 25, 156
Gndbertus, poss., 31
Godofridus de Fontibus, aut., 156, 291, 297, 298
Goffredus de Trano, aut., 136, 147
Gower, aut., 44
Grandes chroniques de France, 53, 54
Gratianus, aut. (cf. Decretum), 25, 26, 36, 52
Gregorius, cop. corr., 110, 266, 267, 271
Gregorius Magnus, 87, 158
Gregorius IX (cf. Decretales), 134
Gregorius X, 134, 138, 141, 149, 151
Gude de Biaune, libr., 94
Guérard B., 104
Guérard M., 35
Guérin l'Englois, libr;, 94
Gui de la Tour, év. de Clermont, 85
Guiart des Moulins, aut., 53
Guibertus de Tornaco, aut., 158
Guichart-Tesson F., 37
Guidomarus de Cuomeneuc, libr., 94
Guillaume d'Auvergne (l'avergnat) libr., 90, 94
Guillaume de la Court, cf. Guillelmus de Curia
Guillaume le Librere, enl., 90, 94, 95
Guillaume de Sens, libr. cf. Guillelmus Senonensis
Guillaume de Sens, m., 107
Guillelmus Accursii, aut., 147
Guillelmus de Altona, aut., 156
Guillelmus Astrolabifer, 266, 267
Guillelmus de Aurelianus (Aurelianensis), libr., 63, 92, 94
Guillelmus Autissiodorensis, aut., 158
Guillelmus Brito, aut., 58, 156
Guillelmus Brito, poss., 32
Guillelmus de Caioco, aut., 159, 162

Guillelmus de Caprosia, libr., 94
Guillelmus de Cortraco, aut., 157
Guillelmus de Cumbaculo, libr. stat., 94
Guillelmus de Curia, libr. stat., 51, 94
Guillelmus Durandi, aut., 116, 138, 152
Guillelmus de Garlandia, libr. stat., 94, 97
Guillelmus Herberti, libr. stat., 95
Guillelmus d. le Bourgignon, libr. stat., 93, 94
Guillelmus le Grant, anglicus, libr. stat., 51, 95
Guillelmus de Malliaco, aut., 60, 157
Guillelmus de Militona, aut., 58, 156, 158
Guillelmus de Moerbeka, trad., 118
Guillelmus de Ockham, aut., 117, 158
Guillelmus Panzo, aut., 147, 152
Guillelmus Peraldus, aut., 159, 162
Guillelmus d. de Pointona, libr., 52, 95
Guillelmus de Sancto Amore, aut., 158, 162
Guillelmus de Sancto Clodoaldo, aut., 267, 272
Guillelmus Senonensis, O.P., 108
Guillelmus de Senonis (Senonensis), stat., 17-19, 22-24, 58-64, 68-70, 72, 74, 75, 79-81, 84, 88, 89, 91, 95, 99, 102, 104, 155, 266, 269, 270
Guillelmus de Ware, aut., 158, 161
Guillermus, cf. Guillelmus
Guiral Ot, cf. Gerardus Odonis.
Gunten (von) F., 242
Guyot B.-G., 12, 35, 107, 243, 253

H

Hadrien VI, 288, 289, 291, 292
Haenel G., 150
Hamer R., 107
Hannibaldus de Hannibaldis, aut., 158, 162
Helias de Bivilio, O.M., 28
Hellin de Comines, O.P., 109
Henri le Petit, libr., 90, 94, 95
Henricus Anglicus (v. 1300-1330), stat., 24, 36, 64-66, 95, 109
Henricus Anglicus (v. 1374) stat., 109, 110
Henricus de Cornubia, libr., 95, 200
Henricus de Gandauo, aut., 116, 155, 156, 162, 275-284, 285-308
Henricus Guilloti, libr., 88, 95
Henricus le Franc de Venna, anglicus, libr;, 95, 110
Henricus de Lechlade, anglicus, libr., stat., 29, 36, 95, 110
Henricus d. de Nevham (de Nevanne), libr. stat., 36, 95, 110
Henricus de Segusio, cf. Hostiensis
Herbertus de Martray, libr. stat., 96
Herneis le Romanceur, libr., 55, 96, 107
Hervé, cop., 22
Hieronymus de Morauia, aut., 37, 159
Hinnebusch F., 108
Histoire de Troyes, 55
Historia scholastica, cf. Petrus Comestor
Honoré, enl., 54
Hostiensis, aut., 135, 140, 141, 147, 152, 153
Hugo de Matiscone, m., 88
Hugo de Nouo Castro, aut., 158, 161
Hugo de Sancto Caro, aut., 44, 61, 84, 158, 162

Hugo de Sancto Victore, aut., 87
Huguccio, cf. Vguccio
Humbertus de Pruliaco, aut., 159

I

Iacobus Blancheti, libr., 96
Iacobus Columbi, aut., 146, 148
Iacobus de Jüterbog (de Paradiso, Carthusiensis), aut., 291, 292
Iacobus de Losanna, aut., 158, 161
Iacobus de Treciis, libr. stat., 96
Iacobus de Troanco (Troencio), libr. stat., 51, 63, 96, 98
Iacobus de Viterbio, aut., 271
Iacobus de Voragine, aut., 54, 60, 154
Iacopino da Reggio, enl., 134
Illuminatus de Chieti, cop., 28
Infortiatum (textus, apparatus...), 134, 142, 146, 149, 153
Ingerrandus de Cantiers, cf. Engerandus
Innocentius IV, 134, 135, 148, 149, 152
Institutiohes (textus, apparatus...), 134, 136, 146, 147, 149, 151, 153
Iohanna, Iohannes, cf. Jehanne, Jehan
Iohanna, relicta def. Rich. de Monte Baculo, libr. enl., 63, 96, 100
Iohannes, cop., 266, 268
Iohannes de Abbatisuilla, aut., 158, 162
Iohannes de Altauilla, aut., 59, 265
Iohannes Andree, aut., 118, 129, 256
Iohannes de Anglia, libr. stat., 96
Iohannes Anglicus de Duntonia, cop., 52
Iohannes Bassianus, aut., 146, 148, 149
Iohannes de Beluaco, libr., 96
Iohannes de Briquebec, m., 105

Iohannes Brito iuuenis, libr. stat., 96
Iohannes Brito, al. de Sancto Paulo, libr. stat., 51, 96, 97, 102
Iohannes Cornubyensis, stat., 170, 200
Iohannes de Deo, aut., 137, 141, 143, 148, 153
Iohannes Duns Scotus, aut., 158, 161, 283
Iohannes de Fonte, libr. stat., 97
Iohannes de Friburgo, aut., 159, 162
Iohannes Gallensis, aut., 120
Iohannes de Garlandia, libr., 51, 94, 97
Iohannes Garsias, aut., 134, 135, 138, 139, 148, 151
Iohannes de Gonesse, poss. cop., 78, 79, 83, 270
Iohannes de Guyendale anglicus, seruiens univ., 92, 93, 97
Iohannes Ianuensis (Balbi), aut., 153
Iohannes d. le Normant, libr., 51, 93, 97, 102
Iohannes Magni, libr. stat., 97, 98
Iohannes de Meilac (Meilar), libr. stat., 67, 97
Iohannes Parui anglicus, libr. stat., 97
Iohannes d. Persenal, cop. libr., 98
Iohannes de Pointona (Pontona), libr., 52, 95, 97, 98
Iohannes Pouchet, libr. stat., 98
Iohannes d. Prestre Jean (Presbyter), 98
Iohannes de Remis, libr. stat., 52, 98
Iohannes de Rupella, aut., 27, 28, 158, 162, 262
Iohannes de Sacrofonte, poss., 52
Iohannes de Sancto Leodegario, libr. stat., 98
Iohannes de Semer anglicus, libr. stat., 98
Iohannes de Siccauilla, aut., 59,

156
Iohannes Vachet, libr. stat., 97, 98
Iohannes de Varziaco (Verdiaco), aut., 58, 207, 208
Iohannes de Vico Nouo, libr. stat., 96-98
Isidorus S., 87
Iustinianus (cf. Authentica, Codex, Corpus iuris ciu., Digestum, Infortiatum, Institutiones, Tres libri codicis), 25, 55, 270

J

Jean II le Bon, 54, 55
Jehan aus Beus (Bues), cf. Jehan de S. Pere aus Bues
Jehan Blondel, libr., 96
Jehan Courageus, cf. Jehan le Corrigeeur
Jehan de Garlande (Guellande), cf. Iohannes de Garlandia
Jehan l'Anglais, cf. Iohannes de Garlandia
Jehan le Blont, 90
Jehan le Corrigeeur, libr., 83, 96
Jehan le Fort, 90
Jehan le Librere (rue de Versailles), regrattier, 90, 96
Jehan le Librere (Saint Eustache) 90, 96
Jehan de Meun, aut., 56, 57
Jean Pucelle, enl., 54, 98
Jehan de Saint Pere aus Bues, libr., 96-98
Jean de Vignay, trad., 54, 106
Jeanne de Bourgogne, poss., 53, 54
Jeanne de Flandre et de Hainaut, 53, 109
Jehannot le Corrigeeur, cf. Jehan le Corrigeeur
Juliane la Normande, libr., 98
Julienne fame Alain le Joenne, 92, 98

K

Kaeppeli Th., 29, 37, 131-133, 150, 156, 163, 261
Ker N.R., 104, 240
Kibre P., 104
Knowles Chr., 106
Kowalczyk M., 37
Kramer S., 240
Kuttner St., 122

L

Lacombe G., 199, 200
Lancelot, 55
Laurencius, cop., 69, 265, 269
Légende dorée (cf. Iacobus de Voragine), 54, 107
Lemaigre B. M., 243
Lerner R.E., 109
Le Roux de Lincy, 106
Liber de causis, 126
Liber sextus decretalium, cf. Sextus
Libri G., 150
Light L., 109
Little A.G., 243
Lohr Ch. H., 120, 122
Louis X le Hutin, 53
Louis I de Bourbon, poss., 53
Luna C., 123, 126, 127

M

Mabille M., 270, 272
Macken R., 117, 122, 162, 283, 284, 307, 308
Maffei D., 152
Mahaut d'Artois, poss., 53, 99
Mahaut de Béthune, poss., 61, 109
Mahiet, enl., 106
Maier A., 122, 291
Mandonnet P., 228, 243
Margareta, uxor quond. Iacobi de Troancon libr. stat., 51, 63, 96, 98
Margareta, uxor Nicholai de

Zelandia, libr. stat., 62, 99, 100

Margerite de Flandre et de Hainaut, 61

Marguerite de Sanz, marchande de livres, 56, 58, 59, 62, 63, 65, 70, 75, 91, 95, 99, 102

Martinus Syllimani, aut., 136, 148, 149

Matheus de Attrebato, libr. 99

Matheus Vavassor (le Vauvasseur), libr., 52, 99, 106

Matt., corr., 84

Mauritius de Pruuinis, aut., 59, 156, 157, 161

Ménilglaise G., 106

Michael de Nouirella O.P., 61, 62

Michael de Viuariis, libr. stat., 93, 99

Michaëlsson K., 88, 103, 105, 107

Michiel de Vacqueria, libr. stat., 99

Minio-Paluello L., 199

Muratori L.A., 205

Mynors R., 283

N

Naz R., 151

Nicolas d'Estampes, libr., 99, 101

Nicolas l'Anglois (l'Englois), cf. Nicolaus d. Petit Clerc

Nicolas le Librere (le Lieeur, !'Anglois), rel., 99

Nicolaus III, 134, 139, 151

Nicolaus, parch., 85

Nicolaus de Barro Ducis, poss., 300

Nicolaus de Biard, aut., 59, 60, 157

Nicolaus de Branchiis, libr. stat., 99

Nicholaus de Castro Theodorico, m., 267, 270

Nicolaus de Gorran, aut., 60, 119, 156, 160, 260

Nicolaus Lexouiensis, aut., 74, 75

Nicolaus Lombardus, libr., 56, 85, 99, 113

Nicolaus de Lyra, aut., 158

Nicolaus Martel, cf. Nicolaus de Zelandia

Nicolaus d. Petit Clerc (Peneler), libr. tav., 51, 99, 100, 102, 105

Nicolaus de Scotia, libr. stat., 100, 101

Nicolaus Tirel, libr., 100

Nicolaus de Ybernia, libr. stat., 99, 102

Nicolaus de Zelandia alias Martel, libr. stat., 62, 99, 100

Nicole le Librere, 99

Nixon T., 107

Nouissime (decretales), 135, 138, 139, 141, 149

O

Odelina, 85

Odo, 266

Odo Cantuariensis, aut., 285, 287, 288, 294

Odo de Castro Radulphi, aut., 158

Odo Rigaldi, aut., 158, 162

Odofredus, aut., 136, 148

Olivier-Martin F., 107

Orlandelli G., 132, 153

Ornato E., 37

Oudin de Biauvez, libr., 100

Oudin le Breton, libr., 100

P

Padelletti G., 36

Parkes M.B., 44, 104

Patterson S., 244

Paulus S., 52

Pellegrin E., 265, 270

Pelster F., 243

Pelzer A., 253

Percevallus Mediolanensis, aut., 152

Petronilla, libr. stat., 62, 67, 100

Petrus, m., 266, 267
Petrus de Aluernia, aut., 156, 159, 163
Petrus Aureoli, aut., 158, 161
Petrus Beneuentanus, aut., 120
Petrus d. Bonenfant (Boneffant, Bonuspuer), libr., 52, 100, 106
Petrus Blesensis, aut., 42
Petrus Comestor, aut., 78, 156
Petrus de Lemouicis, aut., 59, 60, 68, 108, 110, 265-272
Petrus Lombardus, aut., 25, 26, 37, 156, 237
Petrus de Palude, aut., 158,161
Petrus de Perona, libr. stat., 62, 67, 100
Petrus Pictauiensis, aut., 78
Petrus de Remis, aut., 158, 162
Petrus de Sampsone, aut., 135, 148
Petrus de Tarantasia, aut., 21, 156, 160, 231, 239, 250
Philippe IV le Bel, 23, 50, 88
Philippe VI de Valois, 55
Philippus Cancellarius, aut., 44, 45, 158, 161
Philippus de Monte Calieri, aut., 158, 161
Pierre Honnorez de Nuef Chastel, poss., 54
Pileus (Pilius), aut., 136, 149
Plotzek J.M., 108
Poince (Ponce, Poncet) le Librere, 100
Pollard G., 30, 36, 45, 104, 243, 244, 275, 284
Pomaro G., 127, 128, 131, 132
Poncius Gilbosus de Noblans, libr., 100
Poulle E., 271
Prunelle G., 151
Ptolomeus Luccensis, aut., 205

Q

Questiones doctorum, 136, 138
Quintilianus, 156, 161

R

Radulphus Abbatis, libr. stat., 100
Radulfus de Varedis, libr. stat., 101
Rand E.K., 104
Raoul le Breton (le vieil Breton), libr., 101
Raoul le Genne Breton, libr., 101
Raoul le Librere, 56, 100
Raymundus de Pennaforte, aut., 87, 155
Raynaldus de Piperno, aut., 159
Reid L., 72, 111
Reilly J.P., 220
Richard J.-M., 99, 106
Richardus d. Challamannio, libr. stat., 101
Richardus de Fournival, poss., 265, 271
Richardus de Mediauilla, aut., 156, 158, 160
Richardus de Monte Baculo (Richard de Montbaston), libr. enl., 43, 44, 54-56, 63, 88, 100, 104, 106
Richardus Rufus, aut., 158, 162
Robert, cop., 22
Robert a l'Ange, libr. parch., 101, 109
Robert de Craonne (Craen), libr., 83, 96, 101, 109
Robert d'Estampes, libr., 99, 101, 109
Robert l'Englais, cf. Robert de Craonne
Robert de l'Ille Adam, libr., 101, 109
Robert Roussel, 57
Robertus, stat., 24, 36, 63, 64
Robertus Holcot, aut., 36, 109, 158, 161
Robertus Kilwardby, aut., 155, 156, 159
Robertus Picardus, 266, 267
Robertus Scotus (Scoti), libr. stat., 24, 64, 100, 101

318

Robertus de Sorbonio, aut., 46, 270
Robertus de Wigornia (Worcester) libr. stat., 24, 64, 101
Robles Sierra A., 242
Roffredus de Beneuento, aut., 136, 142, 149, 153
Rogerinus Marcotte, libr., 101
Rogerus Bacon, aut., 45, 104
Rolandinus Passagerii, aut., 137, 149
Roman de Fauvel, 53, 106, 107
Roman de Godefroi de Bouillon et de Saladin, 55
Roman de Graal, 54
Roman de la Rose, 27
Roman de Poire, 107
Roman de Thebes, 55
Rommanch de Lorehens, 54
Rouse M.A., 110-112, 161, 223, 272
Rouse R.H., 35, 110-112, 155, 161, 223, 270-272
Roy B., 35, 37

S

Saffrey H.-D., 9, 30, 35, 126, 131, 222, 299, 308
Salviani F., 205
Schneyer J.-B., 271
Schulte (von) F., 151
Sella P., 153
Sermones alleabatenses (attreba-tenses), 160
Sermones Compendii, 160
Sermones Guiberti nouissimi, 158
Sermones Legifer, cf. Collectio-nes fratrum
Sermones Precinxisti, 59
Sextus Decretalium, 129, 138
Shailor B.A., 112
Shooner H., 29, 36, 103, 107, 109, 112, 131-133, 142, 150-155, 221, 242, 261, 272
Simon P., 36
Simon de Hinton, aut., 158
Simon de Plumetot, cop., 27

Sirat C., 272
Smalley B., 207
Solimano di Martino, stat., 29, 131, 132, 137, 138, 145-150, 261
Sotheby, 297
Staub K.H., 122
Stegmüller F., 157, 207
Stelling-Michaux S., 15
Stephanus, cop., 32-34
Stephanus de Cantiers, poss., 271
Stephanus Hibernicus, libr. stat., 99, 102
Stephanus d. Sauvage (Savage), libr. stat., 51, 102
Stephanus Tempier, 17
Suchier H., 107
Summa fratris Alexandri, 158
Susemihl F., 198
Symon d. l'Escolier, libr., 102

T

Tabula Stamsensis, 160
Talbot C.H., 37
Talmud, 108
Tancredus, aut., 120, 137
Temple E., 244
Thomas Anglicus, cop., 266, 269
Thomas Anglicus, libr. stat., 102
Thomas Anglicus, m., 88
Thomas de Aquino, aut., 9, 14, 17, 19, 21-25, 27, 29-32, 34-37, 40, 41, 58-60, 63, 64, 69, 71-75, 79, 80, 84, 108-110, 112, 119, 122, 155-157, 159-161, 169, 209-223, 225-251, 266, 268, 269, 283, 286
Thomas Bradwardine, aut., 158, 161
Thomas de Hibernia, aut., 69, 74, 83, 158, 161
Thomas le Normant, maçon, 98
Thomas le Normant (Normannus), libr. stat., 51, 67, 75, 93, 97, 102
Thomas de Mante, libr., 100, 102, 105

Thomas de Maubeuge (Malbodio), libr., 43, 48, 53-56, 102, 104, 106
Thomas de Saint Pol, libr., 51, 96, 102
Thomas de Sens (de Senonis, d. de Zenonis), lib. stat. tav., 23, 24, 36, 50-52, 57-59, 63, 64, 67, 70, 75, 88, 91, 95, 99, 100, 102, 105, 107
Thomas de Wymonduswold, libr. stat., 52, 102, 103
Thorndyke L., 271
Titus Liuius, 158, 161
Tndbertus, poss., 31
Tonna I., 12
Torrell J.-P., 35, 242
Tres libri codicis (textus, apparatus), 135, 136, 142, 143, 146, 147, 149-153

V

Valentino Adrian J., 107
Vautrain J., 9
Ventuta A.M., 288
Vernet A., 150
Vetulani A., 36
Vgucio, aut., 137
Vie des sains, 53
Vincentius Bellouacensis, aut., 158
Voeux de Paon, 53
Vrbanus IV, 61
Vsus feudorum, 135, 136, 140, 146

W

Walsh K., 109
Watson A.G., 104
Wattenbach W., 107
Weijers O., 103
Wicki N., 161
Willelmus cf. Guillelmus
Wilmar A., 86, 105
Winter (de) P.M., 90, 103, 113
Wippel J., 297, 308

Wood D., 109

Y

Yvo d. Greal, libr. stat., 102
Yvo le Breton (de. Brito), libr., 103

Z

Zamponi St., 131, 132, 144, 145, 153, 256, 284

II. Noms de lieux

Allemagne, 15, 119
Amiens, 265
Angleterre, 30, 239, 300
Arras, 62
Artois, 62, 108
Autriche, 15
Autun, cf. Manuscrit Autin B.M.
    101
Avignon, 293

Belgique, 30
Bochum, 307
Bologna, 10, 11, 22-25, 29, 45,
    83, 85, 104, 105, 118, 125,
    129, 130, 141, 144, 145,
    153, 154
Bruxelles, 26

Cambrai, 62
Cambridge, 26
Clairvaux, 134
Corbeil, 13
Cornwall (Cornubia), 200

Dubrovnik, cf. Manuscrit Dubrow-
    nik, Domin.1.
Durham, 45

Erfurt, 291
Espagne, 15, 18
Etiolles, 13

Firenze, 125, 150, 159
Flandre, 61, 62, 108
France, 30, 268

Grottaferrata, 10, 12

Hesdin, 54

Italie, 30, 158, 231, 235, 238

Liège, 62
Lille, 61, 62, 108, 109
London, 293
Loos, 61
Louvain-la-Neuve, 307

Montpellier (cf. manuscrit Mont-
    pellier, B.Interun.9), 11, 83,
    133, 134, 155
München, 26

Napoli, 11, 15, 155
Neuvirelle, 61
New Haven (Conn.), 17, 112

Orléans, 13, 108
Oxford, 10, 11, 26, 30, 159, 239,
    284, 294-296, 300

Padova, 29, 45, 83, 125, 145,
    150, 154
Paris, 10-13, 17, 18, 23, 24, 27,
    29, 41-113, 125, 151, 155,
    159, 231, 239, 284, 291,
    295, 298, 300, 301. -
    Cimetière S. Benoît, 107. -
    Cloître S. Benoît, 51, 94. -
    Collèges : S. Bernard, 45,
    90, 104. - Sorbonne, 59, 60,
    90, 265, 271. - Couvents :

Dominicains (S. Jacques), 45, 56-63, 73, 84, 90, 104. Franciscains, 90. Mathurins, 45, 56, 57, 88, 104. – Eglises, paroisses : Notre-Dame, 46, 55, 58, 70, 96. S. André des Arts, 94. S. Christophe, 99. S. Eustache, 96. Ste Geneviève (la Grant), 85, 90, 96. Ste Geneviève la Petite, 99. S. Hilaire, 107. S. Julien le Pauvre, 45, 104. S. Séverin, 90, 102. – Louvre, 90. – Petit Pont, 102. – Portes : S. Honoré, 90, 96. S. Jacques, 56, 58, 59, 63, 107. S. Victor, 90, 98. – Rues : de Bièvre, 52, 100. de Clos Brunel, 51, 94. aus Coulons (ruelle), 94. des Cordeles, 90, 94, 95. Erembourc de Brie, 51, 92, 100, 102. aus Escrivains, 51, 97, 101. de Froit Mantel, 93. Grand Rue, cf. rue S. Jacques. de Hirondelle, 90, 94. Neuve Notre Dame, 51-55, 67, 75, 90, 92-94, 96-102. des Noyers, 51, 95. des Parcheminiers, cf. rue aus Escrivains. aus Porées, 83, 96, 101. S. Etienne des Grès, 100. S. Jacques, 51, 52, 56, 57, 59, 70, 73, 92, 94, 95, 99, 100, 102, 107. sans chef encontre l'ospital, 93. de Versailles, 96. Vicus nouus beate Marie, cf. rue Neuve Notre Dame.

Perugia, 36, 116, 125

Quaracchi, 10

Roma, 10, 231, 232
Rouen, 271

Saint-Denis, 19
Sens, 108

Suisse, 15, 30

Toulouse, 83
Tournai, 62
Tours, 43
Troyes, 134

Vaticano (Città del), 15, 159
Vauluisant, 73, 74
Venezia (cf. Manuscrit Venezia Marc.lat.IV.37), 15
Venn-Ottery (Cornwall), 95
Vercelli, 45
Vicenza, 15

Wien, 26
Worcester (Wigornia), 24

Yale, cf. New Haven

III. Manuscrits

Les noms des villes et des bibliothèques sont donnés dans la langue officielle des pays. Quand le nom est en latin dans l'article et peut offrir quelque difficulté, renvoi est fait du latin à la langue moderne. Le titre de la bibliothèque n'est pas précisé lorsqu'il n'y a qu'une seule bibliothèque dans la même ville ; il est donné en abrégé quand il n'y a pas d'ambiguité.

Quand des manuscrits sont cités dans un article au moyen de sigles, le sigle est donné entre parenthèses ; le même sigle peut être employé pour des manuscrits différents selon les auteurs.

ADMONT Stiftsb. 85 (ad) — 214, 218-220, 222

ALMAGRO, conv. de los domin. (détruit) — 242

AMIENS, B. Mun. 32, 45, 66 — 161

ANGERS, B. Mun. 222 — 161

ARRAS, B. Mun. 43 (37) — 161
543 (837), 549 (840), 829 (525) — 162

'ASSISI, B. del Sacro Conv. 51 — 27, 28
60, 62, 78, 81 — 161
107, 176 — 162
238 — 162
239, 245 — 161
321, 323 — 162
452 — 162

Audomarensis, cf. SAINT-OMER

Augustodunensis, cf. AUTUN

AUTUN, B. Mun. 67 A (aq) — 166, 175, 178, 202
101 (81) (liste de tax.) — 128, 129, 133, 137-154, 261

AUXERRE, B. Mun. 41 — 162

AVIGNON, B. Mun. 595   162

BAMBERG, Staatl. b. Class. 60 (Bb)   220

BARCELONA, B. del Cabildo 45 (Bl)   226, 227, 230, 232-235, 237, 239, 247, 248

BASEL, Univ. B.III.12   162
         B.III.20   207, 208
         B.IV.21   207

BERLIN, Deutsche Staatsb., Magdeburg 112   21
     Staatsb. Lat. fol. 572 (be)   167, 175, 178, 193, 195, 202

BOLOGNA, Arch. di Stato, Memoriali vol. 76   150
     B. dell'Archiginnasio A.706   288
                 A.920   162
     Collegio di Spagna 23   235
     B. Univ. 1655[4] (Bo 1)   220, 221
            1655[6] (Bo 2)   220-223
            2236   280-282

Bononiensis, cf. BOULOGNE-SUR-MER

BORDEAUX, B. Mun. 38   208
            1000 (bu)   166, 173, 174, 177, 178, 193, 203

BOULOGNE-SUR-MER, B. Mun. 69   161
            110 (bs)   166, 175, 178, 202

BRUGGE, Groot Semin. 36/148   280, 281
     Stadsb. 177, 178   162
            203 (Bg 2)   226, 230, 232-234, 239, 242, 248
            210, 211   162
            214, 267   161
            493   120
            516 (Bg)   220, 221
            555   162

BRUXELLES, B.R. 669 (1601) (Bx 2)   226, 230, 235, 248, 250
         873-875 (1561) (Bx 3)   226, 227, 229-235, 237-240, 247, 248, 250
         20018 (1566) (Bx 4)   226, 230, 232-235, 237, 241, 247,248

         II.1136 (268)   161
         IV.1202   293

CAMBRAI, B. Mun. 314 (cb)   166, 176, 178, 192-194, 202-204
            348, 349   162
            431, 433   162
            921 (cm)   167, 178, 193, 194, 196, 202-204

CAMBRIDGE, Corpus Christi Coll. 8   162

CAMBRIDGE, Fitzwilliam Mus. CFM 14 (fz) 168, 173, 177, 178, 193, 203

    Pembroke 33 (C 1) 244
        121 (C) 254
        125 (C 2) 244
        130 (cn) 166, 177, 178, 193, 202-204
    Peterhouse 62 162
        137 (C) 220
    St. John's Coll. C.2 (52) (C 4) 226, 227, 235, 236, 239, 246, 248
    Trinity Coll. 98 207

CAMBRIDGE (Mass.), Harvard Univ.L. lat. 39 166, 174
    Hofer L. Typ. 233 H (Ca) 166, 178, 192-195, 197, 201-204

CANTERBURY, Cath.L. A. 12 162

CASTRES, Musée 54

CESENA, B. Malatestiana D.XIV 4, D.XV 1 162
    D.XVIII 1 161
    S.VIII 3 (Cs) 214-216, 218-222
    S.XXIV 4 83

CHARLEVILLE, B. Mun. 267[4] 161

CHARTRES, B. Mun. 235 (détruit) 161
    252 (détruit) 162
    324 162

Claustroneoburgensis, cf. KLOSTERNEUBURG

Cracoviensis, cf. KRAKOW

DARMSTADT, Landesb. 331 118

DIJON, B. Mun. 172 161
    220 162

DOLE, B. Mun. 25 161

DOUAI, B. Mun. 450 162

DRESDEN, Sächsische Bibl. P.42 291

DUBROVNIK, Dominikanska B. 1 29, 129, 133, 137, 138, 145-150, 152, 154
    5 240

DURHAM, Cath.L. A.III.13 119, 260
    A.III.31 119
    B.I.5 243

EPINAL, B. Mun. 93 162

ERFURT, Wiss. Bibl. Ampl. Fol.24 (ef) 167, 173,
174, 177, 178, 193, 203
Fol.35 (er) 167, 175, 178, 195, 202
Fol.323 (Ef) 220
Fol.324 (Ef^3) 220-222

ERLANGEN, Univ. B. 269/2 280, 281
350 151

FIRENZE, B. Laur. Gr. LXXXI 11 (K^b) 179, 197, 198, 201
Conv. soppr. 40 (F^3) 214, 222
95 (fn) 168, 173, 174,
177, 178, 193, 203
460 127
Fiesol. 90 240
107 (F^4) 220
121 132
Santa Croce VII s.6 162
XIII s.6 (fe) 168, 173, 174
XXIV d.2 162
XXIV d.5 162
XXVII d.9 (la) 168, 176, 178,
192-194, 197, 201-204
XXIX d.9 (F^1) 220-222
XXIX d.11 (F^2) 220-222
XXIX d.12 163
XXX d.2 161
XXX d.10 162
B. Nazionale, fondo princ. II I 117 (F^5) 214, 222
Conv.soppr. B V 256 (F^6) 220
G.V.1290 (fl) 168, 173
174, 176-178, 203
J.I.7 129
J.III.9 162

da ordinare Vallombrosa 47 132
B. Riccardiana 113 (fo) 168, 173, 174,
177, 178, 193, 203

FULDA, Landesb. C 14b (926) (fd) 167, 175, 178, 193, 202

GDANSK, Bibl. PAN Mar.F.397 225, 242

GENT, Univ.b. 117 22, 119

GIESSEN, Univ.b. 945 55

Guelferbytanus, cf. WOLFENBÜTTEL

KLOSTERNEUBURG, Stiftsb. 748 (cl) 166, 176, 178,
192, 194, 195, 197, 201-204

KRAKOW, B. Czartoryskich 2060 (cy) — 168, 175, 178, 193, 202
    B. Jagiellonska 357 — 26
            501 (cr) — 168, 177, 178, 194, 202-204
            769 (Kr^2) — 220
            1177 (K) — 254, 255, 259
            1713 (Kr^1) — 226, 230, 232-235, 237, 242, 247, 248
            1717 (Kr^2) — 244

LAON, B. Mun. 126 — 162
      325 (La) — 254

LEIPZIG, Univ.b. 1337 (li) — 167, 173, 174, 177, 178, 193, 203
          1383 (L^1) — 220-222
          1405 (L^2) — 214, 218-220, 222, 223
          1438 (lp) — 167, 173, 174, 177, 178, 193, 203

LEUVEN, Fac. der Godgeleerdheid 17 — 288, 289

LILLE, B. Mun. 835-838 — 61

LONDON, B.L. Add. 17304 — 86, 112, 113, 206
      Harley 5004 (lo) — 166, 172-174, 177, 178, 193, 200, 203
      Royal 11 C X — 280, 281, 284
          13 D VIII — 162
      Lambeth 97 (Lo^2) — 220, 221

LUCA, B. Governativa 1396 — 162

MADRID, B. Nac. 516 (Md) — 226, 227, 229-235, 237, 238, 240, 241, 247, 248, 250
      1413 (ma) — 167, 175, 178, 202
      2872 (mt) — 168, 173, 174, 177, 178, 193, 203

Magdeburg, cf. BERLIN

METZ, B. Mun. 170 (détruit) — 162

MILANO, B. Ambrosiana A 211 inf — 162
              A 246 inf — 161
              D 548 inf — 162
              E 17 inf — 161
              F 141 sup (md) — 168, 175, 178, 193, 195, 202
              L 75 sup — 162

MODENA, B. Estense α.W.I.8 (Lat.432) — 235, 241

MONTECASSINO, Arch. dell'Abbazia 135 — 162

MONTPELLIER, B. interuniv. (sect. de Médecine) 9 — 9, 128, 129, 132-154

MÜNCHEN, Bayer. Staatsb. Clm 306 (mn)   167, 173, 174,
                  177, 178, 193, 203
       Clm 3743   52
       Clm 8003 (mo) 167, 175, 178, 192, 202
       Clm 8014 (M^2)   226, 227, 235,
              236, 239, 246, 248, 250
       Clm 16386 (M)   219, 223
       Clm 18065 (M^3)   244

NAPOLI, B. Naz. I.B.54   25
   VII.B.17 (N^2)   240, 244
   VII.B.33 (N^3)   226, 230-235, 237-239, 248, 250

NEW HAVEN, Yale Univ. L., Yale Ms.207 17-19, 21, 79-81, 112

NOVARA, B. Capit. VII   161

NÜNBERG, Stadtb. Cent.V 21 (no) 167, 177, 178, 194, 202-204

OLOMOUC, Státní Archiv C.O. 201   261
      C.O.209 133, 140, 141, 144-150

OXFORD, Balliol Coll. 112 (ba)   166, 175, 178, 202
     241 (O^1)   214, 218-221
  Bodl. L. Canon.lat.class. 174 (ox)   166, 176, 178,
             192, 194, 202-204
     Laud.mis. 281   161
       439, 530   162
   Lincoln Coll. lat. 95   242
   Magdalen Coll. lat. 186 (Om)   254
   Merton Coll. 97 (O^3)   244
     276 (oo)   166, 178, 193, 202
   New Coll. 111 (On)   254, 257, 259
     116 (O^4) 226-228, 235, 239, 249
   Oriel Coll. 8   233
     30   162
     31   279, 284
   St. John's Coll. 112   162

PADOVA, B. Anton. 264, 265   162
    333   207, 208
    387 (Pd^1)   213, 214, 220-222
  B. Capit. C 43   281
  B. Univ. 685   162
    1593   162

PAMPLONA, B. Capit. 51   18-23, 26, 58, 60, 79, 107

PARIS, Arch. Nat. KK.283   88, 91, 107
  B. de l'Arsenal 142   161
    337 (P^1) 214, 216, 218-221, 223
    365   162
    404   161

PARIS, B. de l'Arsenal 454   276, 281
455   298
456   276, 279, 281, 298
516   162
745 (P^2)   210-212, 216, 220, 221
1011   162
3481   55
B. Mazarine 37   57, 161
157   161
281, 333   58
784, 785, 794   162
835 (P^7)   226, 235, 236, 246, 250
848   19, 31, 32
878   162
901   161
3481 (P^3)   241, 220, 222
3484 (P^4)   220
3491   162
3496, 3511   161
B.N. fr. 60   55
146   53, 106
241   54, 55
899   107
2186   107
9123   54
10132   54
22495   55
24295   27
24402   270
lat. 28   161
360   161
402, 407   161
460, 462, 489   161
618   161
3033, 3034, 3036-3038   162
3062   161
3107   35, 65, 66, 95, 109
3238 C, 3261   162
3281   161
3536 C   157
3560   162
3893   52
5733   161
6307 (pa)   167, 175, 178, 202
7695 A (pq)   167, 173, 174, 177, 178, 193, 203
7722   161
9085   85
9381   161

PARIS, B.N. lat. 13374   161
13960 (P6)   220
14238   161
14259   207
14318   52
14321   120
14339   144
14422   26
14429   208
14529, 14536   162
14760 (P7)   212, 213, 215, 220-222
15238, 15262   161
15328, 15334   162
15337 (P1)   21, 226, 227, 230-234, 237, 239, 247, 248, 250
15338 (P2)   226, 230-235, 237, 239, 247, 248, 250
15344   19, 32-34
15358   281
15362   271
15378   162
15558, 15568, 15569   162
15573   207, 208
15597   162
15602   162
15739, 15740, 15742   161
15761 (P3)   226, 235, 246, 248
15762 (P4)   21, 226, 230-235, 247, 248, 250
15763 (P5)   226, 230, 232-235, 237, 239, 248
15776 (P6)   226, 230, 250
15860 (Pb)   254, 255
15861 (Pc)   254
15863, 15879   161
15924   162
15933   161, 162
15942   271
15971   268, 271
16097   162
16099   59, 269
16100   162
16102 (P8)   220, 221
16103 (P9)   220
16112   272
16158   163
16221, 16293   162
16387   44
16390   271
16399   36, 109

PARIS, B.N. lat. 16407 268, 269
    16412, 16429, 16477 162
    16481, 16482 271
    16503, 16536 268
    16558 108
    16584 (px) 167, 170-174,
    176-178, 193, 194, 200, 203
    16663 37
    16719-16722 62
    16791 161
    17246 26
    17464 26
    17493 162
    17810 (py) 167, 173, 174, 177, 178, 193, 203
    17832 (pz) 167, 174, 177, 178, 193, 200, 203
    Nouv. acq. lat. 633 (pp) 167, 178, 193, 194, 196, 202-204
    B. Ste Geneviève 22 53
    1195 162
    B. de l'Univ. 9 52
    130 52
    220 162
    221 161
    728 162

PELPLIN, Semin. duchn. 33/46 298, 299

PERUGIA, B. Augusta 817 120
    1077 120

PISA, b. Cateriniana 17 (Pi) 21, 209, 220

PISTOLA, B. Capit. C 126 127, 256
    C 129 132
    C 154 144, 145, 154

Plagensis, cf. SCHLÄGL

PRAHA, Metr. Kap. A.XVII 2 (Pr) 244
    L.XL (Pr[1]) 220
    L.XLVI 1 (pr) 166, 174

REIMS, B. Mun. 471, 472, 473 162
    542, 551 162

SAINT-OMER, B. Mun. 136 162
    260 208
    594 (ad) 166, 175, 178, 202
    598 (am) 166, 175, 178, 202

SALAMANCA, Coll. priv. 242
    B. Univ. 2705 (sa) 168, 174

SARNANO, B. Com. E 98 161

SCHLÄGL, Stiftsb. 22 Cpl 21 (pl)   166, 169, 170,
174-178, 192-194, 200, 202

SIENA B. Com. G.IV.8 (S)   254, 255
     G.VII.8   162
     G.VIII.23   157

SUBIACO, B. dell'Abbazia XLVII (49)   161

TARAZONA, B. Capit. 48 (Tz)   244

TODI, B. Com. 19, 61   161
     69, 87   162
     147   162
     152 (to)   168, 174
     188   162

TOLEDO, B. Capit. 5.5   208

TOULOUSE, B. Mun. 332   161

TOURS, 112, 121   162
     451   162

TROYES, B. Mun. 170   162
     227   161
     294 (T)   257, 258
     396   162
     438   161
     505   161
     546   58, 111
     665   162
     667   58, 206-208
     776 bis (Tr^2)   226, 227, 230-235,
237, 247, 248, 250
     816   162
     907, 994   161
     1063 (Tr)   220-222
     1215 (T)   253, 261-264
     1393   162
     1512, 1517   162
     1520, 1536   161
     1778, 1781, 1787   162
     1939   162

Tudertini, cf. TODI

UPPSALA, Univ. b. C 587 (up)   168, 175, 178, 202

URBANIA, L. of the Univ. of Ill. $\frac{X \ f.881}{A \ 8 \ XL}$ 166, 176-178, 192,
195, 197, 201-204

VALENCIA, B. Capit. 70   166, 168, 174
     128   242

VALENCIENNES, B. Mun. 68, 82 — 161

VATICANO, (Città del), B.A.V. Arch. di S. Pietro C 108 — 116
Borgh. 17 — 116, 293
26 — 117
134 — 58
170 (va) — 168, 173, 174, 177, 178, 193, 203
299 — 276
300 — 276
359 — 162
362 (V²) — 226, 227, 230-235, 237, 247, 248, 250
Chigi B VII 110 — 162
B VII 138 — 161
C VII 199 — 161
Ottob. lat. 189, 193 — 162
210 — 162
468 (Vp) — 257, 258
622 (V³) — 244
Pal. lat. 629 — 118
731-732 — 144
1011 (vn) — 168, 175, 178, 195, 202
1012 (vc) — 168, 175, 178, 196, 202
Regin. lat. 406 — 86, 105, 206
1191 — 271
1154 — 52, 265-272
Ross. 160 (V⁴) — 226, 228, 235, 236, 239, 246, 250
Urb. lat. 216 (V⁴) — 219, 223
1392 (vt) — 168, 175, 178, 193, 202
Vat. lat. 702 — 162
753 (V⁶) — 226, 228, 235, 236, 239, 246, 248, 250
767 (V⁶) — 209, 214, 218-221
784 — 225
835 (V) — 255
836 (W) — 253-264
853 — 276, 297
1072 — 161
1265 — 271
1391 — 118
1409, 1411 — 144
1451 — 131
2119 — 117
2303 — 162

Vat. lat. 2386 — 118
2513 — 144
3980 — 118
9851 — 225, 242

VENDOME, B. Mun. 72 — 161
181 — 52, 162

VENEZIA, B. Marc. gr. 213 (M[b]) — 179, 201
lat. IV.37 (2214) — 129, 133, 137, 138, 145-151, 154, 261
VI.43 (2488) (sm) — 168, 172-174, 177, 178, 193, 200, 203

Vindobonensis, cf. WIEN

WIEN, Domin. b. 240 (W[1]) — 220-222
Nat. b. 52 (vi) — 166, 174
1434 (W[2]) — 209, 220, 221
1437 (W[1]) — 226, 228, 230-235, 239, 247-250
1479 (W[2]) — 225, 226, 228, 230-235, 237, 238, 242, 247, 248
1536 — 24, 36, 63
2361 — 35
7219 — 206

WOLFENBÜTTEL, Herz. Aug. b. 488 Helmst (wo) — 167, 175, 178, 195, 202
593 Helmst (gu) — 167, 174

WORCESTER, Cath. L. F 62 — 162
F 107 (Wo) — 244

ZURICH, Zentralb. Rh.181 — 162, 262, 263

(Manuscrit non retrouvé :)
ex-Phillipps 876 — 112

Incunables
Hain 1474, 1475 — 235, 241

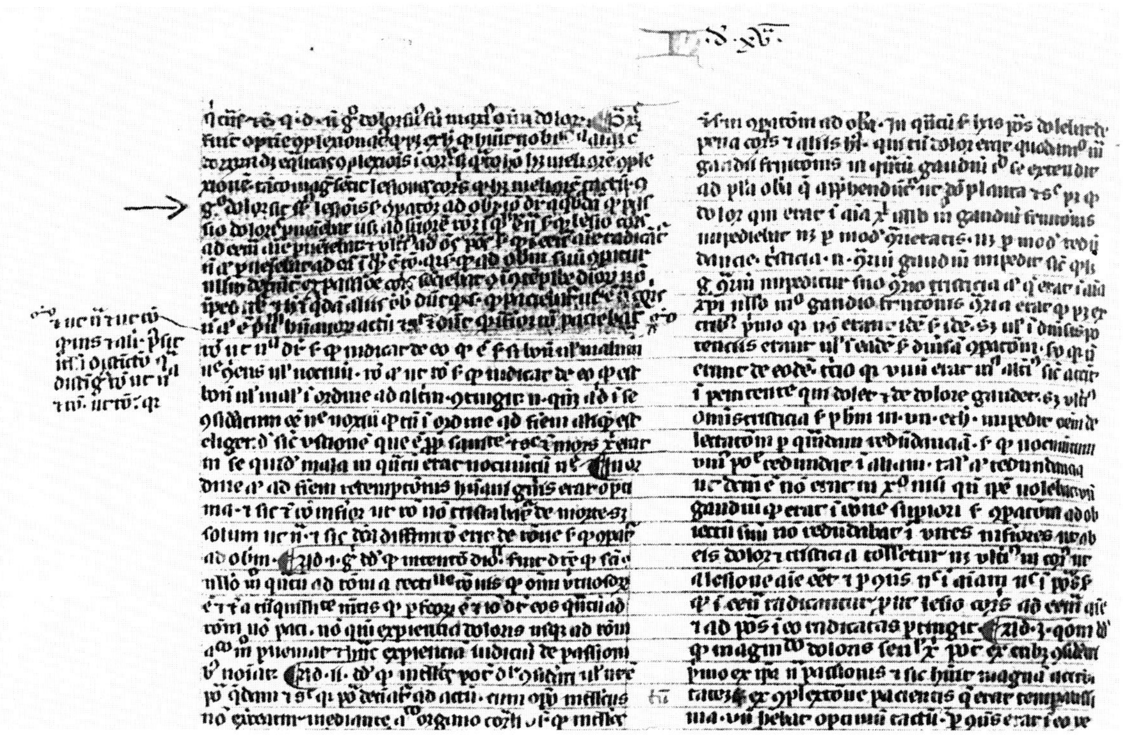

Pl. I

Ms. 207, Beinecke Rare Book and Manuscript Library, Yale University, f. 46 v. Le copiste avait transcrit la pecia 19 en commençant au début de cette page. L'espace qu'il avait réservé dans les pages précédentes n'étant pas suffisant pour la pecia 18, il eut d'abord l'idée de faire déborder le texte sous la deuxième colonne du f. 46r. Peu satisfait du résultat, il gratta ces lignes excédentaires et crut possible de les faire entrer au début du verso, où, après avoir effacé ce qui s'y trouvait déjà, il reprit la copie en serrant son écriture. La flèche sur la photo indique le lieu de transition de la pecia 18 à la pecia 19, après le mot 'lesionis', où il manque une importante portion de texte. La note 'confundatur stacionarius' a été ajoutée en bas du recto, comme pour prévenir le lecteur du gâchis qui l'attend en tournant la page.

Pl. II

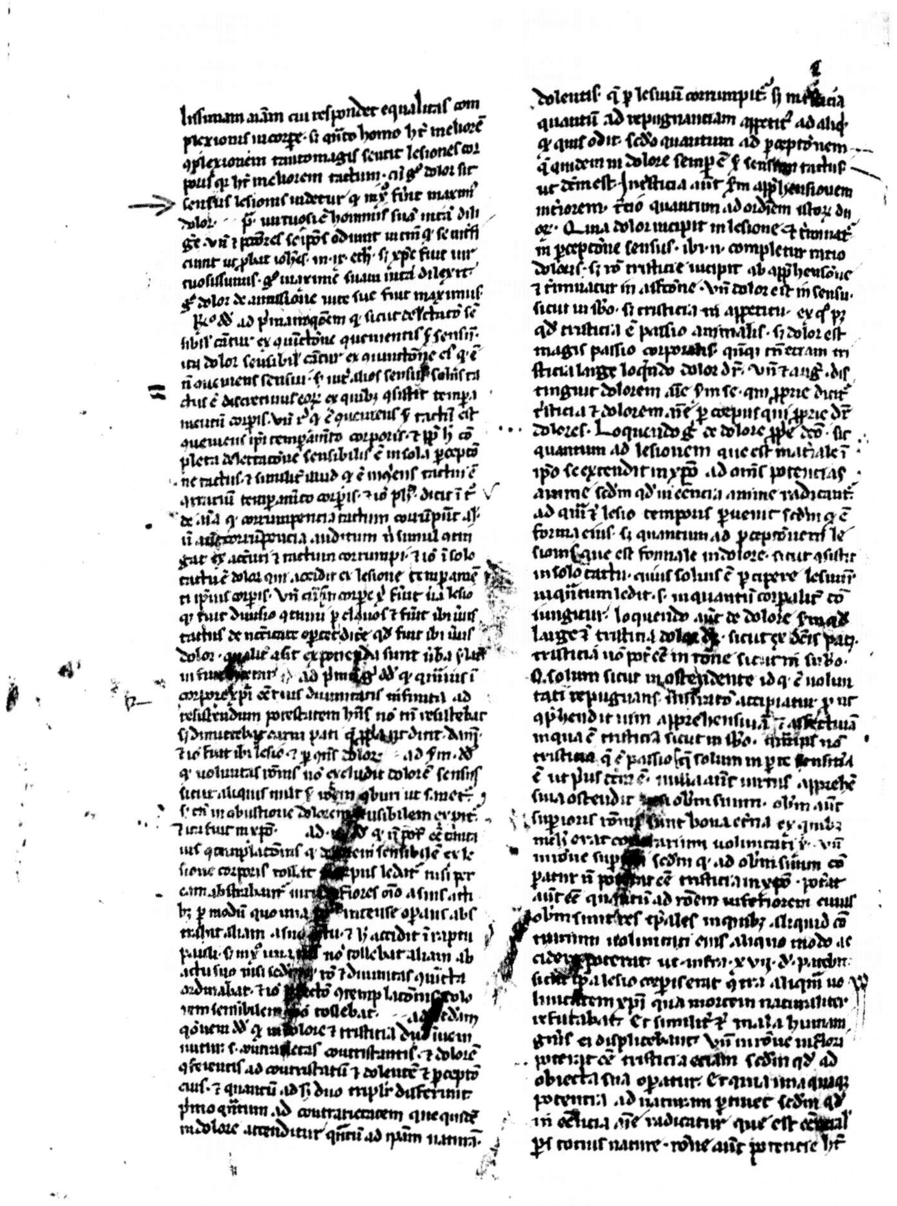

Dernière page de la pecia 18 refaite dans l'exemplar de Pampelune (Biblioteca Catedral, 51, f. 72v). La flèche sur la photo signale la ligne contenant le mot 'lesionis', où se terminait l'ancienne pecia, plus courte, qui fut communiquée au copiste du manuscrit de Yale. Tout le reste de la page manque dans sa copie.

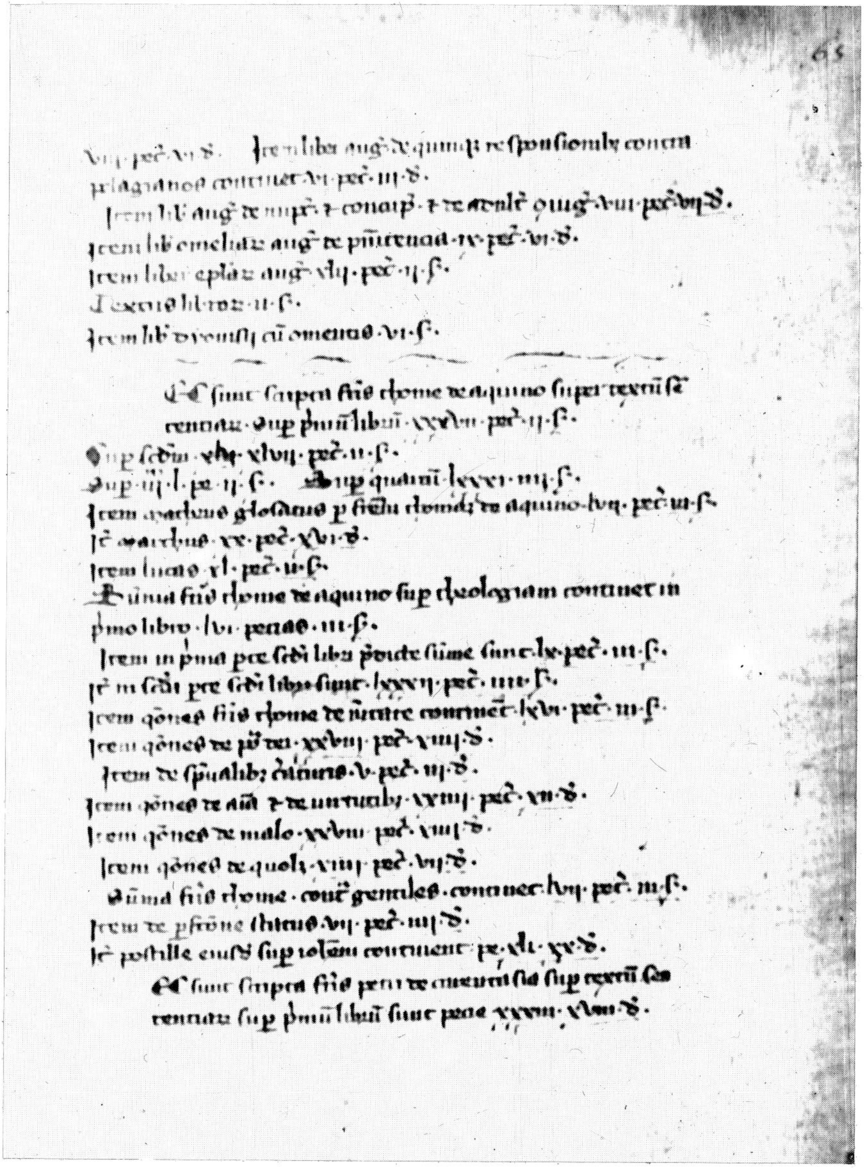

Pl. III

Une page de la liste parisienne de taxation établie vers 1275, d'après le ms. Bibl. Vaticana. Reg. lat. 406, f. 65r. Foto Biblioteca Vaticana.

Pl. IV

Début de la pecia 15 de l'exemplar écrit par Thomas d'Aquin (ms. Napoli, Bibl. nazionale I. B. 54, f. 38r). Les autres parties de l'autographe, à partir du f. 42r, contiennent la suite des commentaires d'Albert le Grand sur le pseudo-Denys et ont été écrites à Cologne, où l'étudiant avait suivi son maître en 1248. Les cahiers de ces parties ne sont plus organisés sur le modèle des exemplars des stationnaires parisiens. Le manuscrit a été minutieusement décrit par G. Théry, « L'autographe de S. Thomas conservé à la Biblioteca nazionale de Naples », *Archivum Fratrum Praedicatorum* 1 (1931) 15-86; son caractère autographe a été confirmé par P.-M. Gils, « Le manuscrit *Napoli, Biblioteca nazionale I. B. 54* est-il de la main de S. Thomas ? », *Revue des sciences philosophiques et théologiques* 49 (1965) 37-59.

Sur cette page et la suivante, début et fin du brouillon d'une lettre de Jean Destrez († 1950), datée du 11 novembre 1949 et destinée à l'avocat new-yorkais Henry Fletcher, ancien possesseur du ms. Yale 207.

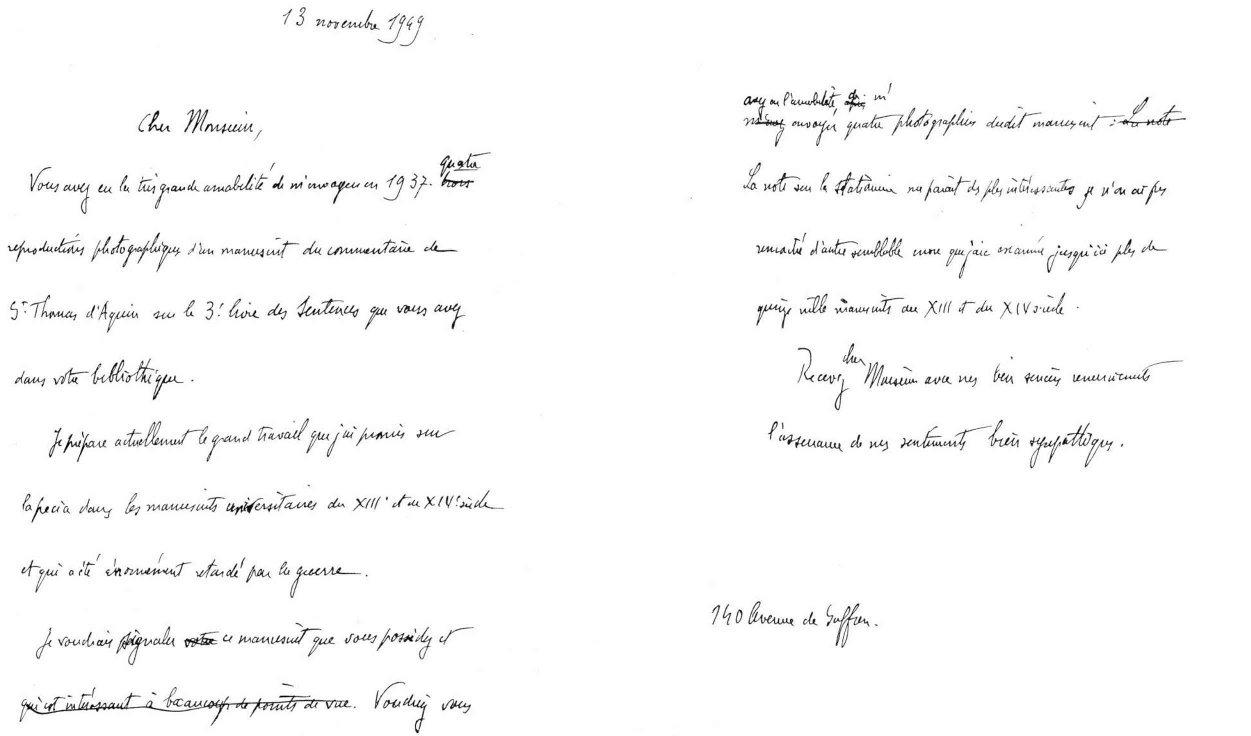
13 novembre 1949

Cher Monsieur,

Vous avez eu la très grande amabilité de m'envoyer en 1937. quatre
reproductions photographiques d'un manuscrit du commentaire de
St Thomas d'Aquin sur le 3e livre des Sentences que vous avez
dans votre bibliothèque.

Je prépare actuellement le grand travail que j'ai promis sur
la pecia dans les manuscrits universitaires du XIIIe et du XIVe siècle
et qui a été énormément retardé par la guerre.

Je voudrais signaler ce manuscrit que vous possédez et
qui est intéressant à beaucoup de points de vue. Voudriez vous

avez eu l'amabilité de m'envoyer quatre photographies dudit manuscrit :
La note sur le stationnaire me paraît des plus intéressantes je n'en ai pas
rencontré d'autre semblable encore que j'aie examiné jusqu'ici plus de
quinze mille manuscrits du XIII et du XIVe siècle.

Recevez cher Monsieur avec mes bien sincères remerciements
l'assurance de mes sentiments bien sympathiques.

140 Avenue de Suffren.

« Vous avez eu la très grande amabilité de m'envoyer en 1937 quatre reproductions photographiques d'un manuscrit du commentaire de St Thomas d'Aquin sur le 3e livre des Sentences que vous avez dans votre bibliothèque. Je prépare actuellement le grand travail que j'ai promis sur la pecia dans les manuscrits universitaires du XIIIe et du XIVe siècle et qui a été énormément retardé par la guerre. Je voudrais signaler ce manuscrit que vous possédez... »

« ... La note sur le stationnaire me paraît des plus intéressantes. Je n'en ai pas rencontré d'autre semblable encore que j'aie examiné jusqu'ici plus de quinze mille manuscrits du XIIIe et du XIVe siècle... »

Pl. V

Pl. VI

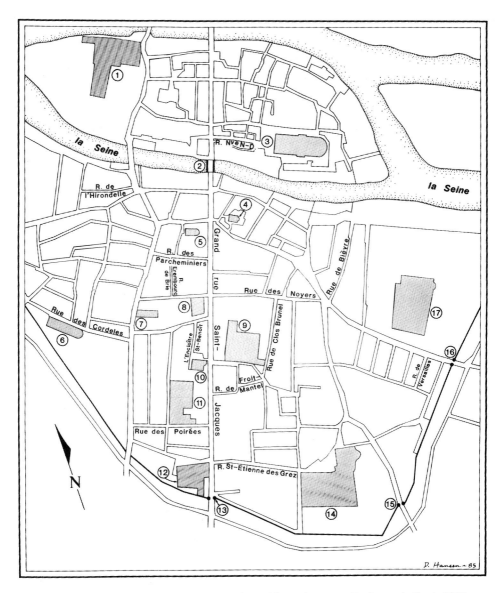

Paris, Ca. 1250-1350 : ÎLE AND LEFT BANK (adapted from the map « Paris vers la fin du XIVe siècle » produced by the S.D.C.G.-Laboratoire de Cartographie thématique, C.N.R.S. 1975) : *1.* Palais; *2.* Petit-Pont; *3.* Notre-Dame; *4.* St-Julien-le-Pauvre; *5.* St-Séverin; *6.* Cordeliers (Franciscans); *7.* Cluny (Thermes); *8.* Mathurins; *9.* Hôpital de St-Jean; *10.* St-Benoît; *11.* Sorbonne; *12.* St-Jacques (Dominicans); *13.* Porte St-Jacques; *14.* Ste-Geneviève; *15.* Porte Ste-Geneviève (Porte Bordelle); *16.* Porte St-Victor; *17.* Bernardins (Cisterciens).

Pl. VII

Textus decretorū i petiis̄. xlvi. ḡ͞m mil̄. v. colūpnis̄.
taȝatūr xxxvi. — ḡt.

Text decretal cū noui͛ inned. i pe. xxvi. ḡt. a vii. co
lūpne. — taȝat. — xxv. ḡt.

Textus. C. in petiis̄. xxvi. quod una pena. — taȝa
tur. — xxvii. — ḡt.

Textus. ff. uetere i petiis̄. xxvi. ḡt. a una pena. a duc
colūpne. — taȝat. xxv. — ḡt.

Text isto i petiis̄. xxviii. ḡt. mil̄. iii. colūpne. — a
panl̄. — xxvi. a me8.

Text ff. no. i petiis̄. xxvii. ḡt. mil̄. ii. col̄. — taȝa
ul̄. — xxvii. — ḡt.

Text instit. i petiis̄. vii. ḡt. minus̄. col̄. — taȝa
ul̄. — vii. ḡt.

Textus aut. i petiis̄. xiii. ḡt. a una pena a vi. col̄. — ta
ȝanl̄. — xiii. — ḡt.

Text mel libiorū. C. i petiis̄. vii. mil̄. vii. col̄. — ta
ȝanl̄. — vi. — ḡt.

Text sextoū i petiis̄. ii. ḡt. mil̄. vii. col̄. — a taȝaṙ

Appaȝ decretoū i petiis̄. xxix. ḡt. a una pena. — ta
ȝan i — xxx. — ḡt.

Appart̄us decretalin cū noui͛ inced. i petiis̄. xl. a vii.
col̄. — taȝan i — xxxviii. — ḡt.

Apparat̄. C. i petiis̄. xxvii. ḡt. — — a lle taȝanl̄

Apparat̄. ff. uet. i petiis̄. xl. a a vii. col̄. — taȝa
n. in xlii. — ḡt.

Apat̄us libr. cū foȝ prabi i petiis̄. xxxii. a ii. col̄. — ta
ȝan in — xxx. — ḡt.

Apparat̄. ff. no. cū i petiis̄. xxxvii. ḡt. — a lle taȝaṙ

Appat̄ instit̄. i petiis̄. vii. ḡt. a riii. col̄. — ta
ȝan in — viii. — ḡt.

Apaȝ aut. i petiis̄. vii. ḡt. a una pena. — taȝa
n in — vii. ḡt.

Appaȝ̄ tiū libroū. C. i petiis̄. vi. ḡt. a una pen
a. — taȝan in — vi. — ḡt.

Jt alio ñ habebam i petiis̄. C. i. ȝ. petiis̄. a vi. col̄. i. ḡt.
i. ȝi. petiis̄. a vii. col̄.

Appaȝ̄ ufuf feudoȝ i petiis̄. vii. pene. a vii. col̄. ñ
taȝaṙ.

Text nouissmaȝ i petiis̄ unus panius̄ qnatiū
minus̄ fere. ii. col̄.

Appaȝ̄ nouissmani per Garsiam. — — ii. ḡt.

Appaȝ̄ hostī. pū lib. i petiis̄ — — — riii. — ḡt.
Scd̄ lib. i petiis̄ — — — — — riii. ḡt. a vii. col̄.
Tercī lib. i petiis̄ — — — — xxxv. ḡt. a vi. col̄.
Quart̄ lib. i petiis̄ — — — — vii. ḡt.
Quic̄ lib. i petiis̄ — — — xxvi. ḡt. — vii. col̄.
Appaȝ̄ inceȝ̄. i petiis̄ — — xlii. ḡt. a — vii. col̄.
Lectuȝ̄ ad fac̄iū i petiis̄ — — xv. ḡt. — mil̄. ii. col̄.
Sūma autieȝ i petiis̄ sup pmo lib. — xv. ḡt. a vi. col̄.
Scd̄ i petiis̄. — — — xv. ḡt. mil̄. iii. col̄.
Tercī i petiis̄ — — — — — riii. ḡt.
Quarī i petiis̄ — — — — vii. ḡt. a una pena.
Quic̄ i petiis̄ — — — — riii. ḡt. a v. col̄. media.
Sūma Gufredi i petiis̄ — — — rvii. ḡt. a v. col̄. a me
dia. taȝaȝ in. xvi. ḡt.
Casus̄ decretoū i petiis̄ cū ystoȝ̄. — — xx. ḡt. mil̄
i. col̄. taȝaȝ in — xx. ḡt.
Casus̄ decretalin cū nouis̄ i petiis̄. — xvi. ḡt. a rili.
ḡt. octo g̊ taȝaȝ i. xvi. ḡt.
Sūma aȝomis̄ sup. C. a instit̄. a reȝabiuia̍a in pen
ie — xxxvi. ḡt. mil̄. vii. col̄. a media. taȝaȝ i. ȝ
ii. ḡt.

— — — — — — — — — — — — — — — — — — —

Sūma aut. i petiis̄ — ii. ḡt. a xi. col̄. taȝaȝ l — ii. ḡt.
et me8.

Sūma mil libioū. C. i petiis̄. ii. ḡt. et ñ̄ colūpnis̄
addiditib̄ ob to fiebi sup ilim̄ agenis̄ i petiis̄ — ii.
ḡt.

Sūma feutoū poȝ c̄ i petiis̄ — ii. ḡt. ñ̄ la quaȝ
copulaiuȝ. d. martin̄ ñ plcf ahc in cenni͛.

Puellus̄ rofiredi luṅ auia i petiis̄. xxviii. ḡt. a ȝ.
col̄. taȝan in — xxviii. ḡt.

Puellus̄ Ro. luṅ cano. i petiis̄ — — xvi. pene. a ili.
ḡt. taȝan in — vii. ḡt.

Puellus̄ Egidi i petiis̄. v. ḡt. a ȝ. colūpne pua ḡ͞m.
Questiōes̄ pulci i petiis̄. v. ḡt. a ȝi. colūpne taȝaȝ
Questiōes̄ rofiredi i petiis̄ — v. ḡt. a riii. colūp
ne taȝate in — — v. ḡt.

Questiōes̄ Bartholomei Brixiēsis̄ i petiis̄ — v. ḡt.
mil̄. vii. colūpne.

Questuces̄ decretoū i petiis̄ iuȝe. C. — — xv. pene
a ii. col̄. id fiȝ. xii. dni qd nullā biu.

Questuces̄ decretoū luṅe C 4. petiis̄ iuȝe. Ca — ȝi.
pene. pue. aut fiȝ. xi. dni g̊ nullā biu.

Bȝauȝda aȝomis̄ i petiis̄ — — xvi. pene. mil̄ una
carta. a quarta pte alteri͛.

Bȝauȝda damasi̍ i iuȝe. ca. iii. pene.

Casus̄ istiū i petiis̄. vii. ḡt. mil̄ una col̄. taȝan i
in — — v. ḡt.

Casus̄ aut. i petiis̄ — — ili. ḡt. mil̄. ȝ. col̄. a media.

Casus̄ tiū libroū. C. i petiis̄ — — vii. pene. mil̄. v.
col̄.

Puellus̄ tacȝebi i petiis̄ — — ii. ḡt. a ȝ. colūpne.
Sūma tel cȝebi 8 machmolo i petiis̄ — iii. a ȝ. col̄.
Disputaodes̄ Johis̄ 8 deo i petiis̄ — ii. a media. ta
ȝate — — ṫ. ḡt.

Disputaodes̄ Johis̄ 8 deo i petiis̄ — — vii. ḡt. iuuat
ii. taȝan in col̄. taȝan in — — vii. ḡt.

Questioes̄ Johis̄ 8 deo i petiis̄ — — ili. ḡt. mil̄. vii.
col̄. taȝan in — v. ḡt.

Peteniariū Johis̄ i petiis̄ — ii. ḡt a mil̄. vii. colūp
ne pue.

Cauillaces̄ Johis̄ i petiis̄ — — v. ḡt a f me8l̄ pu.
Puellus̄ Johis̄ i petiis̄ — ii. ḡt. mil̄. ili. col̄. taȝa
t̄ in — ii. ḡt.

Pastoȝale Johis̄ i petiis̄ — ii. ḡt a vii. col̄. ta
ȝan in — iii. ḡt.

Perfecto uguconis̄ i petiis̄ — vii. pene. a vi.
col̄. taȝate in — iii. ḡt. a me8.

Albȝanū i petiis̄ — — vii. ḡt. mil̄. ili. col̄. a ñ̄ ma
gni̍ ñ̄ pui.

Sūma Rolādin i petiis̄ — vii. ḡt. a ȝi. col̄.
taȝan in — xvi. ḡt. a me8.

Flos̄ Rolādin i petiis̄ — vii. pene parue.
Aurora Eldeȝ i petiis̄ — xii. pene pue. h̄ f opti̍.
Aub. C. i petiis̄ — ii. pene merli̍. ii. col̄. fere a pue.
Margaȝita bernardi. ṫ. petiis̄ ḡt. minus̄ ii. col̄.

Pl. VIII

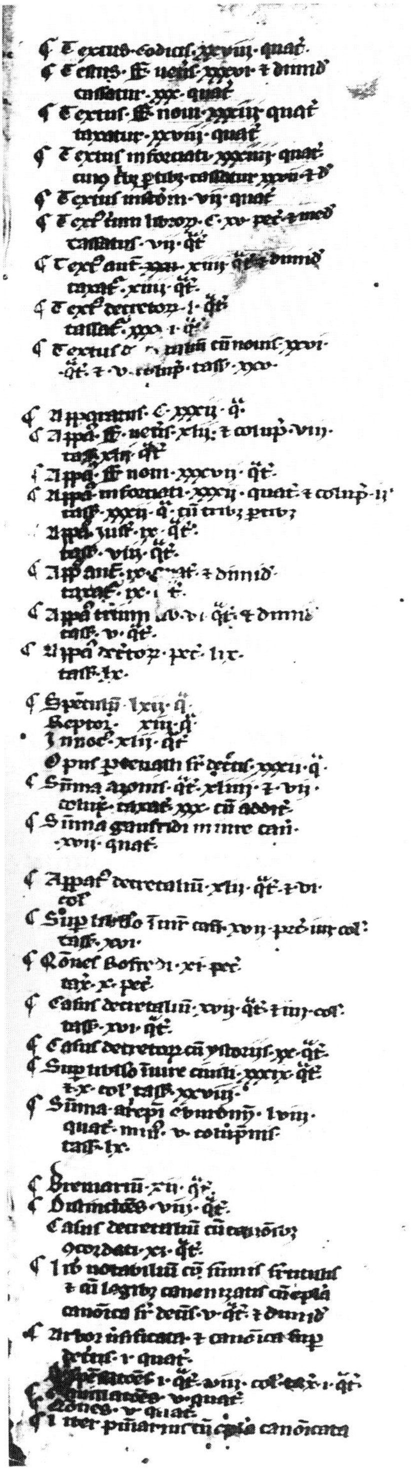

Pl. IX

1. Venezia, Biblioteca Nazionale Marciana 10320, f. 24vb.

2. Biblioteca Vaticana, Borgh. 17, f. 59ra. Foto Biblioteca Vaticana.

3. Erlangen, Universitätsbibliothek 269/2, f. 240va.

4. Erlangen, Universitätsbibliothek 269/2, f. 180va.

5. Paris, Bibliothèque de l'Arsenal 454, f. 193va. Phot. Bibl. Nat., Paris.

6. Paris, Bibliothèque de l'Arsenal 456, f. 147vb. Phot. Bibl. Nat., Paris.

Pl. X

7. Biblioteca Vaticana, Borgh. 300, f. 221va. Foto Biblioteca Vaticana.

8. Biblioteca Vaticana, Borgh. 300, f. 173va. Foto Biblioteca Vaticana.

9. Biblioteca Vaticana, Vat. lat. 853, f. 318ra. Foto Biblioteca Vaticana.

10. Paris, Bibliothèque de l'Arsenal 456, f. 143vb. Phot. Bibl. Nat., Paris.

12. Erlangen, Universitätsbibliothek 269/2, f. 221va.

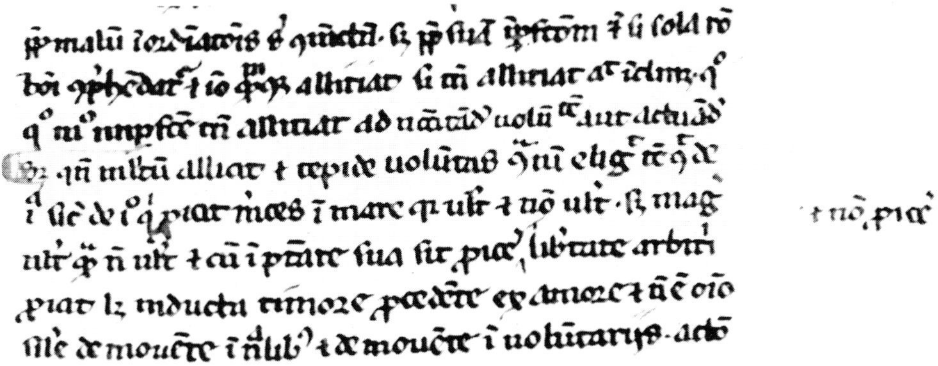

Pl. XI

11. Brugge, Groot-Seminarie, 36/148, f. 100rb.

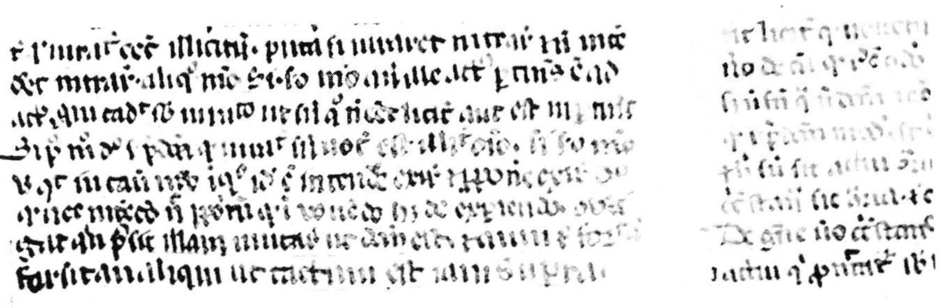

13. Bologna, Biblioteca Universitaria lat. 2236, f. 241ra.

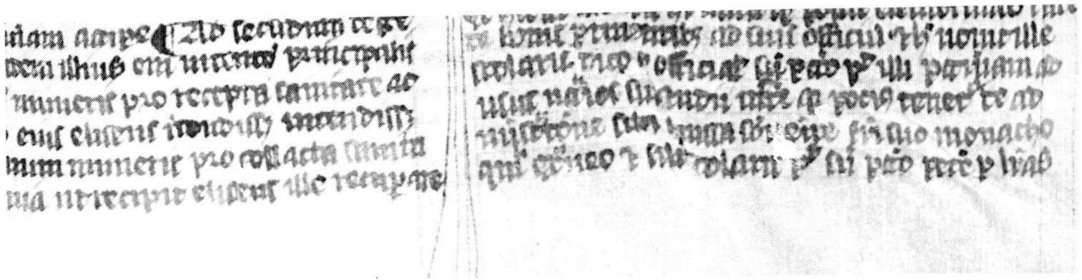

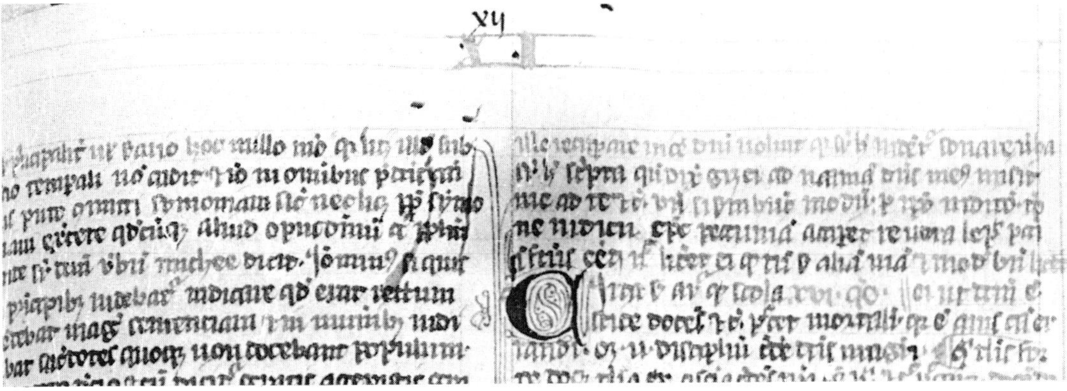

14. Padova, Biblioteca Capitolare C. 43, f. 347ra/rb.

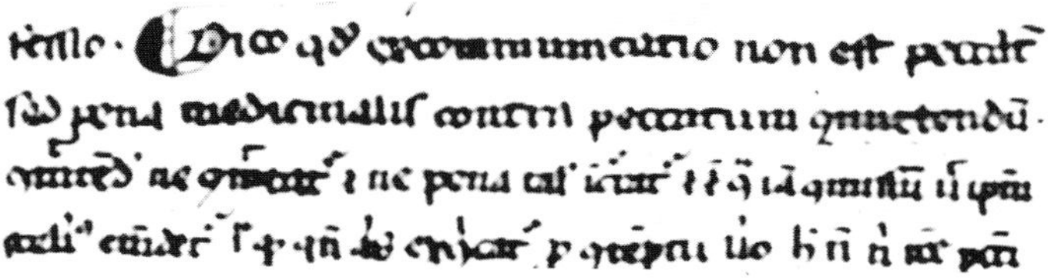

Pl. XII

15. Brugge, Groot-Seminarie 36/148, f. 109ra.

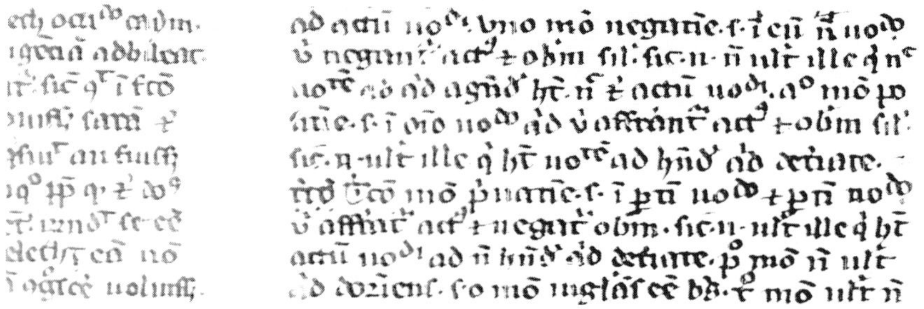

16. Paris, Bibliothèque de l'Arsenal 454, f. 166rb. Phot. Bibl. Nat., Paris.

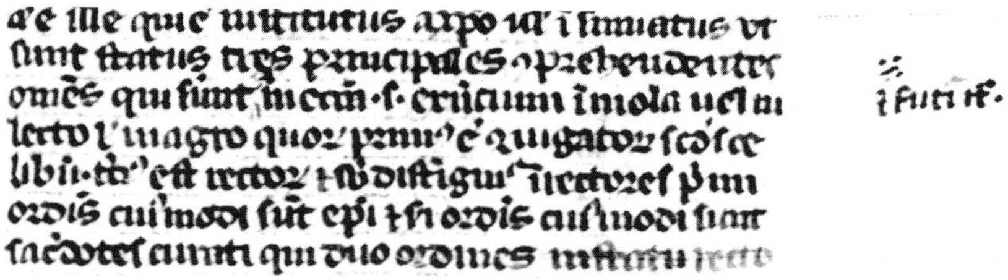

17. Paris, Bibliothèque Nationale, lat. 15358, f. 320rb. Phot. Bibl. Nat., Paris.

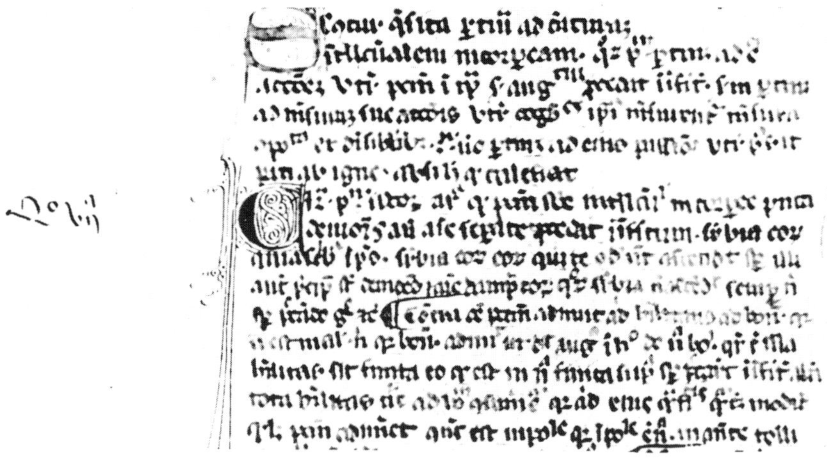

18. Bologna, Biblioteca Universitaria lat. 2236, f. 237va.

Pl. XIII

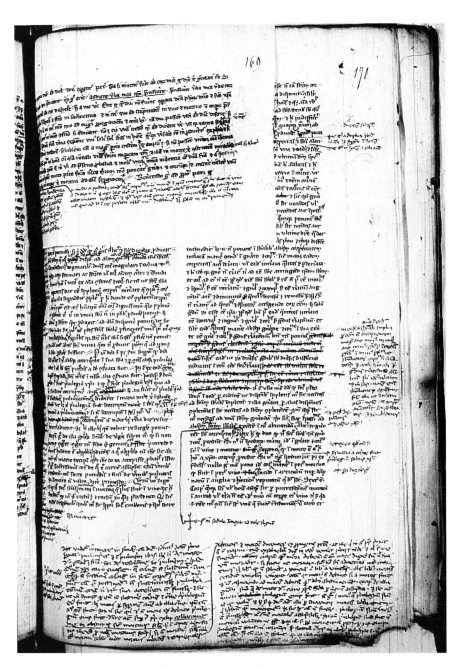

Billet intercalé dans l'original probable du *Quodlibet X* d'Henri de Gand (ms. Paris, Bibliothèque Nationale, lat. 15350, f. 169r). Phot. Bibl. Nat., Paris.

Pl. XIV

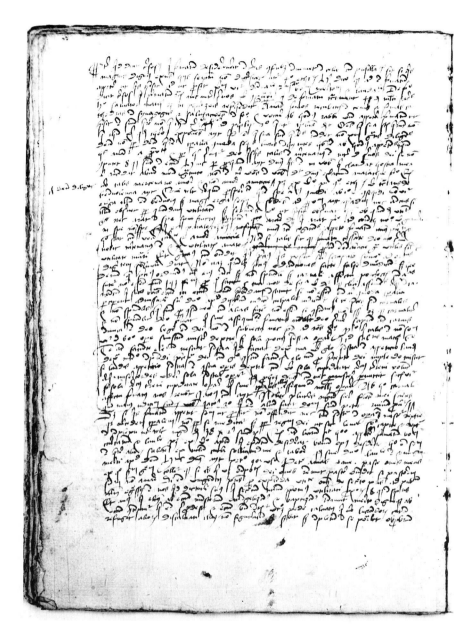

Passage barré par Hadrien VI dans son *Quodlibet I* (ms. Leuven, Bibl. Fac. Theol., 17, f. 94v).

Pl. XV

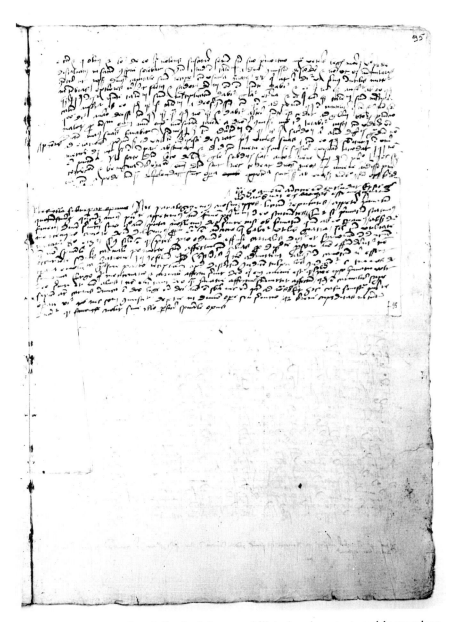

En face de ce passage barré, il a inséré sur un billet séparé un texte qui le remplace
(ms. Leuven, Bibl. Fac. Theol., 17, f. 95r).

Pl. XVI

Corrections d'auteur probables d'Henri de Gand dans son *Quodlibet X* (ms. Paris, Bibliothèque Nationale, lat. 15350, f. 181v). Phot. Bibl. Nat., Paris.

Pl. XVII

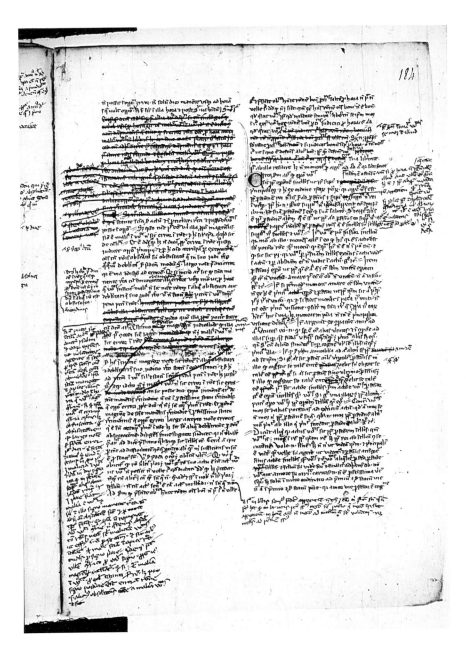

Autre exemple dans le même ouvrage (ms. Paris, Bibliothèque Nationale, lat. 15350, f. 184r). Phot. Bibl. Nat., Paris.

Pl. XVIII

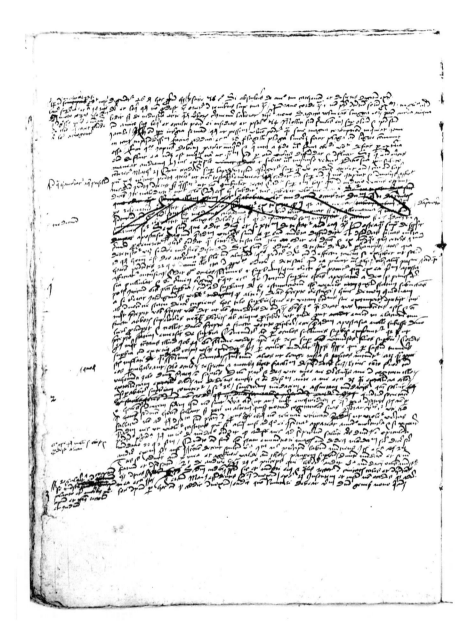

Corrections d'auteur d'Hadrien VI dans son *Commentarius in Proverbia* (ms. Leuven, Bibl. Fac. Theol., 17, f. 33v).

Pl. XIX

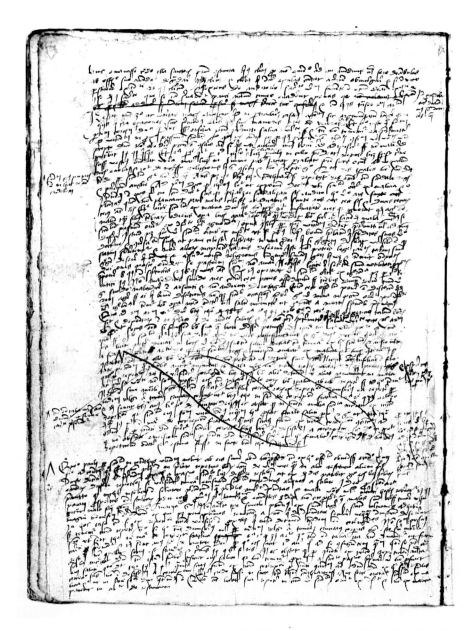

Autre exemple du même auteur dans son *Quodlibet I* (ms. Leuven, Bibl. Fac. Theol., 17, f. 89v).

IMPRIMERIE LOUIS-JEAN
BP 87 — 05003 GAP Cedex
Tél. : 92.51.35.23
Dépôt légal : 69 — Janvier 1991
Imprimé en France